BARUN LAW

법무법인(유한) 바른

고객을 위해 '바른' 변호사가
모인 법무법인(유한) 바른!

WWW.BARUNLAW.COM

KB156328

바른 '조세팀' 구성원

바른 길을 가는 든든한 파트너!

이원일	하종대	최주영	손삼락	박성호	최문기
대표 변호사	파트너 변호사	팀장 변호사	파트너 변호사	파트너 변호사	파트너 변호사
조세쟁송/자문	조세쟁송/자문	조세쟁송/자문	조세쟁송/자문	조세쟁송/자문	조세쟁송/자문

조현관	김기복	김기목	김현석	추교진	김지은
상임고문	고문	세무사	세무사	파트너 변호사	파트너 변호사
세무조사/자문	세무조사/자문	세무조사/불복	세무조사/불복	조세쟁송/자문	조세쟁송/자문

구성원 소개

이정호	파트너변호사	조세쟁송/자문	김준호	변호사	조세쟁송/자문	정찬호	변호사	조세쟁송/자문
김정준	파트너변호사	조세쟁송/자문	김영미	변호사	조세쟁송/자문	한상연	변호사	조세쟁송/자문
백종덕	변호사	조세쟁송/자문	유상화	변호사	조세쟁송/자문	민경찬	변호사	조세쟁송/자문
이수경	변호사	조세쟁송/자문	이찬웅	변호사	조세쟁송/자문			

Barun Law
Capabilities

법무법인(유한), 바른
서울 강남구 테헤란로 92길 7 바른빌딩 (리셉션: 5층, 12층)
TEL 02-3476-5599   FAX 02-3476-5995   CONTACT@BARUNLAW.COM

01

목차

■ **한국공인회계사회**   **12**

■ **회계법인(가나다順)**

EY한영   13

대현회계법인   14

딜로이트 안진   15

미래회계법인   16

삼도회계법인   17

삼일회계법인   18~19

서현회계법인   6~7

삼정KPMG   20~22

신승회계법인   23

예일회계법인   24

우리회계법인   25

재정회계법인   26

정진세림회계법인   27

■ **한국세무사회**   **28~29**

■ **한국세무사고시회**   **30**

■ **세무대학세무사회**   **31**

■ **서울지방세무사회**   **32**

■ **중부지방세무사회**   **33**

■ **인천지방세무사회**   **34**

■ **세무법인(가나다順)**

BnH세무법인   35

가현택스 임채수세무사   150, 161, 215

광교세무법인   36~38

대원세무법인   163, 167

민우세무법인   197

삼도 세무회계   151, 153, 160, 193

세림세무법인   177

세무그룹 토은   39, 130

세무법인 T&P   40, 129

세무법인 공감   214

세무법인 다솔   41

세무법인 다우   42, 144, 226, 369

세무법인 더택스   43

세무법인 삼륭   44

세무법인 택스홈앤아웃   45, 247

세무법인 하나   47

세무회계 해강   197, 513

세원세무법인   48

예일세무법인   49, 196, 215

이안세무법인   50

이현세무법인   6~7

현석세무회계   160, 207

■ **한국관세사회**   **51**

■ **관세법인(가나다順)**

세인관세법인   52

신대동관세법인 부산지점   53

■ **로펌(가나다順)**

김앤장 법률사무소   54~55

법무법인 광장   56~57

법무법인 바른   1

법무법인 율촌   58

법무법인 지평   59

법무법인 태평양   60

■ **국회기획재정위원회**   **63**

■ **국회법제사법위원회**   **65**

■ **국회정무위원회**   **67**

■ **감사원**   **69**

DL E&C

■ **기획재정부**	**73**
세제실	75
기획조정실	77
예산실	78
■ **금융위원회**	**92**
■ **금융감독원**	**95**
■ **상공회의소**	**108**
■ **중소기업중앙회**	**110**
■ **국세청**	**113**
본　　청 국·실	114
주류면허지원센터	134
국세상담센터	136
국세공무원교육원	138
■ **서울지방국세청**	**141**
지방국세청 국·과	142
강　　남 세무서	166
강　　동 세무서	168
강　　서 세무서	170
관　　악 세무서	172
구　　로 세무서	174
금　　천 세무서	176
남 대 문 세무서	178
노　　원 세무서	180
도　　봉 세무서	182
동 대 문 세무서	184
동　　작 세무서	186
마　　포 세무서	188
반　　포 세무서	190
삼　　성 세무서	192

서 대 문 세무서	194
서　　초 세무서	196
성　　동 세무서	198
성　　북 세무서	200
송　　파 세무서	202
양　　천 세무서	204
역　　삼 세무서	206
영 등 포 세무서	208
용　　산 세무서	210
은　　평 세무서	212
잠　　실 세무서	214
종　　로 세무서	216
중　　랑 세무서	218
중　　부 세무서	220
■ **중부지방국세청**	**223**
지방국세청 국·과	224
[경기] 구　　리 세무서	234
기　　흥 세무서	236
남 양 주 세무서	238
동 수 원 세무서	240
동 안 양 세무서	242
분　　당 세무서	244
성　　남 세무서	246
수　　원 세무서	248
시　　흥 세무서	250
경기광주 세무서(하남지서)	252
안　　산 세무서	254
동 안 산 세무서	256
안　　양 세무서	258

목차

용　　인 세무서	260	
이　　천 세무서	262	
평　　택 세무서(안성지서)	264	
동 화 성 세무서	266	
화　　성 세무서	268	
[강원] 강　　릉 세무서	270	
삼　　척 세무서(태백지서)	272	
속　　초 세무서	274	
영　　월 세무서	276	
원　　주 세무서	278	
춘　　천 세무서	280	
홍　　천 세무서	282	

■ 인천지방국세청 **285**

지방국세청 국·과	286
남　　동 세무서	294
서 인 천 세무서	296
인　　천 세무서	298
계　　양 세무서	300
고　　양 세무서	302
광　　명 세무서	304
김　　포 세무서	306
동 고 양 세무서	308
남 부 천 세무서	310
부　　천 세무서	312
부　　평 세무서	314
연　　수 세무서	316
의 정 부 세무서	318
파　　주 세무서	320

포　　천 세무서(동두천지서)	322

■ 대전지방국세청 **325**

지방국세청 국·과	326
[대전] 대　　전 세무서	332
북 대 전 세무서	334
서 대 전 세무서	336
[충남] 공　　주 세무서	338
논　　산 세무서	340
보　　령 세무서	342
서　　산 세무서	344
세　　종 세무서	346
아　　산 세무서	348
예　　산 세무서(당진지서)	350
천　　안 세무서	352
홍　　성 세무서	354
[충북] 동 청 주 세무서	356
영　　동 세무서	358
제　　천 세무서	360
청　　주 세무서	362
충　　주 세무서(충북혁신지서)	364

■ 광주지방국세청 **367**

지방국세청 국·과	368
[광주] 광　　산 세무서	374
광　　주 세무서	376
북 광 주 세무서	378
서 광 주 세무서	380
[전남] 나　　주 세무서	382
목　　포 세무서	384

순 천 세무서(벌교지서,광양지서)		386
여 수 세무서		388
해 남 세무서(강진지서)		390
[전북] 군 산 세무서		392
남 원 세무서		394
북 전 주 세무서(진안지서)		396
익 산 세무서(김제지서)		398
전 주 세무서		400
정 읍 세무서		402
■ 대구지방국세청		**405**
지방국세청 국·과		406
[대구] 남 대 구 세무서		412
동 대 구 세무서		414
북 대 구 세무서		416
서 대 구 세무서		418
수 성 세무서		420
[경북] 경 산 세무서		422
경 주 세무서(영천지서)		424
구 미 세무서		426
김 천 세무서		**428**
상 주 세무서		430
안 동 세무서(의성지서)		432
영 덕 세무서(울진지서)		434
영 주 세무서		436
포 항 세무서(울릉지서)		438
■ 부산지방국세청		**441**
지방국세청 국·과		442
[부산] 금 정 세무서		450
동 래 세무서		452

부 산 진 세무서		454
부산강서 세무서		456
북 부 산 세무서		458
서 부 산 세무서		460
수 영 세무서		462
중 부 산 세무서		464
해 운 대 세무서		466
[울산] 동 울 산 세무서(울주지서)		468
울 산 세무서		470
[경남] 거 창 세무서		472
김 해 세무서(밀양지서)		474
마 산 세무서		476
양 산 세무서		478
진 주 세무서(하동지서,사천지서)		480
창 원 세무서		482
통 영 세무서(거제지서)		484
[제주] 제 주 세무서(서귀포지서)		486
■ 관세청		**489**
본 청 국·과		490
서울본부세관		493
인천본부세관		497
부산본부세관		501
대구본부세관		505
광주본부세관		507
■ 행정안전부 지방재정경제실		**510**
■ 국무총리실 조세심판원		**512**
■ 한국조세재정연구원		**514**
■ 전국세무관서 주소록		**517**
■ 색인		**521**

성 명	직 책	주요 경력
안만식	서현파트너스 회장	
배홍기	서현회계법인 대표이사	산동 KPMG · 삼정회계법인 · 기재부 공공기관운영위원회 위원
마숙룡	세무본부 본부장	서울청 · 중부청 조사국 · 중부청 국세심사위원
김진태	감사본부 본부장	삼정회계법인
최상권	종합서비스본부 본부장	안진회계법인
김병환	컨설팅본부 본부장	한영회계법인

업무 분야	성명	직책	주요 경력
회계감사 · 재무실사 · IPO 전담	김남국 / 김하연	파트너	삼일회계법인 / 안진회계법인
	공영칠 / 이관호 / 현명기	파트너	삼정회계법인 / 삼일회계법인 / 대주회계법인
	이종인 / 이기원 / 구양훈	파트너	서일회계법인 / 안진회계법인 / 한영회계법인
	신호석 / 이창근 / 김민찬	파트너	삼정회계법인 / 한영회계법인 / 한영회계법인
기업회생 · 구조조정 전담	김형남	회계사	안진회계법인
R&D 관련 사업비 정산	박희주	파트너	하나은행 · 서일회계법인
금융기관 여신거래처 경영컨설팅 전담	강정필	파트너	안진회계법인
사업구조 Re-Design 및 Value Up	최상권	파트너	안진회계법인
ERM, Audit Analytics 내부감사 · 내부통제 기업지배구조 · 윤리 · 준법경영	권우철	파트너	삼정회계법인 · 안진회계법인
	한주호 / 오영주	이사 / 이사	안진회계법인 · 삼정회계법인 · 안진회계법인 · 삼성SDS
금융기관 전담	이기원	파트너	안진회계법인
내부회계관리제도	김진태	대표	삼정회계법인
	신호석 / 권준엽	파트너	삼정회계법인 / 안진회계법인
Deal Advisory	오창걸	파트너	삼일회계법인
재무자문 (M&A, 실사, 가치평가) · 경영컨설팅전담	김병환 / 이현석	파트너	한영회계법인 / 삼일회계법인 · RG자산운용
	안상춘	파트너	삼일회계법인
방산원가 자문	정명균	전문위원	방위사업청
법인세 및 세무조사 지원	마숙룡	대표	서울청 · 중부청 조사국 · 중부청 국세심사위원
	전갑종	대표	산동KPMG · 국세청 심사위원 · 공인회계사회 세무감리위원
	정시영 / 한성일 / 송영석	파트너	삼일회계법인 · 한영회계법인 / 국세청 / 삼정회계법인
	이명진	파트너	국세청 · 서울청 조사 4국
조세불복 전담	김수경	대표변호사	사시 51회 · 국세청고문변호사 · 부산청 납보관 · 삼일회계법인
	박환택	변호사	세무대학7기 · 사시 43회 · 조세범칙 전문
	김준동	변호사	사시 43회 · 상속전문 · 공공기관 자문변호사
	김서영	전문위원	국세청 법규과 · 서울청 법인세과
재산제세 전담	박종민	파트너	서울청 조사국
국제조세 전담	박주일 / 강민하	파트너	국세청 국조 · 서울청 조사국 · 국세청 / 이현세무법인
가업승계 전담	왕한길 / 신지훈	상무	국세청 / 삼정회계법인

※ 제휴법인 임원 포함

PKF 瑞賢 Alliance
Logos & WISE

서현파트너스
서현회계법인
이현세무법인
법무법인 두현
서현학술재단

서울시 강남구 테헤란로 440 포스코센터 서관 3층
Tel : 02-3011-1100 | 02-3218-8000
www.shacc.kr | www.ehyuntax.com | www.shcgr.kr
광주지점 062-384-8211 | 부산지점 051-635-0222

재무인의 가치를 높이는 변화

조세일보 정회원

온라인 재무인명부 — 수시 업데이트되는 국세청, 정·관계 인사의 프로필, 국세청, 지방국세청, 전국 세무서, 관세청, 공정위, 금감원 등 인력배치 현황

예규·판례 — 행정법원 판례를 포함한 20만 건 이상의 최신 예규, 판례 제공

구인정보 — 조세일보 일평균 10만 온라인 독자에게 구인 정보 제공

업무용 서식 — 세무·회계 및 업무용 필수서식 3,000여 개 제공

세무계산기 — 4대보험, 갑근세, 이용자 갑근세, 퇴직소득세, 취득/등록세 등 간편 세금계산까지!

묶음 상품

정회원 기본형

유료기사 + 문자서비스
+
온라인 재무인명부 + 구인정보

= 15만원 / 연

정회원 통합형

정회원 기본형
+
예규·판례

= 30만원 / 연

개별 상품

온라인 재무인명부

= 10만원 / 연

구인정보

= 10만원 / 연

※ 자세한 조세일보 정회원 서비스 안내 http://www.joseilbo.com/members/info/

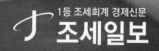

1등 조세회계 경제신문
조세일보

언제나 어디서나 NH농협생명

내 손안의 편리한 보험서비스를 누려보세요

비대면 채널은 더 다양해지고, 보안과 시스템은 더 스마트해졌습니다
언제 어디서나 편리하게, NH농협생명의 서비스와 함께 하세요

다양한 채널에서 NH농협생명을 만나세요

NH농협생명
[PC / 모바일]

NH농협생명 온라인보험
[PC / 모바일]

전국 농축협 등
5900여개 지점

전국 NH농협 ATM기

내맘같은 고객센터
1544-4000

NH농협생명 보험수련원
[PC / 모바일]

World EXPO 2030
BUSAN, KOREA

2030 부산세계박람회 유치를
NH농협생명이 응원합니다

내맘같이

TAX

한번에 CHECK!

세금신고 가이드

http://www.joseilbo.com/taxguide

OFF | MRC | M− | M+ | ON/CE

법 인 세
종합소득세
부가가치세
원 천 징 수

지 방 세
재 산 세
자동차세
세 무 일 지

국 민 연 금
건강보험료
고용보험료
산재보험료

연 말 정 산
양도소득세
상속증여세
증권거래세

1등 조세회계 경제신문
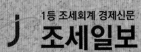
조세일보

경제성장률

가계비용절감

기업가치

회계가 바로 서야
경제가 바로 섭니다

투명 회계 선순환의 법칙을 아십니까?
기업의 회계가 투명해지면 기업가치가 높아지고,
국가의 회계가 투명해지면 경제성장률이 올라가 일자리가 많아지고,
생활 속 회계가 투명해지면 아파트 관리비가 절감되어
가계의 실질 소득이 늘어나고!
회계가 투명해지면 어제보다 살기 좋은 대한민국이 만들어집니다.

투명한 회계로 바로 서는 한국 경제!
경제 전문가 공인회계사가 함께하겠습니다

KICPA 한국공인회계사회
THE KOREAN INSTITUTE OF
CERTIFIED PUBLIC ACCOUNTANTS

EY 한영

Building a better
working world

세무부문대표	고경태	kyung-tae.ko@kr.ey.com
기업세무	우승엽	seung-yeop.woo@kr.ey.com
	유정훈	jeong-hun.you@kr.ey.com
	신장규	jang-kyu.shin@kr.ey.com
	권성은	sung-eun.kwon@kr.ey.com
	김승모	seungmo.kim@kr.ey.com
	박대목	daemork.park@kr.ey.com
	서석준	sukjoon.seo@kr.ey.com
	양기석	ki-seok.yang@kr.ey.com
	양지호	jiho.yang@kr.ey.com
	이정기	jungkee.lee@kr.ey.com
	임효선	hyosun.lim@kr.ey.com
	박기형	ki-hyung.park@kr.ey.com
	심석인	sug-in.shim@kr.ey.com
M&A자문 및 국제조세	이기수	ki-soo.lee@kr.ey.com
	장남운	nam-wun.jang@kr.ey.com
	염현경	hyun-kyung.yum@kr.ey.com
	정일영	ilyoung.chung@kr.ey.com
	장소연	so-yeon.jang@kr.ey.com
	김영훈	yung-hun.kim@kr.ey.com
이전가격 자문	정인식	in-sik.jeong@kr.ey.com
	남용훈	yong-hun.nam@kr.ey.com
	정훈석	hoonseok.chung@kr.ey.com
	하동훈	dong-hoon.ha@kr.ey.com
인적자원 관련 서비스	정지영	jee-young.chung@kr.ey.com
금융세무	이덕재	deok-jae.lee@kr.ey.com
	김동성	dong-sung.kim@kr.ey.com
	오은미	eun-mi.oh@kr.ey.com
	김스텔라	stella.kim@kr.ey.com
국제상속증여자문	이나래	na-rae.lee@kr.ey.com
관세	박동오	dongo.park@kr.ey.com

서울특별시 영등포구 여의공원로 111
02-3787-6600
www.ey.com/kr

13

세무업무와 회계감사를 함께 수행하는 최고의 전문가 !!!

대현회계법인

대표이사   송재현

공인회계사, 세무사, 세무전문가 Tel:010-6700-3636

안건회계법인 세무본부근무 7년

개인사무소 개업 12년

대현회계법인 설립, 대표이사 21년

한국공인회계사회 부회장, 국세연구위원장(전), 중소회계법인협의회장(전)

축산업, 사료업의 세무업무에 전문, 특화된 최고의 세무대리인 대현회계법인

세무사업본부 임직원

성명	전문분야	연락처	주요경력
신현중	세무업무	010-4827-6100	세무업무전담, 세무본부경력 18년
최은정	세무업무	010-4972-6100	세무업무전담, 세무본부경력 18년
채희태	세무업무	010-7139-6100	세무대학 1기, 국세청 근무, 세무조사대응
박창화	세무회계	010-4996-6100	세무회계업 전업경력 23년
이이건	세무회계	010-9186-6100	세무회계업 전업경력 18년

회계감사본부 임직원

성명	전문분야	연락처	주요경력
김재근	회계감사 및 컨설팅	010-2715-5634	상장회사 회계감사, 내부회계구축자문, 기업가치평가
이지형	회계감사 및 컨설팅	010-9076-6885	회계감사 및 세무자문업무, 세무회계업 전업경력 20년
김태욱	회계감사 및 가치평가	010-3529-8735	회계감사 및 원가시스템구축, 세무회계업 전업경력 18년
박성준	회계감사	010-5487-0819	회계감사 및 세무자문

파트너 구성원

성명	전문분야	연락처	주요경력
송재현	세무업무	010-6700-3636	세무업무, 절세전략, 세법개정지원, 세무전문가
김경태	회계감사,세무업무	010-2964-5315	비영리법인 회계감사 및 세무업무
이광준	감사세무 및 컨설팅	010-3257-2209	회계감사,세무대응,기업가치평가,기장대리
박재민	세무자문,회계감사	010-9066-5807	세무대응,기장대리,회계감사,원가자문
정화국	회계감사,화생컨설팅	010-2211-0443	상장회계감사 및 컨설팅,성원건설등 주요법인회생자문
신대용	민자사업	010-4722-1022	민자사업 전문
우필구	외국법인컨설팅	010-5268-7691	국제회계,외국법인자문,회계감사 및 세무업무
김영수	회계감사 및 컨설팅	010-8380-6889	상장,비상장 회계감사,M&A 경영컨설팅
강경보	회계감사 및 컨설팅	010-3785-0396	상장회사회계감사,내부회계구축및자문,기업가치평가
신한철	세무자문,회계감사	010-3306-9746	상장사 회계감사,세무업무
이태수	회계감사 및 컨설팅	010-9105-7096	상장,비상장 회계감사,기업가치평가,자산유동화

서울특별시 광진구 능동로 7 한강파크빌딩 6층 (우) 05086

Tel : 02-552-6100 Fax : 02-552-0067

딜로이트 안진회계법인

서울시 영등포구 국제금융로 10 서울국제금융센터 One IFC 9층 (07326)　　　　Tel : 02-6676-1000

■ 세무자문본부 (리더 및 파트너 그룹)　　　　본부장 : 권지원 02-6676-2416

전문분야	성명	전화번호	전문분야	성명	전화번호
법인조세 / 국제조세	김지현	02-6676-2434	금융조세	김철	02-6676-2931
	이신호	02-6676-2375		신창환	02-6099-4583
	Scott Oleson	02-6676-2012		이정연	02-6676-2166
	고대권	02-6676-2349		임지훈	02-6676-1785
	권기태	02-6676-2415		최국주	02-6676-2439
	김석진	02-6138-6248	이전가격	이용찬	02-6676-2828
	곽민환	02-6676-2488		류풍년	02-6676-2820
	김선중	02-6676-2518		송성권	02-6676-2507
	김원동	02-6676-1259		인영수	02-6676-2448
	김중래	02-6676-2419		최은진	02-6676-2361
	김한기	02-6138-6167	Tax Controversy	조규범	02-6676-2889
	민윤기	02-6676-2504		강이	02-6676-2544
	박종우	02-6676-2372		김점동	02-6676-2332
	박준용	02-6676-2363		김태경	02-6676-2873
	신기력	02-6676-2519		이호석	02-6676-2527
	신창환	02-6099-4583		정환국	02-6099-4301
	안병욱	02-6676-1164		정영석	02-6676-2438
	오종화	02-6676-2598		최재석	02-6676-2509
	윤선중	02-6676-2455		홍장희	02-6676-2832
	이재우	02-6676-2536		현희성	02-6676-1434
	이재훈	02-6676-1461	Business Process Solutions	박성한	02-6676-2521
	임홍남	02-6676-2336		이용현	02-6676-2355
	조원영	02-6099-4445		정재필	02-6676-2593
	최승웅	02-6676-2517	해외주재원 세무서비스	서민수	02-6676-2590
	하민용	02-6676-2404		권혁기	02-6676-2840
	한홍석	02-6676-2585	개인제세 / 재산제세	김중래	02-6676-2419
M&A 세무	Scott Oleson	02-6676-2012		신창환	02-6099-4583
	김영필	02-6676-2432	관세	유정곤	02-6676-2561
	우승수	02-6676-2452		정인영	02-6676-2804
	유경선	02-6676-2345	부동산세제	장상록	02-6138-6904
	이석규	02-6676-2464		조원영	02-6099-4445
일본세무	김명규	02-6676-1331	Tax R&D	김경조	02-6099-4279
	이성재	02-6676-1837	Tax Technology	구현모	02-6676-2126

www.miraecpa.co.kr

미래회계법인을 만나면
"Class" 가 달라집니다.

다수의 전문가들이 제공하는 통합경영컨설팅 서비스는
미래회계법인이 제공하는 핵심 고객가치 입니다.

경영컨설팅 서비스

창업 컨설팅
투자 유치 자문
코스닥 등 IPO 자문
M&A Consulting

기업 회계감사
기업가치 평가
정책자금 감사
아파트 회계감사

회계감사 및 회계자문

기업가치의 극대화

효율적인
조세전략

회계투명성
경영효율성
증대

세무서비스

양도·상속·증여세
세무 자문
조세 전략 입안
조세 불복

제1본부	문병무	대표 공인회계사	010-5322-3321	제3본부	권안석	대표 공인회계사	010-5349-3223
	정지숙	이사/회계1본부	010-7195-7066		김민지	공인회계사	010-3902-2411
제2본부	남택진	대표 공인회계사	010-5350-7208		김아름	부장/회계3본부	010-6296-8915
	이승준	공인회계사	010-2066-7198	제5본부	이경희	공인회계사	010-9957-7626
	송영민	이사/회계2본부	010-6736-3696	심리실	박재균	공인회계사	010-3727-3121

미래회계법인은 회계감사 및 회계자문, 제무전략 그리고 경영컨설팅 분야에서 고도의 전문지식과 풍부한 실무경험을 바탕으로 50여명
의 공인 회계사, 세무사, 회계 전문가 등 전문가와 실무자들이 고객 사업 특성에 맞는 다양한 전문서비스를 제공합니다.

MIRAE 미래회계법인 accounting corporation

경기도 수원시 영통구 광교로 107, 14층(이의동, 경기도경제과학진흥원) T 031-259-6333 F 031-259-6334
경기도 수원시 영통구 광교로 105, 4층, 406호(이의동, 경기R&DB센터) T 031-888-0903 F 031-888-0906

삼도회계법인
SAMDO ACCOUNTING FIRM

숙련된 전문가 집단

삼도회계법인은 숙련된 경험을 가진 10~15년차 회계사가 주축이 되어 효율적, 효과적으로
업무를 수행함으로써 서비스팀의 대부분이 1~2년차 시니어급으로 구성되는
타 회계법인과는 차별화된 고품격의 Service를 제공할 수 있습니다.

서비스 융합

Global Big4 회계법인의 Audit, TAX, FAS, Consulting 부서출신의
전문인력들이 같은 곳에서 서로 조화롭게 논의하고 함께 Co-work함으로써
고객에게 발생한 다양한 Issue들에 대하여 상호융합된 시각을 제공할 수 있습니다.

강한 내부 심리 절차

삼도회계법인은 감사 및 자문 용역 등 고객에게 제공하는 모든 업무에 있어
Quality 준수를 최고의 가치로 여기고 법인 내부 심리 인력 및 조직과 절차를 강화하였습니다.
이를 통해 고객에게 제공되는 모든 업무는 Internal Quality Review Process를 통해
그 정합성과 오류가능성을 항상 검증받고 있습니다.

경영위원회 ─ 사원총회 ─ 감사

대표이사
김동률 CPA

품질관리실
이영인 CPA

경영지원실

1본부
방찬식 CPA

박광수, 김영균, 황효동, 이의유, 박경원,
최지환, 김원중, 김완수, 최수열 CPA

2본부
오준석 CPA

양명수, 김천수, 한승구, 정희석, 김영도,
김주영, 김종현, 서재영 CPA

법인명 : 삼도회계법인
대표자 : 김동률
주　소 : 서울 서초구 사평대로 361, 청원빌딩 3층
연락처 : Tel) 02-511-2460 | Fax) 02-6918-0540
Email) info@samdoacc.com | Open hour 10:00~18:00

설립연도 : 2015년 3월
상장사 감사인 등록 : 2019년 12월
종업원수 : 289명 (KICPA 157명), 2022년 12월 말 현재
사업분야 : 회계감사, 세무자문, 경영자문, 기타자문 등

Tax Leader

Partner		이중현	709-0598

국내 및 국제조세

Partner								
오연관	709-0342	김윤섭	3781-9280	조영기	3781-9521	서연정	3781-9957
이영신	709-4756	남형석	709-0382	최유철	3781-9202	선병오	3781-9002
이상도	709-0288	박기운	73781-9187	최재표	709-0774	오혜정	3781-9347
정민수	709-0638	신윤섭	709-0906	허윤제	709-0686	하성훈	3781-9328
정복석	709-0914	신정희	709-3337	나현수	709-7042	한지용	709-8529
정선홍	709-0937	이용	3781-9025	진병국	709-4077	홍창기	3781-9489
나승도	709-4068	전진우	3781-2396	박주현	3781-9022	이남선	3781-3189
이동복	709-4768	한성근	709-8156	성창석	3781-9011	류성무	709-4761
차일규	3781-3173	금창훈	3781-0125	이혜민	3781-1732	서백영	709-0905
노영석	709-0877	김광수	709-4055	장현준	709-4004	심수아	3781-3113
김성영	709-4752	남우석	3781-9175	전형진	709-7016	오남교	709-4754
김봉균	3781-9975	전종성	3781-3185	최윤수	709-8773	박종우	3781-0181
정종만	709-4767	조성욱	709-8184	김원찬	709-0348	이용전	3781-2309
조창호	3781-3264	김영옥	709-7902	브로웰로버트	709-8896	이민지	3781-9200
조한철	3781-2577	박승정	3781-2576	양윤정	3781-9278	신현창	709-7904
정재훈	709-0296	변영선	3781-9684	유정은	709-8911	이경택	709-0726
김태훈	3781-2348	한규영	3781-3105	이승렬	3781-2335	최혜원	709-0990

이전가격 및 국제통상 서비스

Partner	전원엽	3781-2599	Herny An	3781-2594	조정환	709-8895	김영주	709-4098
	김찬규	709-6415	소주현	709-8248	이경민	3781-1550	이윤석	3781-2374

Global Tax Service

Partner	김주덕	709-0707	이동열	3781-9812	김홍현	709-3320
			박인대	3781-3268	성시준	709-0284

금융산업

Partner	정훈	709-3383	박태진	709-8833	박수연	709-4088	김종욱	3781-9091

Private Equity / M&A 세무자문

Partner	탁정수	3781-1481	김경호	709-7975	이종형	709-8185
			오지환	709-0286	여주희	3781-9074

글로벌 인력관리 / 고액자산가 세무자문

Partner		박주희	3781-2387

상속 증여 및 주식 변동

Partner	김운규	3781-9304	이현종	709-6459

지방세

Partner	조영재	709-0932	양인병	3781-3265

산업별 전문가

분류	이름	전화번호
테크놀로지	정재국	709-0980
플랫폼,E&M	한종엽	3781-9598
통신	한호성	709-8956
소비재	이승환	3781-9863
유통	임영빈	709-3394
헬스케어 / 제약	서용범	3781-9110
은행/카드/핀테크	임성재	709-6480
보험	진봉재	709-0349
증권/자산운용	유엽	709-8721
EPC(건설/부동산)	유원석	709-4718
조선해양	주대현	3781-9601
자동차/모빌리티	신승일	709-0648
화학	이기복	3781-9103
에너지/유틸리티/자원개발	한정탁	3781-0165
철강	최기혁	3781-9591
운송/물류	정양수	709-0261
공공기관/공기업	김병일	709-7079
SOC 공기업 및 비영리단체	홍승환	709-8822

리더	직위	성명	사내번호
CEO	회장	김교태	02-2112-0401
COO	부대표	이호준	02-2112-0098
감사부문	대표	한은섭	02-2112-0479
세무부문	대표	윤학섭	02-2112-0441
재무자문부문	대표	구승회	02-2112-0841
컨설팅부문	대표	정대길	02-2112-0881

세무부문(Tax)

부서명	직위	성명	사내번호
기업세무	부대표	한원식	02-2112-0931
	부대표	이관범	02-2112-0911
	부대표	이성태	02-2112-0921
	전무	박근우	02-2112-0960
	전무	김학주	02-2112-0908
	전무	이상길	02-2112-0931
	전무	나석환	02-2112-0931
	전무	류용현	02-2112-0908
	상무	유정호	02-2112-0960
	상무	장지훈	02-2112-0960
	상무	김병국	02-2112-0931
	상무	홍하진	02-2112-0960
	상무	김세환	02-2112-0960
	상무	이근우	02-2112-0911
	상무	최은영	02-2112-0911
	상무	홍승모	02-2112-0911
	상무	김형곤	02-2112-0908
	상무	김진현	02-2112-0921
	상무	이상무	02-2112-0269
	상무	홍태선	02-2112-6720
	상무	최세훈	02-2112-6728

상속·증여 및 경영권승계	부대표	한원식	02-2112-0931
	전무	이상길	02-2112-0931
	상무	김병국	02-2112-0931
국제조세	부대표	오상범	02-2112-0951
	전무	김동훈	02-2112-2882
	전무	이성욱	02-2112-2882
	상무	민우기	02-2112-2882
	상무	박상훈	02-2112-2882
	상무	조상현	02-2112-0951
	상무	서유진	02-2112-0951
	상무	이진욱	02-2112-3476
	상무	이창훈	02-2112-6815
국제조세(일본기업세무)	상무	김정은	02-2112-0269
	상무	이상무	02-2112-0269
M&A/PEF 세무	부대표	오상범	02-2112-0951
	전무	이성욱	02-2112-2882
	상무	서유진	02-2112-0951
	상무	송형우	02-2112-0269
	상무	민우기	02-2112-2882
	상무	이창훈	02-2112-6815
이전가격&관세	부대표	강길원	02-2112-7953
	전무	백승목	02-2112-6676
	전무	김상훈	02-2112-6676
	상무	윤용준	02-2112-7953
	상무	김태준	02-2112-6676
	상무	김태주	02-2112-0595
	상무	김현만	02-2112-0595

금융조세	전무	계봉성	02-2112-0921
	상무	김성현	02-2112-7401
	상무	박정민	02-2112-7401
	상무	최영우	02-2112-7401
Accounting & Tax Outsourcing	부대표	김경미	02-2112-0471
	상무	백승현	02-2112-7911
	상무	홍영준	02-2112-7911
	상무	홍민정	02-2112-0471
	상무	하성룡	02-2112-7914
Global Mobility Service (주재원, 해외파견 등)	상무	정소현	02-2112-7911
	상무	홍민정	02-2112-0471
지방세	부대표	이성태	02-2112-0921
	상무	홍승모	02-2112-0911

□ 임원 소개

김충국 대표세무사

고려대학교 정책대학원 세정학과	국세청 심사2담당관
중앙대학교 경영학과	국세청 국제세원관리담당관
중부지방국세청 조사3국장	서울지방국세청 국제거래조사국 팀장
서울지방국세청 감사관	조세심판원 근무

신승회계법인은 회계사 60명, 세무사 10명 등 200여명의 전문인력이 상근하여 전문지식과 다양한 경험을 바탕으로 고객에 맞춤형 세무 서비스를 제공하는 조직입니다.

□ 주요업무소개

조세불복, 세무조사대응
과세전적부심사 / 불복업무 / 조세소송지원

상속 증여 컨설팅
상속 증여 신고 대행 / 절세방안 자문

병의원 세무
개원 행정절차 / 병과별 병의원 세무 / 교육

Outsourcing
기장대행 / 급여아웃소싱 / 경리아웃소싱

세무 신고 대행
소득세 / 부가세 / 법인세 등 신고서 작성 및 검토

기타 세무 서비스
비상장주식평가 / 기업승계 / 법인청산업무

서울특별시 강남구 삼성로85길 32
(대치동, 동보빌딩 5층)

T. 02-566-8401

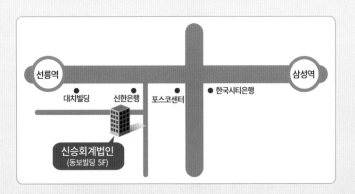

예일회계법인 주요구성원

구 분	성 명	자 격	전문 분야
서 울 본 사	윤 현 철	한국공인회계사	회장
	박 성 용	미국공인회계사	부회장
	김 재 율	한국공인회계사	대표이사
	문 상 철	한국공인회계사	회계감사 / 컨설팅
	이 수 현	한국공인회계사	회계감사 / 품질관리
	윤 태 영	한국공인회계사	회계감사 / NPL
	김 현 수	한국공인회계사	회계감사 / 회계자문
	송 윤 화	한국공인회계사	회계감사 / 기업구조조정
	이 승 재	한국공인회계사	회계감사 / 실사 및 평가
	이 태 경	한국공인회계사	회계감사 / 국내외 인프라 투자자문
	이 재 민	미국공인회계사	M&A / 부동산 투자자문
	주 상 철	한국공인회계사/한국변호사	정산감사 / 조세쟁송
	함 예 원	한국공인회계사	세무조정 / 세무자문 / 세무조사
	김 현 일	세무사	세무조사 / 조세심판
부산 본부	강 대 영	한국공인회계사	회계감사 / 세무자문 / 컨설팅
	하 태 훈	한국공인회계사	회계감사 / 세무자문 / 컨설팅
Indonesia Jakarta	정 동 진	한국공인회계사	회계감사 / 세무자문
YEIL America LA	임 승 혁	한국공인회계사	회계감사 / 세무자문
YEIL America Atlanta	이 재 영	한국공인회계사	미국 법인 총괄
	채 현 지	한국공인회계사	회계감사 / 세무자문
YEIL America NY	최 호 성	한국공인회계사	회계감사 / 세무자문

 예일회계법인

예일회계법인
우) 06737 서울시 서초구 효령로 해창빌딩 3~6층
T 02-2037-9290　　**F** 02-2037-9280　　**E** shyi@yeilac.co.kr　　**H** www.yeilac.co.kr

bakertilly

우리회계법인

대표전화 : 02-565-1631　　www.bakertilly-woori.co.kr
본사 : 서울 강남구 영동대로86길 17 (대치동,육인빌딩)
분사무소 : 서울 영등포구 양산로53 (월드메르디앙비즈센터)

우리회계법인은 230여명의 회계사를 포함한 400여명의 전문가가 고객이
필요로 하는 실무적이고 다양한 전문서비스를 제공하고 있습니다.

우리는 고객의 발전이
우리의 발전임을 명심한다.

Best Solution

우리는 기업 발전에
이바지한다는 사명감을
가지고 일한다.

Best Value

Best Practice

우리는 주어진 일을 할 때
항상 최선을 다하여
끊임없이 노력한다.

주요업무

Audit & Assurance
법정감사, 특수목적감사, 펀드감사, 기타
임의감사 및 검토 업무

Taxation Service
세무자문 관련 서비스, 국제조세 관련
서비스, 세무조정 및 신고 관련 서비스,
조세불복 및 세무조사 관련 서비스

Corporate Finance Service
M&A, Due Diligence, Financing(상장자문),
Valuation 업무

Public Sector Service
공공부문 회계제도 도입 및 회계감사,
공공기관 사업비 위탁정산 업무

IFRS Service
Accounting & Reporting, Business Advisory,
System & Process

Consulting Service
FTA 자문 서비스, SOC 민간투자사업 및
PF사업 자문 서비스, K-SOX 구축 및 고도화,
ESG(환경 사회 지배구조) 자문 업무

Business Recovery Service
회생(법정관리)기업에 대한 회생 Process지원,
법원 위촉에 따른 조사위원 업무, 구조조정 자문 업무

Outsourcing Service
세무 및 Payroll Outsourcing 서비스,
외국기업 및 외투기업 One-stop 서비스

6th Edition

상속증여 **핵심전략**

▶ **YouTube** | 나철호의 상속증여 🔍

2023
상속을
지금
준비하라

공인회계사 · 세무사 · 경영학박사 **나철호**

여러분!
상속을 왜 지금 준비해야 합니까?

그것은 바로 **세금의 절세를 넘어서
가족을 지키는 것입니다.**

상속재산은 많고 적음을 떠나 그 자체가
다툼과 분쟁의 대상이기 때문입니다.

나철호 공인회계사·경영학박사

- 재정회계법인 대표이사
- 한국세무학회 부회장
- 한국회계학회 부회장
- 한국공인회계사회 선출부회장·감사 (전)

재정회계법인은 상속증여·부동산세 **名家 입니다**

신뢰와 믿음을 주는
정진세림회계법인

정진세림 회계법인

투명하고 공정한 경제질서 확립의 파수꾼 역할을 다하기 위하여
최상의 전문서비스를 제공합니다.

전문적인 최고급 인력을 보유

정진세림회계법인은 2002년 설립된 젊은 회계법인으로써 고객과 함께 성장의 길을 달려가고 있으며 파트너를 포함한
공인회계사와 전문경영컨설턴트,전문직 직원을 포함하여 160명 이상의 최고급 인력을 보유하고 있습니다.

최고 수준의 서비스를 제공

또한 소속공인회계사들은 국내 BIG4, 기업체 및 공공기관에서 경력을 쌓으므로써 감사,세무,컨설팅 등의 업무수행과
국제적 Network를 통한 최상의 종합적인 전문서비스를 제공하고 있습니다.
회계감사 및 회계관련 서비스, M&A 세무관련 서비스 및 각종 경영 컨설팅을 통한 다양한 분야에서 전문적인 지식과 경험을 바탕으로
최고 수준의 서비스를 제공하겠습니다.

Organization

사원총회

감사위원회 　　　 운영위원회

대표이사

전이현 CPA

품질관리실	경영지원실	본점	지점
문경록 CPA	성효경 CPA	이 송 CPA 구승권 CPA 문태호 CPA 신동표 CPA 한동욱 CPA 장지환 CPA 김병순 CPA	김종연 CPA 강 원 CPA 정영한 CPA 마창훈 CPA

본점 : 서울시 강남구 역삼로 121(역삼동) 유성빌딩 3~5층
문의전화 : 02-501-9754　팩스번호 : 02-501-9759

지점 : 서울시 강남구 역삼로3길 11(역삼동) 광성빌딩 본관2층
문의전화 : 02-563-3133　팩스번호 : 02-563-3020

2019년 11월 주권상장법인 감사인등록 금융위원회 승인

한국세무사회 공식 ▶ YouTube
세무사TV
복잡한 세금, 세무사를 만나
쉽게 한번에 해결!

Since 1962
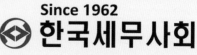

한국세무사회 임원진

원경희 회장

서울시 강남구 강남대로84길 23,
1609호(역삼동, 한라클래식)
TEL : 02-508-3939
FAX : 02-508-3336

임채수 부회장

서울시 송파구 올림픽로35가길 11,
1016호(신천동, 한신코아오피스텔)
TEL : 02-3431-1900
FAX : 02-3431-5900

고은경 부회장

경기도 군포시 엘에스로182번길
3-15, 601호(산본동, 우경타워)
TEL : 031-477-4144
FAX : 031-477-7458

김관균 부회장

경기도 수원시 영통구 봉영로 1612
301,302호(영통동, 보보스프라자)
TEL : 031-202-0208
FAX : 031-202-5598

이대규 부회장

서울시 영등포구 여의나루로 67,
902호(여의도동, 신송BD)
TEL : 02-3215-1300
FAX : 02-761-6640

한헌춘 윤리위원장

경기도 수원시 팔달구 매산로
56, 2층(매산로2가)
TEL : 031-257-0013/4
FAX : 031-257-0333

김겸순 감사

서울시 영등포구 선유동1로 33,
1층(양평동3가, 성도빌딩)
TEL : 02-2632-4588
FAX : 02-2632-3316

남창현 감사

강원도 강릉시 남부로17번길 16,
201호(내곡동)
TEL : 033-646-4555
FAX : 033-646-4553

이동일 세무연수원장

서울시 영등포구 선유로 254,
402호(양평동4가, 대웅빌딩)
TEL : 02-2678-1727
FAX : 02-2679-4888

정동원 총무이사

서울시 동작구 여의대방로24길
16, 2층(신대방동, 우송BD)
TEL : 02-817-6739
FAX : 02-817-6740

유은순 회원이사

서울시 강서구 화곡로 296, 302호
(화곡동, 강서아이파크)
TEL : 02-2696-2011
FAX : 02-2696-2021

김신언 연구이사

서울시 관악구 과천대로 939, 205-2호
(남현동, 르메이에르강남타운2차)
TEL : 02-588-3200
FAX : 02-3487-2772

전진관 법제이사

경기도 부천시 길주로 307, 504호
(중동, 로얄프라자)
TEL : 032-324-3100
FAX : 032-323-6012

박연근 업무이사

서울시 강남구 삼성로96길 6,
1301호(삼성동, LG트윈텔1)
TEL : 02-3487-4957
FAX : 02-6499-0646

정경훈 전산이사

충북 충주시 번영대로 10,
3층(칠금동, 소망빌딩)
TEL : 043-857-7227
FAX : 043-857-7226

조진한 홍보이사

서울시 서초구 사임당로1길 10,
2층(서초동, 바우BD)
TEL : 02-585-2111
FAX : 02-585-2777

경준호 국제이사

서울시 영등포구 여의나루로 67,
902호(여의도동, 신송빌딩)
TEL : 02-3215-1300
FAX : 02-761-6640

박충원 감리이사

서울시 성북구 삼선교로 38,
2층(삼선동2가)
TEL : 02-745-8931
FAX : 02-745-8933

홍도현 업무정화조사위원장

서울시 서초구 서초대로 3-4,
205호(방배동, 디오슈페리움1차)
TEL : 02-525-1255
FAX : 02-525-1369

한국세무사회

한국세무사고시회

"한국세무사고시회는 회원 중심으로 행동하는 고시회가 되겠습니다."

🏛 회원 중심의 고시회
- 분야별 전문세무사 추천제도를 통한 회원의 경쟁력 향상
- 회원사무소 통계조사 및 발표를 통한 회원사무소 경영여건 개선
- 회원들의 의사소통을 위한 소셜미디어 창구 활성화
- 고용불안 해소를 위한 고시회 홈페이지 구인구직란 확대개편
- 청년세무사를 위한 교육 운영체제 및 지원서비스 강화
- 세무사회의 건전한 발전을 위한 고시회의 정체성 정립 및 성실한 옴부즈맨 역할 이행

🏛 행동하는 고시회
- 실무 위주 저자직강을 통한 현장감 넘치는 연수교육 실시
- 업무 수행 시 활용 가능한 세무실무편람 및 핵심세무시리즈 지속적 발간
- 소통과 화합을 통해 지방고시회와의 유대감 강화
- 각종 이슈 및 조세소송대리권 확보를 위한 정책토론회 개최
- 국제교류의 활성화를 위한 친선교류 확대 및 국제토론회 개최
- 개정세법에 대한 적시성 있는 논평과 세무이슈 정보제공 및 개선방안 공유

제26대 한국세무사고시회 집행부

회장 이석정	감사 이강오	감사 안성희	부산고시회장 강동우	광주고시회장 고영동	대구고시회장 강태욱	충청고시회장 김진세	총무부회장 김선명	기획부회장 강현삼	연수부회장 김희철
연구부회장 장보원	사업·대외협력부회장 조상호	지방·청년부회장 황선웅	재무부회장 김현배	조직부회장 박유리	홍보부회장 하동순	국제부회장 조인정	총무상임이사 김은실	기획상임이사 박수빈	연수상임이사 차주황
연구상임이사 김순화	사업·대외협력상임이사 김용규	지방·청년상임이사 김종후	재무상임이사 최현의	조직상임이사 심재용	홍보상임이사 강현수	국제상임이사 김정윤	연수청년이사 박혜원	연구청년이사 이경수	지방·청년청년이사 김형태
재무청년이사 김순기	홍보청년이사 한지우	기획지원센터장 배미영	회원연수센터장 박상훈	세제지원센터장 박풍우	사업지원센터장 박동국	청년회원지원센터장 윤수정	홍보지원센터장 한상희	국제협력센터장 한대희	사무국장 김범석

서울시 강남구 봉은사로 516, 307호(삼성동, 미켈란147)
Tel. 02-581-6700 | Fax. 02-581-6800 | E-mail. gosihoi@hanmail.net
www.gosihoi.or.kr | 유튜브 「세무사고시회TV」 | 인스타그램 「gosihoi」

30

국립 세무대학 출신 세무사 모두는
납세자의 권익보호를 위해
최선을 다하겠습니다.

제 11대 이삼문 회장
국립 세무대학 세무사 일동

변화에 앞장서고
미래를 준비하는
서울지방세무사회를
만들겠습니다

회 장
김 완 일

부회장
황 희 곤

부회장
이 주 성

총무이사
박 형 섭

회원이사
임 종 수

연수이사
오 의 식

연구이사
송 영 관

업무이사
안 상 기

홍보이사
김 유 나

국제이사
정 균 태

업무정화조사위원장
김 덕 식

자문위원장
경 교 수

연수교육위원장
안 성 희

조세제도연구위원장
강 신 성

홍보위원장
박 동 국

국제협력위원장
변 정 희

감리위원장
하 창 현

청년세무사위원장
유 동 길

서울지방세무사회
Seoul Association of Certified Public Tax Accountants

서울특별시 서초구 서초동 명달로 105　전화 : 02-598-3216　팩스 : 02-522-0939

중부지방세무사회

납세자 권익보호 42년! 세정 동반자 42년!
소통과 화합으로 강한 중부지방세무사회를 만들어가겠습니다.

유 영 조 회장

중부지방세무사회는
- 공공성을 지닌 조세전문가 단체입니다.
- 납세자와 함께 합니다.
- 성실한 납세의무 이행에 이바지합니다.

이 중 건
부회장

천 혜 영
부회장

최 영 우 총무이사	이 은 자 연수이사	김 선 명 연구이사	김 경 태 업무이사

권 용 언 홍보이사　박 정 현 국제이사　목 명 균 정화위원장　김 갑 수 이 사

김 병 채 이 사　 황 영 순 이 사　 최 봉 순 이 사　 허 창 식 이 사

 허 기 우 이 사
 임 영 탁 이 사
 박 현 규 이 사
 이 영 은 이 사
 홍 기 철 이 사
 지 준 각 자문위원장
 배 택 현 연수교육위원장
 오 필 성 조세제도연구위원장
 이 종 현 홍보상담위원장
 유 수 진 국제협력위원장
 송 영 덕 청년세무사위원장
 김 병 찬 감리위원장

  전 구 식 수원지역 세무사회장
 박 연 기 동수원지역 세무사회장
 황 재 호 화성지역 세무사회장
박 명 삼 동화성지역 세무사회장
 정 병 찬 용인지역 세무사회장
 정 찬 홍 기흥지역 세무사회장
 정 철 식 안양지역 세무사회장
 김 문 학 동안양지역 세무사회장
이 우 복 성남지역 세무사회장
 한 우 영 분당지역 세무사회장
백 종 갑 안산지역 세무사회장
 한 경 호 동안산지역 세무사회장

  김 용 진 시흥지역 세무사회장
 두 용 균 평택지역 세무사회장
 채 백 희 이천지역 세무사회장
 김 장 환 경기광주지역 세무사회장
 김 창 열 남양주지역 세무사회장
 홍 인 수 구리지역 세무사회장
 김 성 규 강릉지역 세무사회장
이 해 운 삼척지역 세무사회장
 조 광 덕 속초지역 세무사회장
 양 종 천 춘천지역 세무사회장
 윤 동 수 홍천지역 세무사회장
김 용 식 원주·영월지역 세무사회장

33

중부지방세무사회 / 주소 : 서울특별시 서초구 명달로 105, 5층(서초동) / 전화 : 02-597-1366 / 팩스 : 02-597-1369

인천지방세무사회

김명진 회장

"상생과 화합으로 한 단계 더 도약하는
인천지방세무사회를 만들어 가겠습니다."

▣ 부회장, 상임이사, 이사, 위원장

최병곤 부회장

오형철 부회장

김성주 총무이사

송재원 연수이사

윤현자 연구이사

구현근 업무이사

박종렬 홍보이사

강갑영 국제이사

이기진 업무정화조사위원장

김석동 이 사

이명주 이 사

옥승찬 이 사

허덕무 이 사

조영문 이 사

권오항 이 사

배성효 이 사

임정완 자문위원장

이경희 연수교육위원장

김광래 청년세무사위원장

이은선 조세제도연구위원장

이윤환 홍보상담위원장

채지원 국제협력위원장

홍석일 세무조정감리위원장

▣ 지역세무사회장

양기인 인천

김희규 부평

박종렬 계양

김한수 서인천

조명석 남동

주영진 연수

김규헌 김포

이기진 부천

이재순 남부천

장진기 의정부

윤영복 포천

공순권 고양

장창민 동고양

김성주 파주

노기원 광명

인천지방세무사회 　인천 계양구 경명대로1017번길 7 　/ 　전화 (032)225-0490 　팩스 (032)225-0491

34

BnH | Beyond Expectation Highest Satisfaction

BnH | 세무법인   BnH | 회계법인

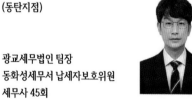

 **세무법인 삼룡**

> 최고의 조세전문가 그룹 「삼룡」은 프로정신으로 기업경영에 보다
> 창의적이고 효율적인 세무서비스를 제공하도록 최선을 다하겠습니다.

☐ 주요업무

| 세무조사 대리 | 조세관련 불복대리 | 세무신고 대리 | 기업경영 컨설팅 |

☐ 구성원

서국환 회장/대표세무사
광주지방국세청장
서울청 조사2국장
서울청 조사4국 3과장
중부청 조사 1국 3과장
국세청 조사·심사·소득 과장
익산·안산세무서장 등 30년 경력

이정섭
본사·수원지사 대표세무사
중부청 조사 1국
목포·평택·수원세무서 등 16년 경력
전주대학교 관광경영학 박사

정인성
서초지사 대표세무사
서울청·용산·영등포세무서 등 23년 경력
세무사 실무 경력 20년

최상원
영통지사 대표세무사

중부지방국세청 법무과
중부지방국세청 특별조사국
영남대학교 졸업

김대진
서수원지사 대표세무사

세무사 48회
서울시립대학교 졸업

이정화
안양지사 대표세무사

세무사 44회
아주대학교 경영학 석사
(현)숭의여자대학교 세무회계과 겸임교수

국승훈 세무사

세무사 55회
명지대학교 경영학과 졸업

최재석 세무사

세무사 57회
한양대학교 경영학부 졸업
세무법인 삼룡 영통지사 근무

김영광 세무사

세무사 51회
경기대학교 회계학과 졸업

 稅務法人 三隆

본 사	서울시 강남구 강남대로84길 23, 1603호 (역삼동, 한라클래식)		Tel. 02-3453-7591	Fax. 02-3453-7594
수원지사	경기도 수원시 영통구 영통로 169, 3층 (망포동 297-8)		Tel. 031-273-2304	Fax. 031-206-7304
서초지사	서울시 서초구 사임당로 174, 603호 (서초동, 강남미래타워)		Tel. 02-567-6300	Fax. 02-569-9974
안양지사	경기도 안양시 동안구 시민대로 230, B동 6층 610, 611호 (관양동, 평촌아크로타워)		Tel. 031-423-2900	Fax. 031-423-2166
영통지사	경기도 수원시 영통구 영통동 998-6 아셈 프라자 401호 (동수원세무서 옆)		Tel. 031-273-7077	Fax. 031-273-7177
서수원지사	수원시 권선구 매송고색로 636-8, 302호 (고색동)		Tel. 031-292-6631	Fax. 031-292-6632

편안한 세금

세무법인 **택스홈앤아웃**

Vision

세무서비스의 경계를 허물고
다양한 서비스를 포괄하는 플랫폼(Platform, 場)을 통해,
고객의 일생(一生)을 넘어 후대에 이르기까지
최고의 가치를 제공하는 Only One인 세무법인이 된다.

" **택스홈앤아웃은 약속을 지키는 전문가그룹입니다.** "

신웅식 대표이사

성남, 송파, 반포, 제주세무서장
국세청 재산세과장, 부동산거래관리과장
부산지방국세청 조사2국장
서울지방국세청 조사4국 4과장
국세청 심사1과, 납세자보호과, 징세과 계장

김문환 부회장

국세청, 지방청 및 세무서 근무
중부지방국세청조사1국장 (전)
사단법인대한주류공업협회장 (전)
국세청총무과장, 조사2과장 (전)
녹조근정훈장(1994)
홍조근정훈장(1995)

강남지점대표/세무사	김형운	이사/세무사	엄수빈	세무사	이헌수	세무사	이대규
부대표/세무사	박상혁	이사/세무사	고상원	세무사	김종현	세무사	왕 현
부대표/세무사	박상언	이사/세무사	임인규	세무사	김소현	세무사	이정상
전무이사/세무사	이성우	이사/세무사	이민형	세무사	최원우	세무사	박초은
전무이사/세무사	백길현	이사/세무사	조아로미	세무사	김상돈	세무사	김평석
상무이사/세무사	전유호	세무사	허 재	세무사	유지현	세무사	이건희
상무이사/세무사	박상호	세무사	유창현	세무사	김나영	세무사	민혜련
상무이사/세무사	양재림	세무사	최하늘	세무사	김원대	세무사	주요준
상무이사/세무사	이성열	세무사	최솔잎	세무사	이임주	세무사	윤대열
상무이사/세무사	이호준	세무사	남장현	세무사	류지화	세무사	이선영
이사/세무사	최규균	세무사	지민정	세무사	강용한	세무사	박경연
이사/세무사	김현진	세무사	김지혜	세무사	노승현	세무사	김미정
이사/세무사	안정진	세무사	최보선	세무사	김도영		

지점안내

●	본 점 :	서울 강남구 언주로148길 19 청호빌딩 2층, 7층	T. 02-6910-3000
●	압구정 지점 :	서울 강남구 논현로 722 신한빌딩 6층	T. 02-6910-3900
●	송 파 지점 :	서울 송파구 양재대로 932 가락몰 업무동 616	T. 02-6910-3999
●	강 서 지점 :	서울 강서구 공항대로212 6층 612,613,614,615	T. 02-6910-3114
●	위너스 지점 :	서울 서초구 강남대로99길 45 엠빌딩 202	T. 02-6910-3090
●	인 천 지점 :	인천 남동구 선수촌공원로17번길 8 정방빌딩 404,405,406	T. 032-884-5604
●	에스에스 지점 :	서울 성동구 성수일로 89 메타모르포빌딩 702호	T. 02-6288-3230
●	마 포 지점 :	서울 마포구 양화로 7길 44, 2층	T. 02-6288-3200
●	역 삼 지점 :	서울 강남구 테헤란로14길 5 삼흥역삼빌딩 6층	T. 02-6910-3111
●	영등포 지점 :	서울 영등포구 경인로 775 에이스하이테크시티 제1층 3-102호	T. 02-6910-3160
●	광 진 지점 :	서울 광진구 용마산로 18 신성빌딩 2층	T. 02-467-4122

이안세무법인
IAN TAX FIRM

고객의 가치 창출을 위해
이안(耳眼) 세무법인은
귀 기울여 듣고, 더 크게 보겠습니다

(전) 영등포세무서장
(전) 중부청 조사1국 조사1과장
(전) 포항세무서장
(전) 서울청 조사 1국·2국 서기관

장 호 강 고문

국립세무대학(2기) 졸
경영학박사 / 세무학박사
(현) 서울고검 국가송무상소심의위원
(현) 서울시 지방세 심사위원
(전) 국세청 국세심사위원
(전) 국세청 납세자보호위원
(전) 서울청 조세범칙심의위원

윤 문 구 대표세무사

(전) 서울청 조사1국·2국
(전) 강남·삼성·역삼·서초·
영등포세무서

이 동 선 전무

국립세무대학(13기) 졸
(전) 서울청 조사1국
(전) 국세청 국세상담센터
상속세 및 증여세법 상담관

이 경 근 상무

서울시립대학교
행정학과 졸

최 은 경 이사 (세무사)

연세대학교 미래캠퍼스
경제학과 졸

유 준 희 세무사

웅지세무대학교
회계정보학과 졸

지 상 현 세무사

이안세무법인
IAN TAX FIRM

서울시 서초구 서초대로 40길 41 2층 (서초동, 대호IR빌딩)
TEL **02.2051.6800** FAX **02.2051.6006**
www.iantax.co.kr

50

51

대표관세사

관세사 김영칠
인천공항본부

관세사 정계훈
서울본부

관세사 정영화
부산본부

폭 넓은 업무범위와 Total Service제공

축적된 노하우를 바탕으로 수출·수입·환급과 각종 컨설팅을 통합한 Total Service를 제공

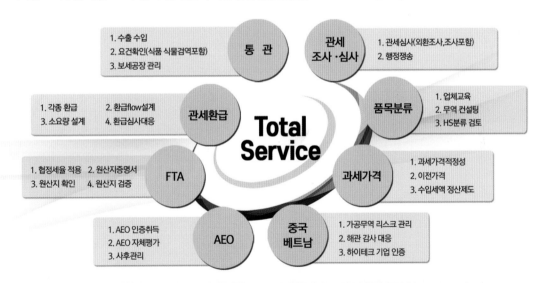

통 관
1. 수출 수입
2. 요건확인(식품 식물검역포함)
3. 보세공장 관리

관세 조사·심사
1. 관세심사(외환조사,조사포함)
2. 행정쟁송

관세환급
1. 각종 환급   2. 환급flow설계
3. 소요량 설계   4. 환급심사대응

품목분류
1. 업체교육
2. 무역 컨설팅
3. HS분류 검토

FTA
1. 협정세율 적용   2. 원산지증명서
3. 원산지 확인   4. 원산지 검증

과세가격
1. 과세가격적정성
2. 이전가격
3. 수입세액 정산제도

AEO
1. AEO 인증취득
2. AEO 자체평가
3. 사후관리

중국 베트남
1. 가공무역 리스크 관리
2. 해관 감사 대응
3. 하이테크 기업 인증

서울 본부 (관세사 총 10명)

윤철수 관세사 (컨설팅본부장)	임용묵 관세사 (컨설팅본부)
이형동 관세사 (컨설팅본부)	명재호 관세사 (컨설팅본부)
변재서 관세사 (컨설팅본부)	조성호 관세사 (평택지사장)
유호근 관세사 (컨설팅본부)	

부산 본부 (관세사 총 22명)

이갑수 상임고문	김종신 관세사 (김해지사장)
이재구 관세사 (컨설팅본부장)	주군선 관세사 (김해지사장)
권도균 관세사 (컨설팅본부)	강영종 관세사 (거제지사장)

부산본부

✉ 48928 부산광역시 중구 해관로 83 신대동빌딩
T. 051-988-0123   F. 051-988-0100
www.sdaedong.co.kr
E-mail : shindaedong@hanmail.net

김해지사
T. 051-973-6343
F. 051-972-6371

거제지사
T. 055-682-5233
F. 055-682-5231

서울본부
T. 02-517-0039
F. 02-517-0389

평택지사
T. 031-681-1177
F. 031-682-8707

인천공항본부
T. 032-744-8008
F. 032-744-8033

인천지사
T. 032-884-8811
F. 032-884-8880

컨설팅본부
T. 02-3446-2645
F. 02-3446-2668

KIM & CHANG

Only

Only Korean law firm among The Global 100
Ranked 55th on ALM Global 200

Top

Globally recognized top-tier law firm
Chambers Asia-Pacific 2023

1973

50 years of history
in tandem with Korea's economic development

Innovative

Most Innovative Law firm in Korea
IFLR Asia-Pacific Awards 2022

All

"Tier 1" rankings in all practices
The Legal 500 Asia Pacific 2022

다양한 조세 전문가들의 시너지를 통한 최적 솔루션 제시

김·장 법률사무소 조세 그룹

조세 분야 Top Tier Rankings 선정

Chambers Asia-Pacific 2023
The Legal 500 Asia Pacific 2022
Asialaw Profiles 2023
World Tax 2023, World Transfer Pricing 2023
Benchmark Litigation Asia-Pacific 2022

조세 일반

한만수 변호사 02-3703-1806	백우현 공인회계사 02-3703-1047	이종국 호주공인회계사 02-3703-1016	조용호 공인회계사 02-3703-1116	최임정 공인회계사 02-3703-1143
권은민 변호사 02-3703-1252	이지수 변호사 02-3703-1123	양규원 공인회계사 02-3703-1298	김요대 공인회계사 02-3703-1436	최효성 공인회계사 02-3703-1281
임송대 공인회계사 02-3703-1088	정광진 변호사 02-3703-4898	심윤상 미국변호사 02-3703-1221	Sean Kahng 미국변호사 02-3703-1694	곽장운 미국변호사 02-3703-1708
서봉규 공인회계사 02-3703-1015	류재영 공인회계사 02-3703-1529	임양록 공인회계사 02-3703-4543	황찬연 공인회계사 02-3703-1807	전한준 호주공인회계사 02-3703-1770
김해마중 변호사 02-3703-1612	민경서 변호사 02-3703-1277	이종명 변호사 02-3703-1915	이재홍 변호사 02-3703-1917	유경란 변호사 02-3703-4583
김용희 공인회계사 02-3703-1544				

이전가격

여동준 공인회계사 02-3703-1061	남태연 공인회계사 02-3703-1028	한상익 공인회계사 02-3703-1127	이제연 공인회계사 02-3703-1079	이규호 공인회계사 02-3703-1169
Michael Quigley 미국변호사 02-3703-1042	Christopher Sung 미국변호사 02-3703-1115	이상묵 공인회계사 02-3703-1278	박재석 공인회계사 02-3703-1160	최동진 공인회계사 02-3703-1319
김학주 공인회계사 02-3703-1299				

금융조세

김동소 공인회계사 02-3703-1013	임용택 공인회계사 02-3703-1089	박정일 공인회계사 02-3703-1040	백원기 공인회계사 02-3703-1659	이평재 공인회계사 02-3703-1156
권영신 공인회계사 02-3703-5782	임동구 공인회계사 02-3703-1646	박종현 공인회계사 02-3703-1817	박지영 공인회계사 02-3703-4953	오명환 공인회계사 02-3703-1364

세무조사 및 조세쟁송

정병문 변호사 02-3703-1576	김의환 변호사 02-3703-4601	조성권 변호사 02-3703-1968	하상혁 변호사 02-3703-4893	하태흥 변호사 02-3703-4979
김희철 변호사 02-3703-5863	이상우 변호사 02-3703-1571	양승종 변호사 02-3703-1416	박필종 변호사 02-3703-4976	전환진 변호사 02-3703-1210
박재찬 변호사 02-3703-1808	이종광 공인회계사 02-3703-1056	진승환 공인회계사 02-3703-1267	박재홍 공인회계사 02-3703-1440	기상도 공인회계사 02-3703-1330
서재훈 공인회계사 02-3703-1845	서창우 공인회계사 02-3703-1846	설인수 공인회계사 02-3703-1593	안재혁 변호사 02-3703-1953	이은총 변호사 02-3703-4588

정도(正道)를 지키며 신뢰받는 로펌,
법무법인(유) 광장(LEE & KO)입니다.

법무법인(유) 광장

▪ 주요 구성원

조세쟁송 및 자문

이상기 변호사
기획재정부 고문변호사
한국조세협회 부이사장
Tel: 02-2191-3005

이인형 변호사
서울행정법원 부장판사
수원지방법원 평택지원장
Tel: 02-772-5990

손병준 변호사
대법원 조세전담 재판연구관
대전지방법원 부장판사
Tel: 02-772-4420

마옥현 변호사
대법원 조세전담 재판연구관
광주지방법원 부장판사
Tel: 02-6386-6280

김성환 변호사
대법원 조세전담 재판연구관(총괄)
춘천지방법원 부장판사
Tel: 02-6386-7900

김경태 변호사
대전지방법원 판사
한국세무학회 부학회장
Tel: 02-772-4414

임수혁 변호사
중부세무서 납세자보호위원
미국 UC Berkeley School of Law 법학석사(LLM)
Tel: 02-772-4973

이건훈 변호사
서울대학교 법과대학 석사과정(조세법 전공)
미국 UCLA School of Law 법학석사(LLM)
Tel: 02-6386-6211

박영욱 변호사
국세청 과세품질혁신위원회 위원
변호사시험(조세법) 출제위원
Tel: 02-772-4422

김상훈 변호사
한국지방세연구원 지방세구제업무 자문위원
중부세무서 국세심사위원회 위원
Tel: 02-772-4425

유정호 변호사
국세청 정기연수과정 강사 (금융조세)
Allianz Global Investors 펀드매니저
Tel: 02-2191-3208

이정아 변호사
삼정KPMG
Tel: 02-772-5975

장연호 회계사
국세청 금융업 실무과정 강사
삼일회계법인 금융/보험조세팀 근무
(한국·미국 등록 회계사)
Tel: 02-772-5942

오진훈 회계사
삼일회계법인
미국 Michigan State University
Finance 석사과정
Tel: 02-6386-6262

김한준 회계사
삼일회계법인 국제조세본부
삼일회계법인 감사본부
Tel: 02-6386-6687

이진영 회계사
Tax Counsel at Continental
Deloitte Anjin LLC
Tel: 02-772-5933

곽동훈 회계사
삼일회계법인
Tel: 02-6386-6642

조세예규 및 행정심판

강지현 변호사
국무총리 소속 조세심판원 사무관
기획재정부 세제실 사무관(조세특례제도과)
Tel: 02-772-4975

김병준 세무사
조세심판원 조정팀장
국세청 심사과
Tel: 02-6386-6376

이전가격

박성한 미국회계사
EY한영회계법인
삼일회계법인
Tel: 02-6386-7952

김민후 미국변호사
Deloitte Anjin LLC
Ernst & Young Korea
Tel: 02-6386-6271

고문

윤영선 고문
제24대 관세청장
기획재정부 세제실장
Tel: 02-6386-6640

원정희 고문
부산지방국세청장
국세청 조사국장
Tel: 02-6386-6229

김재웅 고문
서울지방국세청장
중부지방국세청장
Tel: 02-6386-7890

유재철 고문
국세청 법인납세국장
중부지방국세청장
Tel: 02-6386-1907

"각 분야 최고의 전문가들이 한자리에 모였습니다"

조세소송 및 불복, Tax Planning and Consulting, 세무조사, 국제조세, 이전가격 등
한 분의 고객을 위해 변호사, 회계사, 세무사, 고문, 전문위원 등
조세 각 분야 최고 전문가들이 힘을 합치는 로펌, 그곳은 광장(Lee & Ko)입니다.

"조세분야 최고 등급(Top Tier)의 로펌입니다"

국제적으로 유명한 평가기관인 Legal 500, Tax Directors Handbook 등에서
최고 등급 평가를 받아온 로펌, 그곳은 광장(Lee & Ko)입니다.

"존경받는 로펌, 신뢰받는 로펌이 되겠습니다"

고객이 신뢰하고 고객에게 존경받는 로펌, 가장 기분좋은 수식어 입니다.
대외적으로 인정받고 신뢰받는 로펌, 그곳은 광장(Lee & Ko)입니다.

초심을 잃지 않고 자만하지 않으며 먼 미래를 내다보며 준비하겠습니다.
항상 고민하고 새로운 도약을 준비하는 로펌,

'법무법인(유) 광장(Lee & Ko)' 입니다.

국제조세

심재진 미국변호사
AmCham Tax Committee Co-Chiar
PwC Moscow and Price Waterhouse, New York
Tel: 02-2191-3235

이환구 변호사
중부세무서 납세자보호위원
UCLA Law School LLM(Tax track)
Tel: 02-772-4307

권오혁 미국변호사
Deloitte Anjin LLC
Deloitte Tax LLP
Tel: 02-6386-6627

오혁 미국변호사
미국 RSM International Inc., International Tax
미국 Deloitte Tax LLP, Washington National Tax
Tel: 02-772-4349

김정홍 미국변호사
기획재정부 국제조세제도과장
대법원 재판연구관(조세조)
Tel: 02-6386-0773

인병춘 회계사
KPMG 국제조세본부장
KPMG Tax Partner
Tel: 02-6386-7844

류성현 변호사
대한변호사협회 세제위원회 위원
서울지방국세청 사무관
Tel: 02-2191-3251

김태경 회계사
한국국제조세협회 이사
한국조세연구포럼 이사
Tel: 02-2191-3246

관세

박영기 변호사
관세청 통관지원국 사무관
서울본부세관 고문변호사
Tel: 02-2191-3052

조재웅 변호사
관세청 법률고문
관세평가분류원 관세평가협의회 위원
Tel: 02-6386-6617

신승학 전문위원
딜로이트 관세법인
서울본부세관 특수조사과
Tel: 02-6386-0761

김기락 전문위원
부산세관 관세심사위원회 위원
서울본부세관 관세평가협의회 위원
Tel: 02-6386-7995

세무조사 지원

조태복 세무사
성동, 중부산 세무서장
국세청 법인세과, 법령해석과
Tel: 02-6386-6572

이호태 세무사
중부지방국세청
국세청
Tel: 02-6386-6602

장순남 세무사
서울지방국세청 조사4국 서기관
국세청 조사국 사무관
Tel: 02-772-5928

배인수 세무사
서울지방국세청 조사4국
서울지방국세청 조사1국
Tel: 02-772-5986

최진구 세무사
중부지방국세청 운영지원과장
서울지방국세청 조사국 조사팀장
Tel: 02-772-4256

이병하 세무사
서울지방국세청 국제거래조사국
국세청 국제조사과
Tel: 02-772-5987

권영대 세무사
서울지방국세청 국제거래조사국 조사팀장
국세청 조사국 국제조사과
Tel: 02-6386-6585

권태영 세무사
국세청 자산과세국
서울지방국세청 조사4국
Tel: 02-6386-6583

지방세

김해철 전문위원
행정안전부 지방세특례제도과
한국지방세연구원 지방세 전문상담위원
Tel: 02-772-4354

형사

장영섭 변호사
서울중앙지방검찰청 금융조세조사1부장검사
법무부 법무과장
Tel: 02-772-4845

전준철 변호사
서울중앙지방검찰청 반부패 수사부장
수원지방검찰청 특수부장
Tel: 02-6386-0810

감사원

이세열 고문
감사원 심사담당과장
감사원 조세담당국 인사운영팀장
Tel: 02-6386-7840

법무법인(유)율촌
조세부문

주요 구성원 소개

김동수
변호사/부문장
조세자문

이용섭
고문
입법, 관세,
조세심판, 지방세

김낙회
고문
입법, 관세, 조세심판

구기성
고문
입법

이승호
고문
특별세무조사

양병수
고문
개인자산관리,
세무조사

박만성
고문
국제조세, 세무조사

조윤희
변호사
조세쟁송

한원교
변호사/쟁송팀장
조세쟁송

장재형
세무사/부부문장
입법, 예규

임정훈
세무사
세무조사, 조세자문

이창수
세무사
유권해석, 입법

이름	직책	분야	이름	직책	분야	이름	직책	분야
문준영	세무사	조세진단	이원주	회계사	조세자문(금융)	윤희만	관세전문위원	관세
채종성	세무사	조세진단	최 완	변호사	조세자문(부동산)	전동흔	고 문	지방세
양원봉	회계사	조세심판	이강민	변호사	조세자문, 지방세, 입법	이경근	세무사	국제조세
고창보	세무사	조세심판	전영준	변호사	조세쟁송, 조세자문	김규동	외국회계사	국제조세
박지웅	변호사	입법	신기선	변호사	조세쟁송	오영석	회계사	국제조세(일본)
김실근	세무사	감사원	이종혁	변호사	조세쟁송, 관세	Jeremy A. Everett	외국회계사	국제조세
김근재	변호사	개인자산관리	곽태훈	변호사	조세쟁송	조준영	회계사	국제조세
소진수	회계사	구조조정, 기업승계	조정철	변호사	조세형사, 관세	안수정	외국변호사	국제조세
송상우	회계사	조세자문(금융)	박세훈	변호사	관세	최용환	변호사	국제조세
최규환	회계사	조세자문(금융)	김형배	관세전문위원	관세, ACVA	성민영	변호사	국제조세

광고책임변호사 : 장영

YULCHON
律村
YULCHON
법무법인
율촌

법무법인(유) 지평
조세팀

지평은 조세자문, 행정심판, 행정소송, 위헌소송 등
조세 관련 분야에 탁월한 전문성을 가진 로펌입니다.

지평 조세팀은 법인 내 유관 전문서비스팀과
유기적인 결합으로 원스톱 고객서비스를 제공하고 있습니다.

조세쟁송	세무 진단 및 세무조사 대응
조세자문	회계규제
조세형사	관세 및 국제통상

법무법인(유) 지평 조세팀 주요 구성원

최현민 고문
부산지방국세청장
조세자문 일반
02-6200-1953

엄상섭 변호사·공인회계사
대법원 재판연구관(조세조)
조세소송
02-6200-1667

박영주 변호사
관세청 고문변호사
조세소송
02-6200-1728

강원일 변호사
상속세 및 증여세, 부동산 세법
성년후견업무(자산관리)
조세소송
02-6200-1951

김강산 변호사
광주지방법원 부장판사
서울행정법원 조세 전담부
조세형사
02-6200-1903

박성철 변호사
서울시
행정심판위원회 위원
조세위헌소송
02-6200-1777

김태형 변호사
관세청 정기 자문업무 수행
조세소송
02-6200-1767

김형우 변호사·공인회계사
삼일회계법인
금융자문본부
금융조세
02-6200-1839

고세훈 변호사
Texas Instruments
제조사업부(원가담당)
조세자문/해외투자
02-6200-1849

김선국 변호사
서울고등법원 재판연구원
조세형사
02-6200-1780

구상수 공인회계사
법학박사(조세)
조세자문 일반
02-6200-1738

지명수 세무사
국세청 조사국
조세자문 일반
02-6200-1623

JIPYONG 법무법인[유] 지평

서울 본사 서울 중구 세종대로 14 그랜드센트럴 A동 26층 (우)04527 TEL. 02-6200-1600 Email. master@jipyong.com

법무법인(유한) 태평양

조세업무에 대한 풍부한 경험과 전문성

세무조사 대응   조세형사   국제조세   조세쟁송   관세/국제통상   일반 조세자문

주요 구성원 소개

송우철
변호사
조세쟁송
02.3404.0182

조일영
변호사
조세자문/조세쟁송
02.3404.0545

유철형
변호사
조세자문/조세쟁송
02.3404.0154

강석규
변호사
조세자문/조세쟁송
02.3404.0653

김승호
변호사
조세자문/조세쟁송
02.3404.0659

심규찬
변호사
조세자문/조세쟁송
02.3404.0679

장승연
외국변호사(미국 Ohio주)
국제조세/관세 및 통상
02.3404.7589

김동현
공인회계사
조세자문/조세쟁송
02.3404.0572

김태균
공인회계사
금융조세/국제조세
02.3404.0574

최찬오
전문위원
조세자문/세무조사
02.3404.7578

곽영국
전문위원
조세자문/세무조사
02.3404.7595

김규석
전문위원
관세
02.3404.0579

주성준
변호사
조세쟁송/관세
02.3404.6517

조무연
변호사
조세자문/조세쟁송
02.3404.0459

장성두
변호사
조세자문/조세쟁송
02.3404.6585

박재영
변호사
조세자문/조세쟁송
02.3404.7548

서승원
변호사
조세자문/조세쟁송
02.3404.0964

채승완
공인회계사
국제조세/투자자문
02.3404.0577

양성현
공인회계사
조세자문/조세심판
02.3404.0586

조학래
공인회계사
조세자문/조세쟁송
02.3404.0580

곽시명
공인회계사
조세자문/관세 및 통상
02.3404.0581

이은홍
공인회계사
조세자문/조세심판
02.3404.0575

김용관
세무사
조세자문/조세심판
02.3404.7528

김용수
전문위원
조세자문/조세심판
02.3404.7573

박영성
전문위원
조세자문/조세심판
02.3404.0584

손창환
전문위원
조세자문/조세심판
02.3404.0587

임대승
전문위원
관세
02.3404.7572

최광백
전문위원
조세자문/조세심판
02.3404.7567

오정의
전문위원
조세자문/조세심판
02.3404.7353

이종현
전문위원
조세자문/관세 및 통상
02.3404.7568

서울 사무소   서울 종로구 우정국로 26 센트로폴리스 B동   **T** 02.3404.0000

서초 분사무소   서울 서초구 서초중앙로 156   **판교 분사무소**   경기도 성남시 분당구 분당내곡로 131 판교테크원타워2   **www.bkl.co.kr**

bkl 법무법인(유한)태평양

SEOUL | PANGYO | BEIJING | SHANGHAI | HONG KONG | HANOI | HO CHI MINH CITY | YANGON | SINGAPORE | JAKARTA | DUBAI

재무인 명부

세무법인 | 회계법인 | 관세법인 | 로펌

국회기획재정위원회 | 감사원 | 기획재정부 | 금융위 | 금감원 | 상공회의소
중소기업중앙회 | 국세청 | 지방재정세제실 | 조세심판원 | 한국조세재정연구원

2023.1.19.현재

1등 조세회계 경제신문
조세일보

기관

■ 국회기획재정위원회		63
■ 국회법제사법위원회		65
■ 국회정무위원회		67
■ 감사원		69
■ 기획재정부		73
	세제실	75
	기획조정실	77
	예산실	78
■ 금융위원회		92
■ 금융감독원		95
■ 상공회의소		108
■ 중소기업중앙회		110

국회기획재정위원회

주소	서울시 영등포구 의사당대로 1(여의도동) (우) 07233
대표전화	02-6788-2114
사이트	finance.na.go.kr

위원장　　　윤영석

(D) 02-6788-6856

위원회 조직	전화
김일권 수석전문위원 (차관보급)	02-6788-5141
김경호 전문위원 (2급)	02-6788-5142
주규준 입법조사관 (3급)	02-6788-5157
정미야 입법조사관 (4급)	02-6788-5152
이상홍 입법조사관 (4급)	02-6788-5155
문은진 입법조사관 (4급)	02-6788-5148
김형섭 입법조사관 (4급)	02-6788-5153
김근식 입법조사관 (4급)	02-6788-5154
최성찬 입법조사관 (4급)	02-6788-5150
김현정 입법조사관 (4급)	02-6788-5160
임윤섭 입법조사관 (5급)	02-6788-5149
손진현 입법조사관 (5급)	02-6788-5151
신광수 입법조사관 (5급)	02-6788-5161
육건우 입법조사관 (5급)	02-6788-5158
최동완 입법조사관 (5급)	02-6788-5147
이덕형 입법조사관 (5급)	02-6788-5156
최향희 입법조사관보 (6급)	02-6788-5153
최윤희 주무관 (6급)	02-6788-5144
장웅진 입법조사관보 (7급)	02-6788-5145
허순남 주무관 (7급)	02-6788-5141
염혜윤 주무관 (7급)	02-6788-5142
오승희 주무관 (7급)	02-6788-5146

위원장: **윤 영 석**
DID: 02-6788-6856

주소	서울특별시 영등포구 의사당대로 1 (여의도동) (우) 07233
홈페이지	finance.na.go.kr

구성	간사		위원			
위원명	**신동근**	**류성걸**	**강준현**	**고용진**	**김주영**	**김태년**
소속	더불어민주당	국민의힘	더불어민주당	더불어민주당	더불어민주당	더불어민주당
보좌관	이상규, 홍웅표	손정갑	권민희, 장웅선	여경훈, 홍진옥	이경호, 이은영	강경훈, 정진경
전화	6671	6396	6041	6061	6316	6336

구성	위원					
위원명	**서영교**	**양경숙**	**양기대**	**유동수**	**이수진**	**정태호**
소속	더불어민주당	더불어민주당	더불어민주당	더불어민주당	더불어민주당	더불어민주당
보좌관	김중한, 문경희	김행석, 오연달	김윤호, 최병민	김기석, 손민호	이종우, 허영일	임영택, 최기원
전화	6596	6721	6731	6806	6981	7246

구성	위원					
위원명	**진선미**	**한병도**	**홍성국**	**홍영표**	**김상훈**	**김영선**
소속	더불어민주당	더불어민주당	더불어민주당	더불어민주당	국민의힘	국민의힘
보좌관	김종무, 이여진	박재현, 어미정	임현종, 홍순식	김기홍, 오형범	서태은, 홍지웅	이호련, 최용휘
전화	7326	7416	7461	7466	6186	6496

구성	위원					
위원명	**박대출**	**박진**	**배준영**	**송언석**	**조해진**	**주호영**	**장혜영**
소속	국민의힘	국민의힘	국민의힘	국민의힘	국민의힘	국민의힘	정의당
보좌관	송동현, 최두식	박진석, 윤석민	권재필, 서현석	김광수, 양창열	이상이, 이지현	김나원	김진욱, 서정진
전화	6446	6526	6546	6651	7306	7316	7156

국회법제사법위원회

주소	서울시 영등포구 의사당대로 1(여의도동) (우) 07233
대표전화	02-6788-2114
사이트	legislation.na.go.kr

위원장   김도읍

(D) 02-6788-6136

위원회 조직	전화	위원회 조직	전화
정성희 수석전문위원 (차관보급)	02-6788-5041	김현수 입법조사관 (5급)	02-6788-5065
한석현 전문위원 (2급)	02-6788-5044	이영준 입법조사관 (5급)	02-6788-5053
김영일 전문위원 (2급)	02-6788-5042	황현진 입법조사관 (5급)	02-6788-5073
유인규 전문위원 (2급)	02-6788-5043	이정윤 입법조사관 (5급)	02-6788-5058
김성수 입법조사관 (3급)	02-6788-5049	박진영 입법조사관 (5급)	02-6788-5070
이강혁 입법조사관 (4급)	02-6788-5048	이상민 입법조사관 (5급)	02-6788-5057
김익두 입법조사관 (4급)	02-6788-5055	김다혜 입법조사관보 (6급)	02-6788-5064
김혜리 입법조사관 (4급)	02-6788-5071	장승훈 입법조사관보 (6급)	02-6788-5068
모주영 입법조사관 (4급)	02-6788-5054	박경덕 주무관 (6급)	02-6788-5067
정지영 입법조사관 (4급)	02-6788-5056	이미숙 주무관 (6급)	02-6788-5066
백상준 입법조사관 (4급)	02-6788-5052	오진숙 주무관 (6급)	02-6788-5050
문정호 입법조사관 (4급)	02-6788-5060	전진향 주무관 (6급)	02-6788-5069
이지선 입법조사관 (5급)	02-6788-5051	임현숙 주무관 (7급)	02-6788-5074
소만경 입법조사관 (5급)	02-6788-5063	임채현 입법조사관보 (7급)	02-6788-5072
임동훈 입법조사관 (5급)	02-6788-5061	장은선 공무직	02-6788-5041
박효민 입법조사관 (5급)	02-6788-5059		

국회법제사법위원회

DID: 02-6788-OOOO

위원장: **김 도 읍**
DID: 02-6788-6136

주소	서울특별시 영등포구 의사당대로 1 (여의도동) (우) 07233
홈페이지	legislation.na.go.kr

구성	간사		위원			
위원명	**기동민**	**정점식**	**권인숙**	**권칠승**	**김남국**	**김승원**
소속	더불어민주당	국민의힘	더불어민주당	더불어민주당	더불어민주당	더불어민주당
보좌관	김형식, 이지백	김광섭, 최재호	이보라, 황윤정	김도근, 이상헌	양삼동	박민수, 이윤정
전화	6106	7216	6096	6101	6131	6236

구성	위원					
위원명	**김의겸**	**박범계**	**박주민**	**이탄희**	**최강욱**	**박형수**
소속	더불어민주당	더불어민주당	더불어민주당	더불어민주당	더불어민주당	국민의힘
보좌관	김영주, 박진형	문병남, 윤종우	김인아, 안진모	권오재, 서혜진	박철훈, 안시현	김상현, 박민구
전화	6321	6456	6521	7086	7341	6536

구성	위원				
위원명	**유상범**	**장동혁**	**전주혜**	**조수진**	**조정훈**
소속	국민의힘	국민의힘	국민의힘	국민의힘	시대전환
보좌관	김원호, 최영수	이영수, 한상필	김태현, 박영미	안준철, 유신호	윤국영, 최병현
전화	6811	6996	7176	7271	7296

국회정무위원회

주소	서울시 영등포구 의사당대로 1 (여의도동) (우) 07233
대표전화	02-6788-2114
사이트	policy.na.go.kr

위원장   백혜련

(D) 02-6788-6566

위원회 조직	전화
고상근 수석전문위원 (차관보급)	02-6788-5101
곽현준 전문위원 (2급)	02-6788-5103
권태현 전문위원 (2급)	02-6788-5102
강준희 보훈정책 입법조사관 (3급)	02-6788-5110
이지연 금융정책 입법조사관 (3급)	02-6788-5104
김종규 행정실장 (4급)	02-6788-5105
최민영 공정거래정책 입법조사관 (4급)	02-6788-5109
신승우 금융정책 입법조사관 (4급)	02-6788-5111
김영석 금융정책 입법조사관 (4급)	02-6788-5106
정의선 금융정책 입법조사관 (5급)	02-6788-5108
이제정 보훈정책 입법조사관 (5급)	02-6788-5112
한지환 보훈정책 입법조사관 (5급)	02-6788-5113
정지연 보훈정책 입법조사관 (5급)	02-6788-5107
민승환 공정거래정책 입법조사관 (5급)	02-6788-5114
조정일 공정거래정책 입법조사관보 (6급)	02-6788-5115
박경희 행정관 (6급)	02-6788-5116
김민옥 행정관 (6급)	02-6788-5103
윤애심 주무관 (6급)	02-6788-5101
김유준 행정관 (7급)	02-6788-5117
이지영 공무직	02-6788-5102

국회정무위원회

DID: 02-6788-OOOO

위원장: **백 혜 련**
DID: 02-6788-6566

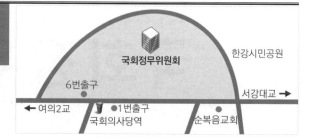

주소	서울특별시 영등포구 의사당대로 1 (여의도동) (우) 07233
홈페이지	policy.na.go.kr

구성	간사		위원			
위원명	**김종민**	**윤한홍**	**강병원**	**김성주**	**김한규**	**민병덕**
소속	더불어민주당	국민의힘	더불어민주당	더불어민주당	더불어민주당	더불어민주당
보좌관	신동욱, 정운몽	김형수, 남기석	장용득, 허호인	김진옥, 정호석	오영진, 황종섭	김대경, 이재호
전화	6311	6891	6026	6211	6771	6421

구성	위원					
위원명	**박성준**	**박용진**	**박재호**	**소병철**	**오기형**	**윤영덕**
소속	더불어민주당	더불어민주당	더불어민주당	더불어민주당	더불어민주당	더불어민주당
보좌관	윤영승, 이동현	유성민, 최선	김남원, 이수경	박정현, 이서진	권태준, 유기훈	이경훈, 조삼용
전화	6476	6506	6511	6626	6761	6851

구성	위원					
위원명	**이용우**	**황운하**	**강민국**	**김희곤**	**송석준**	**유의동**
소속	더불어민주당	더불어민주당	국민의힘	국민의힘	국민의힘	국민의힘
보좌관	김성영, 이승현	강철승, 유승준	강민승, 정경섭	임병국, 진명구	류명현, 박범영	이윤재, 이은석
전화	7016	7491	6016	6371	6646	6816

구성	위원				
위원명	**윤상현**	**윤주경**	**윤창현**	**최승재**	**양정숙**
소속	국민의힘	국민의힘	국민의힘	국민의힘	무소속
보좌관	안우철, 이상택	박장혁, 임지홍	김재학, 심상협	김준헌	임성우, 전병훈
전화	6846	6876	6886	7351	6741

감 사 원

주소	서울특별시 종로구 북촌로 112 (삼청동 25-23) (우) 03050
대표전화	02-2011-2114
사이트	www.bai.go.kr

원장　　　최재해

(D) 02-2011-2000 (FAX) 02-2011-2009

비서실장　　　김태우

감사위원실
유희상 감사위원
임찬우 감사위원
조은석 감사위원
김인회 감사위원
이미현 감사위원
이남구 감사위원

사무총장	유병호	
제1사무차장	김경호	(D) 02-2011-2070
제2사무차장	현완교	(D) 02-2011-2080
공직감찰본부장	김영신	(D) 02-2011-2300
국민감사본부장	이상욱	
기획조정실장	최달영	(D) 02-2011-2171
감사교육원장	조성은	(D) 031-940-8802
감사연구원장	이영웅	

감사원

대표전화 : 02-2011-2114 / DID : 02-2011-OOOO

원장: **최 재 해**
DID: 02-2011-2000

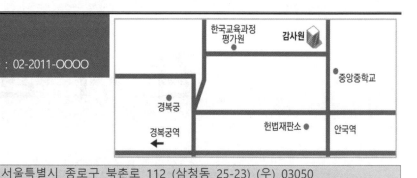

주소	서울특별시 종로구 북촌로 112 (삼청동 25-23) (우) 03050
홈페이지	www.bai.go.kr

실	비서실	원	감사교육원			감사연구원						
실장	김태우	원장	조성은 031-940-8802			이영웅 3000						
과		부장	정의탁 031-940-8902									
과장		과	교육지원	교육운영1	교육운영2	연구지원과	경제감사연구	사회감사연구	행정감사연구	디지털감사연구	인사혁신	운영지원
		과장	정광연 8810	윤희연 8830	심수경 8821	최인수 3040	김찬수 3010	오윤섭 3020	신상훈 3030	차경엽 3041	최일동 2582	최익성 2576

국	감찰관	대변인	재정경제감사국					산업금융감사국			
국장	김현철 2676	최정운 2491	김영관 2111					최재혁 2211			
과	감찰담당	홍보담당	1	2	3	4	결산검사	1	2	3	4
과장	정연상 2676	김홍철 2491	배준환 2111	박용준 2121	박성대 2131	박상순 2141	김건유 2156	이지웅 2211	임봉근 2221	유영 2231	홍현식 2241

국	국토환경감사국					공공기관감사국				미래전략감시국		
국장	박준홍 2311					황해식 2351				장난주		
과	1	2	3	4	5	1	2	3	4	1	2	3
과장	노희관 2311	김경덕 2321	전형철 2331	임정혁 2341	박정철 2343	홍정상 2351	김대현 2361	김동진 2371	홍윤석 2381	최현준 3060	김태성 3070	전용진 3080

국	사회복지감사국					행정안전감사국				외교국방감사국		
국장	김순식 2411					박진원 2511				김종운			
과	1	2	3	4	5	1	2	3	4	1	2	3	국제기구감사
과장	조윤정 2411	남우점 2421	안광용 2431	손동신 2441	김탁현 2451	안병준 2511	권기대 2521	김진경 2531	정경주 2541	유동욱 2501	신현승 2502	임승주 2503	조양찬 2646

1등 조세회계 경제신문 조세일보

국	특별조사국					지방행정감사1국			
국장	이주형 2701					홍성모 2611			
과	1	2	3	4	5	1	2	3	4
과장	김숙동 2701	고동갑 2711	정영교 2721	문강희 2731	이시대 2741	신영일 2611	전우승 2621	조성익 2631	임명효 2641

국	지방행정감사2국			지방행정감사3국			국민제안감사1국			
국장	임동혁 042-481-6731			오준석			유병호			
과	대전 042-481	인천 02-2011	광주 062-717	부산 051-718	대구 053-260	지방건설 안전감사	1	2	3	4
과장	이중호 8050	박성만 2642	정진수 5920	위응복 2300	여태승 4330	권진웅 2648	김원철 2751	김원형 2752	강재구 2753	이완영 2754

국	국민제안감사2국			공공감사지원국			심사관리관	
국장	전영진			김영석 2101			이수연 2291	
과	1	2	3	감사정책	감사운영 심사	적극행정지원	1담당관	2담당관
과장	강승원 2191	이삼만 2772	양병구 042-481-6731	임상혁 2101	이동규 2201	조석훈 2736	권오복 2291	이영근 2296

국	기획조정실			심의실				디지털감사지원관		
국장	최달영 2171			박재용				남가영		
과	기획	감사전략	국제협력	법무	심의지원	감사품질 지원	재심의 담당	디지털 감사	디지털 혁신	정보시스템운영
과장	정의종 2171	홍운기 2172	구민 2186	김영호 2281	김규용 2285	이상혁 배재일 김태석 2261	박득서 2746	김지현 2401	임보영 2420	김태익 2403

기획재정부

■ 기획재정부   73

세제실   75

기획조정실   77

예산실   78

기 획 재 정 부

주소	세종 갈매로 477 정부세종청사 기획재정부 (우) 30109
대표전화	044-215-2150
팩스	044-215-8033
계좌번호	011769
e-mail	forumnet@mosf.go.kr

부총리　　　추경호

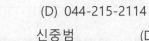

(D) 044-215-2114

비 서 실 장	신중범	(D) 044-215-2114
비 서 관	정여진	(D) 044-215-2114
사 무 관	박승환	(D) 044-215-2114
사 무 관	김형욱	(D) 044-215-2114
주 무 관	안희준	(D) 044-215-2114
주 무 관	윤남숙	(D) 044-215-2114
파 견	남창우	(D) 044-215-2080

차관	전화
방기선 제1차관	(D) 044-215-2001
최상대 제2차관	(D) 044-215-2002

기획재정부

DID: 044-215-OOOO

기획재정부

연세초등학교

환경부
국토교통부

해양수산부
정부세종청사
공정거래위원회

부총리 겸 장관: **추 경 호**
DID: 044-215-2114

주소	세종특별자치시 갈매로 477 정부세종청사 기획재정부 (어진동16-1) (우) 30109
홈페이지	www.mosf.go.kr

실	대변인				제1차관	
실장	조용범 2400				방기선 2001	
관	홍보담당관	장관정책보좌관	감사관	감사담당관	차관보	국제경제관리관
관장	범진완 2410	박원진 2040 한동엽 2041	박홍기 2200	고정삼 2210	이형일 2700	김성욱 2004
과						
과장		민경설 8670				
팀장	김정훈 2430 박은결 8680 박은미 2760			박찬호 2211		
서기관						
사무관	이석한 2411 박영식 2569 허영락 2418 박성현 2412 전광철 2419 박준영 2413 강병구 2431 주서의 2562 심우진 2433 박지혜 2762			김성욱 2213 이경숙 2212 박종석 2216 임주현 2217 박윤우 2218 최현규 2215 황명희 2219		
주무관	윤휘연 2417 박순용 2561 김미라 2416 박진영 2415 박현우 2564			문지연 2208	심미경 2003	오연승 2004 박준호 2376
직원	황은주 2437　정윤정 2422 이훈용　　　전성민 2439 김준범 2420　김수민 2432 권기태 2568　유리나 2421 장은조 7981　김정숙 2763 최은영 7982　신동균 1533 이성희 7981　박서연 2761	김종덕 3883 박예나 2041	최선영 2201	유다영 2207		
FAX	044-215-8033					

실	제1차관		제2차관	세제실		
실장	방기선 2001		최상대 2002	고광효 2006		
관			재정관리관	조세총괄정책관		
관장			김윤상 2005	정정훈 4100		
과	인사과	운영지원과		조세정책과	조세특례제도과	조세분석과
과장	김이한 2230	허진 2310		배정훈 4110	윤정인 4130	김문건 4120
팀장	서진호 2250 황석채 2290	마용재 2330 양재영 2350		최지훈 4190 최우석 4160 배병관 4150		
서기관				백경원 4111		
사무관	김승연 2270 정휘영 2251 전수정 2252 강준이 2293 송성일 2292	박종훈 2370 김대훈 2361 배경은 2371		전동표 4112 이현태 4113 김철현 4114 이주윤 4116 현원석 4151 남원우 4152	김준하 4131 김명환 4132 오다은 4133 기태경 4142	고대현 4121 이수지 4122 박병선 4123 남한샘 4126
주무관	윤진 2253 최경남 2254 이승연 2259 정의론 2255 심유정 2271 정성원 2258 이종성 2296 오미영 2297 추여미 2294 장윤정 2299	임유순 2335 박익성 8910 권미라 2374 김영대 8911 이소영 2375 이광훈 8909 윤애진 2372 김종승 8905 신용순 2334 신현구 8905 유미경 2369 김순현 2022 윤숙희 2354 김양언 8906 박민희 2356 차연호 2355 김혜빈 2352 유석찬 2353	이종호 8900	신진욱 4117 이은영 4118	박지혜 4136 정철 4141	
직원	유지혜 2239 천지연 2295	서석재 2333 김태완 최영락 2377 박동우 2346 김종욱 2373 박아름 2348 이혜정 2357 김상태 8908	김주연 2005	조재일 4194 박종현 4162 오지윤 4154		전지영 4125
FAX	044-215-8033					

DID : 044-215-OOOO

실	세제실							
실장	고광효 2006							
관	소득법인세정책관			재산소비세정책관			국제조세정책관	
관장	이용주 4200			조만희 4130				
과	소득세제과	법인세제과	금융세제과	재산세제과	부가가치세제과	환경에너지세제과	국제조세제도과	신국제조세규범과
과장	박상영 4210	박지훈 4220	이영주 4230	이재면 4310	한재용 4320	조용래 4330	염경윤 4240	김태정 4250
팀장							김대연 4440	
서기관	김현수 4211	오미영 4221						구교은 4251
사무관	심수현 4212 김성웅 4215	강효석 4223 김민중 4222	정지운 4231 김종완 4233	권영민 4311 정호진 4314 김경수 4312 김정 4313 고명효 4308 강석훈 4315 황혜정 4316	배현중 4321 김종석 4322 서주원 4323	김만기 4331 장준영 4333 곽민욱 4337	서은혜 4241 우지완 4242 이찬호 4113 박지영 4441 박현애 4445 유은빈 4442	이재원 4253 최오동 4252
주무관	임동호 4217 노예순 4218	김선화 4224 양서영 4226	공동준 4236	이희범 4318 김순옥 4317	정하석 4326	이건위 4336	전해일 4246	김지원 4254 민다연 4256
직원							최연선 4245 서윤정 4448 박춘목 4447	오지연 4255
FAX	044-215-8033							

실	세제실				기획조정실	
실장	고광효 2006				홍두선 2009	
관	관세정책관				정책기획관	
관장	김재신 4400				강기룡 2500	
과	관세제도과	산업관세과	관세협력과	자유무역협정관 세이행과	기획재정담당관	혁신정책담당관
과장	최영전 4410	김영민 4430	이종수 4450	권기중 4470	정광조 8770	이민호 2530
팀장			김정주 4460			박은영 2550 김만수 2990 김민규 이나원
서기관					태원창 2511 이운호 2512	
사무관	권순배 4411 손혜민 4412 손민호 4413 안준석 4417	이금석 4431 손아름 4432 김성채 4433 박상현 4436	박초롱 4452 박해용 2371 황태훈 4454 박인원 4461 임도성 4462	김정진 4471 박재석 4472 이광태 4473	정윤홍 2513 황신현 02-785-5989 구본균 2515 김형준 2524 남수경 2516 김태경 2529 이태왕 2522 이성원 2512	임상현 2551 양지연 2543 강창기 044-960-6161 유경숙 2544 김영욱 2541 전효선 2534 박칠균 2991 박종수 2994
주무관	황영길 4416 김세은 4418	김세리 4434	박정은 4456		양고운 2520 구본옥 2517 배희정 2518 노성수 2514 김윤경 2521 오한영 5989	권민정 2553 조자현 2554 장재용 2532 권혁찬 2992
직원			이진선 4457		김대원 2523	김선정 2542
FAX						

실	기획조정실			예산실				
실장	홍두선 2009			김완섭 2007				
관	정책기획관		비상안전기획관	예산총괄심의관				
관장	강기룡 2500		성인용 2670	임기근 7100				
과	정보화담당관	규제개혁법무담당관	비상안전기획팀	예산총괄과	예산정책과	예산기준과	기금운용계획과	예산관리과
과장	민철기 2610	윤정주 2570		김태곤 7110	장윤정 7130	강경표 7150	김준철 7170	윤수현 7190
팀장	오상우 2630		김준호 2680			박경훈 7380		이재우 7494
서기관	하현기 2611	김한준 2650			류재현 7131			
사무관	허정태 2612 방춘식 2613 송민익 2631 권성철2632	이미자 2571 김영옥 2572 손우성 2573 박태원 2574 차승원 7183 정재성 2993	안창모 2681 강현정 2685	김지수 7114 원봉희 7117 조기문 7115 황현 7116 김재영 7112 문근기 7113 김유현 7122	정민철 7132 이상후 7133 이한결 7134 이동휘 7135 곽정환 7137	김병철 7151 안광선 7158 정주현 7152 임상균7155 권민상 330-1511 안승현 7381	이승도 7171 이상헌 7172 송준식 7174 신지호 7177	남기인 7199 남동현 7195 최동호 7492
주무관	장해영 2619 엄승욱 2614 이진주 2615 전준고 2633 정명수 2634	공숙영 2579 안윤정 2576 강성준 2577 이우철 2656 노은실 2654		연영민 7118 이정연 7123 천혜린 7120 장일영 7119	이영임 7139 조상우 7136	강혜숙 7156 조래혁 7382 차경은 7382	윤동형 7175 박수현 7176 이진승 7178	정사랑 7192
직원	김희중 2618	윤소영 2578 서영수 2658	김성학 2682 최희주 2689	주혜진 7121				이기영 남지원 7196
FAX	044-215-8033							

78

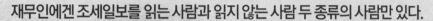
실	예산실									
실장	김완섭 2007									
관	사회예산심의관					경제예산심의관				
관장	박금철 7400					김동일 7300				
과	고용예산과	교육예산과	문화예산과	기후환경예산과	총사업비관리과	산업중소벤처예산과	국토교통예산과	농림해양예산과	연구개발예산과	정보통신예산과
과장	김경국 7230	이지원 7250	김완수 7270	정희철 7260	김장훈 7210	이성원 7310	남동오 7330	김정애 7350	강병중 7370	오현경 7390
팀장										
서기관										
사무관	신경아 7231 최창선 7232 구본녕 7233 서혜경 7235	윤지원 7251 윤홍기 7252 이세환 7255 홍광표 7253	이은숙 7271 신동호 7272 최대선 7273 조승호 7274	하치승 7266 옥지연 7262 안준영 7261	박용택 7212 조현 7213	구정대 7311 권혁순 7312 전유석 7316 김정수 7313	성기웅 7331 이재철 7332 장준희 7342 곽인수 7336	성인영 7351 정효상 7353 이미숙 7354 최지애 7363 김진수 7352	박주선 7374 강민기 7372 정혁주 7373	유동훈 7391 문성호 7397 이숙경 7393 기도형 7392
주무관	한연지 7234 김명옥 7239	오상식 7254 김상우 7256	최나은 7275 김혜진 7276	오미화 7267	홍주연 7216	이정학 7315 남기범 7314 배미현 7318	최항 7338 문강기 7337	허장범 7356 전광호 7355	진선홍 7375 홍현아 7376	정민기 7398
직원			고지연 7277	임정숙 7269 박희성 이주환 정연우		김재일 7318	강은영 7341	이은화 7357		이상훈 7398 이승민 7398 조성배 7398
FAX	044-215-8033									

DID : 044-215-OOOO

실	예산실							
실장	김완섭 2007							
관	복지안전예산심의관				행정국방예산심의관			
관장	황순관 7500				안상열 7400			
과	복지예산과	연금보건예산과	안전예산과	지역예산과	법사예산과	행정예산과	방위사업예산과	국방예산과
과장	박재형 7510	강준모 7530	이미혜 7430	이혜림 7550	황경임 7470	박정민 7410	강우진 7460	하승완 7450
팀장						안순헌 7490		
서기관						이만구 7411		
사무관	원선재 7511 김이현 7513 안재영 7512 김진수 7514	이국희 7531 주병욱 7532 이상협 7534 김정아 7533	안영훈 7431 오성태 7434 유이슬 7432	노영래 7551 송기선 7552 김경난 7554	김민석 7471 이동석 7472 고상덕 7476	박근형 7412 김정도 7413 강민서 7416 최현희 7495	강보형 7461 조강훈 7463 서지연 7465	조병규 7451 김기동 7455 이병호 7457
주무관	김민주 7516 윤성경 7515 황운정 7517	조성현 7536 최진경 7538 강윤정 7537	김광일 7433	유승우 7557	송유민 7475 주상희 7477	김동훈 7415	박선영 7462	김희택 7459
직원					이영광 7473	오도영 7417		김현순 7454
FAX	044-215-8033							

국	경제정책국						정책조정국	
국장	윤인대 2700						김범석 4500	
관	민생경제정책관						정책조정기획관	
관장	이지호 2701						김재환 4501	
과	종합정책과	경제분석과	자금시장과	물가정책과	정책기획과	거시정책과	정책조정총괄과	산업경제과
부이사관							나상곤 4510 최한경 7110	
과장	김영훈 2710	이승한 2730	김귀범 2750	김희재 2770	정규삼 2810	조성중 2830	박재진 4510	김승태 4530
팀장	김혜련 2940	김경록 2850						
서기관	김태웅 2711	손정혁 2731					성진규 4511	
사무관	신동현 2713 김태순 2712 박진훈 2714 김준성 2715 류성열 2718 김경래 2722	연정은 2732 이재헌 2735 김정호 2733 윤현곤 2851 심승미 2852 김선익 2852 이성식 2853	이상홍 2751 신태섭 2752 김애리 2753 김금비 2755 이인중 2754	최문성 2771 정동현 2772 이종희 2775 박진숙 2774 박영우 2777	이종민 2811 김태경 2812 오성진 2813 성지현	김형선 2831 김영진 2832 이유진 2833	서지현 4512 배준혜 4513 양현정 4515 박가영 4514 배민우 4582	박정주 4531 김상엽 4532 황인환 4534 심정민 4535 박성우 4533
주무관	김송희 02-6050-2521 유선희 2719	김동환 2737 장영 2739	강재은 2756	정희원 2774 박은심 2789 김동혁 2781	정유정 2815 서신자 2816	최다영 2835	이진경 4529 최재영 4528	유소영 4539 이지은 4536
직원	최민교 2724	석지원 2854	정경옥 2759	박성곤 2934 정기영 2776		정지영 2839		
FAX	044-215-8033							

DID : 044-215-OOOO

국	정책조정국				경제구조개혁국					
국장	김범석 4500				성창훈 8500					
관	정책조정기획관									
관장	김재환 4501									
과	신성장정책과	서비스경제과	지역경제정책과	기업환경과	경제구조개혁총괄과	인력정책과	노동시장경제과	복지경제과	연금보건경제과	청년정책과
부이사관					이주현 8520					
과장	박성귈 4550	문경호 4610	정원 4570	구자영 4630	장보영 8510	황인웅 8530	조현진 8550	최진규 8570	유창연 8590	허수진 8580
팀장				이재화 4581						
서기관					최성영 8511					
사무관	김한필 4551 이명선 4555 이주영 4559 주해인 4552 권오빈 4553	전성준 4611 황철환 4612 권은영 4613 심민준 4615 홍혁준 4614	최연 4571 김문수 4572 정민종 4573 허혁 4574	박재홍 4631 류한솔 4632 차현종 4585 박흥희 4583 김동연 4584	김미진 8512 유다빈 8513 주윤호 8514	이지은 8531 고광민 8532 김범석 8533 김상규 8535 김재이 8536	김요균 8551 변재만 8552 송재열 8554 임영상 8553	류소윤 8571 김주민 8572 김진 8573	김희준 8591 안건희 8592 이보영 8593 양지희 8595	원종혁 8581 권영현 8583 김보경 8582
주무관	문명선 4554		이해인 4576	양혜선 4639 강희진 4586	변유호 8516 김령아 8517	김지희 8537	한선화 8557	박승연 8596	박상준 7746	장혜선 8584
직원		서혜영 4617		김태현 4634						
FAX	044-215-8033									

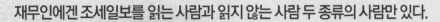
국	미래전략국				국제금융국		
국장	이승원 4900				최지영 4700		
관					국제금융심의관		
관장					정병식 4701		
과	미래전략과	인구경제과	지속가능경제과	기후대응전략과	국제금융과	외화자금과	외환제도과
과장	김명선 4910	이희곤 5910	윤영귀 5930	나윤정 4940	오재우 4710	심규진 4730	심현우 4750
팀장	최원석 4970		이우형 4960		고상현 4711	최은경 4731	
서기관	김영현 4911						
사무관	박준백 4920 김도경 4912 김유경 4913 오상혁 4914 어지환 4971 김가람 4972 이현우 4974 김새날 4973	김은지 5911 정균영 5912 이창형 5913	심지애 5931 이광수 5934 이우석 황지은 5935 박성훈 4962 김성희 5971 이상윤 5972 황지현 4961	강유신 4941 이지영 4943 안영신 4942	진승우 4714 이용준 4712 권용준 4716 서민아 4713 송상목 4861	한정연 4734 박기학 4733 이은우 4736	박수민 4751 유경화 4752 장시열 4754 김용준 4753
주무관	김지영 4916 박소현 4917	정은주 5916	임은란 5937	이연선 4945 김효경 4944	김태호 4717 김재집 4718 이수택 4715 김경애 4719	민주영 4737 이경화 4739	이기민 4756 이승준 4758
직원	김규수 4975	강진아	강민지 5936		김영래 4862 박선경 4728		박하나 4759
FAX	044-215-8033						

83

DID : 044-215-OOOO

국	국제금융국	대외경제국						
국장	최지영 4700	김진명 2090						
관	국제금융심의관							
관장	정병식 4701							
과	금융협력과	다자금융과	대외경제총괄과	국제경제과	통상정책과	통상조정과	경제협력기획과	남북경제과
부이사관			손웅기 7601					
과장	김영현 4830	장의순 4810	이보인 7610	이준범 7630	김봉준 7670	이재완 7650	최지영 7740	이재용 7750
팀장		박은정 4840		배성현 7710				이준성 7730
서기관			염철민 7611					
사무관	김민주 4831 이태윤 4833 박재은 4832 김하린 4834	홍승균 4811 홍석찬 4812 김지영 4813 김선아 4814 신정원 4818 이동훈 4841	전형용 7612 이창선 7615 정찬구 7622 선우다스림 7623 임지혜 7613	박상현 7631 유경원 7635 정완준 7632 박정환 7636 김정환 7712	김상형 7671 박재현 7672 정희진 7673 홍가람 7674	이현준 7651 강수진 7652 정석환 7653 신승헌 7654	이지우 7741 김태중 7742 신형진 7743 김나윤 7744 김기홍 7745 권미경 7748	하정현 7331 김동욱 7751 김양희 7752
주무관	고유정 4835 신명숙 4839	이성국 4815 김옥동 4817	김현후 7621 안주환 7629	이재현 7633 심경자 7634 김철홍 7716	조선희 7675 안소현 7676	임지흠 7657	김도훈 7746	김유정 7756
직원	곽지혜 4838	신새미 4843 이정환 4842 임민지 4816	신혜철 7625	강상협 7637	김세영 7679	이태경 7658 한지현 7659	김인영 7747	
FAX	044-215-8033							

1등 조세회계 경제신문 조세일보

국	개발금융국				
국장	김경희 8700				
관					
관장					
과	개발금융총괄과	국제기구과	개발전략과	개발사업과	녹색기후기획과
과장	신준호 8710	이상규 8720	박정현 8740	곽소희 8740	정혜경 4370
팀장		고영욱 8730			
서기관	임진홍 2394 이샘나 8711				
사무관	이명진 8711 김재원 8714 이홍석 8713	최봉석 8722 유연정 8724 김요한 8723 한예린 8727	정다운 8771 박준석 8778 이현지 8772 이우리 8773	윤영준 8742 안근옥 8741 허성용 8743 장효은 8744	전종현 8751 김다현 8753 박준수 8754 강정훈 8752
주무관	봉진숙 8716 김예슬 8717	김경연 8725 지영미 8726	정성구 8775 권문연 8777	강진명 8748	이세미 8756
직원	홍에스더 8719 정진욱 8718	추연재 8728 김윤경 8734 박지은 8736 송아란 8729	조창인 8776		김효정 8758
FAX	044-215-8033				

국	국고국						
국장	유형철 5100						
관	국유재산심의관						
관장	윤석호 5101						
과	국고과	국유재산정책과	계약정책과	국채과	국유재산조정과	출자관리과	혁신조달기획과
부이사관	정인권 5250						
과장	노중현 5150	장승대 5150	조규산 5210	장보현 5130	류중재 5250	정동영 5170	조영욱 5230
팀장							임병국 5640
서기관			홍연희 5178				
사무관	배경화 5111 박정상 5112 최지원 5113 박진영 5123 오승상 5116 박지현 5121	안영환 5152 송재경 5162 손주연 5153 박종운 5163 이원재 5165 유양희 5154	김종성 5211 이윤태 5212 김용대 5214 김성훈 5213	이상아 5131 안경우 5132 서병관 5134 조선형 5133	석상훈 5251 김지수 5252 이재우 5253 전찬익 5254	김형훈 5172 이민정 5171 윤정민 5181 김현주 5175	김동석 5643 김진수 5642 조중연 5231 김연수 5233 양성철 5232
주무관	엄지원 5114 김도회 5124 류은선 5129	홍단기 5161 박수영 5166	조태희 5218 김유림 5217	지혜조 5135 박선영 5139	박양규 5255 한연옥 5259	연혜정 5177 정혜진 5173 유진목 5176	최성민 5235 조효숙 5234
직원		서정곤 5157 최성백 5164	이창민 5156	최재국 5136 이혜정 5137	이주혁 5257 문상은 5258	양지윤 5179	
FAX	044-215-8033						

국	재정혁신국					
국장	김현곤 5700					
관	재정건전성심의관					
관장	강영규 5703					
과	재정정책 총괄과	재정 건전성과	재정분석과	재정제도과	재정정책 협력과	재정정보과 (02-6908)
부이사관	박성훈 2510					
과장	오기남 5720	윤범식 5740	임헌정 7900	정남희 5490	임혜영 5480	곽상현 044-215-2430
팀장	신대원 5760 한주희 8781	하태원 0000				김성진 044-330-1521
서기관	김영웅 5721					
사무관	정병완 5727 신채용 5725 권유림 5723 이대권 5726 유규재 5722 이종혁 5761 김태진 8786	김민형 5741 문혁완 5744 강도영 5743 김민호 5742 김나현 5749	장현중 7901 문성희 7902 염승화 7903	윤석규 5494 김선영 5492 권준수 5493	김기문 5481 박수진 5484 최덕희 5483	신인식 044-215-5356 정채환 044-215-5357 이주호 8726 임영휘 8724
주무관	유은경 5730 김보현 5728 신기환 5762	정은주 5745	최나영 7905	김서현 5496	강원식 5486	이경희 8729
직원			김종임 7906		이지은 0000	이영선 8728 김크리스틴 8730
FAX	044-215-8033					

DID : 044-215-OOOO

국	재정관리국				
국장	정희갑 5300				
관	재정성과심의관				
관장	배지철 5301				
과	재정관리총괄과	재정성과평가과	타당성심사과	민간투자정책과	회계결산과
부이사관	장정진 5720				
과장	김위정 5310	김선길 5370	유형선 5410	권재관 5450	박성주 5430
팀장	정석철 8781 이제봉 5470	나상률 8310			김완수 5360
서기관	유예림 5311				
사무관	이성택 5354 강성빈 5355 김성용 5317 정길채 5318 박철희 5352 박수진 5312 이우태 5316 조현두 8782 신재원 8784 최우리 8783 안형자 5471 신수용 5472	이성한 5374 이동각 5375 이현주 5373 정철교 5376 박미경 8344 최남오 8327	이창희 5412 김영민 5418 이재학 5417 장유석 5416 권순영 5414 이동수 5415	송현정 5451 한재수 5455 유정아 5454 이승민 5457 강인주 5453	김연대 5433 박미경 5432 허현정 5435 최규철 5434c 변진영 5362 이동훈 5361
주무관	고광남 5322 최인선 5474	송현전 5377 심경희 5378 이영숙 5378	김지수 5413 황성희 5419	임영주 5459 정명지 5458	최규철 5434 김도연 5438
직원		이상민 8315			문영희 5437
FAX	044-215-8033				

1등 조세회계 경제신문 조세일보

국	공공정책국							
국장	김언성 5500							
관	공공혁신심의관							
관장	임형철 5501							
과	공공정책총괄과	공공제도기획과	재무경영과	평가분석과	인재경영과	윤리경영과	공공혁신과	경영관리과
부이사관	이용욱 5110							
과장	고재신 5510	정유리 5530	육현수 5630	김유정 5550	이복원 5570	김수영 5620	오정윤 5610	김의영 5650
팀장					윤영수 5580			김택수 5670
서기관						이재석 5622		
사무관	송윤주 5511 가순봉 5514 고영록 5513 이지혜 5515 염보규 5517 장효순 5529	안기용 5531 김재현 5532 김숙 5534 박주현 5536	권기환 5636 이수현 5632 최재원 5633 이형경 5634 박지훈 5636	이희한 5551 전성헌 5552 김윤희 5553 이남희 5558	이승민 5581 이상용 5573	이채영 5623 이하준 5624	박준하 5611 박중민 5612 임강빈 5613 김근호 5616	김정수 5651 류남옥 5652 김윤찬 5654 김동욱 5671
주무관	김민지 5518	어우주 5533 김윤수 5549	김선주 5635	김태이 5569	이현주 5574 유정미 5575	구동원 5625 변은진 5626	김항년 5615 김정란 5617	이경아 5656 임선희 5655
직원	최병진 5512	홍도희 5535	김대석 5649		안재완 5578			
FAX	044-215-8033							

DID : 044-215-0000

관	경제안보공급망기획단 044-287-0000	ADB연차총회준비기획단	
관장	강종석 044-215-3882	문지성 8670	
과	총괄기획과	총회기획팀	운영총괄팀
과장	강희민 1520		
팀장		박은결 8680	변성만 8690
서기관	전희선 1532		
사무관	박세웅 1521 박현석 1524 이용호 1523 고현태 1531 임정연 1526 정보근 1525	김남영 8657 박경숙 8658 이수호 8681	김영돈 8695 이돈구 8691 김상범 8699 정선영 8693
주무관	윤현미 1527	김승하 8684 이송하 8688	홍인영 044-330-1558 최희진 8697
직원		김예지 8686 송창민 8682 김혜리 8683 황지영 8685 최선희 8687	김혁일 044-330-1553 김호중 8694
FAX	044-215-8033		

국	재정집행특별점검단	복권위원회사무처		
국장	정희갑 5300	김서중 7800		
과	집행전략과	복권총괄과	발행관리과	기금사업과
부이사관		이대균 7830		
과장	문상호 5330	이종훈 7810	강준희 7830	이철규 7850
팀장				
서기관		오정림 7814		
사무관	김선애 5331 이해인 5331 소병화 5338 전준영 5334 정효경 5336 전예지 5332 민혜수 5333	오두현 7811 김지은 7812 이원재 7816	김지선 7832 백윤정 7831 조용감 7839 안수민 7835 최성진 7833 하승원 7837	이범한 7853 박철호 7858 이지혜 7854 김미선 7855
주무관	박형민 5339	김주원 7819 이혜인 7818 권영진 7813	김유경 7838 김혜린 7834	강현순 7857 장수은 7856 김유빈 7852
직원	김진아 5335 김미진 5337	권영진 7813		
FAX	044-215-8033			

금융위원회

주소	서울특별시 종로구 세종대로 209 금융위원회 (우) 03171
대표전화	**02-2100-2500**
사이트	**www.fsc.go.kr**

위원장　　김주현

(D) 02-2100-2700 FAX : 02-2100-2715

부위원장	**김소영**	(D) 02-2100-2800
상임위원(금융위)	**권대영**	(D) 02-2100-2701
상임위원(금융위)	**김용재**	(D) 02-2100-2702
비상임위원(금융위)	**김용진**	
상임위원(증선위)	**김정각**	(D) 02-2100-2703
비상임위원(증선위)	**송창영**	
비상임위원(증선위)	**박종성**	
비상임위원(증선위)	**이동욱**	
사무처장	**이세훈**	(D) 02-2100-2900

금융위원회

대표전화: 02-2100-2500/ DID: 02-2100-OOOO

위원장: **김 주 현**

DID: 02-2100-2700

주소	서울특별시 종로구 세종대로 209 정부서울청사 (우) 03171
홈페이지	www.fsc.go.kr

국실	대변인			금융정보분석원	
국장				박정훈 1701	
과		행정인사과	금융안정지원단	제도운영기획관	심사분석심의회
과장		이진수 2756, 2765, 2767	김기한 1665~7	안창국 1801	임복규 1881
FAX				1802	

국실	금융정보분석원						
	박정훈 1701						
과	기획행정실	제도운영과	가상자산검사과	심사분석실	심사분석1과	심사분석2과	심사분석3과
과장	김정명 1733	신상록 02-736-1755	이동욱 02-736-1748	문영권 1821	오은정 1859	임주연 1875	조미연 1894
FAX	1738	02-736-1756	02-736-1756	1823	1863	1882	1898

국실	기획조정관				금융소비자국			
국장	김동환 2770				유재훈 2980			
과	혁신기획재정담당관	규제개혁법무담당관	감사담당관	금융공공데이터팀	금융소비자정책과	서민금융과	가계금융과	청년정책과
과장	주홍민 2788, 2789, 2772	홍수정 2808	강석민 2794	전희규 2674, 2675	하주식 2633, 2635	정선인 2617	조문희 2512, 2527	최치연 1688
FAX	2778	2777	2799		2999	2629	2639	

국실	금융정책국			
국장	이형주 2820, 2822			
과	금융정책과	금융시장분석과	산업금융과	글로벌금융과
과장	변제호 2825, 2874, 2839	고상범 2856, 2857	이석란 2873, 2867, 2868	윤현철 2885, 2888, 2895
FAX	2849	2829	2879	2939

국실	금융산업국			자본시장정책관				
국장	신진창 2940, 2941			이윤수 2640, 2641				
관	은행과	보험과	중소금융과	자본시장과	자산운용과	공정시장과	자본시장조사총괄과	자본시장조사과
관장	강영수 2955, 2956, 2957	신상훈 2965, 2966, 2968	오화세 2995, 2998, 2627	이수영 2656, 2657, 2658	고영호 2665, 2666	김광일 2685, 2686	박재훈 600	정현직 2601
FAX	2948	2947	2933	2648	2679	2678		

국실	구조개선정책관		금융혁신기획단		
국장	전요섭 2901, 2902		박민우 2580, 2581		
과	구조개선정책과	기업구조개선과	금융혁신과	전자금융과	금융데이터정책과
과장	진선영 2915, 2916, 2918	정종식 2924, 2926	이동엽 2538, 2758	김종훈 2976, 2978	신장수 2624, 2621
FAX	2919	2929	2548	2946	2745

금융감독원

주소	서울특별시 영등포구 여의대로 38 (우) 07321
대표전화	02-3145-5114
사이트	www.fss.or.kr

원장 　이복현

(D) 02-3145-5001, 5002 (FAX) 785-3475

감사	감사	김기영	
기획·보험	수석부원장	이명순	
은행·중소서민금융	부원장	이준수	
자본시장·회계	부원장	함용일	
금융소비자보호처	처장(부원장)	김은경	
기획·경영	부원장보	박상원	
전략감독	부원장보	김병칠	
보험	부원장보	차수환	
은행	부원장보	김영주	
중소서민금융	부원장보	이희준	
금융투자	부원장보	김정태	
공시조사	부원장보		
회계	전문심의위원	장석일	
소비자피해예방	부원장보	김미영	
소비자권익보호	부원장보	김범준	
금융자문관			
법률자문관			

금융감독원

대표전화: 02-3145-5114/ DID: 02-3145-OOOO

원장: **이 복 현**

DID : 02-3145-5311

주소	서울특별시 영등포구 여의대로 38 금융감독원 (여의도동 27) (우) 07321
홈페이지	http://www.fss.or.kr

본부	기획·보험
부원장	이명순

본부	기획·경영
부원장보	박상원

국실	기획조정국				총무국				공보실		
국장	박지선 5900, 5901				서영일 5250, 5251				이태호 5780		
팀	전략기획	조직예산	대외협력	감독업무혁신	급여복지	재무회계	재산관리	업무지원	공보기획	공보운영	홍보
팀장	5940	7970	5930	5890	5300	5270	5280	5290	5785	7785	5803

국실	인적자원개발실				국제업무국(금융중심지지원센터)					
국장	김성욱 5470, 5471				이준교 7890, 7891					
팀	인사기획	인사운영	연수기획	연수운영	국제협력	금융중심지지원	은행업무	금융투자보험업무	국제업무지원	베트남조기경보모형추진
팀장	5472	5480	6360	6380						02-+84-363-855-950

국실	정보화전략국						법무실				비서실	안전관리실
국장	진태종 5370, 5371						김욱배 5910				한구 5090	백승필 5350, 5351
팀	정보화기획	정보화운영	감독정보시스템1	감독정보시스템2	경영정보시스템	정보보안	은행	금융투자	중소서민	보험·소비자보호	비서	
팀장	5460	5380	5410	5430	5420	5431	5912	5920	5918	5915	5310	

1등 조세회계 경제신문 조세일보

본부	전략·감독										
부원장보	김병칠										
국실	감독총괄국						금융시장안정국				
국장	이창운 8300, 8301						정우현 8170				
팀	감독총괄	검사총괄	검사지원	금융상황분석	감독혁신조정	검사관리	ESG금융연구	금융시장총괄	거시금융	금융시장	감독정보	시스템리스크분석
팀장	8001	8010	8640	7005	8310	8290	8303	8180	8172	8185	8590	8191

국실	제재심의국						디지털금융혁신국				
국장	서재완 7800, 7801						김부곤 7120				
팀	제제심의총괄	은행	중소서민금융	보험	금융투자	조사감리	디지털금융총괄	전자금융	디지털자산연구	핀테크현장자문	핀테크혁신	온투업검사
팀장	7821	7802	7804	7811	7810	7820	7125	7123	7130	7355	7143	7150

국실	금융데이터실			IT검사국						
국장	김충진 7160			장성옥 7420, 7421						
팀	빅데이터총괄	금융데이터검사	금융데이터감독	검사기획	전자금융검사	은행검사	중소서민검사	보험검사	금융투자검사	상시감시
팀장	7163	7186		7415	7416	7330	7340	7350	7430	7425

국실	자금세탁방지실				금융그룹감독실		
국장	이재석 7500				김형원 8200, 8211		
팀	자금세탁방지기획	자금세탁방지검사1	자금세탁방지검사2	자금세탁방지운영	지주금융그룹감독	금융복합그룹감독	금융복합그룹검사
팀장	7502	7490	7495	7540	8210	8204	8219

DID : 02-3145-OOOO

본부	보험				
부원장보	차수환				
국실	보험감독국				
국장	문형진 7460,7461				
팀	보험총괄	건전경영	보험제도	특수보험1	특수보험2
팀장	7450	7455	7474	7472	7466

국실	생명보험검사국						손해보험검사국					
국장	윤영준 7790, 7791						원희정 7680					
팀	검사기획	상시감시	검사1	검사2	검사3	검사4	검사기획	상시감시	검사1	검사2	검사3	검사4
팀장	7770	7780	7795	7789	7950	7246	7510	7660	7670	7689	7527	7675

국실	보험영업검사실			보험리스크제도실		
국장	김금태 7270			정해석 7240, 7241		
팀	검사1	검사2	검사기획상시	보험리스크총괄	보험계리	보험리스크업무
팀장	7265	7275	7260	7242	7245	7244

본부	은행·중소서민금융										
부원장	이준수										
본부	은행										
부원장보	김영주										
국실	은행감독국					은행검사1국						
국장	김준환 8020, 8021					박충현 7050, 7051						
팀	은행총괄	건전경영	은행제도	가계신용분석	은행리스크감독	검사기획	상시감시	검사1	검사2	검사3	검사4
팀장	8022	8050	8030	8040	8060	7060	7065	7070	7075	7080	7085

국실	은행검사2국						은행검사3국			
국장	백규정 7200,7201						김정렬 8350			
팀	검사기획	상시감시	검사1	검사2	검사3	검사4				
팀장	7205	7210	7215	7225	7222	7220				

국실	외환감독국					신용감독국			
국장	이진 7920,7921					홍석린 8370			
팀	외환총괄	외환검사1	외환검사2	외환건전성감독	외환검사3	신용감독총괄	신용감독1	신용감독2	신용감독3
팀장	7922	7938	7945	7928	7933	8380	8390	8382	8395

DID : 02-3145-0000

본부	중소서민금융				
부원장보	이희준				
국실	저축은행감독국		여신금융감독국		
국장	이길성 6770, 6771		이종오 7550		
팀	저축은행총괄	저축은행영업감독	여신금융총괄	건전경영	여신금융영업감독
	6777	6797	7447	7552	7440

국실	상호금융국							저축은행검사국				
국장	정미선 8070							이현석 7410, 7411				
팀	상호금융총괄	건전영업감독	검사기획	상시감시	검사1	검사2	검사3	검사기획	상시감시	검사1	검사2	검사3
팀장	8072	8083	8078	8760	8767	8774	8781	7371	7380	7385	7392	7400

국실	여신금융검사국				
국장	이호진 8810,8811				
팀	검사기획	상시감시	여전업검사1	여전업검사2	여전업검사3
팀장	8805	8800	8816	8830	8822

10년간 쌓아온 재무인의 역사를 돌려드립니다 '온라인 재무인명부'

수시 업데이트 되는 국세청, 정·관계 인사의 프로필과 국세청, 지방청, 전국세무서, 관세청,
유관기관 등의 인력배치 현황을 볼 수 있는 온라인 재무인명부

1등 조세회계 경제신문 조세일보

본부	자본시장·회계									
부원장	함용일									
본부	금융투자									
부원장보	김정태									
국실	자본시장감독국					자산운용감독국				
국장	황선오 7580, 7581					최강석 6700, 6701				
팀	자본시장 총괄	건전경영	자본시장 제도	증권거래 감독	파생거래 감독	자산운용 총괄	자산운용 인허가	자산운용 제도	자문·신탁 감독	자산운용 업무
팀장	7570	7595	7587	7590	7600	6707	6711	6719	6753	6722

국실	금융투자검사국						
국장	김진석 7010, 7011						
팀	검사기획	상시감시	검사1	검사2	검사3	검사4	검사5
팀장	7012	7020	7025	7035	7040	7030	7110

국실	자산운용검사국						펀드신속심 사실
국장	김형순 690, 7691						민봉기
팀	검사기획	상시감시	검사1	검사2	검사3	검사4	
팀장	7620	7645	7631	7641	7621	7651	

DID : 02-3145-OOOO

본부	공시·조사				
부원장보					
국실	자본시장특별사법경찰		기업공시국		
국장	이승우 5600, 5601		안승근 8100, 8101		
팀	수사1	수사2	기업공시총괄	증권발행제도	지분공시2
팀장	5605	5266	8480	8485	8490

국실	공시심사실						기획조사국
국장	오상완 8420, 8421						고영집 5550
팀	공시심사기획	특별심사	공시심사1	공시심사2	공시심사3	공시조사	조사총괄
팀장	8422	8431	8450	8456	8463	8470	5569

국실	자본시장조사국					특별조사국			
국장	이승우 5650, 5651					한재혁 5100			
팀	조사기획	조사1	조사2	파생상품조사	공매도조사전담	조사기획	테마조사	복합조사	국제조사
팀장	5663	5635	5637	5645	5636	5106	5105	5102	5107

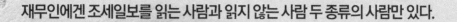
본부	회계										
부원장보	장석일										
국실	회계감리1국						회계감리2국				
국장	윤정숙 7700						이목희 7290, 7291				
팀							회계조사총괄	특별감리	회계감리1	회계감리2	회계감리3	회계감리4
팀장							7292	7301	7306	7311	7316	7320

국실	회계관리국				감사인감리실			
국장	김철호 7750, 1				김택주 7860, 7861			
팀	회계관리총괄	금융회계	국제회계기준	공인회계사시험관리	감사인감리총괄	감사인감리1	감사인감리2	감사인감리3
팀장	7752	7987	7984	7759	7862	7863	7864	7878

본부	감사			
위원장				
국실	감사실		감찰실	
국장	양진호 6060, 6061		이주현 5500, 5501	
팀	감사1	감사2	감찰총괄	직무감찰
팀장	6070	6062	6726	5502

DID : 02-3145-OOOO

본부	금융소비자보호처								
부원장	김은경								
본부	소비자피해예방								
부원장보	김미영								
국실	금융소비자보호총괄국					금융상품심사분석국			
국장	이영로 5700, 5701					김범수 8220, 8221			
팀	소비자보호총괄	소비자보호제도	금융현장소통	금융상품판매감독	소비자보호점검	금융상품총괄	예금·대출상품	투자상품	보장상품
팀장	5680	5685	8866	5689	5693	8228	8223	8236	8242

국실	민생금융국					연금감독실	
국장	이명규 8220, 8221					김봉균 5180	
팀	민생금융총괄	대부업검사1	대부업검사2	불법사금융대응1	불법사금융대응2	연금감독	연금검사
팀장	8266	8272	8280	8129	8285	5190	5199

국실	금융교육국				포용금융실	
국장	이상아 5970, 5971				허진철 8410	
팀	금융교육기획	일반금융교육	학교금융교육	금융교육지원단	서민·고령자포용	중소기업·자영업자포용
팀장	5972	5956	5964	6740	8412	8401

본부	소비자권익보호									
부원장보	김범준									
국실	금융민원총괄국						분쟁조정1국			
국장	서정보 5530, 5531						구본경 5210, 5211			
팀	금융민원총괄	원스톱서비스	은행·금투민원	중소서민민원	생명보험민원	손해보험민원	분쟁조정기획	보험분쟁1	보험분쟁2	보험분쟁3
팀장	5510	8520	5762	5768	5772	5775	5212	5200	5221	5222

국실	분쟁조정2국				분쟁조정3국				
국장	이무열 5750, 5751				황승기 5720, 5721				
팀	분쟁조정기획	제3보험1	제3보험2	제3보험3	분쟁조정기획	은행	중소서민금융	금융투자	사모펀드
팀장	5239	5240	5745	5752	5712	5722	5736	5741	5729

국실	금융사기전담대응단			보험사기대응단		
국장	임정환 8150			조정석 8730		
팀	금융사기대응총괄	금융사기대응1	금융사기대응2	조사기획	보험조사	특별조사
팀장	8130	8140	8521	8888	8716	8880

지원	부산울산지원			대구경북지원			광주전남지원			대전충남지원			인천지원	
지원장	양진태 051-606-1710			윤덕진 053-760-4001			조철 062-606-1610			김명철 042-479-5101			박형준 032-715-4801	
주소	부산광역시 연제구 중앙대로 1000 국민연금부산회관 12층			대구광역시 수성구 달구벌대로 2424 삼성증권빌딩 7F, 8F			광주광역시 동구 제봉로 225 (광주은행 본점 10층)			대전광역시 서구 한밭대로 797 (캐피탈타워 15층)			인천광역시 남동구 인주대로 585 한국씨티은행빌딩 19층	
전화 FAX	TEL :(051)606-1700~1 FAX :(051)606-1755			TEL :(053)760-4000 FAX :(053)764-8367			TEL :(062)606-1600 FAX :(062)606-1630, 1632			TEL :(042)479-5151~4 FAX :(042)479-5130-1			TEL :(032)715-4890 FAX :(032)715-4810	
팀	기획	검사	소비자보호	기획	검사	소비자보호	기획	검사	소비자보호	기획	검사	소비자보호	기획	소비자보호
팀장	강진순 1720	김미선 1730	김종환 1740	김규진 4030	박종훈 4003	김은성 4004	양현국 1613	박상현 1611	강대민 1612	봉진영 5103	임성빈 5104	선영일 5105	안영백 4802	이환권 4805

지원	경남지원	제주지원	전북지원	강원지원	충북지원	강릉지원
지원장	박중수 055-716-2324	유진혁 064-746-4205	유현석 063-250-5001	한홍규 033-250-2801	석준원 043-857-9101	엄일용 033-642-1901
주소	경상남도 창원시 성산구 중앙대로 110 케이비증권빌딩 4층	제주특별자치도 제주시 은남길 8 (삼성화재빌딩 10층)	전라북도 전주시 완산구 서원로 77 (전북지방중소벤처 기업청 4층)	강원도 춘천시 금강로 81 (신한은행 강원본부 5층)	충청북도 충주시 번영대로 242, 충북원예농협 경제사업장 2층	강원도 강릉시 율곡로 2806 한화생명 5층
전화 FAX	TEL :(055)716-2330 FAX :(055)287-2340	TEL :(064)746-4200 FAX :(064)749-4700	TEL :(063)250-5000 FAX :(063)250-5050	TEL :(033)250-2800 FAX: (033)257-7722	TEL :(043)857-9104 FAX :(043)857-9177	TEL :(033)642-1902 FAX :(033)642-1332
팀	소비자보호	소비자보호	소비자보호	소비자보호	소비자보호	소비자보호
팀장	이성호 2325	김시원 4204	최대현 5003	김세동 2805	이종기 9102	이인규 1902

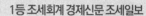
해외사무소

뉴욕	Address : 780 Third Avenue(14th floor) NewYork, N. Y. 10017 U.S.A. Tel : 1-212-350-9388 Fax : 1-212-350-9392
런던	Address : 4th Floor, Aldermary House, 10-15 Queen Street, London EC4N 1TX, U.K. Tel : 44-20-7397-3990~3 Fax : 44-20-7248-0880
프랑크푸르트	Address : Feuerbachstr.31,60325 Frankfurt am Main, Germany Tel : 49-69-2724-5893/5898 Fax : 49-69-7953-9920
동경	Address : Yurakucho Denki Bldg. South Kan 1051,7-1, Yurakucho 1- Chome, Chiyoda-Ku, Tokyo, Japan Tel : 81-3-5224-3737 Fax : 81-3-5224-3739
하노이	Address : #13B04. 13th Floor Lotte Business Center. 54 Lieu Giai Street. Ba Dinh District, Hanoi, Vietnam Tel : 84-24-3244-4494 Fax : 84-24-3771-4751
북경	Address : Rm. C700D, Office Bidg, Kempinski Hotel Beijing Lufthansa Center, No.50, Liangmaqiao Rd, Chaoyang District, Beijing, 100125 P.R.China Tel : 86-10-6465-4524 Fax : 86-10-6465-4504

상공회의소

대표전화: 02-6050-3114/ DID: 02-6050-OOOO

회장: **최 태 원**

DID: 02-6050-3520

주소	서울특별시 중구 세종대로 39 상공회의소 회관 (우) 04513
홈페이지	www.korcham.net

상근부회장	감사실	본부	SGI		
우태희	임철 3107	원장	임진 3135		
		부	커뮤니케이션실		
		실장	이종명 3601		
		팀	홍보	뉴미디어	대외협력
		팀장	이종명 3601	황미정 3701	김기수 3101

본부	기획조정본부					
본부장	박동민 3420					
부		경영지원실				
실장		김의구 3402				
팀	기획	플랫폼운영	인사	총무	회계	IT지원
팀장	박찬욱 3102	이상준 3841	김의구 3402	최은락 3201	박병일 3411	김호석 3641

본부	회원본부				조사본부		
본부장	박재근 3401				강석구 3441		
팀	회원CEO	회원협력	회원서비스	원산지 증명센터	경제정책(경제/ 기업조세)	산업정책(산업/ 고용노동)	규제샌드박스 (규제/관리)
팀장	이강민 3421	진경천 3871	정범식 3961	정일 3333	김현수 3442	유일호 3481	이상헌 3720

1등 조세회계 경제신문 조세일보

본부	국제통상본부				공공사업본부			
본부장	이성우 3540				강명수 3740			
팀	아주통상(아주/글로벌)	구미통상(미주/구주)	북경사무소	베트남사무소	스마트제조혁신	사업재편지원TF	지역인적자원개발	산업인적자원개발
팀장	박준 3558	추정화 3541	진덕용 86-10-8453-9756	김형모 84-24-3771-3719	정영석 3850	김진곡 3161	박영도 3153	박영도 3738

본부	지속가능경영원					유통물류진흥원		
원장	조영준 3480					장근무 1414		
부		ESG경영	탄소중립실					
실장		윤철민 3471	김녹영 3804					
팀	국가발전	사업화	공급망ESG지원센터	탄소감축인증센터	기업RE100지원센터	유통물류정책	표준협력	데이터정보
팀장	강민재 3981	박주영 3491	김현민 3472	김녹영 3804	최규종 7131	이은철 1510	이헌배 1500	김성열 1480

본부	인력개발사업단									상공회운영사업단
단장	김왕 3505									박재근 3401
팀	기획혁신	운영관리	디지털아카데미TF	교육훈련총괄	훈련취업지원	인재교육지원	글로벌훈련지원	신사업개발TF	디지털플랫폼TF	상공회운영총괄
팀장	권혁대 3573	서철홍 3575	이상신 3576	조명희 3590	조준원 3916	하인수 3580	이창형 3586	이규성 3570	최민아 3920	권오윤 3465

본부	중소기업복지센터	자격평가사업단		부산세계박람회유치지원민간위원회사무국				글로벌협력지원단	신기업가전신협의회사무국	
단장	진경천 3871	강명수 3740		박동민 3420				이성우 3540	박재근 3401	
팀		자격평가기획	자격평가운영	기획총괄	유치지원	홍보·컨텐츠		유치협력팀	ERT사업	ERT지원
팀장		김승철 3735	김종태 3770	임충현 3451	임충현 3451	이상준 3841		원윤재 3805	송승혁 3631	정범식 3961

중소기업중앙회

대표전화: 02-2124-3114 / DID: 02-2124-OOOO

회장: **김 기 문**
DID: 02-2124-3001

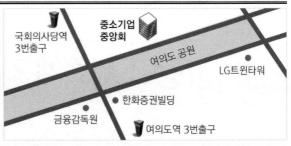

주소	서울특별시 영등포구 은행로 30 (여의도동) 중소기업중앙회 (우) 07242
홈페이지	www.kbiz.or.kr

상근 부회장	비서실	감사실	홍보실	편집국	KBIZ중소기업 연구소	본부	경영기획본부(전무이사)				
정윤모 3006	김재진 3003	이상배 3370	성기동 3060	김희중 3190	윤위상 4060	단장	이재원 3011				
						부	기획 조정	인사	총무 회계	정보 시스템	사회 공헌
						부장	안준연 3030	서재윤 3040	신상홍 3050	김근호 3067	조준호 3090

본부	협동조합본부			경제정책본부				
본부장	조진형 3012			추문갑 3013				
부	조합정책	조합지원	판로정책	정책총괄	소상공인 정책	국제통상	무역촉진	조사통계
부장	임춘호 3210	조동석 3180	유진호 3240	임영주 3110	고종섭 3170	김철우 3160	전혜숙 3290	성기창 3150

본부	혁신성장본부					스마트일자리본부		
본부장	양찬회 3014					이명로 3015		
부	제조혁신	스마트 산업	상생협력	기업성장	단체표준	인력정책	청년희망 일자리	외국인력 지원	교육지원
부장	강형덕 3120	김영길 4310	양옥석 3270	박화선 3145	박영훈 3260	서정헌 3270	정경은 4010	김승대 3284	정인과 3300

본부	공제사업본부					자산운용본부		
본부장	박용만 3016					이도윤 3017		
부	공제기획	공제운영	공제 마케팅	공제 서비스	PL손해 공제	투자전략	금융투자	실물투자	기업투자
부장	황재목 4320	이기중 3350	김병수 4080	문철홍 3310	이창희 4350	심상욱 3340	이응석 3320	김태완 3322	김동근 4041

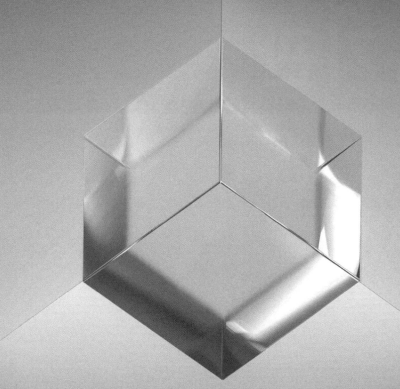

국세청
소속기관

■ 국세청   113

본청 국·실   114

주류면허지원센터   134

국세상담센터   136

국세공무원교육원   138

국세청

주소	세종특별자치시 국세청로 8-14 국세청 (정부세종2청사 국세청동) (우) 30128
대표전화	044-204-2200
팩스	02-732-0908, 732-6864
계좌번호	011769
e-mail	service@nts.go.kr

청장   김창기

(직) 720-2811 (D) 044-204-2201 (행) 222-0730

차장   김태호

(직) 720-2813 (D) 044-204-2211 (행) 222-0731

국세청

대표전화: 044-204-2200 / DID: 044-204-OOOO

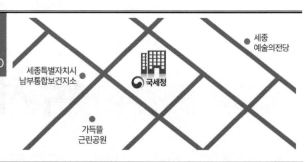

청장: **김 창 기**
DID: 044-204-2201

주소	세종특별자치시 국세청로 8-14 국세청 (정부세종2청사 국세청동) (우) 30128					
코드번호	100	**계좌번호**	011769	**이메일**	service@nts.go.kr	

과	대변인			운영지원과				인사기획과		
과장	이광섭 2221			오원균 2260				이태훈 2241		
팀	공보1	공보2	공보3	행정지원	경리복지	청사기획	노무안전	인사기획1	인사기획2	인사기획3
팀장	채진우 2222	김현경 2232	김유신 2237	이화명 2262	김주식 2272	허선 2282		송진호 2242	이동현 2252	황하늘 2192
국세조사관	김종윤 2223	정영건 2233	차수빈 2238	윤은지 2263 오재경 2264	성유진 2273 최영철 2274	김병홍 2283 조성훈 2284 김영한 2285 최성호 2286	문지만 2293	김판준 2243 김정호 2244 손재락 2246	이준석 2253 정성진 2254	김수진 2193 김종욱 2194
국세조사관	이은실 2224	유남렬 2234	안민지 2239	김정민 2265 배석 2266 김창근 2267	배명우 2275 이아름 2276 진승은 2277	김정학 2287 이충구 2288 김도희 2289	주우성 2294	이혜은 2245 박지영 2247	서동민 2255 고은별 2256 손동우 2257	오화섭 2195 윤상동 2196
국세조사관	최성미 2235			윤정민 2268	한종문 2278			김수진 2248	홍혜인 2258	노주아 2197
국세조사관										
공무직	김태운 (전문경력관, 나급) 2190 조래현 (공보보조) 2191									
FAX										

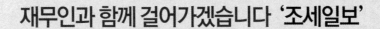

재무인과 함께 걸어가겠습니다 '조세일보'

재무인에겐 조세일보를 읽는 사람과 읽지 않는 사람 두 종류의 사람만 있다.

국	기획조정관								
국장	송바우 2300								
과	혁신정책담당관					기획재정담당관			
과장	김대일 2301					김범구 2331			
팀	총괄	혁신	조직	평가	소통	기획1	기획2	예산1	예산2
팀장	연제민 2302	이우진 2307	김현승 2312	조환준 2317	하종면 2322	박찬주(4) 2332	송찬규 2337	최재명 2342	박찬웅 2347
국세 조사관	김성영 2303 류정모 2304	김혜정 2308	심준보 2313 백은혜 2314	김남훈 2318 김슬기 2319	조현경 2323	신창훈 2333 박진혁 2334	이태훈 2338	강원경 2343	김동훈 2348
	박상기 2305	하현균 2309 이기돈 2310	최진영 2315		서정규 2324 남혜윤 2325	손기만 2335 문혜림 2336	이형배 2339	김성한 2344	김성민 2349
공무직	이지원 2311								
FAX	216-6053								

DID : 044-204-OOOO

국	기획조정관						정보화관리관			
국장	송바우 2300						신희철 2400			
과	국세데이터담당관					비상 안전 담당관	정보화기획담당관			
과장	배상록 2361					박향기 2391	류충선 2401			
팀	국세데이터1	국세데이터2	국세데이터3	통계센터1	통계센터2	비상	기획	지원	표준	행정
팀장	임상헌 2362	이준학 2367	장상우 2372	유혜경 2377	김선봉 2382	강덕성 2392	김범철 2402	김장년 2412	우연희 2422	한윤구 2432
국세 조사관	김경민 2363	권오평 2368 조진용 2369	유은주 2373 남봉근 2374	김경록(5) 2378			박미숙 2403 정지양 2404 이성욱 2405 권진혁 2406 송성호 2407	정기환 2413 조대연 2414	김경아 2423 정명숙 2424 임화춘 2425	이현진 2433 최인범 2434 김희정 2435
	안태명 2364	박선영 2370		이진희 2379		김철웅 2393	박성미 2408 이지선 2409	성주경 2416 심민기 2415	김계희 2426 박세창 2427 정용국 2428	김경만 2436 조상미 2437
						심주영 2394	김경해 2410		서준석 2429	
공무직							김정희 2418 김미선 2411	김정선 2417		
FAX	216-6053									

10년간 쌓아온 재무인의 역사를 돌려드립니다 '온라인 재무인명부'

수시 업데이트 되는 국세청, 정·관계 인사의 프로필과 국세청, 지방청, 전국세무서, 관세청,
유관기관 등의 인력배치 현황을 볼 수 있는 온라인 재무인명부

1등 조세회계 경제신문 조세일보

국	정보화관리관												
국장	신희철 2400												
과	빅데이터센터								정보화운영담당관				
과장	남우창 4501								최영호 2451				
팀	빅데이터총괄	개인분석	법인분석	자산분석	조사국조분석	공통세정분석	심층분석	기술지원	엔티스관리	엔티스포털	엔티스개발	징세정보화1	징세정보화2
팀장	김선수 4502	박창오 4512	오흥수 4522	임지아 4532	주재현 4542	김동윤 4552	김재석 4562	김효진 4572	윤소영 2452	이정화 2462	정기숙 2472	장원식 2482	이진재 2492
국세조사관	이영미 4503 전상규 4504 이재관 4505	손석임 4513 하세일 4514 안래본 4515	김현하 4523 정은정 4524	박진우 4533 임상민 4534	염주선 4543 서영삼 4544 김용태 4545	정의진 4553 최상복 4554 조미옥 4555	김영주 4563	김태형 4573	배인순 2453 김요한 2454	한미영 2563 이시화 2464	전유림 2473 김은기 2474	김진영 2483	최은숙 2493 송유진 2494
국세조사관	오청은 4506	박주환 4516 김선애 4517 이영신 4518 홍근화 4519	안수림 4525 최은영 4526 전소연 4527 오문탁 4528	공주희 4535 김동직 4536 송지원 4537	임수현 4546 김승국 4547 정현주 4548	김인천 4556 이현호 4557	김경민 4564 박미진 4565 정지훈 4566		장광석 2455		이수연 2475	최윤호 2484 장이삭 2485 박정남 2486	염문환 2495 최상만 2496 조한솔 2497 임종호 2498
국세조사관	정지영 4507			윤태현 4538			김푸른솔 4567	윤민지 4574 전일권 4575 이현준 4576	이현우 2456 장경호 2457 정태영 2458	김태완 2465 임여경 2466 김태훈 2467 고대훈 2468	이승환 2476 유예림 2477	홍지연 2487 박용병 2488	박성은 2499
국세조사관		이승한 4520					진민곤 4568			조영상 2469		김세린 2489	
공무직	김정남 4508												
FAX													

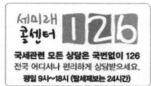

국세관련 모든 상담은 국번없이 126
전국 어디서나 편리하게 상담받으세요.
평일 9시~18시 (탈세제보는 24시간)

DID : 044-204-OOOO

국	정보화관리관										
국장	신희철 2400										
과	홈택스1담당관						홈택스2담당관				
과장	윤현구 2501						이준목 2551				
팀	홈택스운영	부가정보화	전자세원정보화	재산정보화1	재산정보화2	재산정보화3	소득정보화	법인정보화	원천정보화	소득지원정보화	소득자료정보화
팀장	박현주 2502	지승환 2512	장창렬 2522	김선희 2532	이성필 2542	김미경 4592	김경선 2552	김광래 2562	정학식 2572	임기향 2582	권현옥 2592
국세조사관	김성일 2503 윤지형 2504 박현주 2505	이상수 2513	김은진 2523 이한임 2524	강태욱 2533 조지영 2534 이강현 2535	임채준 2543	문숙자 4593	임미정 2553 서지영 2554 김민경 2555	임근재 2563 최은성 2564 박숙정 2565 나승운 2566 김재현 2567	김세라 2573 신효경 2574	김병식 2583	김미연 2593 이미라 2594 정기원 2595 이수미 2596
	백유림 2507 황치운 2508	박성은 2514 라원선 2515 강보미 2516 박소연 2517	안승우 2525	안도형 2540	이무훈 2544	김남용 4594	송향희 2556 김건우 2557 윤창인 2558	김윤정 2568 전동길 2569	박문영 2575 이세나 2576 이창인 2577	윤기찬 2584 이원준 2585	권혜연 2597
	윤성민 2509	이해진 2518	김유리 2526 김재욱 2527 이원일 2528 우지혜 2529 김진수 2530	이철원 2536 김태원 2537 장은석 2538	이정묵 2545 이소원 2546	조성욱 4595 김혜진 4596	김육곤 2559 박우정 2560	이성호 2570 손효현 2571 안일근 2549	서성현 2578 구세윤 2579	김민영 2586 강소연 2587 김시백 2588 이지헌 2589	정정민 2598 김영호 2599
		김수명 2519		문찬우 2539	차주형 2547		유명선 2561	김상미 2550	김하연 2580	김수현 2490	남세라 2591
공무직											
FAX											

10년간 쌓아온 재무인의 역사를 돌려드립니다 '온라인 재무인명부'

수시 업데이트 되는 국세청, 정·관계 인사의 프로필과 국세청, 지방청, 전국세무서, 관세청,
유관기관 등의 인력배치 현황을 볼 수 있는 온라인 재무인명부

국	정보화관리관				감사관			
국장	신희철 2400				박해영 2600			
과	정보보호담당관				감사담당관			
과장	이상걸 4921				고근수 2601			
팀	정보보호정책	정보보호감사	정보보호운영	개인정보보호	감사1	감사2	감사3	감사4
팀장	전태영 4922	황정만 4932	조성희 4942	최원수 4952	육규한 2602	김시형 2612	권우태 2622	정종룡 2632
국세조사관	염준호 4923 정주희 4924	남현희 4933 박상희 4934 김수용 4935	강대식 4943	이서구 4953	이지상 2603 김종일 2604	이풍훈 2613 김봉조 2614	박창열 2623 이철민 2624	이기주 2633 이홍규 2634
	전원석 4925 한세영 4926		하창경 4944 유병천 4945	최영우 4954 김도훈 4955	조성수 2605 유진호 2606	조현준 2615 김신우 2616	노우정 2625 김수열 2626	류문환 2635 김문성 2607
		하상욱 4936		송원호 4956		김임년 2617	김동현 2627	
					윤성미 2611			
공무직								
FAX					216-6060			

119

국세관련 모든 상담은 국번없이 126
전국 어디서나 편리하게 상담받으세요.
평일 9시~18시 (탈세제보는 24시간)

DID : 044-204-OOOO

국	감사관					납세자보호관			
국장	박해영 2600					변혜정 2700			
과	감찰담당관					납세자보호담당관			
과장	김준우 2651					오상휴 2701			
팀	감찰1	감찰2	감찰3	감찰4	윤리	납보1	납보2	납보3	민원
팀장	정성한 2652	이정민 2662	최승일 2672	최병구 2682	김민석 2692	김종수 2702	장성기 2712	조병주 2717	신혜선 2722
국세 조사관	이형원 2653 정훈 2654	권대영 2663 안지영 2664	유성문 2673 신지영 2674	김수현 2683 이태욱 2684	이영정 2693 이주용 2694	이종영 2703	최봉수 2713 원두진 2714	나명균 2718 김지영 2719	김해옥 2723
	강유나 2655 김민정 2656	김진홍 2665 김요왕 2666	김대환 2675 이은정 2676	김지웅 2685 황지아 2686	김대현 2695 고정은 2696	이상준 2704 박태훈 2705	정효숙 2715	조혜진 2720	김봉재 2724
	남창환 2657	박노훈 2667				오종민 2706		김주엽 2721	
공무직									
FAX	216-6061			216-6062					

120

국	납세자보호관												
국장	변혜정 2700												
과	심사1담당관						심사2담당관						
과장	이봉근 2741						최원봉 2771						
팀	심사1	심사2	심사3	심사4	심사5	심사6	심사1	심사2	심사3	심사4	심사5	심사6	심사7
팀장	전강식 2742	변영희 2752	이강욱 2762	최찬배 2763	오은경 2764	임식용 2765	손창호 2772	허준영 2782	박준배 2783	이관노 2784	김제석 2785	윤승갑 2786	김명도 2787
국세 조사관	구문주 2743	권혁성 2753					전태훈 2789						
	강형규 2744						김숙기 2773						
	우한솔 2745						임선영 2774						
공무직													
FAX													

국세관련 모든 상담은 국번없이 126
전국 어디서나 편리하게 상담받으세요.
평일 9시~18시 (탈세제보는 24시간)

DID : 044-204-OOOO

국	국제조세관리관											
국장	최재봉 2800											
과	국제조세담당관					역외정보담당관						
과장	반재훈 2801					김진우 2901						
팀	국제조세1	국제조세2	국제조세3	국제조세4	디지털세대응	역외정보1	역외정보2	역외정보3	역외정보4	역외정보5	역외정보6	역외정보7
팀장	권경환 2802	김민 2812	류승중 2817	고인영 2822	류호균 2827	김영하 2902	한세온 2912	허인영 5263	김지훈 5282	고당훈 2932	이준호 2937	김기훈 2942
국세조사관	송태준 2803 윤동규 2804 최영진 2805 김보미 2806	신종훈 2813 우형래 2814 성현진 2815	신중현 2818 고태혁 2819 박재철 2820	이정민 2823 문지혜 2824 김지윤 2825	백연하 2828 한소연 2829							
FAX	216-6067					216-6068						

1등 조세회계 경제신문 조세일보

국	국제조세관리관										
국장	최재봉 2800										
과	국제협력담당관					상호합의담당관					
과장	장우정 2861					손채령 2961					
팀	국제협력 1	국제협력 2	국제협력 3	국제협력 4	국제협력 5	상호합의 1	상호합의 2	상호합의 3	상호합의 4	상호합의 5	상호합의 6
팀장	구자은 2862	최정현 2872	조민경 2877	고명수 2882	도예린 2887	최수빈 2962	강민성 2972	손혜림 2977	박상기 2982	김성민 2987	김현지 2992
국세 조사관	박용진 2863 장원일 2865	박재욱 2873	김문정 2878 안수연 2879	서미네 2883	김진동 2888	김민주 2963 김상훈 2964 김진석 2966 이미연 2965	김민영 2973 신미라 2974	장성하 2978 안상진 2979	성아영 2983 박승혜 2984	전수진 2988 한상원 2989	박철수 2993 하은혜 2994
FAX	216-6066					216-6069					

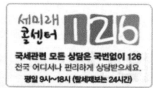

국세관련 모든 상담은 국번없이 126
전국 어디서나 편리하게 상담받으세요.
평일 9시~18시 (탈세제보는 24시간)

DID : 044-204-OOOO

국	징세법무국										
국장	김동일 3000										
과	징세과						법무과				
과장	김영상 3001						한지웅 3071				
팀	징세1	징세2	징세3	징세4	정보화1	정보화2	법무1	법무2	법무3	법무4	법무5
팀장	윤상봉 3002	장은수 3012	오규철 3017	박일병 3027	장원식 2482	이진재 2492	김도균 3072	안혜정 3077	주원숙 3082	김균열 3087	김형태 3092
국세 조사관	우제선 3003	정년숙 3013 이현영 3014	최용세 3018 류제성 3019	황대림 3028	김진영(전) 2483	최은숙(전) 2493 송유진(전) 2494	김영빈 3073	편무창 3078 정수경 3079	김민수 3083	김태훈 3088	강수민 3093
	이승윤 3005 박보경 3004	이태상 3015 홍준영 3016	박대경 3020 한아름 3021	신민채 3029 이동경 3030 성준범 3031 백종민 3032	최윤호(전) 2484 장이삭(전) 2485 박정남(전) 2486	염문환(전) 2495 최상만(전) 2496 조한솔(전) 2497 임종호(전) 2498	손한준 3074		최선미 3084	조병민 3089	
	석진영 3006				홍지연(전) 2487 박용병(전) 2488	박성은(전) 2499	최진남 3075		유예림(전) 2478		
					김세린(전) 2489						
공무직	김희영(계) 3011										
FAX											

국	징세법무국							개인납세국				
국장	김동일 3000							양동훈 3200				
과	법규과							부가가치세과				
과장	김용완 3101							한경선 3201				
팀	총괄조정	국조기본	부가	소득	법인	재산1	재산2	부가세1	부가세2	부가세3	부가세4	부가세5
팀장	최은경 3102	방선아 3112	전준희 3117	이광의 3122	강삼원 3127	최영훈 3137	한정미 3142	강신웅 3202	김성민 3212	최치환 3217	최홍신 3222	손태빈 3227
국세조사관	조창현 3103 정진학 3104		배영섭 3118	박선희 3123	김성호 3128 전대웅 3129 최수진 3130	김남구 3138 정영선 3139 박재호 (계) 3140	이호필 3143 하구식 3144	이지영 3203	박범진 3213 박희자 3214	김종의 3218	최근수 3223 정승오 3224	오재현 3228 김수한 3229
	곽영경 3105	김현석 3113	김한근 3119	고성희 3124			이채린 3145	주미영 3204	동소연 3215	정현주 3219 류지호 3220	김미영 3225 한수은 3226	추명운 3230
	이동욱 3106							이정아 3205		노재희 3221		
공무직												
FAX								216-6075				

DID : 044-204-OOOO

국	개인납세국								법인납세국				
국장	양동훈 3200								정재수 3300				
과	소득세과					세정홍보과			법인세과				
과장	전지현 3241					오규용 3281			박인호 3301				
팀	소득세1	소득세2	소득세3	소득세4	소득세5	홍보기획	홍보운영	디지털소통	법인1	법인2	법인3	법인4	법인정보화
팀장	문영한 3242	안경민 3252	차지훈 3257	이한솔 3262	윤경 3267		조치상 3287	함태진 3292	정승태 3302	임경수 3312	유민희 3317	김영주 3322	김광래 2562
국세조사관	이상수 3243	김명제 3253 이옥녕 3254 서원주 (5, 파견) 3256	양미선 3258	홍준영 3263 김창희 3264	김영란 3268	박진수 3283	오주해 3288 김성진 (계약) 3289	전민정 (동) 3293 장준미 (계약) 3294	최용철 3303 도영수 3304	김상배 3313 이두원 3314	김영건 3318 김지연 3319	정지선 3323 신연주 3324	임근재 (전) 2563 나승운 (전) 2564
	최수민 3244	류승우 3255	신동연 3259			허수범 3284	윤혜민 (계약) 3290	김제민 (계약) 3295 현상필 (계약) 3296 황두돈 (계약) 3297		박금세 3315	남유진 3320	김현섭 3325	김윤정 (전) 2565 전동길 (전) 2566
	조윤아 3245					강임현 3285			이호준 3305				손효현 (전) 2568 안일근 (전) 2569
공무직						김현지 3286	김소리 4646 유계영 4647						
FAX	216-6076					216-6074			216-6078				

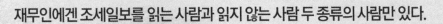
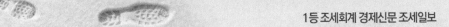
국	법인납세국								
국장	정재수 3300								
과	공익중소법인지원팀					원천세과			
과장	임상진 3901					안민규 3341			
팀	지원1	지원2	지원3	지원4	법인정보화	원천세1	원천세2	원천세3	원천정보화
팀장	김지연 3902	박운영 3912	이희범 3917	장지훈 3922		김재산(4) 3342	전정영 3347	전정은 3352	정학식(전) 2582
국세 조사관	성이택 3903 이경숙 3904	류진 3913	김성진 3918	정진원 3923 권은경 3924 강관호 3926 이진숙 3927 남민기 3928 박경록 3929 김재천 3931 우종훈 3930 이경환 3932 강경화 3925	김재현(전) 2573	이지연 3343	오현정 3348 백신기 3349	곽형신 3353	김세라(전) 2583 신효경(전) 2584
		정동혁 3914 정세영 3915	김준호 3919 김경민 3920			심정규 3344		김지현 3354 조준영 3355	박문영(전) 2585 이세나(전) 2586 이창인(전) 2587
	박장미 3905								서성현(전) 2588 구세윤(전) 2589
					김상미(전) 2578				김하연(전) 2580
공무직									
FAX	216-6135					216-6079			

국세관련 모든 상담은 국번없이 126
전국 어디서나 편리하게 상담받으세요.
평일 9시~18시 (탈세제보는 24시간)

DID : 044-204-OOOO

국	법인납세국				자산과세국								
국장	정재수 3300				박재형 3400								
과	소비세과				부동산납세과					상속증여세과			
과장	고영일 3371				강동훈 3401					윤순상 3441			
팀	주세1	주세2	소비세	법인정 보화	부동산 납세1	부동산 납세2	부동산 납세3	부동산 납세4	부동산 납세5	상속증 여세1	상속증 여세2	상속증 여세3	상속증 여세4
팀장	이완희 3372	이정훈 3382	한기준 3392		박재신 3402	박현수 3412	김준호 3417	서범석 3422	정준기 3427	조윤석 3442	손미숙 3452	이정순 3457	조상훈 3462
국세 조사관	김태형 3373	김기열 3383 이만호 3384	정진희 3393 정혜원 3394	최은성 (전) 2574 박숙정 (전) 2575	홍문선 3403	이은주 3413 임은철 3414	심윤성 3418 곽지은 3419	조성래 3423	최우성 3428 이창훈 3429	김창희 3443	김선하 3453 임길묵 3454	나동일 3458 심재훈 3459	김은정 3463
	김수지 3374				손성탁 3404	이수민 3415	조요한 3420	신현중 3424	김해서 3430 송주현 3431	강호현 3444	박영진 3455	김민수 3460	장수환 3464
	정우도 3375			이성호 (전) 2579	김동희 3405					박세희 3445	곽주권 3456		
공무직													
FAX	216-6080				216-6081					216-6082			

국	자산과세국				조사국				
국장	박재형 3400				오호선 3500				
과	자본거래관리과				조사기획과				
과장	김용재 3471				박근재 3501				
팀	자본거래관리1	자본거래관리2	자본거래관리3	자본거래관리4	1	2	3	4	5
팀장	정지석 3472	최현민 3477	이원주 3482	장경화 3487	임병훈 3502	정민기 3512	황민호 3517	조명완 3522	송은주 3527
국세조사관	김민제 3473	서유빈 3478	윤영우 3483 이정아 3484 정주연 3485	오승철 3488	김종각 3503 장준재 3504 윤현식 3505 박대은 3506	조민영 3513 임종순 3514	문형진 3518	전충선 3523	이치원 3528
		고호석 3479 이두원 3480	박승재 3486	현정아 3489	김봉재 3507 김세환 3508	강경영 3515	강성화 3519	정유성 3524	최아현 3529
	고유경 3474				이지은 3509				
공무직									
FAX	216-6083								

DID : 044-204-OOOO

세무그룹 토은

대표세무사 : 김시재
서울 서초구 서초대로74길 23(서초동1327)
서초타운트라팰리스 901호
전화: 02-6013-0300 팩스: 02-6013-0333
이메일 : toeun@toeun.co.kr

국	조사국											
국장	오호선 3500											
과	조사1과					조사2과				국제조사과		
과장	김승민 3551					강영진 3601				전애진 3651		
팀	1	2	3	4	5	1	2	3	4	1	2	3
팀장	김대중 3552	양영진 3562	이용후 3572	이성호 3582	김봉기 3587	안수아 3602	이예진 3612	문성호 3617	김정수 3622	김일도 3652	이규진 3662	전일수 (4) 3672
국세 조사관	전동근 3553 서영준 3554	박상민 3563	박준선 3573 이우석 3574	안진수 3583 김나연 3584	이명재 3588 심아미 3589	엄기황 3603 배유진 3604	유상호 3613	박종인 3618	이수미 3623	임옥규 3653 남상균 3654 강보경 3655 허인범 3656	하창수 3663 지상준 3664 진종호 3665 문관덕 3666	김치호 3673 주민석 3674 김일국 3675
	김희겸 3555 엄정임 3556	문석준 3564	김진희 3575	오상훈 3585	민우빈 3590		서보림 3614	문병국 3619	손영대 3624	김극돈 3658	김동욱 3667 천근영 3668	최원준 3676 백승희 3677
		정규식 3565				김영호 3605				고은비 3659		
공무직												
FAX												

130

국	조사국							
국장	오호선 3500							
과	세원정보과					조사분석과		
과장	장권철 3701					이법진 3751		
팀	1	2	3	4	5	1	2	3
팀장	서철호 3702	주인규 3712	정동재 3722	남중화 3727	박용관 3737	정해동 3752	서형렬 3762	박승규 3767
국세 조사관	김석훈 3703 홍영숙 3704	류영상 3713 정진걸 3714	권용훈 3723	이상재 3728 최세현 3729	윤주호 3738 이규환 3739 신철원 3740	박성우 3753		박정미 3768
	정재훈 3706 김현웅 3707	정상미 3715 송다은 3716		김태성 3730 양현모 3731	이명건 3741	윤용훈 3754	이미숙 3763 김현종 3764	임명규 3769
	구승민 3708							
공무직								
FAX								

국세관련 모든 상담은 국번없이 126
전국 어디서나 편리하게 상담받으세요.
평일 9시~18시 (탈세제보는 24시간)

DID : 044-204-OOOO

국	복지세정관리단					
국장	윤종건 3800					
과	장려세제과					
과장	김학선 3801					
팀	장려세제1	장려세제2	장려세제3	장려세제4	장려세제5	장려세제6
팀장	윤지환 3802	노원철 3812	이승철 3817	손은희 3822	고현 3822	천주석 3832
국세 조사관	정은주 3803 최지영 3804	강지성 3813 이보라 3814	정종철 3818	구순옥 3823	오영석 3828	
	손준혁 3805 이석화 3806	김유나 3815	김현지 3819		김은경 3829	엄상혁 3833
				박용 3824		
공무직	박한희(비서)					
FAX						

국	복지세정관리단						
국장	윤종건 3800						
과	소득자료관리과					학자금상환과	
과장	김기영 3841					3871	
팀	소득자료1	소득자료2	소득자료3	소득자료4	소득자료5	학자금상환1	학자금상환2
팀장	허남승 3842	최명일 3852	김상인 3857	최행용 3862	김성엽 3867	진우형 3872	노신남 3882
국세 조사관	이주연 3843 김홍용 3844	김연수 3853	백지훈 3858	임정미 3863	권옥기 3868	최기영 3873	임진아 3883
	서기원 3845	최정헌 3854 고영철 3855	박서현 3859 윤미경 3860	홍세민 3864 최재규 3865	김도현 3869	박병주 3874	강다은 3884
	최보령 3846	김현지 3856					
공무직							
FAX							

국세청주류면허지원센터

대표전화: 064-7306-200 / DID: 064-7306-OOO

센터장: **박 상 배**
DID: 064-7397-601, 064-7306-201

주소	제주특별자치도 서귀포시 서호북로 36 (서호동 1514) (우) 63568				
팩스	064-730-6211				
과	분석감정과 (739-7602)		기술지원과 (739-7603)		세원관리지원과 (739-7604)	
과장	정지용 240		김용준 260		정병록 280	
팀	업무지원	분석감정	기술지원1	기술지원2	세원관리1	세원관리2
팀장	김종호 241	장영진 251	김시곤 261	이충일 271	설관수 281	진수영 291
국세 조사관	장영태 242	김나현 252 강기원 253	박찬순 262	박장기 272		박길우 292
	서연진 244 위민국 243	강경하 254			문준웅 282	
		강길란 256	채명우 263			
공무직	홍순준(7) 204 최태규(8) 245 이지연(부속) 202					
FAX	730-6212	730-6213	730-6214		730-6215	

재무인의 가치를 높이는 변화

조세일보 정회원

| 온라인 재무인명부 | 수시 업데이트되는 국세청, 정·관계 인사의 프로필, 국세청, 지방국세청, 전국 세무서, 관세청, 공정위, 금감원 등 인력배치 현황 |

예규·판례
행정법원 판례를 포함한 20만 건 이상의 최신 예규, 판례 제공

구인정보
조세일보 일평균 10만 온라인 독자에게 구인 정보 제공

업무용 서식
세무·회계 및 업무용 필수서식 3,000여 개 제공

세무계산기
4대보험, 갑근세, 이용자 갑근세, 퇴직소득세, 취득/등록세 등 간편 세금계산까지!

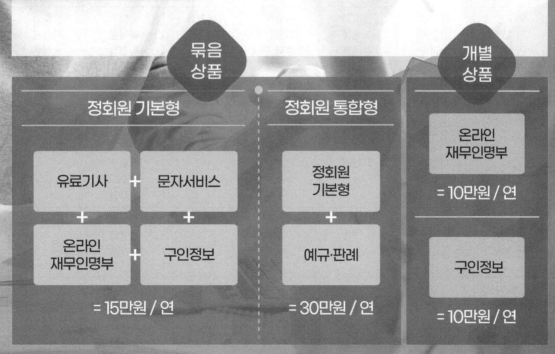

묶음 상품

개별 상품

정회원 기본형

유료기사 + 문자서비스
+ +
온라인 재무인명부 + 구인정보

= 15만원 / 연

정회원 통합형

정회원 기본형
+
예규·판례

= 30만원 / 연

온라인 재무인명부

= 10만원 / 연

구인정보

= 10만원 / 연

※ 자세한 조세일보 정회원 서비스 안내 http://www.joseilbo.com/members/info/

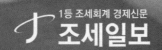

1등 조세회계 경제신문
조세일보

국세상담센터

대표전화: 064-780-6000 / DID: 064-780-6OOO

센터장: **신 경 수**
DID: 064-730-6001

주소	제주특별자치도 서귀포시 서호북로 36 (서호동 1514) (우) 63568
이메일	callcenter@nts.go.kr

팀	업무지원	전화상담1		전화상담2		전화상담3	
팀장	김영승 6002	윤기철 6020		김석찬 6060		김윤석 6080	
구분	지원/혁신	종소	원천	부가	개별소비세 주세/인지세 교육세/교통세	양도	상증
국세 조사관	김종일(전)	강화동 정승복 박양희	하진호 임경욱 전종근	강상길 정덕주 김현희 정재임 장광웅	고은희	이정미 김정실	천명일 신경식 이건준 박성희 김은영 한창림 임정훈
	이도헌 차호현 권석진 강진아 양동희 김지호 신은우(전)	강진성 정종욱 노기숙 심란주 김태호 김주현 유훈식 김순아 이상욱 이정은	현미정 허혜정 김선인 김유선 마준호 정지혜 최수미 서돈영 김시연 최한뫼	이승주 최윤선 정해연 최은미 정동환 강해영 조윤미 박경태 박정란 전세정 노은지	배정화	심혜경 황혜윤 임경섭 고근희 강복희 김선정 김은호 하승민 이지석 석민구 여주희 장기현	문주경 지장근 박상용
	송준오 임현석 변경옥	이소진	경진	안현준	이영아	주선정 김정엽 이지수	
공무직	김은경(사무) 이상진(방호)						
FAX	780-6199						

팀	전화상담4		인터넷1		인터넷2	인터넷3
팀장	김자영 6110		김태은 6140		노정민 6160	김용재 6180
구분	법인	국조	종소/원천	국조/기타	부가/법인	양도/종부/상증
국세 조사관	함상봉 이명례 이래하 한민수	김준용	옥석봉 조병철 이승찬 조남욱		권창호 채은정 김선정	오승연 황성원 채경수 김연실
	최영준 최태현 유종현 이주우	설종훈 오유빈	송대근 박혜선 오수진 고영배 소수현	김남준	이철용 김보균 김수호 유동완 강호성	한성민 박원준 이원경 오경훈 이선미 나용선
		한주연	손효정	우정희	황인혜	변은희 조은희
사무 방호						
FAX						

국세공무원교육원

대표전화: 064-7313-200 / DID: 064-731-OOO

원장: **양 동 구**
DID: 064-7313-201

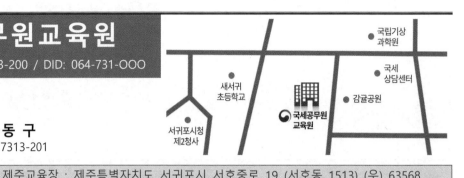

주소	제주교육장 : 제주특별자치도 서귀포시 서호중로 19 (서호동 1513) (우) 63568 수원교육장 : 경기도 수원시 장안구 경수대로 1110-17 (파장동 216-1) (우) 16206
이메일	taxstudy@nts.go.kr

과	교육지원과		교육운영과		
과장	이규성 3210		황정욱 3240		
팀	지원1	지원2	역량개발	인재양성	플랫폼운영
팀장	손상현 3211	김희정 3231	박중기 3241	신영주 3251	허곤 3261
국세 조사관	이상무 3212 김호근 3213 소종태 3214	송규호 3232	이권호 3242 장은주 3243	곽용은 3252	탁서연 3262 염시웅 3263 최진숙 3264
	강택훈 3215 정영운 3219	정인태 3233 현정용 3234	권민철 3244 박중근 3245	김선면 3253 양진혁 3254 이계봉 3255	이창욱 3265
	박연주 3216 신현국 3217 이상미 3218 김정훈 3321 박홍립 3322 송권호 3221	최인영 3235	손윤섭 3246 김경환 3247	조재완 3256 오유석 3257 김수민 3258	
	김영주 3220 김반석 3323 한은표 3222				
공무직	박은희 3204 이상섭 김순동 정은희 양현주 김영애 우왕현 오임순 장인섭 정규옥	김은실 변우성 김상익 유예희 정명숙 윤태원 김지만 김정순 이미란 이상균	신정엽 문삼여 허인옥 심홍근 권달후 박진희 현경자 박경태 신용문 양복희	장영자 이상헌 현애자 조민 양순애 진희주 고경일 김석주 정백민 이재용	김윤구 강오호 강동수 김영곤 김동석 노현우 최선우
FAX	731-3311	731-3312	731-3314		731-3313

과	교수과							
과장	최병익 3270							
팀	교육연구	기본	징수	부가	소득	법인	양도	상증
팀장	조준영 3271	신동훈 3274	문재창 3277	성인섭 3280	공원택 3284	손병양 3288	이지훈 3292	임형걸 3295
국세 조사관	심선미 3272		최유원 3278 홍시운 3279	김성근 3281 이규수 3282	김동호 3285 이규철 3286	김효경 3289 김지운 3290	임재주 3293 이동곤 3294	이정자 3296 윤윤식 3297
		최영현 3276		박정우 3283	정홍도 3287	정성훈 3291		
	박준범 3273							
공무직								
FAX	731-3316							

서울지방국세청
관할세무서

■ 서울지방국세청	141
지방국세청 국·과	142
강 남 세무서	166
강 동 세무서	168
강 서 세무서	170
관 악 세무서	172
구 로 세무서	174
금 천 세무서	176
남대문 세무서	178
노 원 세무서	180
도 봉 세무서	182
동대문 세무서	184
동 작 세무서	186
마 포 세무서	188
반 포 세무서	190
삼 성 세무서	192
서대문 세무서	194
서 초 세무서	196
성 동 세무서	198
성 북 세무서	200
송 파 세무서	202
양 천 세무서	204
역 삼 세무서	206
영등포 세무서	208
용 산 세무서	210
은 평 세무서	212
잠 실 세무서	214
종 로 세무서	216
중 랑 세무서	218
중 부 세무서	220

서울지방국세청

주소	서울특별시 종로구 종로5길 86 (수송동) (우) 03151
대표전화	02-2114-2200
팩스	02-722-0528
계좌번호	011895
e-mail	seoulrto@nts.go.kr

청장 　 강민수

(직) 720-2200 (D) 02-2114-2201 (행) 222-0780

송무국장	안덕수	(D) 02-2114-3100, 3200
성실납세지원국장	박종희	(D) 02-2114-2800, 3000
조사1국장	심욱기	(D) 02-2114-3300, 3400
조사2국장	김지훈	(D) 02-2114-3600, 3700
조사3국장	이승수	(D) 02-2114-4000, 4200
조사4국장	이동운	(D) 02-2114-4500, 4700
국제거래조사국장	김국현	(D) 02-2114-5000, 5100

서울지방국세청

대표전화: 02-2114-2200 / DID: 02-2114-OOOO

청장: **강 민 수**
DID: 02-2114-2201

주소	서울특별시 종로구 종로5길 86 서울지방국세청 (수송동) (우) 03151				
코드번호	100	계좌번호	011895	이메일	seoulrto@nts.go.kr

과	감사관				징세관				
과장	김태호 2400				김길용 2500				
팀	감사1	감사2	감찰1	감찰2	징세	체납관리	체납추적관리	체납추적1	체납추적2
팀장	윤명덕 2402	이호열 2422	김덕은 2442	최승민 2462	김현호 2502	서영미 2512	안광원 2522	이철 2542	이응기 2562
국세조사관	이애란 2403 심재도 2404 김광수 2405 황성훈 2406 이수경 2407	이지영 2423 김란 2424 오지철 2425 권오상 2426 김용민 2427	김병성 2443 박동찬 2447 오태진 2448 임종수 2444 오대성 2449 장재림 2445 송기화 2450	이일생 2463 김병옥 2464 곽동대 2465 김경훈 2466	이일성 2503 차미선 2504	김소영 2513	조동혁 2523 백은경 2524 이지선 2525 김희중 2526 황찬근 2527	이세풍 2544 한수현 2543 정동환 2548	엄일선 2563 임창섭 2564 김현선 2569 조주경 2594
	김인겸 2408 박숙영 2409	김형정 2428 심재희 2429	이영주 2451 명거동 2452 배종섭 2446 김재한 2453 최용우 2454	문성진 2467 송광선 2468 신은경 2469 최윤호 2470	이은경 2505 나진희 2509 임기양 2507	염성희 2514 도창현 2515 강미나 2516 송정화 2517	박희달 2528 최유진 2529 장정은 2530	송종호 2546 김동훈 2549 최진미 2547 전유민 2545	김화숙 2565 이효진 2568 강지은 2566 전종선 2567
	김재욱 2411				박광덕 2508	김제성 2518 김지혜 2519 민호정 2520	이수민 2531 진수환 2532 이주협 2533 신수창 2534	김청일 2550 이류기 2552 한충열 2553	홍성준 2570 최선균 2592 박신해 2593 윤민아 2571
공무직									
FAX	736-5945		734-8007	780-1586	736-5946		2285-2910		

1등 조세회계 경제신문 조세일보

과	징세관		납세자보호담당관				과학조사담당관	
과장	김길용 2500		박광종 2600				윤창복 2700	
팀	체납추적3	체납추적4	납세자보호1	납세자보호2	심사1	심사2	1	2
팀장	김명규 2572	허천회 2582	서귀환 2602	장미선 2612	이경태 2622	박진우 2632	고주석 2702	김태형 2722
국세조사관	권기현 2573 이재근 2574 박현정 2575	유준영 2583 장미숙 2584 송인춘 2585	임진옥 2603 목완수 2604	정영희 2613 박은화 2614 권주희 2615	김정숙 2623 민현순 2624 유진희 2625 류동균 2626	이윤희 2633 양선욱 2634 김희숙 2635	박상돈 2703 박세일 2704 정미경 2003	김광수 2726 임창규 2723 원병덕 2754 백성종 2727 박정건 2734
	김영기 2576 송지미 2577 이상훈 2578	장수안 2587 한유경 2586 오동석 2588	이진영 2605 오승연 2606 김재현 2607	윤현숙 2616 임거성 2617	오배석 2627 조혜연 2628 이상호 2629	이현 2636 유종일 2637 오선지 2638 박세민 2639	손민정 2705 오연호 2706	김난미 2736 김성필 2738 공덕환 2728 장희원 2740 조용석 2729 김지연 2742 유수경 2735 김민진 2739 서은철 2724
	심지섭 2579 남현승 2580 조윤정 2595	안성호 2589 황순하 2590 김서연 2591	김형래 2608	박철민 2618	김재호 2630		송은지 2707 서빛나 2708	임호진 2730 윤소월 2743 김구름 2741 이희령 2733 이묘진 2731 이주현 2737 김재윤 2725
공무직								
FAX			761-1742				549-3413	

국세관련 모든 상담은 국번없이 126
전국 어디서나 편리하게 상담받으세요.
평일 9시~18시 (탈세제보는 24시간)

DID : 02-2114-OOOO

TAX CORPORATION 세무법인 다우

대표세무사 : 송기봉
(前 광주지방국세청장, 중부청 조사3국장, 서울청 조사4국 과장)
서울시 서초구 방배로 15길 7 위니드건설 B/D 4층

전화 : 02-587-3002　　팩스 : 02-597-3002
핸드폰 : 010-6370-2295　　이메일 : taxdawoo@naver.com

과	과학조사담당관				운영지원과			
과장	윤창복 2700				황동수 2240			
팀	3	4	5	6	경리	인사	행정	현장소통
팀장	김명원 3052	홍덕표 2752	전종상 2712	오성현 2782	정소영 2262	박권조 2242	박재성 2222	임행완 2282
국세조사관	최남철 3053 최익성 3191 배미경 3054 김세훈 3055	김상일 2753 정보경 2732	권영희 2713 김광영 2714	박안제라 2783 김현정 2784 정은수 2785	노현정 2263 주선영 2264	이섭 2243 유성엽 2244 류지현 2245 전광현 2246	정종국 2223 김하늘 2224 주용호 2225 정희섭 2226	장대완 2283 이동진 2284 이은정 2291
	김현숙 3056 김상연 6373 윤상욱 3057 임안나 3192 안유현 3193 임다혜 3058 정민화 3194 윤한슬 6374 한지예 6375 김주헌 3195 차현근 3059	이숙영 2763 황재연 2764 진희성 2765 박원준 2755 김두수 2756 박지현 2757 정창우 2766 이정훈 2758 전인경 2767 이정현 2759 정태경 2760 정순철 2768	이강일 2715 이동한 2716 오형진 2717 유연진 2718	문승진 2786 김종석 2787 이수연 2788	서예림 2265 김미영 2266 한장혁 2267 정세윤 2268	김현철 2247 강호종 2249 이준배 2248 황태연 2250	유동균 2227 조미영 2228 정형준 2229 도정미 2235	신동호 2285 황규형 2286 이선아 2287
	안소진 6376 김시태 3060 안태일 3061 신용석 3196	박대영 2761 백우현 2762	김수지 2719	김문기 2789	유민정 2269 정영달 2270 김효진 2271	정해진 2251 황유성 2252 강이은 2253 정지영 2254	김준영 2230 김정훈 2231 김도연 2232 이찬 2233	고아영 2288 박승호 2289
공무직							정용오 2234 임수빈 2237 정외숙 2236	김민희 2290
FAX			3674-7691		736-7234	736-5944	722-0528	720-6115

144

국실	성실납세지원국							
국장	박종희 2800							
과	부가가치세과				소득재산세과			
과장	권석현 2801				박달영 2861			
팀	부가1	부가2	부가3	소비	소득1	소득2	재산	소득지원	소득자료관리
팀장	표삼미 2802	김태석 2812	윤영호 2832	채종일 2842	김진범 2862	윤경희 2872	황영남 2882	윤석태 2892	오수빈 3072
국세 조사관	추세웅 2803 주세정 2804	정인선 2813 변성욱 2814	김인수 2833 박선규 2834	김보경 2843 김종현 2844 양태식 2845	오윤화 2863 백순복 2864	이동백 2873 곽미나 2874	최미리 2883 이진영 2884	허비은 2893 조은희 2894	
	서지영 2807 차순조 2805 김은미 2806 장혜영 2809	최현정 2815 전주현 2816	박종태 2835 임지형 2836 김영하 2837	임영신 2846 문형민 2847 박아연 2848 이근희 2849	진한일 2865 김혜숙 2866 이인자 2868	정희라 2875 정진영 2876	오승준 2885 최성호 2886 김은정 2887 정교필 2888	김은진 2895	박세하 3073
	이명구 2808	김지민 2817 안진아 2818 윤슬기 2819	이선민 2838	박재성 2850 이근우 2851 허준원 2852	빈효준 2867	이우진 2877	신성근 2889 오하경 2890	강지훈 2896	
공무직									
FAX	736-1503			3674 -7686	736-1501				

DID : 02-2114-OOOO

국실	성실납세지원국					
국장	박종희 2800					
과	법인세과					
과장	최성영 2901					
팀	법인1	법인2	법인3	법인4	국제조세1	국제조세2
팀장	김경필 2902	이철재 2922	김인아 2942	박희도 3032	곽종욱 2952	이지연 2962
국세 조사관	권혁란 2903 강정모 2904 최준 2905	김혜경 2923 구옥선 2924 장창환 2925	박선아 2943 나경영 2944	우지수 3033 송옥연 3034 위주안 3035 박진성 2906	홍미라 2953 이혜전 2954 김태현 2955	임미라 2963 이여울 2964
	권민수 2907 이은상 2908 유원형 2909 김창미 2913	최상연 2926 최은지 2927 김영화 2928 이규혁 2929	최성균 2945 정진환 2946 장지혜 2947 강은실 2948	문숙현 3036 강문현 3037 박은경 3038 권오석 3039	이정연 2956 이정은 2957 김순영 2958	조유흠 2965 이수정 2966
	황보주경 2910 홍성혜 2911 원현수 2912	김서은 2930 최서나 2931	조영탁 2949 조민성 2950 서미리 2951		이지민 2959 김동환 2960	윤준식 2967
공무직						
FAX	736-1502					

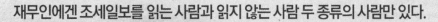

재무인과 함께 걸어가겠습니다 '조세일보'

재무인에겐 조세일보를 읽는 사람과 읽지 않는 사람 두 종류의 사람만 있다.

1등 조세회계 경제신문 조세일보

국실	성실납세지원국											
국장	박종희 2800											
과	전산관리											
과장	이승신 2971											
팀	전산관리1	전산관리2	정보화센터1			정보화센터2			정보화센터3			
팀장		하정권 3002	강옥희 5302			윤영순 5352			김영수 5392			
국세조사관	박애경 2973 최연하 2974 김수진 958-0541 정현숙 958-0542	최진식 3003 박찬경 3004 임영신 3005	이현순 5311			박용태 5354			김형태 5393 박하윤 5394			
국세조사관	정진영 2976 권정순 958-0543	김보운 3006	황보현 5304 박재희 5312 김옥분 5316 박애슬 5319 노정애 5322 이현이 5324	유상윤 5307 유병임 5313 이미경 5317 김미영 5320 안유희 5323	조일숙 5310 주성옥 5315 김영미 5318 이복자 5321 윤인경 5309	김기숙 5355 성혜정 5362 김명환 5365 이은주 5368 김연숙 5371 박주현 5357	박승희 5353 강형미 5363 이은영 5366 엄영옥 5369 이경분 5372	한나영 5364 배문경 5367 김지연 5370 이선정 5373 배성연 5374	김윤경 5398 장인숙 5407 구자율 5410 지점숙 5413 이순화 5416	황미경 5402 정선재 5408 권묘향 5411 최종미 5414 이복희 5395	김영숙 5406 육영란 5409 엄명주 5412 주명화 5415 조정희 5403	
국세조사관	민정대 2975 한민지 2977 홍성한 958-0545	임정호 3007	김경덕 5303									
공무직												
FAX	738-8783		6929-3793, 3762, 3753									

147

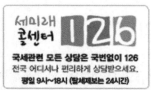

국세관련 모든 상담은 국번없이 126
전국 어디서나 편리하게 상담받으세요.
평일 9시~18시 (탈세제보는 24시간)

DID : 02-2114-OOOO

국실	송무국									
국장	안덕수 3100									
과	송무1과						송무2과			
과장	권순재 3101						류지용 3151			
팀	총괄	심판1	법인1	법인2	개인	상증1	상증2	법인1	법인2	법인3	개인1
팀장	박성기 3102	최용근 3111	박경은 3120	황하나 3125	박양운 3130	김주강 3133	안형민 3136	이권형 3152	김항로 3156	윤소희 3159	신미순 3163
국세조사관	손옥주 3103	최은하 3112 이지영 3113	박희정 3121 김영종 3122 한주성 3123	유은주 3126 홍정의 3127	이재욱 3131	이영주 3134 이수형 3129 길남희 3135	김근화 3137	구순옥 3153	이선의 3157	심정은 3160 계준범 3161 추성영 3162	김보윤 3164 이미경 3165
국세조사관	박주현 3104 정보근 3105 정진범 3106 김동욱 3107 문재희 3108	황인아 3114 박요나 3115	이우석 3124	김성희 3128	배순출 3132		황선화 3138	김민주 3154	우덕규 3158		장병국 3166
국세조사관	서익준 3109										
국세조사관	백승혜 3110							김인숙 3155			
공무직											
FAX	780-1589						780-4165				

148

국실	송무국											
국장	안덕수 3100											
과	송무2과				송무3과							
과장	류지용 3151				한제희 3201							
팀	개인2	상증1	상증2	민사	법인1	법인2	개인1	개인2	개인3	상증1	상증2	민사
팀장	김진희 3167	이호길 3171	김은경 3175	이향규 3179	홍명자 3202	장윤하 3207	김동근 3212	정봉균 3215	황연실 3218	한청용 3221	임일훈 3226	박종석 3230
국세조사관	전민정 3168	이은 3172	공진배 3176 강상우 3177	박준성 3180 유진 3181 문소웅 3182	차진선 3203	김호영 3208 정주영 3209	양아열 3213	박현영 3216	이지연 3219 임효선 3220	박동수 3222 이유진 3223	이대건 3227 곽정은 3228	송지연 3233 강예진 3231
	이연지 3170	정민수 3173	이인숙 3178	이윤희 3183	윤석 3204 이해인 3205	김은아 3210	김정한 3214	박영식 3217		한아름 3224	최길숙 3229	김덕진 3232
		권현서 3174										
공무직												
FAX					780-4162							

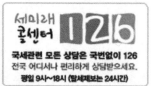

세미래 콜센터 126
국세관련 모든 상담은 국번없이 126
전국 어디서나 편리하게 상담받으세요.
평일 9시~18시 (탈세제보는 24시간)

DID : 02-2114-OOOO

가현택스

대표세무사 : 임채수 (前잠실세무서장/경영학박사)
서울시 송파구 신천동 11-9 한신코아오피스텔 1016호
전화: 02-3431-1900   팩스: 02-3431-5900
핸드폰: 010-2242-8341   이메일: lcsms57@hanmail.net

국실	조사1국									
국장	심욱기 3300, 3400									
과	조사1과									
과장	신재봉 3301									
팀	조사1	조사2	조사3	조사4	조사5	조사6	조사7	조사8	조사9	조사10
팀장	김주연 3302	최진혁 3322	전진 3332	김봉규 3342	현창훈 3352	배일규 3362	황지원 3372	유지민 3382	김성기 3392	오명준 3402
반장	강세희 3303	이찬 3323	김정륜 3333	이충오 3343	임인정 3353	정진욱 3363	박준홍 3373	오세정 3383	이지현 3393	김영환 3403
국세 조사관	강희경 3304	이기순 3324 강민주 3325		박수정 3344		조소희 3364	최영인 3374	홍지연 3384	김형진 3394	
	김민주 3305 손정아 3306 서지원 3307 김주원 3308 양미덕 3309	김일두 3326 조원철 3312 송인용 3313 김용준 3314 김보미 3315	손경진 3334 서민수 3335 원대로 3336	심정보 3345 이성준 3346 김재성 3347	송환용 3354 최해원 3355 김수진 3356	김대우 3365 최재규 3366 김은정 3367	정미영 3375 백유영 3376	황재민 3385 이재호 3386 박순애 3387	최가람 3395 정용수 3396 김동욱 3397	최재덕 3404 김푸름 3405 제현종 3406
	이권승 3310 박서연 3311	홍선아 3327	오유빈 3337 유경원	홍나경 3348	노영배 3357	김해인 3368	전아라 3377	김희애 3388	황창연 3398	권영주 3407
공무직										
FAX	736-1505									

국실	조사1국								
국장	심욱기 3300, 3400								
과	조사2과								
과장	최지은 3421								
팀	조사1	조사2	조사3	조사4	조사5	조사6	조사7	조사8	조사9
팀장	강찬호 3422	심정식 3432	김성한 3442	이병주 3452	유창성 3462	노정택 3472	윤광현 3482	성혜진 3492	김석우 3502
반장	강동진 3423	김재욱 3433	강준원 3443	강창호 3453	김영규 3463	김갑수 3473	유형대 3483	김현재 3493	박금옥 3503
국세 조사관	신서연 3424			변영시 3454	김성우 3464	이세민 3474	윤지영 3484		
	박상현 3425 최은숙 3426 정보람 3427	이광연 3434 임창범 3435 박규빈 3436	홍민기 3444 김정희 3445 장지윤 3446	정의철 3455 신동규 3456 고영상 3457	최상 3465 배상윤 3466 이유진 3467	강성은 3475 김은주 3476 양아라 3477	강석관 3485 육동선 3486 김지영 3487	이혜진 3494 최솔 3495 홍승범 3496	이수연 3504 김혜리 3505 유재원 3506
	박준용 3428 김영무 3429	이향주 3437 황성필 3438	이민지 3447	염보희 3458	양기현 3468	류현준 3478	김복희 3488	김동욱 3497 박규미 3498	김민우 3507
공무직									
FAX	736-1504								

DID : 02-2114-OOOO

국실	조사1국								
국장	심욱기 3300, 3400								
과	조사3과								
과장	김동수 3521								
팀	조사1	조사2	조사3	조사4	조사5	조사6	조사7	조사8	조사9
팀장	이범석 3522	홍성미 3532	노충환 3542	홍용석 3552	양석재 3562	이태연 3572	김병철 3582	김재백 3592	김수용 3082
반장	이승훈 3523	이동출 3533	김민정 3543	안형진 3553	윤동석 3563	임종진 3573	김미정 3583	김두연 3593	정수진 3083
국세조사관	이기주 3524	오승필 3534	김정화 3544	손영대 3554		한상민 3574	이지숙 3584		
국세조사관	안중호 3525 김대우 3526 정은선 3527 김경숙 3528	김한결 3535 백경훈 3536	박서정 3545 안재희 3546	강재형 3555 이현정 3556 김명열 3557	김성대 3564 임혜진 3565	박상봉 3575 김철민 3576 임영운 3577	이은혜 3585 배주환 3586	여인훈 3594 이재성 3595 황혜정 3596	조혜원 3084 김광현 3085 고상현 3086
국세조사관	강혜지 3529 고현준 3530	장한별 3537	최인규 3547	정지예 3558	변지현 3566 김은호 김소라 3567	곽혜원 3578	조민석 3587	전유라 3597	신근모 3087
국세조사관									
공무직									
FAX	720-1292								

국실	조사2국									
국장	김지훈 3600									
과	조사관리과									
과장	오미순 3601									
팀	조사관리1	조사관리2	조사관리3	조사관리4	조사관리5	조사관리6	조사관리7	조사관리8	조사관리9	조사관리10
팀장	신현석 3602	박현주 3622	박승효 3632	박재광 3642	신용범 3652	정지인 3662	김영근 3672	임한영 3682	방종호 3692	이종준 3702
반장	류현수 3603	윤경희 3623	하태상 3633	김묘성 3643	남기훈 3653	이선하 3663	조은덕 3673	유재연 3683	유희준 3693	이윤주 3703
국세조사관	이찬희 3604 김향숙 3611	전승환 3624	이현화 3634	문근나 3644		김현진 3664	표지선 3674		송현주 3694	김지연 3704
	조재범 3605 송화영 3606 박진영 3607 이미라 3608	이정미 3625	정도희 3635 조남건 3636 이은선 3637 심지숙 3638	이태환 3645 여정주 3646	김순옥 3654 이유정 3655 배진근 3656	최강인 3665	박지영 3675 주경섭 3676 김윤정 3677	이성민 3684 백연주 3685	배은아 3695 이지연 3696 유지희 3697 곽지훈 3698	엄준희 3705 전용수 3706 장지은 3707
	이지헌 3609 김현민 3610	신지우 3626	박주희 3639	이현우 3647	조현진 3657	장현진 3666 고혁준 3667	송종훈 3658	안영채 3686	김미림 3699	서문지영 3708
공무직										
FAX	737-8138	3674-7871	730-9517	732-6475	720-6960	735-5768	736-6824	739-9557	3674-7920	720-5107

국세관련 모든 상담은 국번없이 126
전국 어디서나 편리하게 상담받으세요.
평일 9시~18시 (탈세제보는 24시간)

DID : 02-2114-OOOO

국실	조사2국								
국장	김지훈 3600								
과	조사1과								
과장	박진하 3721								
팀	조사1	조사2	조사3	조사4	조사5	조사6	조사7	조사8	조사9
팀장	김은숙 3722	김태욱 3732	고광덕 3742	최영호 3752	이석봉 3762	임종수 3772	김수섭 3782	권오봉 3792	이주석 3802
반장	김기완 3723	박윤주 3733	장희철 3743	김근수 3753	이권식 3763	이순엽 3773	김선일 3783	류옥희 3793	김재진 3803
국세 조사관	정주영 3724	이경선 3734	강승구 3744	김미주 3754		김은아 3774			
	노수정 3725 백승학 3726 정하늘 3727	채규홍 3735 허남규 3736	이호연 3745 송혜원 3746	정미란 3755 제갈희진 3756 손정빈 3758	김대중 3764 오정민 3765 박찬호 3766	홍진국 3775	최인영 3784 이인권 3785	나덕희 3794 성창임 3795	민근혜 3804 이경 3805 김기천 3806
	한광희 3728 신홍영 3729	김수현 3737 이솔 3738	정진주 3747 정민국 3748	박범석 3757	김진영 3767	왕윤미 3776 임경준 3777	안병현 3786 김진주 3787	김영석 3796 윤지혜 3797	차동희 3807
공무직									
FAX	720-9031	720-7697	723-8543	730-8588	720-6104	720-6105	725-2782	720-6020	732-0514

154

국실	조사2국								
국장	김지훈 3600								
과	조사2과								
과장	최진복 3811								
팀	조사1	조사2	조사3	조사4	조사5	조사6	조사7	조사8	조사9
팀장	박순주 3812	임형태 3822	소섭 3832	신세용 3842	문정오 3852	이기각 3862	김종주 3872	안병태 3882	이인선 3892
반장	김상욱 3813	이국근 3823	서명진 3833	윤영길 3843	김진미 3853	이성환 3863	유지은 3873	김상곤 3883	이영진 3893
국세조사관	윤재길 3814	김성욱 3824	이영석 3834	김동현 3844	이동희 3854				
국세조사관	오창기 3815 한진혁 3816	김유미 3825 김주홍 3826	박향미 3835 최홍서 3836	황지혜 3845 구명옥 3846	고석춘 3855 이유경 3856	임근재 3864 김은희 3865 정예린 3866	이윤주 3874 류진규 3875 이호은 3876	문승민 3884 이주한 3885	추현종 3894 김정윤 3895 김민석 3896
국세조사관	이명희 3817 김윤 3818 김나리 3819	이슬린 3827 김수형 3828	정아람 3837 조경민 3838	이재영 3847 이건일 3848	신영준 3857	박민원 3867	강지선 3877	조인정 3886 배성진 3887	김재현 3897
국세조사관									
공무직									
FAX	3674-7823	3674-7831	3674-7839	3674-7847	3674-7855	3674-7863	3673-2783	743-8927	730-4549

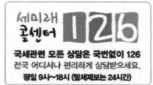

DID : 02-2114-OOOO

국실	조사3국					
국장	이승수 4000					
과	조사관리과					
과장	권태윤 4001					
팀	조사관리1	조사관리2	조사관리3	조사관리4	조사관리5	조사관리6
팀장	김해영 4002	박재영 4022	김광대 4032	강재원 4052	전종희 4072	박현수 4092
반장	양현숙 4003	이수진 4023	양인영 4033	박균득 4053	임혜령 4073	임현진 4093
국세조사관	박용진 4004	김혜정 4024 신은혜 4025	박은희 4034	왕훈희 4054 김영숙 4055	서민자 4074 박종민 4075	
국세조사관	서정우 4005 최인옥 4006 김영찬 4007 오지은 4008 노경수 4013	정찬진 4026 윤기덕 4027	최운환 4035 이미영 4036 김주현 4037 장수현 4038 강정구 4039	최영봉 4056 최윤서 4057 김성욱 4058 이형섭 4059	진수미 4076 전지민 4077 김선주 4078 이세진 4079	구민성 4094 손원우 4095
국세조사관	변혜정 4009 조원영 4010		송영태 4040	이정윤 4060 박소영 4061	이승하 4080 이원영 4081 김민아 4082	이슬기 4096
국세조사관						
공무직						
FAX	738-3666	722-2124	736-3820	736-9398	736-9399	734-6686

국실	조사3국					
국장	이승수 4000					
과	조사1과					
과장	신석균 4121					
팀	조사1	조사2	조사3	조사4	조사5	조사6
팀장	염귀남 4122	조대현 4132	안동숙 4142	최동일 4152	박철완 4162	이웅진 4172
반장	김용선 4123	최선우 4133	박대현 4143	윤솔 4153	김상이 4163	박미연 4173
국세 조사관	이현숙 4124	강상현 4134	이난희 4144	이봉열 4154	최은정 4164	김기중 4174
	여호철 4125 김다민 4126 조승호 4127 전선화 4130	한은주 4135 최유건 4136	이상덕 4145 황광식 4146	이형준 4155 성우진 4156	박보경 4165 김기홍 4166	김세희 4175 이승호 4176
	장동환 4128 이여진 4129	박정화 4137 이계호 4138	원지혜 4147 조홍준 4148	이은미 4157 고재민 4158	박정님 4167	시종원 4177
공무직						
FAX	733-2504	730-9519	736-6822	730-9638	730-5107	743-8927

국실	조사3국					
국장	이승수 4000					
과	조사2과					
과장	조영탁 4211					
팀	조사1	조사2	조사3	조사4	조사5	조사6
팀장	이성일 4212	신혜숙 4222	김정태 4232	원윤아 4242	이상언 4252	최미숙 4262
반장	황창훈 4213	전현정 4223	김보연 4233	서원식 4243	권경란 4253	김형석 4263
국세조사관	백동욱 4214	이창준 4224	최영학 4234	정유미 4244	이규석 4254	차양호 4264
	김성향 4215 임진호 4216 오현식 4217	정상민 4225 윤지원 4226	안신영 4235 이수정 4236	박정례 4245 김우정 4246	김재완 4255 고성헌 4256	최정열 4265 김은영 4266
	박윤수 4218 이경은 4219	전승현 4227 김희경 4228	이윤재 4237 허재연 4238	이지영 4247 유휘곤 4248	정용승 4257	권혁 4267
공무직						
FAX	929-2180	924-5104	924-8584	929-4835	922-3942	925-9594

국실	조사3국					
국장	이승수 4000					
과	조사3과					
과장	신상모 4291					
팀	조사1	조사2	조사3	조사4	조사5	조사6
팀장	박재원 4292	남호성 4302	이주원 4312	김하중 4322	김대철 4332	임경미 4342
반장	구본기 4293	이창석 4303	김태언 4313	김종곤 4323	조주희 4333	송지은 4343
국세 조사관	이성재 4294	김혜미 4304	이지호 4314	송선태 4324	이래경 4334	이승일 4344
	이범준 4295 류지혜 4296 이창남 4297	김대준 4305 김미애 4306	이보라 4315 박수지 4316	윤종현 4325 정대혁 4326	최도석 4335 배미일 4336	이진호 4345 백승호 4346
	정보령 4298 김준우 4299	나명호 4307 윤우찬 4308	신동훈 4317 장형구 4318	장서현 4327 이진문 4328	김경식 4337	김미례 4347
공무직						
FAX	922-5205	921-6825	922-6053	925-1522	924-5106	926-6653

SD 삼도 세무회계

대표세무사 : 황도곤(前삼성세무서장)
서울시 강남구 강남대로 84길 23, 한라클래식 718호
전화 : 02-730-8001　팩스 : 02-730-6923
핸드폰 : 010-6757-4625　이메일 : hdgbang@naver.com

현석 세무회계

대표세무사 : 현 석(前 역삼세무서장)
서울시 강남구 테헤란로10길 8, 녹명빌딩 4층
전화 : 02-2052-1800　팩스 : 02-2052-1801
핸드폰 : 010-3533-1597　이메일 : bsf7070@hanmail.net

국실	조사4국										
국장	이동운 4500										
과	조사관리과										
과장	이상원 4501										
팀	조사관리1	조사관리2	조사관리3	조사관리4	조사관리5	조사관리6	조사관리7	조사관리8	조사관리9	조사관리10	조사관리11
팀장	신민섭 4502	옥창의 4512	박영준 4522	이용문 4532	장재수 4542	조주환 4552	조현선 4562	김희대 4572	강석구 4582	고만수 4602	박주담 4612
반장	민희망 4503	김은선 4513	유영희 4523	이영옥 4533	김현정 4543	김윤선 4553	임태일 4563	강양구 4573	이수정 4583	이근웅 4603	이지선 4613
국세조사관	오현정 4504 이응석 4505	황보영미 4514 배철숙 4515	박규송 4524	조재영 4534	윤선영 4544 유정희 4545	김성은 4554	백경미 4564	조위영 4574		김화준 4604	
	노계연 4506 유기선 4507 유희정 4510	이정일 4516 김남교 4517 윤지현 4518	석지영 4525 신복희 4526 김병휘 4527	공현주 4535 노남규 4536 김윤정 4537	정애진 4546 이영우 4547 손승진 4548 김수일 4549	이동희 4555 정혜진 4556 이숙 4557	장소영 4565 이성애 4566 윤세정 4567	황영규 4575 송유정 4576 차혜진 4577 이진규 4578	장해성 4584 김대호 4585 조숙연 4586 김현우 4587	조인혁 4605 한상희 4606	김봉찬 4614 강미영 4615
	황정미 4508 이채연 4509		정성훈 4528 이수진 4529	유인성 4538	박서진 4550	박서빈 4558	김성호 4568	김주혜 4579 김가이 4580	강현주 4588 진선호 4589 안초희 4590		김민기 4616
공무직	강문정 4700										
FAX	722-7119	739-9550	720-2206	736-4249	720-0568	3675-6784		736-5545	736-5546	736-0514	3674-7795

국실	조사4국				
국장	이동운 4500				
과	조사1과				
과장	장태복 4621				
팀	1	2	3	4	5
팀장	김유신 4622	고승욱 4632	윤성중 4642	임정일 4652	조가람 4672
반장	손진욱 4623	한정희 4633	문상철 4643	심수한 4653	이전봉 4673
국세 조사관	박경근 4624	이문환 4634		부혜숙 4654	김노섭 4674
	김충만 4625 최승영 4626 이상헌 4627 이지혜 4628 송청자 4667	최희정 4635 문교현 4636 김보성 4637 안승화 4638	송준승 4644 김정근 4645 이현수 4646 김경호 4647	홍성일 4655 김태인 4656 문종빈 4657	고현호 4675 이지숙 4676 남윤수 4677
	최지현 4629 최범식 4630 오만석 4631	정수진 4639 채만식 4640	안진경 4648	최호윤 4658	장아름미 4678
공무직					
FAX	765-1370	741-5460	743-6827	765-6828	743-5132

국세관련 모든 상담은 국번없이 126
전국 어디서나 편리하게 상담받으세요.
평일 9시~18시 (탈세제보는 24시간)

DID : 02-2114-OOOO

국실	조사4국							
국장	이동운 4500							
과	조사2과				조사3과			
과장	김종복 4721				김상구 4791			
팀	1	2	3	4	1	2	3	4
팀장	이방원 4722	구성진 4732	송평근 4742	김은진 4752	김형준 4792	이건도 4802	김주석 4812	위찬필 4822
반장	박상훈 4723	이정은 4733	배경직 4743	김대현 4753	임영아 4793	이옥선 4803	염세환 4813	백영일 4823
국세 조사관	정윤미 4724	이영진 4734			남기훈 4794 윤미숙 4830	최동혁 4804	강인혜 4814	
	황윤섭 김용현 4725 장원식 4726 양동규 4727 이인하 4728	김동환 4735 이재복 4736 채수민 4737	최성일 4744 김재현 4745 이선진 4746	김형수 4754 김현우 4755 최미선 4756 박선영 4757	여태환 4795 김희진 4796 조용석 4797 강재원 정건제 4798	이대식 4805 홍유종 4806 박미선 4807	한승만 4815 송창녕 4816 김지선 4817	서은원 4824 김명진 4825 류광현 4826
	정유리 4729 노수연 4730	박준영 4738 황현서 4739	여효정 4747 김형후 4748	강민호 4758	이지민 4799 박정현 4800	박혜진 4808	임수연 4818 노종영 4819	정장군 4827 봉수현 4828
공무직	유경선 4731							
FAX	762-6751	766-4996	3672-3673	764-6669	763-7857	763-9106	762-6752	741-0784

대원 세무법인

대표세무사: 강영중

서울시 강남구 논현2동 209-9 한국관세사회관 2층
전화:02-3016-3810　　　팩스:02-552-4301
핸드폰:010-5493-4211　　　이메일:yjkang@taxdaewon.co.kr

국실	국제거래조사국							
국장	김국현 5100							
과	국제조사관리과							
과장	박상준 5001							
팀	1	2	3	4	5	6	7	8
팀장	김정미 5002		정영혜 5022	정규명 5032	양영경 5042	심은진 5052	김윤정 5062	손종욱 5072
반장	오희준 5003	정진영 5013	김진규 5023	송주현 5033	주현아 5043	조용수 5053	이세연 5063	권범준 5073
국세조사관		심창현 5014			장인영 5044	이상묵 5054	이경화 5064	이임순 5074
	이재연 5004 박진습 5005 이수연 5006 김진희 5009	송진미 5015 송진희 5016 송은별 5017	황은미 5024 기재희 5025 박형배 5026	임강욱 5034 오세찬 김경미 5035 정주희 5036	이이네 5045 박신애 5046	모두열 5055 이혜린 5056 전혜영 5057	지성수 5065 홍지흔 5066	조희진 5075 박세진 5076
	박수진 5007 이용건 5008		이기숙 5027	이은비 5037	김소나 5047	김신애 5058	김형섭 5067 김서현 5068	명인범 5077 황인화 5078
공무직								
FAX	739-9832	725-8287	3674-7950	3674-7957	3674-7964	3674-7854	3674-7870	3674-7862

국세관련 모든 상담은 국번없이 126
전국 어디서나 편리하게 상담받으세요.
평일 9시~18시 (탈세제보는 24시간)

DID : 02-2114-OOOO

국실	국제거래조사국						
국장	김국현 5100						
과	조사1과						
과장	남아주 5101						
팀	1	2	3	4	5	6	7
팀장	문형민 5102	계구봉 5112	박애자 5122	조창우 5132	이재영 5142	김내리 5152	정승환 5162
반장	이한상 5103	김혜영 5113	이종우 5123	이안나 5133	권영승 5143	이미애 5153	박찬웅 5163
국세조사관	설미현 5104	이창준 5114	최숙현 5124	박지현 5134		연덕현 5154	김규환 5164
	서승원 5105 도상옥 5106 박지숙 5107 박은선 5109	금현정 5115 박미정 5116	이명희 5125 문홍규 5126	신희웅 5135 한수현 5136	황희진 5144 최명준 5145 곽민정	김국진 5155 양연화 5156	남송이 5165 서혜란 5166
	김리영 5108 최고은 5110	김하림 5117 김소희 5118	윤석환 5127	차유라 5137 최선주 5138	허문정 5146 김성실 5147	이현주 5157	박성애 5167
공무직							
FAX	3674-5520	3674-5537	723-5541	739-9833	725-8286	3674-7989	725-6967

국실	국제거래조사국					
국장	김국현 5100					
과	조사2과					
과장	지임구 5201					
팀	1	2	3	4	5	6
팀장	진선조 5202	조민성 5212	이해인 5222	박형민 5232	송지현 5242	양다희 5252
반장	형성우 5203	이덕화 5213	권진록 5223	이도경 5233	전선영 5243	백송희 5253
국세조사관	이윤정 5204	박원균 5214	백주현 5224	진민정 5234	김태준 5244	
	한정희 5205 박진희 5206 윤성열 5207 신향식 5210	위경환 5215 김수진 5216	최미란 5225 양희석 5226	김예린 5235 강정희	이혜인 5245 왕지은 5246	최은혜 5254 윤미희 5255 송병호 5256
	박지숙 5208 송지윤 5209	심상미 5217 여진임 5218	석혜조 5227 이영선 5228	김정엽 5236 박희수 5237	황희상 5247	양국현 5257
공무직						
FAX	3674-7932	3674-7940	3674-5529	3674-7684	3674-5596	3674-5545

강남세무서

대표전화: 02-5194-200 / DID: 02-5194-OOO

서장: **최 인 순**
DID: 02-5194-201~2

주소	서울특별시 강남구 학동로 425 (청담동 45) (우) 06068				
코드번호	211	계좌번호	180616	사업자번호	120-83-00025
관할구역	서울특별시 강남구 중 신사동, 논현동, 압구정동, 청담동			이메일	gangnam@nts.go.kr

과	체납징세과			부가가치세과		소득세과		재산세1과	
과장	노동렬 240			백승원 280		이명기 360		김종국 480	
팀	운영지원	체납추적1	체납추적2	부가1	부가2	소득1	소득2	재산1	재산2
팀장	김흥곤 241	양희재 601	김민선 621	홍정연 281	고영수 301	양동원 361	김일동 381	염지훈 481	김동찬 501
국세조사관	정수인 247	김명호 602 동남일 603	유은숙 262	김영주 282 남봉근 283 김희정	백은경 302	임병일 362	박승호 382	노명희 482 이승훈 483	박종렬 502 이창호 503
	김차남 243 오정환 242 김태연 244	정정희 604 김유진 606	황은옥 263 윤영숙 622 박태호 630 박현정 631 이경호 623 장충규 624 이호경 625	박준호 284 정순삼 285 김소영 286 손기혜 287 장희정	정승갑 303 신윤경 304 안혜정 305 정지우 306	서영순 363 윤은숙 364 김주영 365 박지영 377	문미라 383 유명옥 384 김민정	이은희 484 조희원 495	권유미 504 최성규 505 고예지 506
	정세인 247 안성빈 617	이서현 607 홍경원 605 전지연 608 김민성 609 채희주 610 김비주 611	양순영 264 김은정 626 박철우 627	표선임 288	김미덕 307		허지희 385	전형민 485 차원영 486 최세미 487	김지수 507
	김형우 245 한장미 246 이창훈 618	박소정 612	김지혜 628 모희산 629	송지예 289 성명은 290	최세진 308 김영일 309 이지원 310	이병주 366 정혜정	조성윤 386		
FAX	512-3917			546-0501		546-3175		546-3178	

대원 세무법인

대표세무사: 강영중

서울시 강남구 논현2동 209-9 한국관세사회관 2층
전화:02-3016-3810 팩스:02-552-4301
핸드폰:010-5493-4211 이메일:yjkang@taxdaewon.co.kr

과	재산세2과		법인세1과		법인세2과		조사과		납세자보호담당관	
과장	김정흠 540		이배인 400		심재걸 440		장찬용 640		윤만식 210	
팀	재산1	재산2	법인1	법인2	법인1	법인2	정보관리	조사	납세자보호실	민원봉사실
팀장	한정수 541	최원모 561	이용광 401	박시용 421	정재일 441	최정원 461	최창수 641	박정미 657		최선이 221
국세조사관	전용원 542 심연택 543	박윤정 562	김창섭 410 임세창 402		홍성민 442	강수원 462		전태병 651 손병석 654 김소연 661 오지형 662 김병기 660 윤형석 647 이기덕 668	이지현 212 유정미 213 유주연 214	
	여원모 544 고태영 545 윤선화 546	송영석 563 최명현 564	김보미 403 이수원 404 최정윤 405 신준철 406 이상근 408	육혜연 422 정경택 423 신지혜 424 오잔디 425	변상미 443 홍성민 445 이윤경 446	이해운 463 서민우 464	김난형 642 김대원 692 박미진 693	엄정상 671 박은정 658 정도영 648 설재형 669 임신희 665 이재성 652 조희성 666 김도은 663	김숙자 215	노아영 222 이평호 223 장소영 224 안성준 225 최현 226 최정임 227 유현 227
	황서하 547		이강산 407	박한나 426	강민정 447 송해영 448	박희경 465 오혜선 466 이현석 467	안소라 643 김기철 644	이준표 정교민 667 정혜윤 672 한예슬 670 문영은 653 민혜선 646	김진환 216 차지인 217	김혜림 228 장덕윤 229
	전수연 548	금승훈 565	이예지 409	길혜선 427 김주예 428	이태현 449 조한경 450	성수연 468 전희은 469	지상근 694	김광환 659 박건웅 664 한혜성 655 윤소윤 649 조성규 673 이예진 656		윤경희 230
FAX	546-3179		546-0505		546-0506		546-0507		546-3181	

강동세무서

강동세무서
대표전화: 02-22240-200 / DID: 02-22240-OOO

서장: **유 진 재**
DID: 02-22240-201, 202

주소	서울특별시 강동구 천호대로 1139 (길동, 강동그린타워) (우) 05355				
코드번호	212	계좌번호	180629	사업자번호	212-83-01681
관할구역	서울특별시 강동구			이메일	gangdong@nts.go.kr

과	체납징세과			부가가치세과		소득세과		법인세과	
과장	선봉관 240			신성철 280		송재천 360		김헌국 400	
팀	운영지원	체납추적1	체납추적2	부가1	부가2	소득1	소득2	법인1	법인2
팀장	김건웅 241	이준호 601	최영지 261	강하규 281	이유상 301	양나연 361	김유학 621	이봉희 401	김춘례 421
국세조사관		황준성 602 최서윤 603		전만기 282	이지연 302		나우영 622	김재규 402 손민선 403	
	김윤정 242	이희라 604 이홍욱 605	강주은 262 백혜진 263 이진 264	홍주현 283 이순영 284 강동효 285 김태은 286	김계영 303 권예원 304 장혜경 305 진정호 564	이소민 362 김동수 363 이은영 364 김도연 365	정현진 623 김수민 624 홍성희 625	박숙희 404 양은영 405 성봉준 406	김현정 422 김영균 423 신현호 424
	박재영 243 김지윤 244 최진철 245 송은우 667	김우호 606 고경미 607	고은지 265 정준채 266	최원영 287 박해원 288	이후림 306	남수진 366 나은경 367 민수지 368 박은정 369 임혜연 370	한지혜 626 김영천 627 민기원 628		
	이예지 246 이동욱 666	김주현 608 강민주 609	문호승 267 정은선 268	최현지 289 김명수 290 배현옥 295	김현주 307 이경서 308 박세인 309 김선경 295	남장우 371 권효준 296	황웅재 629 양현우 630 이성도 631 서정연 296	최초로 407	최예은 425
FAX	2224-0267			489-3253		489-3255~56		489-4129	

1등 조세회계 경제신문 조세일보

과	재산세과			조사과		납세자보호담당관	
과장	조성준 480			조성호 640		심우돈 210	
팀	재산1	재산2	재산3	정보관리	조사	납세자보호실	민원봉사실
팀장	강미순 481	김윤 501	이철수 521	이동주 641	김태우 651	위종 211	최창주 221
국세조사관		장진희 502	김진경 522	장서영(정보) 691	박경인 652 최보문 653	임아름 212	안정섭 222 김나나 223
	류훈민 482 송지선 483 정종현 484	오동문 503 정명훈 504 최민지 505	신상욱 523 김태현 524 문윤호 525	박소현 642 전병준 692 이혜란 643	강현연 654 빈수진 655 박명희 656 박정섭 657 박용태 658 박두순 659 박준식 660 이윤경 661	박선은 213	박정아 224 윤미 225
	이승진 485 선지혜 486	허지연 506	김현민 526 고아라 527		신동희 662 강지수 663 이환희 664	김선아 214	강현주 226
	임하경 487 이태원 488 김미정 550	김민진 507 박안나 550		전샛별 644			김진희 227 박정은 228
FAX	489-4166			489-4167		489-4463	470-9577

강서세무서

대표전화: 02-26304-200 / DID: 02-26304-OOO

서장: **최 기 영**
DID: 02-26304-201

주소	서울특별시 강서구 마곡서1로 60 (마곡동 745-1) (우) 07799			
코드번호	109	계좌번호	012027	사업자번호	109-83-02536
관할구역	서울특별시 강서구			이메일	gangseo@nts.go.kr

과	체납징세과			부가가치세과			소득세과		
과장	남근 240			전영호 280			고정선 360		
팀	운영지원	체납추적1	체납추적2	부가1	부가2	부가3	소득1	소득2	소득3
팀장	정순욱 241	김강훈 601	정운형 621	위승희 281	김병만 301	장재원 321	황병권 361	최용훈 371	전경란 381
국세조사관		김경호 602	최우일 622 윤미경 623	백원일 282 윤진희 283	유향란 302	이성경 322	이상헌 362		심희선 581
국세조사관	정소영 242 권정운 243 정주영 245	김윤영 603 김예원 604 주성재 605	전민재 261 박순희 624 장미혜 625 이미정 262 김혜정 626 윤지윤 627	박원영 284 김은령 285 김수현 286 박정순 291	김영일 303 정경진 304 편상원 305	윤성준 강미진 323 윤정미 324 서승혜 325	조원준 363 남기연 364	장명숙 372 박희상 373 김원규 374	신숙희 382 오재헌 383 이민재 384 임은미 385
국세조사관	안성민 244 박주호 246 김태식 594	김예지 606	이익훈 628 신채영 263 전지원 629 손경선 630 백현기	정인선 287 이유빈 288	김정미 306	고석봉 326 박미주 582	임효정 365 박종일 366	박수연 581 최정아 375	송예체 386
국세조사관	최혜련 247 김규성 594	변병돈 607 조경태 608 박소미 609 김미림 610	문아연 264	이승현 289 나수정 290	임진주 307 강한나 308 최민정 309	표정범 327 장재영 328 김아리수 329	김수진 367 최문경 368 박수연 369 이솔아 370	김지현 376 김명선 377 신유림 378	유학승 387 김진솔 388 유동준 389
FAX	2679-8777			2671-5162	2068-0448		2679-9655	2068-0447	

과	법인세과		재산세과			조사과		납세자보호담당관	
과장	이상필 400		이우재 480			모상용 640		김종두 210	
팀	법인1	법인2	재산1	재산2	재산3	정보관리	조사	납세자보호실	민원봉사실
팀장	김한태 401	김혜영 421	남기형 481	최영실 501	강인태 521	서민철 641	이명욱 651	조성리 211	전성수 221
국세조사관	박지양 402	김용배 422 박소연 423		최해철 502	서미영 522		박광용 654 김경환 657 김형일 660	김보연 212	권혁노 222
	김기남 403 박성찬 404 김도연 405 박성준 406 여주연 412	안성진 424 이민지 425 남윤정 426	강지현 482 유소정 483 배은율 484 최기환 485	김우수 503 김세일 504	김정민 523 유강훈 524 김형석 525 최미숙 528	이동우 642 박소연 643 박유미 644	박지혜 663 박치원 666 김진호 658 박명훈 664 김민경 655	고영숙 213 김병진 214 김민정 215	허태욱 223 지현배 224 기중화 225 최효진 223
	김현정 407 박지혜 408 조성광 409	조미성 427 최봉렬 428 나환웅 429	권순호 486	안지혜 505 정경숙 506	이지혜 526	박지희 645 박남규 646	류신우 667 이주빈 652 허송이 665 김건호 661 이윤주 656 임승명 653 김은영 662		김민지 226 임유화 227 강정규 228 박경화 229
	이지영 410 조인영 411	최보영 430	김지혜 487 김다영 488 표우중 489	배상철 507 이선아 508	심연수 527		차유미 659 유예림 668		
FAX	2678-3818		2634-0757	2634-0758	2634-0757	2678-6965		2678-4163	2635-0795

관악세무서

대표전화: 02-21734-200 / DID: 02-21734-OOO

● 남서울중학교
도림천 얼음썰매장
신림역
서원역
● 성보중학교
🏛 관악세무서
● 난우공원

서장: **최 이 환**
DID: 02-21734-201, 202

주소	서울특별시 관악구 문성로 187 (신림1동 438-2) (우) 08773				
코드번호	145	계좌번호	024675	사업자번호	114-83-01179
관할구역	서울특별시 관악구			이메일	

과	체납징세과			부가가치세과		소득세과		
과장	박종형 240			김동우 270		김기석 340		
팀	운영지원	체납추적1	체납추적2	부가1	부가2	소득1	소득2	소득3
팀장	임희원 241	이세주 601	조병성 261	김현태 271	이금란 291	배현우 341	김상길 361	유기무 381
국세 조사관			유성영 609 이희태 610	장창복 272	이광재 292	김선아 342		함석광 382
	손민자 242 이진아 243	정인선 602 강정수 603	김진희 262	양종선 273 김미연 274 오덕희 275 이연호 276	허진화 293 노연섭 294 문미경 295 조예리 296	이정은 343 노지현 344 한상훈 345 송호필 346	김익환 362 손현숙 363 김혜인 364 구재효 365 김창권	손수정 383 김경숙 384 최선규 385
		김소영 604 이정표 605	오선희 263 유소진 611 김영재 612	박민주 281	송정아 297 이화영 298 강수빈 639	유신혜 347 박혜진 최선호 348	김민영 366	김철권 386
	신지연 245 정민석 246 최상혁 김진구	정수영 606 김규리 607 서예진 608	김혁희 613 장이지 614	정혜림 277 박한승 279 김현선 282 김민혜 283 박지화 280	정동욱 299 한지윤 303 조민경 302 도수정 301	홍다임 349 김동현 350	나성빈 367 조슬기 368	김충현 387 오서영 388 박성한 389
FAX	2173-4269			2173-4339		2173-4409		

재무인과 함께 걸어가겠습니다 '조세일보'

재무인에겐 조세일보를 읽는 사람과 읽지 않는 사람 두 종류의 사람만 있다.

과	재산법인세과			조사과		납세자보호담당관	
과장	양동석 460			박노헌 640		박성민 210	
팀	재산1	재산2	법인	정보관리	조사	납세자 보호실	민원봉사실
팀장	김미숙 461	문금식 481	신만호 531	최미경 641	박정민 651	권보성 211	임정숙 221
국세 조사관		김태윤 482 문용식 483	이강구 533	김미순 642 노재호 643	정성훈 654		김임경 222
	이유진 462 양미선 463 유은주 464 김윤미 471 류기수 465	강규철 484 황순이 488	전인향 534 편혜란 535 임관호 536	신동혁 644 강금여 645	이지현 653 한승수 659	전은상 212 전태원 213 정민주 214	부성진 228 배주현 226 김새미 224
	서경희 466 임종헌 467 안주영 468	김은진 485 나한결 486	서보미 540 한소라 537	안다경 683	장건수 655 양소영 656 정미래 661 오철민 662	강민수 215	김상선 225 박효진 223 정영화 227
	김한오 469 최지우 470	박윤환 487	최은진 538 이예지 539		최인석 652		
FAX	2173-4550			2173-4690		2173-4220	2173-4239

구로세무서

대표전화: 02-26307-200 / DID: 02-26307-OOO

서장: **표 진 숙**
DID: 02-26307-201

주소	서울특별시 영등포구 경인로 778 (문래동 1가) (우) 07363				
코드번호	113	계좌번호	011756	사업자번호	113-83-00013
관할구역	서울특별시 구로구			이메일	guro@nts.go.kr

과	체납징세과			부가가치세과			소득세과	
과장	김영정 240			정관성 280			이원우 360	
팀	운영지원	체납추적1	체납추적2	부가1	부가2	부가3	소득1	소득2
팀장	조인옥 241	이승준 601	정미원 621	문극필 281	최연희 301	이영진 321	김현정 361	김유미 381
국세 조사관	최영현 247	윤주영 602	이병두 622	정중호 282	김수연 340	심현 김보미 322	배수진 362	이상민 382
	박현자 242 김민우 243	이윤하 서해나 603 차지연 604 정난영 605	임정희 261 이창남 262 조민지 623 윤장원 624	강방숙 291 곽동윤 283 국예름 284 김효정 285	강문자 303 이유진 304 김용극 305 김신자 306	홍종복 323 한예숙 324 이은정 325 홍승표 326	김영숙 363 이채곤 364	김병선 372 박선민 383 고유나 384
	기승호 244	김동하 606 김양수 607	정형진 625 김유진 626 김세빈 627	사혜원 286 이선아 287	강민정 307	김선주 327	강은실 365 김상호 366 김나연 367	이주희 385 강아름 386 심수연 387 이규태 388
	정호영 245 권덕환 246 도기원 591 심희열 595	윤서울 608 고현주 609	최유림 263 신지연 628 강인혜 629	박인규 288 서효정 289	유진아 308 여경규 309	신동진 328 김유주 329	윤정은 368 연성준 369 이혜리 370	오수연 389 고현일 390
FAX	2631-8958			2637-7639	2636-4913		2634-1874	2636-4912

과	법인세과		재산세과		조사과		납세자보호담당관	
과장	김재철 400		임준빈 480		오시원 640		홍영국 210	
팀	법인1	법인2	재산1	재산2	정보관리	조사	납세자보호실	민원봉사실
팀장	전영균 401	변동석 421	장동은 481	김영웅 501	윤설진 641	주경탁 651	조원형 211	안상현 221
국세조사관	박영애 402 구영대 403	유동원 422	변성미 이미선 482 이영호 483	강흥수 502	임소영 642	한경화 654 김성문 657 임샘터 661	안성진 212 김영빈	김은숙 222
	이경숙 404 김형진 405 홍여주 406 이수란 412	한재식 423 김도영 424 이은정 425 박가은 426 채정환 427 유승연 428	김동은 484 손영란 485 김현정 486 최하나 487 황지은 488	김수영 503 최재영 504 김예슬 505	이선주 643 최병우 692 장은영 693	김지범 657 장현성 662 김효정 652 안선희 665 조진숙 658 박문수 655	김경태 213 박현혜 214	손미견 223 이영호 225 이현일 226 정유진 226
	감동윤 407 이도형 408 김보경 409	권순엽 429		임희정 506	윤현주 694 최은경 645	이혜진 666 윤영규 653 정방현 660 박선영 656	민지혜 215	김보영 227 강유미 228 정수연 229
	남경민 410 이혜수 411	권혜지 430 문성윤 431	박소은 489 김은혜 490	이다훈 507		서정은 663		우미라 230 김제성 231 이슬비 233
FAX	2676-7455	2679-6394	2636-7158		2632-1498		2632-7219	2631-8957

금천세무서

대표전화: 02-8504-200 / DID: 02-8504-OOO

서장: **장 병 채**
DID: 02-8504-201

주소	서울특별시 금천구 시흥대로152길 11-21 (독산동) (우) 08536 조사과 : 서울특별시 관악구 남부순환로 1369 관악농협 하나로마트 5층 (우) 08537						
코드번호	119	**계좌번호**	014371	**사업자번호**	119-83-00011	
관할구역	서울특별시 금천구 전체			**이메일**	geumcheon@nts.go.kr	

과	체납징세과			부가가치세과		소득세과	
과장	이병만 240			정숙희 280		노병현 320	
팀	운영지원	체납추적1	체납추적2	부가1	부가2	소득1	소득2
팀장	양재영 241	정근우 601	김철 621	성시우 281	공효정 301	이찬주 321	양찬영 341
국세 조사관		배옥현 602		김창수 282	한세희 302	배진희 322	김원호 342
	전훈희 242 변유경 248 심진용 243	이완배 603 김주아 604	홍지혜 622 권은숙 262 조영성 623 김은혜 263	김미경 283 황혜정 284 장재호 285	김성표 303 한보경 304 장희정 305	정은하 323 정우선 324	김정숙 343
	이유선 244 장철성 245 박상인 595	위경진 605 임태윤 606 허원석 607	정명교 624 강정목 625	박유리 286		이주선 325 강다영 347	최익영 344
	김민형 246 유태준 595	김용우 608 이솔아 609	이아름 626 김민주 264	여호종 287 김보영 288 전영우 289 김정아 290	성경옥 306 김준 307 오영주 308 한지원 309 유다정 310	박동규 326 김명희 327	우신애 345 송경아 346
FAX	861-1474	861-1475		865-5504		850-4359	

세림세무법인

대표세무사 : 김창진

서울시 금천구 시흥대로 488, 701호(독산동, 혜전빌딩)

1본부(701호) T. 02)854-2100 F. 02)854-2120
2본부(601호) T. 02)501-2155 F. 02)854-2516
홈페이지: www.taxoffice.co.kr 이메일: taxmgt@taxemail.co.kr

과	재산법인세과			조사과		납세자보호담당관	
과장	김재형 400			김평호 640		박문수 210	
팀	재산	법인1	법인2	정보관리	조사	납세자 보호실	민원봉사실
팀장	이우성 481	전용찬 401	이기현 421	최선호 641	이진우 651	곽윤희 211	주현식 221
국세 조사관	장민 482 정은아 483	천미진 402 김병준 403	주기환 422 김미경 423 권정기 424		이남형 661 심재광 671 박우현 672 조병만 681 이성수 691 김선미 692		
	장은정 484 김효정 486 조재윤 485	최영호 404 김용수 405 유형래 406 이다혜 407 박영숙 408	김윤정 425 이창민 426 정안석 427 지원민 428	한주진 642 정선영 643 김경희 644 이연우 645 김은희 646	윤정화 652 이윤주 662 박광춘 663 전윤석 682 민정은 683 전기승 693	김주현 212 조한영 213	김수경 222 천승범 223
	유혜란 487	황송이 409 고민지 410	홍정표 429 권채윤 430 최서윤 431			김연주 214	이하나 224 김효남 225 한정아 226 임주원 227
	박승원 488	차지해 411 조서현 412 이경희 413	김단아 432 조경진 433		임규성 653 심윤미 673		손은경 228 윤지원 229
FAX	865-5530	865-5565		855-4671		865-5532	865-5537

남대문세무서

대표전화: 02-22600-200 / DID: 02-22600-OOO

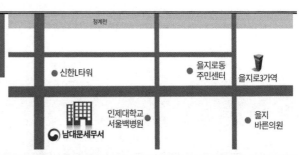

서장: **김 수 현**
DID: 02-22600-201

주소	서울특별시 중구 삼일대로 340 (저동1가) 나라키움저동빌딩 (우) 04551				
코드번호	104	계좌번호	011785	사업자번호	104-83-00455
관할구역	서울특별시 중구 중 남대문로 1·3·4·5가, 을지로 1·2·3·4·5가, 주교동, 삼각동, 수하동, 장교동, 수표동, 저동 1·2가, 입정동, 산림동, 무교동, 다동, 북창동, 남창동, 봉래동 1·2가, 회현동 1·2·3가, 소공동, 태평로 1·2가, 서소문동, 정동, 순화동, 의주로 1·2가, 중림동, 만리동 1·2가, 충정로 1가			이메일	namdaemun@nts.go.kr

과	체납징세과		부가소득세과		
과장	김성일 240		김미정 280		
팀	운영지원	체납추적	부가1	부가2	소득
팀장	김우정 241	김인숙 601	윤희관 281	이선재 301	양미영 321
국세조사관		장문근 602	이동일 282	지상수 309 이주희 329 송정현 302	김은숙 322
	문여리 242 신봉식 246	김미애 603 이재일 604 노미란 261 김정미 605	권대식 283 박선영 284	고경수 303	김현우 323
	김경두 593 박형호 243 김혜영 244	유은미 606	김고은 285 성주호 286 박소연 329 이한송 287	최명식 304 조길현	
	이은준 245 한상철 247	곽민정 262 이정은 607 김유권 608 강나루 609		서수현 305	정지문 324 김준형 325
FAX	755-7132		755-7145		

10년간 쌓아온 재무인의 역사를 돌려드립니다 '온라인 재무인명부'

수시 업데이트 되는 국세청, 정·관계 인사의 프로필과 국세청, 지방청, 전국세무서, 관세청,
유관기관 등의 인력배치 현황을 볼 수 있는 온라인 재무인명부

과	재산법인세과				조사과		납세자보호담당관	
과장	김태섭 400				임석규 640		구정서 210	
팀	재산	법인1	법인2	법인3	정보관리	조사	납세자 보호실	민원봉사실
팀장	윤수현 481	옥혁규 401	최완규 421	신정훈 441	김순중 641	김영기 651	이은규 211	송정희 221
국세 조사관	김진석 486		허정윤 422	류선주 442	이창현 691 맹지윤	우창완 654 김명희 657 박정권 671 오다혜 674	김신우 212	김민아 222
	이경표 482 김민주 483	김두성 402 신미선 403 한윤숙 404 한장우 405	김창명 423 배성한 424 정철우 425	김준우 443 이재완 444 오수진 445 박민서 446	두준철 642 홍승희 691 김경민 643	정유정 672 류대훈 675 김미진 652 김별진 658 장혜미 655	이현주 214 이혜연 213	이채아 223 황인주 224
	유병창 484 심현정 485	주희정 406 조정훈 407 배석준 408	최서진 426 박다슬 427 민경상 428	임진영 447 이정림 448		한덕윤 656 황지영 673 김경복 653		최인아 225
		김상걸 409 윤단비 410	어수임 429 김은정 430	박신정 449	홍혜진 644	이선우 659 김현정 676		김슬기 226
FAX	755-7730	755-7714			755-7922		755-7903	755-7944

노원세무서

대표전화: 02-34990-200 / DID: 02-34990-OOO

서장: **이 주 연**
DID: 02-34990-201

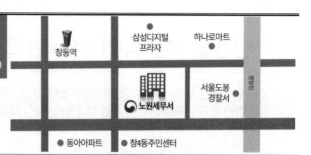

주소	서울특별시 도봉구 노해로69길 14 (창4동 15) (우) 01415			
코드번호	217	**계좌번호**	001562	**사업자번호**	217-83-00014
관할구역	서울특별시 노원구 전지역, 도봉구 중 창동		**이메일**	nowon@nts.go.kr

과	체납징세과			부가가치세과		소득세과	
과장	김시영 240			신우교 280		정일선 360	
팀	운영지원	체납추적1	체납추적2	부가1	부가2	소득1	소득2
팀장	장민우 241	성기동 601	장인수 621	윤용구 281	권기수 301	김성묵 361	정상술 381
		오광선 602			박송복 302	안혜숙 362	문태흥 382
국세 조사관	황다검 242	권미경 603 임영선 604 김은화 605	임미영 262 김혜진 622 유지영 263 변금수 628	한진옥 282 윤소영 283 배현정 284 정현진 285 류희정 286 최수연 399	박성일 303 박애란 304 강석순 305 강현정 306	이현순 363 김영아 364 정홍자 365 함연의 399 천영환 366 최은애 367 백설희 368 권해영 377	박영란 383 신미영 384 조해영 395 정남숙 385 신예민 386 이영민 387
	김인경 243 최정원 593 김정현 245 양웅 244	장두영 606 황윤정 607	류기현 264 채문석 623 하태연 624 여길동 625		강미수 307 오홍희 308 박노준 309 이승주 310	배은호 369 곽성용 370 김상혁 371 김가연 372	김지미 388 배민정 389 박보경 390
	김혜빈 246 노재윤 593 정해원 247	강다애 608	김기쁨 626 박슬기 627	조한송이 287 유희민 288 박지혜 289 김종연 290 윤성민 291	배동혁 311 정희재 312 지소정 313	김미선 373 김소연 374	박한빛 391 박진희 392
FAX	992-1485			992-0112		992-0574	

과	재산법인세과				조사과		납세자보호담당실	
과장	김권 400				가완순 640		이서행 210	
팀	재산1	재산2	재산3	법인	조사관리	조사	납세자보호실	민원봉사실
팀장	최동수 481	이성 501	강민완 521	한정식 401	홍상기 641	최규식 651	김준연 211	이성희 221
국세 조사관	임재현 482	고성순 502 최선희 503	최원석 522 양철원 523	임채두 402	박준용 642	유동민 660 전종상 654 박옥진 657 김영환 661	홍미영 212	이세정 222
	박은미 483 김찬일 484 이범규 485 오영은 486 이동규 487	신영진 504 김만숙 505 장서영 506 안승현 507	박선용 524	송지선 403 김현정 404 김종수 405	안진영 643 허은석 691 김준연 693 남용희 645	정원영 655 홍수현 652 오세혁 658	홍지화 213	성혜전 223 이지혜 224
		이소정 508	이훈 527 김일하 525 안해송 526	강지현 406 윤수빈 407	서주아 644	김현진 662 문다영 656 박하니 659	석호정 214	박주영 225 육송희 226 최선희 227 노혜선 228
	강민균 488 조예린 489	이애신 509		권예지 408	이승민 692 최하나 644	유정현 663 이정웅 659	김태호 215	박재형 229 백만리 238
FAX	992-0188			992-2693	992-2747		992-0272	992-6753 900-2911 (공릉동)

도봉세무서

대표전화: 02-9440-200 / DID: 02-9440-OOO

서장: **최 종 열**
DID: 02-9440-201

주소	서울특별시 강북구 도봉로 117 (미아동 327-5) (우) 01177				
코드번호	210	**계좌번호**	011811	**사업자번호**	210-83-00013
관할구역	서울특별시 강북구, 도봉구 (창동 제외)			**이메일**	dobong@nts.go.kr

과	체납징세과			부가가치세과		소득세과	
과장	이승현 240			이명섭 280		김소연 360	
팀	운영지원	체납추적	징세	부가1	부가2	소득1	소득2
팀장	전경호 241	박준서 601	황태건 621	김혜숙 281	박기정 301	정한진 361	권나현 381
국세 조사관	김순근(사무) 248	송설희 602	김진수 622	서윤주 282	이응선	배민우 362 최기웅 363	유극종 382 주동철 383
	조현은 242 유장혁(운전) 595	복은주 603 김은화 604 이수인 605 권혁빈 606	홍원필 623 남수주 624 정수빈 261 김영신 262 강현주 625	김윤정 283 이윤행 284 김안나 285 이중승 286 최효선 287	김지윤 302 오은경 303 박성현 304 박은정 305 김재훈 306	김희정 364 김선미 365 김수연	문석빈 384 권세혁 385 조아라 386
	박민중 243 최소라 244 윤차용(방호) 595	조광호 607	이동건 626	김대길 288 강동원	정하영 307 강지현 308 조효진 309	김태은 366 최재림 367 홍영실 368 이소현 강송현 370	김현주 387 남지현 김민정 388 김미경 389 소재준 390
	이금미 245	최민규 608 엄하은 609	황미향 627 박진미 263	문윤정 289 전상현 290 신수빈 291 이효원 292	조은기 310 양인환 311	박은서 371 임희건 372	정의주 391 이선민 392
FAX	944-0247	944-0249		945-8312		987-7915	

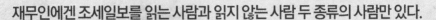

재무인과 함께 걸어가겠습니다 '조세일보'

재무인에겐 조세일보를 읽는 사람과 읽지 않는 사람 두 종류의 사람만 있다.

과	재산법인세과			조사과			납세자보호담당관	
과장	강연성 400			권영진 640			이병길 210	
팀	재산1	재산2	법인	조사관리	조사	세원정보	납세자보호실	민원봉사실
팀장	고정수 481	이순영 501	박정곤 401	윤상섭 641	서경철 651	조승모 211	정성현 221	
국세조사관	강명준 482	노기항			박수영 659 최수연 660 정석규 655	이재원 212	안병옥 222	
	김은정 483 황정미 484 최수진 박준명 485 이보배 486	양신 502 엄기관 503 권우택 504	송유석 402	신명도 642 이수연 692 이존열 693	임윤종 652 강민수 661 신정아 656 정연웅 657 이유리 653	백기량 213 심경연 214	이성애 223	
	이성혜 487	양희승 505 오현석 506	서인숙 403 이진실 404	박수현 643	이미소 662		박소연 225	
	김보송 488 장진영 489	이재영 507	홍문기 405 김진주 406 김규리 407				손아현 226 배경환 227 송형승 228	
FAX	945-8313			984-8057			984-6097	945-6942

동대문세무서

대표전화: 02-9580-200 / DID: 02-9580-OOO

서장: **고 성 호**
DID: 02-9580-201

주소	서울특별시 동대문구 약령시로 159 (청량리동 235-5) (우) 02489				
코드번호	204	계좌번호	011824	사업자번호	209-83-00819
관할구역	서울특별시 동대문구		이메일	dongdaemun@nts.go.kr	

과	체납징세과			부가가치세과		소득세과	
과장	이상익 240			김정동 280		임용걸 360	
팀	운영지원	체납추적1	체납추적2	부가1	부가2	소득1	소득2
팀장	박은주 241	박선영 601	김병래 621	윤선기 281	변유솔 301	나찬영 361	이문수 381
국세 조사관	최창순 592		최은영 261	윤순녀 282	조한용 302	이미영 362	송윤식 382
	서미 242 신정환 박연선 245 이경애 600	김영준 602 김봉희 603 정화영 604	임보현 622 조은정 623 신주현 262 한금순 263	황선익 141 차은정 283 송재영 284 최창호 285 황순희 141 이정은 286	임미영 303 박마래 304 이은영 305 고현웅 312 강다희 306	김정미 363 변정기 364 이미영 365 이희영 372 김수경 144	최은미 383
	이원나 243 이용권 244 박종현 591 권용상 247	김유나 605 김세현 606	강슬기 624	송보화 287 이주경 288	김영지 307 박성수 308	박민우 366 이승재 367	지명희 384 이주선 385
	남정태 246	김미연 607	박진희 625 조민수 626 이상미 627	육근영 289 이은상 290 고혜진 291	최현준 309 임수진 310	안지은 144 한승아 368	김재연 386 한재영 387 홍차령 388
FAX	958-0159	927-9461		927-9462		927-9464	

과	재산세과		법인세과		조사과		납세자보호담당관	
과장	정학순 480		이용만 400		장성우 640		조성식 210	
팀	재산1	재산2	법인1	법인2	정보관리	조사	납세자보호실	민원봉사실
팀장	장은정 481	김성준 521	손광섭 401	정승렬 421	김영남 641	예정욱 651	박찬정 211	최경희 221
국세조사관	부명현 482 윤미자 493	구재흥 522	정민호 402	임경남 422	강종식 642	장진범 664 정현철 655 박병영 658		김재훈 222
	박은혜 483 박금숙 484 김도형 485	이용호 523 김원필 524	홍미숙 403 조은비 404	곽진후 423	장혜경 692 차지현 693	고영훈 661 백승현 659 조보연 652 조연상 665 이지수 656 양인경 662	김현정 212	표윤미 223 김선화 224
	박용석 486 정재영 487	김승욱 525 이초록 526	오지훈 405		한지숙 643	이원희 657 정서영 667 은하얀 660	박혜옥 213 김찬웅 214	류유선 225 진경화 226
	이지연 488	박준희 527	이현아 406	김은설 424 송대섭 425		정석훈 654 최성욱 663		이영주 227 박철한 228
FAX	927-9466		927-9465		927-4200		927-9463	927-9469

동작세무서

대표전화: 02-8409-200 / DID: 02-8409-OOO

서장: **박 강 수**
DID: 02-8409-201

주소	서울특별시 영등포구 대방천로 259 (영등포구 신길동 476) (우) 07432				
코드번호	108	계좌번호	000181	사업자번호	108-83-00025
관할구역	서울특별시 동작구, 영등포구 중 신길동, 대림동, 도림동		이메일		dongjak@nts.go.kr

과	체납징세과			부가가치세과			소득세과		
과장	윤동환 240			조호철 280			이은용 360		
팀	운영지원	체납추적1	체납추적2	부가1	부가2	부가3	소득1	소득2	소득3
팀장	권지은 241	이용진 601	김미연 621	김성두 281	이미정 301	고돈흠 321	권은영 341	류인철 361	고미숙 381
국세조사관		이재혁 602 이지희 603	권민선 262 이정숙 263		조선희 304	서은정 324 박상준 325		이수정 393 양옥서 362	변정 382
	이부창 247 임태호 242 김상희 243 김정호 614	유근만 604	심주호 622 윤현경 623	강미성 282 최순희 283 김민숙 394	정기선 303 이현지 322	김지선 326 신수민 327 나영주 328	권오광 342 황윤숙 343 정은이 344 심민정 345 박정연 393 이경자 351	이정훈 363 유성희 364 김선임 365	구인선 383 김수진 384 유재웅 385
	이재욱 244 손태욱 246 장서윤 245	김진희 605 방선우 605	이기영 624 문미진 625 김철홍 626 서여진 627	김규완 284 문경은 285 김서안 286 이희환 287	한성일 305 이송향 306 김은지 307	김다원 329	김철현 346	김수현 366	오도훈 386
	김병수 248	김민지 607 한정현 608 김도형 609	박효준 628 안미진 629	신상민 288 장수현 289	신은수 308	이윤노 330	최주희 347 탁성찬 348 김선화 349	이서영 367 김병우 368 민지현 369	정다영 387 권은호 388 김다연 389
FAX	831-4136			833-8775			833-8774		

1등 조세회계 경제신문 조세일보

과	재산세과			법인세과		조사과		납세자보호담당관	
과장	박종무 480			김형기 400		권오현 640		이선미 210	
팀	재산1	재산2	재산3	법인1	법인2	정보관리	조사	납세자보호실	민원봉사실
팀장	박진혁 481	김민주 501	김동원 521	김영민 401	김병석 421	지연우 641	고형관 651	서남이 211	이미경 221
국세조사관	이미라 395	김남균 502	이재하 522 이형원 523		박윤정 422		권순찬 655 박정한 658 임병수 661 김한규 664	한윤숙 212	윤선희 223 오경애 222
	염훈선 482 고정란 483 신명수 484 신원섭 485 장지영 486	유지선 505 송수자 395 안미진 503 이은제 504	정상덕 524 정애정 526	이성호 402 김기선 403 나종현 404	이우근 423 김상연 424	이홍숙 642 김제은 643 신동배 691 김광미 692	손가희 665 최민석 659 김대영 656 안미나 652 오창은 662	현지희 213 안종호 214 이진주 215	문승현 224
	박지성 487 박지수 488 조하나 489	이상문 507 김성미 508 박지환 506	이영우 527 김혜숙 529	강지인 405 김지영 406	김지선 425	전보현 646 신아영 645 이명수 693	김은지 660 홍은기 666 김채현 654	서운용 216	박수연 225 김주원 227 김용 226 이민영 228
	두채린 490		최은진 528 김시홍 530		김수정 426		정의범 663 정혜지 667		김유미 225 문경아 230
FAX	836-1445			836-1658		825-4398		836-1626	

마포세무서

대표전화: 02-7057-200 / DID: 02-7057-OOO

서장: **최 경 묵**
DID: 02-7057-201

대흥역
서울용강
초등학교

동양엔파트
아파트
미림빌딩
마포세무서앞교차로

마포세무서

대흥동
태영아파트

주소	서울특별시 마포구 독막로 234 (신수동 43) (우) 04090						
코드번호	105		계좌번호	011840	사업자번호	105-83-00012
관할구역	서울특별시 마포구				이메일	mapo@nts.go.kr

과	체납징세과			부가가치세과			소득세과	
과장	황장순 240			한명숙 280			임형수 360	
팀	운영지원	체납1	체납2	부가1	부가2	부가3	소득1	소득2
팀장	김진수 241	신명숙 601	김명자 621	이수락 281	이정아 301	박옥주 321	최영환 361	정정자 381
국세조사관		진정록 602	박상훈 622	정한신 282	김미경 302	노경민 322	임미선 362	조준 382
국세조사관	이서현 242 최윤미 243	이정화 603 임금자 604 유민수 605 김영운 611	천명선 623 박영임 261 최문석 624 박옥희 262 천새봄 625 강유진 626 김소연 627	황진하 283 이경옥 284 김혜정 285	배이화 303 박유미 304	이원도 340 신영순 박진희 323 조현아 324	신미경 홍수옥 363	윤정선 김영옥 383 윤용 384
국세조사관	이규형 244 임유진 245 박경렬 247	이성진 606 권태준 607 박지은 608	박범규 628 문지현 629 이혜승 263	이미현 286 박상원 287 김오중 288	박은희 305 장하용 306 이창수 307	이은정 325 김용정 326	홍윤석 364 이지영 365 이재열 366	손준성 385 송의미 386
국세조사관	정문희 246 정준호 591	박아름 609 문상혁 610	강건희 630 김태민 631	장서희 289 김지완 290 서한슬 291	고지환 308 김나현 309 정제준 310	임찬혁 327	김준철 367 박정은 368 김수진 369 송승원 370	권태인 387 최민정 388 우가람 389 김성진 390
FAX	717-7255		702-2100	718-0656			718-0897	

과	법인세과			재산세과			조사과		납세자보호담당관	
과장	강은호 400			이성규 480			전왕기 640		권석주 210	
팀	법인1	법인2	법인3	재산1	재산2	재산3	정보관리	조사	납세자보호실	민원봉사실
팀장	이재상 401	김승일 421	정의재 441	전학심 481	사명환 501	이재원 521	김종국 641	조성용 651	신경수 211	홍창호 221
국세조사관	한재희 402 권혜정 403	이경헌 422	김은경 442	정원영 482 안태훈 483	남궁민 502	송민수 522 김경미 525	권오평 642 함두화 691	김주생 655 권정희 683 권영칠 671 김광연 675 강은영 660 김유혜 680 고경미 663	이민경 212	
	김대훈 405 채현진 406 임보람 408 이동건 407 박소민 412	이유영 423 최영숙 424 김광현 425 임보라 426	박상희 443 이민정 444 정규호 445 김호서 446	이언종 486 김찬옥 484 이상호 485	국승원 503 임은화 504 신동호 505	이승훈 527 김경모 529 명현욱 523	김윤호 643 권우건 692	이영훈 656 안주영 684 안은정 672 김정선 676 강동휘 661 김범준 681 판현미 664	정지현 213 유주민 214	김라영 333 김보라 223
	김혜정 410 김민경 409	최진아 427 이효정 428	유정화 447	임지민 487	송자연 506	이혜민 526	경지은 644 민윤선 645	성기영 652 김유진 653 김지영 657 김동진 673 류승현 677 김하연 682 남성윤 665	신미덕 215	김경혜 224 주나라 225 배형은 226 이금옥 227
	황정선 411 김건식 413	조성현 429 김건우 430	유선애 448 김남주 449 송필섭 450	김민정 488	우현구	방원석 524 조소현 528 한가희 530	박예은 693	주혜영 685 김치우 662		이재석 228 김동현 229
FAX	3272-1824	3273-3349		718-0264			718-0856			701-5791

189

반포세무서

대표전화: 02-5904-200 / DID: 02-5904-OOO

서장: **이 인 섭**
DID: 02-5904-201~2

주소	서울특별시 서초구 방배로163 (방배동 874-4) (우) 06573					
코드번호	114	계좌번호	180645	사업자번호	114-83-00428
관할구역	서울특별시 서초구 중 잠원동, 반포동, 방배동		이메일	banpo@nts.go.kr

과	체납징세과			부가가치세과		소득세과		법인세과	
과장	김봉범 240			황효숙 280		박성수 360		김재균 400	
팀	운영지원	체납추적1	체납추적2	부가1	부가2	소득1	소득2	법인1	법인2
팀장	이용제 241	이은미 601	정창근 621	안상순 281	홍소영 301	안동섭 361	김정열 381	정중원 401	정대수 421
국세 조사관	김환규 242	곽미경 602	유은희 262	길익찬 282 김명신 283	윤명희 232 정미경 303	김종만 362	김윤이 382	송주민 402	배두진 422 김은정 423
	이선영 243	한승욱 603 민경은 604 이경민 605	정기선 627 이영빈 622 박창현 628 유민희 623	이세인 284 유태우 285	유정훈 304 서정이 305 서은파 306	채수향 363 김태희 364 이가영 365 허지연 366	김경향 383 정지은 384 김수현 385	이성구 403 김선미 404 지성은 405 김희정 406	윤지혜 424 김병윤 425 변선정 427 오혜성 428
	정혜미 244 임담윤 593	이수철 606 공기영 607	여은수 263 김하연 264	조아라 232		김수진 233 김용관 367 윤선용 233	김경업 386 박진성 387	주윤정 407	
	박계희 245 최길섭 246 김현근 582 이용욱 594	유은지 608 김유림 609	최재득 624 이보라 625 황민정 626	전지혜 286 서지은 287 김미정 289	양상민 307 이근아 308	곽정은 368 김한성 369	장혜지 388 신기용 389	김예진 408 김유승 409	노종옥 429 백보민 430
FAX	536-4083			590-4517		590-4518		590-4426	

과	재산세1과		재산세2과		조사과		납세자보호담당관	
과장	장기웅 480		유하수 540		김홍렬 640		황보영곤 210	
팀	재산1	재산2	재산1	재산2	정보관리	조사	납세자 보호실	민원봉사실
팀장	강탁수 481	김기덕 501	황상욱 541	김종헌 561	조성우 641	박웅 651	홍정기 211	이봉숙 221
국세 조사관	김지민 482	김대진 502	신현삼 542 김은아 543	강민석 562 김동빈 563	한미경 642 김선주 643	박선주 655 나진순 659 박경희 662	박정민 212 김종문 213	주윤숙 222
	홍정민 이강윤 483 정해천 484 김효정 485 최효진 486 정석훈 487 최혜진 488	황상인 503 윤현미 504 김효정 505	신정현 544 이진재 545 남꽃별 546 이용우 547	온상준 564 정지열 565 김다은 566	최일 644 김인중 645	홍범식 652 유인혜 656 김규희 660 박서연 663 구태경 664 김명진 665 박민지 666	권윤희 214 김미나 문혜림 215	박선례 223 조미경 224 오은진 225
	김유나 489 이명원 490	김세빈 506	조영진 548 신유경 549	권규원 567 이지혜 568	김민지 646	송승철 653 서미래 654 임종훈 657 황순호 661 안성희 667		임정희 226 강혜정 227 이병수 228
	김희경 491 최형윤 492	양윤모 507	이경수 550 정미경 551 나인애 552					
FAX	591-2662		590-4513		523-4339		590-4220	590-4685

삼성세무서

대표전화: 02-30117-200 / DID: 02-30117-OOO

서장: **박 성 학**
DID: 02-30117-201

주소	서울특별시 강남구 테헤란로 114 (역삼1동) 1,5,6,9,10층 (우) 06233				
코드번호	120	계좌번호	181149	사업자번호	120-83-00011
관할구역	서울특별시 강남구(신사동, 논현동, 압구정동, 청담동, 역삼동, 도곡동 제외)			이메일	samseong@nts.go.kr

과	체납징세과			부가가치세과		소득세과		법인세1과	
과장	박진석 240			장영란 280		김성주 360		오승준 400	
팀	운영지원	체납추적1	체납추적2	부가1	부가2	소득1	소득2	법인1	법인2
팀장	김세민 241	권오성 601	김진호 621	김경국 281	임문숙 301	김현숙 361	노석봉 381	유수권 401	김종삼 421
국세조사관		안순호 602 손혜정 603	안연숙 261 김창범 622	윤범일 282	서정석 302 오도열 303	김준 362	곽세운 382	김요수 402	송종범 422
국세조사관	김미숙 242 김미정 243 이재경 160	송찬미 604 한지민 605 김명주 606 이승준 607	이상목 623 조성주 624 한현숙 262 백현자 625 이환수 626	박성찬 283 한누리 284 이주영 285 이고훈 291	김미영 304 최우신 305 김민지 306	박유정 363 김승환 364 변행열 365 이영수 366 이규미 394	김은선 383 황선우 384 윤영훈 385 김지은 386 김문길 387	류호민 403 김주옥 404 이은희 405 유재석 406 최은영 407	김정란 423 황성윤 424 양영희 425 김유리 426
국세조사관	인윤희 244	이재원 608	염상미 263 나예영 627	송미화 298 김도엽 286 김미소 287	안진성 307 김현경 308 이정주 298	김준하 367 안소연 368	윤진우 388 전미례 389 최정민 394	윤지수 408	이현미 427 김효미 428 김재성 429
국세조사관	이승훈 245 박혜성 247 박래인 249 최치권 250	조주희 609 이민옥 610 김수헌 611	정부교 628 최은희 264 이예지 629 김유림 630 구현정 631 이미숙 632	박현빈 288	신명관 309	김시훈 369	강희윤 390 황수진 391	유현식 409 임수진 410 김은정 411	임지혜 430 전민지 431
FAX	564-1129	501-5464		552-5130		552-4095		552-4148	

SD 삼도 세무회계

대표세무사 : 황도곤(前삼성세무서장)

서울시 강남구 강남대로 84길 23, 한라클래식 718호

전화 : 02-730-8001 팩스 : 02-730-6923
핸드폰 : 010-6757-4625 이메일 : hdgbang@naver.com

과	법인세2과		재산세1과		재산세2과		조사과		납세자보호 담당관	
과장	이종록 440		고임형 480		고완병 540		이양우 640		민철기 210	
팀	법인1	법인2	재산1	재산2	재산1	재산2	정보관리	조사	납세자보호실	민원봉사실
팀장	장연근 441	구현철 461	박범진 481	하행수 501	조수현 541	이정민 561	장재영 641	이해석 661	김태현 211	이승훈 221
국세조사관	전제간 442	정현숙 462 강용석 463	박상미 497 강승현 482	이춘근 502	박지현 542 박준서 543	권혜영 562 황재원 563	안미영 642	윤태준 665 최민희 666 이재철 668 최정규 671 남동훈 675 송춘희 678 이창오 681 전유리 684 이승호 687	박구영 212 이지연 213	
	정원호 443 양소영 444 강현우 445 소민 446 이동훈 447	정상화 464 이애경 465 정준호 466	당만기 483 유수정 484 원대연 485 윤종훈 486 이한배울 487 김성용 488	배재홍 503 장효섭 504	이준규 544 이보배 554 현우정 545 김선윤 546 김인화 547 유필립 548 김태현 557	김성덕 564	강화수 643 고정진 644	강동석 669 안지현 672 김태형 676 최인섭 679 이수정 682 박준홍 685 손성임 688	유정림 214 김태훈 215 방형석 216	김순정 556 이지은 556 류한상 556
	이성혜 448 신지혜 449	이세미 467 양원석 468 황선화 469 용승환 470	김다현 489	안수정 505	주성용 549	강남영 565	구훈모 645 김나영 646 한은정 647	송현수 686 권정훈 674 변혜림 680 황시연 670 김민정 683 배원만 662 유미나 689	이윤경 217	김찬희 556 이윤선 556 정혜원 556 김도형 556
	조영주 450 김미경 451	김동현 471	문민희 490 김인빈 491 강수경 492	이호성 506 이은선 507	이현주 550 조수정 551	김용재 566 조경아 567	유승희 648	임지현 663 정다혜 677 김다영 667		김영숙 556 조민재 556
FAX	564-0588		552-6880	552-4277	564-1127		552-4093	564-4876	569-0287	

서대문세무서

대표전화: 02-22874-200 / DID: 02-22874-OOO

서장: **문 준 검**
DID: 02-22874-201~2

주소	서울특별시 서대문구 세무서길 11 (홍제동 251) (우) 03629				
코드번호	110	계좌번호	011879	사업자번호	110-83-00256
관할구역	서울특별시 서대문구			이메일	seodaemun@nts.go.kr

과	체납징세과		부가가치세과		소득세과	
과장	백성기 240		유용환 280		안병일 360	
팀	운영지원	체납추적	부가1	부가2	소득1	소득2
팀장	최환규 241	김성영 601	양정화 281	김재현 301	김태훈 361	정희숙 381
국세 조사관		유후양 602 이수빈 603	김미성 282 이진주 313		이순희 362	윤상건 382
	박소희 242 이기헌 243 여민호 249	박은영 604 한지원 262 최용민 605 박정현 263	조영주 283 윤공자 284 안성은 285	정민철 302 김미란 313 안정수 303 이지원 304	최인귀 363 이경애 364 신수영 313 김은정 365	김은영 383 고경만 384 강미경 385
	구동욱 244	한수현 606 김여진 607		최근영 305 윤성귀 306 민윤식 307 정희연 308	김소연 366	양옥진 386
	구본하 245 손은태 249	이다예 608 김경아 609 정인아 610	박현철 286 손기봉 287		백가연 3367 류선아 368	김지윤 387 신동민 388
FAX	379-0552	395-0543	395-0544		395-0546	

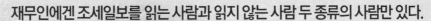

재무인과 함께 걸어가겠습니다 '조세일보'

재무인에겐 조세일보를 읽는 사람과 읽지 않는 사람 두 종류의 사람만 있다.

1등 조세회계 경제신문 조세일보

과	재산법인세과			조사과		납세자보호담당관	
과장	최선숙 400			최병태 640		정성영 210	
팀	재산1	재산2	법인	조사관리	조사	납세자 보호실	민원봉사실
팀장	김필종 481	이창한 501	엄형태 401	강새롬 641	백재홍 651	이정옥 211	이은길 221
국세 조사관	남승호 482	곽영미 502	강인소 402 이지선 403	정보기 642	신상일 654		윤현경 222
	동혜순 483 김은해 484 김희진 485 이예슬 486	유호영 503 한선배 504	노민정 404 이성원 405 최은유 406	김경욱 643	구우형 657 한종환 652 이성진 655 이응찬 658	조안나 212 이원복 213	김영선 223 김윤호 224 한지영 225 김형태 226
	양명지 487 금민진 491 김도희 488	강민영 491	어정아 407	권은지 644 구아림 645	김남희 659	이선영 214	차연주 230
	김지연 489 전다솜 490	장규복 505 이상욱 506 권진혁 507	윤태훈 408 김지현 409 김서영 410		하민영 653 최보현 656		김혜영 227
FAX	379-5507			391-3582		395-0541	395-0542

서초세무서

대표전화: 02-30116-200 / DID: 02-30116-OOO

서장: **황 정 길**
DID: 02-3011-6201

예일세무법인

대표세무사 : 류득현 (前서초세무서장)

서울특별시 강남구 테헤란로 313 3층 (역삼동, 성지하이츠1차)

전화 : 02-2188-8100   팩스 : 02-568-0030
이메일 : r7294dh@naver.com

주소	서울특별시 강남구 테헤란로 114 역삼빌딩 3~4층, 9층 조사과, 10층 납세자보호담당관 (우) 06233				
코드번호	214	계좌번호	180658	사업자번호	214-83-00015
관할구역	서울특별시 서초구(방배동, 반포동, 잠원동 제외)			이메일	seocho@nts.go.kr

과	체납징세과			부가가치세과		소득세과		법인세1과		법인세2과	
과장	김지태 240			이성종 280		김기선 360		시현기 400		박철규 440	
팀	운영지원	체납추적1	체납추적2	부가1	부가2	소득1	소득2	법인1	법인2	법인1	법인2
팀장	김승룡 241	오남임 601	이정노 621	황기오 281	김승석 301	조동표 361	황호민 381	배덕렬 401	김용원 421	박정기 441	황규홍 461
국세조사관		조광래 602 김보성 603	박지희 염미정 622 김혜정 623	채수필 282	송도관 302	고영지	동철호 382	정태환 402	김유정 422		이상기 462
국세조사관	송진영 242 주수미 243 이상진 277	탁정미 631 정재희 604 김애라 605 백승범 606	이인숙 262 이정학 624 김명희 263 박현준 625	박배근 임형철 283 김진희 284 김화은 285	신종웅 303 변지야 304 박정숙 305 김성숙 306	정연경 362 이송화 363 조우성 364	임승하 383 이규현 384	김동훈 403 최하연 404 박수현 405 조아라 406	강혜은 423 김주수 424 민상원 425 민샘 426	전광중 442 김낙용 443 최상채 444 장성우 445 장서라 446	정철 463 정혜윤 464 김은희 465 정준호 466
국세조사관	이재훈 244 강현성 278	김양경 607 박재홍 608 오경환 609	임상록 626 김윤정 630 황현섭 629 조서연 628	박예림 286 어장규 287 윤정민 288	전연주 307 이은지 308 김희선 309	장송이 368	류정란	박민선 407 김득중 408 문선영 409 김수민 410	강은경 427 안승진 428	김시아 447 김민수 448	정소윤 467 김효진 468
국세조사관	이인아 245 이제안 246	김현곤 610 이지율 611	이예지 264 장동인 627 이용훈 265	김영 289	이소연 310 박지원 311	황경주 366 김소연 367	이지영 385 이종보 386 신나현 387	황혜주 411 곽현승 412 박종윤 413	주재관 429 김수빈 430	안혜빈 449 금가비 450	박세환 469 김소라 470 황소은 471
FAX	563-8030	561-2271		561-2610	561-2682	561-3202	561-2948	561-3230	561-1647	561-3291	561-1683

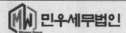 민우세무법인

대표세무사 : 정상배 (前 영월·구리·서초 세무서장)
서울시 강남구 테헤란로84길 12 마루빌딩 3층 (대치동)

핸드폰 : 010-3755-5031   이메일 : topcupp@naver.com

 세무회계 **해강**

대표세무사 : 이기태 (前 조세심판관)
서울시 서초구 서초대로58길 18, 201호

전화 : 02-525-2115   팩스 : 02-584-2115
핸드폰 : 010-5358-7696   이메일 : kttax7@gmail.com

과	재산세1과		재산세2과		조사과		납세자보호담당관	
과장	김민광 480		박찬만 540		박기환 640		김을영 210	
팀	재산1	재산2	재산1	재산2	정보관리	조사	납세자보호실	민원봉사실
팀장	황대근 481	강희웅 501	김영수 541	이융희 561	안동섭 641	한순규 651	권성대 211	박상별 221
국세조사관	박수한 485 정소연 482	이민용 502 이영주 503	김경희 542 임유정 543 정혜정 549	임성찬 562 조범래 563	박상준 최은주 644	한명민 656 김수원 652 김철민 657 조문현 653 이석규 658 최경호 654 오수현 659 홍인표 655 윤여진 660	김지영 212 이남경 213	이지형 556
	변성구 483 정현정 484 황명희 박준원 486	김현옥 504	임홍철 544 손정욱 545 전미숙 546	김양수 565 박민규 567 전우찬 568	고보해 642 성경진 647	강성권 661 현소정 673 박상언 663 곽희경 675 구선영 665 권민정 677 황은영 667 전병진 678 고강민 669 한종범 679 황아름 김영민 680	김지만 214 정주영 215 황혜조 216	황연희 556 윤소연 556 최하나 556 이민정 556
	이혜민 488	윤정민 505		김태훈 566	노지혜 648 이재연 643	한지운 662 권민수 671 임동영 666 김세하 674 윤현미 668 김기선 676 구세진 670	조대훈 217	이현영 556 조가을 556 오예성 556 김유진 556 김미연 556
	김종만 487	박서희 506 정보경 507	추교석 547		이륜경 645 서미선 646	한석윤 664		권혁진 556 이미진 556 김민수 556
FAX	561-3378		561-3750		02-561-3801		561-4521	3011-6600

197

성동세무서

대표전화: 02-4604-200 / DID: 02-4604-OOO

서장: **이 준 희**
DID: 02-4604-201~2

주소	서울특별시 성동구 광나루로 297 (송정동 67-6) (우) 04802			
코드번호	206	계좌번호 011905	사업자번호	206-83-00561
관할구역	서울특별시 성동구, 광진구		이메일	seongdong@nts.go.kr

과	체납징세과				부가가치세1과		부가가치세2과		소득세과		
과장	양기정 240				김상원 280		이종민 320		남칠현 360		
팀	운영지원	체납추적1	체납추적2	체납추적3	부가1	부가2	부가1	부가2	소득1	소득2	소득3
팀장	예찬순 241	최차영 601	이유선 621	이진균 261	양동준 281	박경오 301	안정미 321	김상동 341	권혁준 361	황병석 374	안규상 387
			김상희 622 김경선 623	이선경 262		임현정 302	이종순 322	정선화 342	이탁수 362	정명주 375	류기수 388
국세조사관	최금해 242 임옥경 244 이용진 245 김정미 246 김오미 249	정미영 602 신승애 603 정운숙 604 이진동 605 주용태 606	최태주 624 임홍숙 625 김현주 626 이윤미 627	김명숙 635 박주영 636 송도영 263 이화진 264	이영주 282 송경원 283 노미선 송고운 284	조재평 303 이대정 304 김보미	이재향 323 황현주 324 엄익춘 325 김은정	이수진 343 윤석주 344 윤상용 345	이승학 365 김은하 최형화 364 정월옥 366	최근창 376 장혜주 377 김경자 378 안지영	곽병길 389 최미리 진현서 390
	성지연 243 이충원 247 김동철 596	김은경 607 주영상 608	박현규 628 최여은 629 이진서 630	백연희 265 최영현 637	김광호 285 김혜원 286 김가희 287	김화도 305 박명진 306	최웅 326	송지아 346 원정윤	이성현 367 이예슬 이재환 363	강혜성 380	최민애 391 김성현 392
	박하송 248 송병희 250	이지원 609 정다영 610 우현승 611 이혜선 612	옥영주 631	주성희 638	유동석 288 김용철 289 정유현 290	박은지 307 노혜련 308 정현호 309	전진아 327 김지은 328	정준영 347 박경빈 348	안정은 371 김지은 368 김재관 369 정희연 370	한정덕 381 김상천 382 서현지 383 김아현 384 정혜경 385	이유진 394 김민주 395 엄상우 396 김현정 397 송건주 398
FAX	468-0016	468-8455			497-6719		466-2100		498-2437		

198

과	재산세1과		재산세2과		법인세과			조사과		납세자보호담당관	
과장	이승훈 480		위용 540		류오진 400			박준석 640		전순호 210	
팀	재산1	재산2	재산1	재산2	법인1	법인2	법인3	정보관리	조사	납세자보호실	민원봉사실
팀장	심규연 481	이병현 501	안복수 541	홍효숙 561	경기영 401	김태균 421	김강현 441	강소라 641	이진경 651	김경원 211	박종주 221
국세조사관	윤미성 482 김수용 483 김혜정 484 이윤희 485	유탁 502 김호 507	이상숙 542	김지성 562	윤정재 402 이미경 417	황은주 422		홍지성 642	오민숙 654 황제헌 657 정민호 660 김영면 663 이동수 666 이강경 669 홍영민 672 박종화 675	박미정 212 최영은 213 이승연 214	김남정 222
	유현정 486 김경아 487 김우영 488	박민정 505 심지은 503	김혜성 543 정주영 544 홍욱기 545 박연주 546 이선주 547	류승남 564 임정석 566	임선아 403 양미숙 404 이호재 405 하승훈 406	임상진 423 이규형 424 양혜선 425	박금지 442 이진구 443 정진택 444	최미영 692 강복길 643 유용근 693 김은미 644	박성근 664 김성욱 673 김은실 652 노현선 667 양송이 658 서재운 676 황태문 661 홍민기 655	김현민 215 김민정 216 박재현 217	한수연 226 김현수 223 김희연 224 정효주 225
	박정화 489 오서주 490 이선아 491	유지숙 504 박용업 506	안미라 548 함다정 549 윤은지 550	최기웅 563 김형묵 565	황아름 407 지서연 408	이은희 426 이나래 427 유성안 428	김소담 445 편나래 446 박정현 447	김수연 645 정자단 694 유소열 695 이규은	한수정 670 박혜민 668 김지연 677 임소연 662 김유리 665 박수지 674 허정희 653 이장훈 671 방문용 656		김지현 226 김수연 227 송연주 231 안가혜 229 최재형 230
	이소정 492		문예서 551 박혜진 552	정태상 567	천혜빈 409 김수영 410	김경현 429 유진 430	임지남 448 안희성 449 최지민 450		최경철 659		박찬규 232 고주연 233
FAX	468-1663		499-7102		468-3768			469-2120		2205-0919	2205-0911

성북세무서

대표전화: 02-7608-200 / DID: 02-7608-OOO

서장: **이 요 원**
DID: 02-7608-201

한성대입구역
서울동소문동 우체국
하나은행
가톨릭대학교 성신교정
성북세무서
삼성SK뷰 아파트
서울성북 경찰서

주소	서울특별시 성북구 삼선교로 16길 13(삼선동 3가 3-2) (우) 02863				
코드번호	209	계좌번호	011918	사업자번호	209-83-00046
관할구역	서울특별시 성북구			이메일	seongbuk@nts.go.kr

과	체납징세과			부가가치세과		소득세과	
과장	양희상 240			김보석 280		전우식 360	
팀	운영지원	체납추적1	체납추적2	부가1	부가2	소득1	소득2
팀장	금봉호 241	도형우 601	김선율 621	채종철 281	김주애 301	김수영 361	문민숙 381
국세 조사관		박현숙 602	이승필 622	구영진 282	이수안 302 임경태 303	이원정 362	박승문 382
	유선화 242 윤점희 243 박시춘 207	김동범 603	정연선 623 오우진 624 조정미 625	박혜경 283 윤지미 284 조예림 285 정지혜 297 최정림 286	주현경 304 박은정 305 최지원 306	김주희 363 이병직 364 박현선 372	최준웅 383 김민경 294 김나연 384
	이성규 244	황혜란 604 오대철 605 김지현 606 정현진 607 허진수 608	고유영 626	강혜지 287	이연정 307	최우경 294 이현지 365 김효림 366 김효정 367 정인희 368	노소영 385 김선정 386
	김효상 245 김영환 208	최원희 609 남혜진 610	진성민 627 김민경 628	최영보 288 박동수 289	김혜영 308 인순영 309	조재훈 369 양동범 370	정현숙 387 조성찬 388 손유진 389 이동준 390
FAX	744-6160			760-8672	760-8677	760-8673	760-8678

과	재산법인세과			조사과		납세자보호담당관	
과장	박성신 400			강현주 640		어기선 210	
팀	재산1	재산2	법인	정보관리	조사	납세자 보호실	민원봉사실
팀장	한상민 481	지은섭 501	이민규 401	이필 641	김진성 651	김성덕 211	심상우 221
국세 조사관	홍광원 482	이재숙 502 백영선 503 박한상 504		최향성 642	이다영 652 윤현숙 660 이승호 최영진 655		
	이태경 483 서혁진 484 안경화 485 박지영 486 차선영 492	김종협 505 진성욱 506 이미정 507	김미정 402 이건호 403 김유정 404 이주희 405	김연신 643 구진영 644 김문숙 645	이민욱 653 박인규 661 이세진 656	이지현 212 이영경 213	정경순 222 권용익 223 김은주 224
	안광인 487 이현지 488 정지원 489	박준우 508 정연주 509	박진현 406 차중협 407 박혜진 408	주재임 646	석승운 654 원상호 662 이수정 657	김영호 214	조혜리 225 김민영 226
	김효진 490 황지현 491	강명은 510		안재현 647			정재호 227
FAX	760-8675	760-8679	760-8419	760-8671, 8674		760-8676	742-8112

송파세무서

대표전화: 02-22249-200 / DID: 02-22249-OOO

서장: **김 용 진**
DID: 02-22249-201~2

주소	서울특별시 송파구 강동대로 62 (풍납동 388-6) (우) 05506				
코드번호	215	계좌번호	180661	사업자번호	215-83-00018
관할구역	서울특별시 송파구 중 송파동, 장지동, 거여동, 마천동, 가락동, 문정동, 석촌동			이메일	songpa@nts.go.kr

과	체납징세과			부가가치세과		소득세과	
과장	풍관섭 240			배인수 280		김효상 360	
팀	운영지원	체납추적1	체납추적2	부가1	부가2	소득1	소득2
팀장	정완수 241	최태규 601	김문환 621	송희성 281	윤희정 301	강체윤 361	윤은미 381
국세조사관		김은주 602	김현희 622	김상목 282 김은진 283 김춘경 292	양명숙 302	조정화 362	이석재 382
	손영이 242 유동철 594 송진호 615 박형선 243 김혜원 244	양순희 603 윤영순 604 김민래 605	정미경 623 이금조 262 채용문 263 서민경 264 김도윤 624 권경해 625	정화선 284 김희정 141 유준호 285 서봉우 286 석한결 287	박자음 유정화 303 강하영 304 최상임 305 안태수 306 김도화 141	서승현 363	박정은 383 조정미 384 하상철 385
		박금찬 606 양동혁 607 홍진기 608	최병석 626 김세움 627	박주혜 288 강가윤 289	서동우 307 김현경 308	유주만 364 김도영 365 강수정 366	배현주 386 장민경 143 박종호 387
	장건식 593 최정우 245	이서영 609	조성원 628 이성민 629 허지현 630		정성욱 309	박수빈 143 안진모 367 마민화 368 김태랑 369	윤진주 388 주영석 389 신새벽 390
FAX	409-8329	483-1925		477-0135		483-1927	

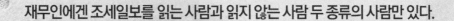
과	재산세과			법인세과		조사과		납세자보호담당관	
과장	민진기 540			한예환 400		명승철 640		김영근 210	
팀	재산1	재산2	재산3	법인1	법인2	정보관리	조사	납세자보호실	민원봉사실
팀장	김옥환 541	김광용 561	신갑수 581	김혜랑 401	이경선 421	원종일 641	이준혁 651	최미옥 211	오주원 230
국세조사관	김해림 542	박명하 562	김은희 582	김은자 402	박찬욱 422	이병철 642 정승호 691	권중욱 657 김선한 654 최종태 660 진수정 663 권경범 667 윤명준 652		
	오현주 543 홍수영 544	주아름 563 정시온 564 이지윤 565	김주영 584 백정훈 586 김병현 588	범정원 403 박유광 404 은진용 405 김가연 406	여종엽 423 정봉훈 424 석지윤 425 하윤경 426 권현식 427	이진화 643	김성향 661 손선화 박세웅 668 이현희 655 오아름 박정호 664	한혜린 212 김은실 213 안희석 214 김정희 215	황서진 231 류순영 232 이해미 233
	이희숙 545 김연희 144 김동현 546	심상희 144	신구호 583 박소미 585	임영수 407 윤지현 408	박미희 428	박은지 692 이성욱 645	변수민 658 최수현 669 박성혜 693 위진성 656 장지우 662 박보화 659		손지선 236 김호진 234
	이은실 547 윤지원 548	백태훈 566 하주원 567 장해연 568	권민지 587 박푸른 589	이신화 409 조영현 410 박상길 411 박홍균 412	유로아 429 김소희 430 조선진 431	김혜빈 644	전진효 665 최윤희 653		김찬주 235
FAX	472-3742			482-5495		482-5494		487-3842	409-6939

양천세무서

대표전화: 02-26509-200 / DID: 02-26509-OOO

서장: **권 승 욱**
DID: 02-26509-201

한국전력공사 강서양천지사 / 삼성쉐르빌 아파트 / 서울목동 초등학교 / 목동중학교 / 🏛 양천세무서 / 새마을금고

주소	서울특별시 양천구 목동동로 165 (우) 08013 별관(조사과) : 서울특별시 양천구 신목로2길 66 (목동 404-16) 씨티프라자 3층 301호 (우) 08007				
코드번호	117	**계좌번호**	012878	**사업자번호**	117-83-00505
관할구역	서울특별시 양천구			**이메일**	yangcheon@nts.go.kr

과	체납징세과			부가가치세과			소득세과		
과장	박문규 240			양해준 280			맹충호 360		
팀	운영지원	체납추적1	체납추적2	부가1	부가2	부가3	소득1	소득2	소득3
팀장	서광원 241	김종식 601	설미숙 621	심종숙 281	황용섭 301	김성도 321	현근수 361	김선항 381	박기범 461
국세 조사관		김은실 602 김재현 603	유순복 261 곽은정 622	김동원 282	최미순 302	윤지영 322	곽민성 362	배성호 382	송선용 462
	김문영 242 최정훈 243 김경진 244	정대영 604 김정은 605 이선유 606	문성원 623 고현숙 624 김효진 625 김유진 262	정인월 283 이명희 313 박근식 284 채종희 332	천경필 303 윤수열 304 박민희 306	이경주 323 구미선 324	김재련 363 송성철 364 김정희 365 윤순옥 366 권오정 367 나경아 372	박은주 383 권현신 384 안중훈 385	변애정 463 오경자 464 주현경 465 이민정 466 이미선 150
	이현아 245	백수희 607 장연주 608	이선미 263 맹선영 626 손주희 264	김민영 285 유소현 286		이승현 325 이민아 326	임수연 368	홍국희 386 최은영 387	조현수 467 이민경 468
	안영준 246 오세종 591 김덕기 591		고병찬 628 이서형 627	김은혜 287	김진아 307 전하영 308	김도균 327		이진아 150	
FAX	2652-0058			2654-2291	2654-2292		2654-2294		

1등 조세회계 경제신문 조세일보

과	재산세과			법인세과		조사과		납세자보호담당관	
과장	손상영 480			양경영 400		박재성 640		이호용 210	
팀	재산1	재산2	재산3	법인1	법인2	정보관리	조사	납세자보호실	민원봉사실
팀장	이정민 481	김용삼 501	정영진 521	최용규 401	김미원 421	이종민 641		박정임 211	김유군 221
국세조사관	권혁순 482 남정화 490	윤경옥 502	신성봉 522	박영래 402	안혜영 422	강선희 642	김재곤 651 황경희 654 이혜영 657	조현승 213	이용석 229 한혜영 227
	김희연 483 이묘환 484	김자현 503 김지혜	류병호 523 서강현 524 강현웅 525	이진아 403 김서이 404	정여원 423 김지혜 424	이선 643	김성희 661 손재하 652 남승규 655 민경희 662	정미화 212 김대희 214	이정희 225 고미량 227
	노미현 강윤영 485	김혜원 504 윤창용 505	박재춘 526 김영주 527			방미경 644 전유나 645	최광신 658 박혜신 653 진재경 659	박혜숙 215	박선영 224 남경자 228 신무성 223 한미현 226
	김미란 486 이해성 487	최가은 506 전현우 507 이유경 508	정효준 528 김해진 529	김광석 405 김지은 406	조영호 425	이선주 646 김혜진 647	김지은 660 정현우 656 김영석 663 김연규 664		
FAX	2654-2295			2654-2296		2650-9601		2654-2297	2649-9415

역삼세무서

대표전화: 02-30118-200 / DID: 02-30118-OOO

서장: **김 정 윤**
DID: 02-30118-201

주소	서울특별시 강남구 테헤란로 114 (역삼동 824) 역삼빌딩 7, 8층 및 9층 일부 (우) 06233				
코드번호	220	계좌번호	181822	사업자번호	220-83-00010
관할구역	서울특별시 강남구 역삼동, 도곡동			이메일	yeoksam@nts.go.kr

과	체납징세과			부가가치세과		소득세과		법인세1과	
과장	서재기 240			류장곤 280		이승종 360		정재영 400	
팀	운영지원	체납추적1	체납추적2	부가1	부가2	소득1	소득2	법인1	법인2
팀장	이종경 241	이은정 601	임정미 621	김용철 281	김지영 301	유선종 361	김현보 371	정승식 401	임민철 421
국세 조사관		권부환 이동현 602	이우철 622	천진해 282		유경호 362	박준규 372	김완수 402 황주연 403	이명희 422
	이금숙 243 윤서진 242	박미영 603 박희근 604 김미진 605	김문경 623 부윤신 624 이종권 625 박재현 626 장희숙 264 임수진 627 이정현 262	강혜경 283 백은경 284 최혜옥 284	신주령 302 김효정 302 최민수 303 한유진 304 황민철 305 김성환 306	김난경 363	홍영선 373 신지연 373 이서아 374	이미숙 404 문정희 405 안준수 406 심윤정 407	이지현 423 김정담 424 최종수 425 송인형 426
	조영혁 246	김미희 606 양근성 607	양현준 628 이건구 263 김혜진 629 박성하 630 선희 631	조민현 285		민성림 364 신승연 364		정일영 408 이수현 409	오정언 427 김미란 428 김효섭 429
	이석영 244 김현선 245 정인수 592 정순원 247	이윤진 608 박진영 609 이석봉 610	홍성옥 632 제은아 633	차승기 286 양민영 287	최선주 307 김윤성 308 이범연 309	강범준 365 김태희 366	김온유 375 최준영 376	곽종훈 410 최혜연 411	조은지 430 백지원 431
FAX	561-6684			501-6741		564-0311	565-0314	552-0759	

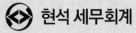

현석 세무회계

대표세무사 : 현 석(前 역삼세무서장)
서울시 강남구 테헤란로10길 8, 녹명빌딩 4층

전화 : 02-2052-1800　　팩스 : 02-2052-1801
핸드폰 : 010-3533-1597　　이메일 : bsf7070@hanmail.net

과	법인세2과		재산세과			조사과		납세자보호담당관	
과장	조중현 440		김정섭 480			정흥식 640		김동욱 210	
팀	법인1	법인2	재산1	재산2	재산3	정보관리	조사	납세자보호실	민원봉사실
팀장	백상엽 441	김소영 461	김은중 481	홍규선 501	조헌일 521	이창우 641	하태희 651	전준일 211	이승구 221
국세조사관	성준희 442	김현주 462	임지숙 482	김지영 502	정한욱 522 민은규 523 권현희 524	김주현 691 조은희 642 김혜미 692	김제우 656 강석종 660 김진아 663 정호형 670 박귀화 673 허진 677	이주한 212	최미자 556
	박지영 443 박명열 444 권규종 445	김선덕 463 김진곤 464 윤보영 465 이영희 466	도유정 483 김옥재 483 박성준 485 김다솜 484	김희윤 503 최은수 504 김재관 505	박도윤 525	박세림 643 양상원 693	조성용 653 노정환 657 김기진 661 박정언 664 송현호 671 이충섭 674 배영진 678	박성탄 213 정용관 214 조수현 216 백유진 215	강형석 556
	김소희 446 이성준 447 이현정 448 윤기숙 449	허미영 467 이효정 468 김선규 469	이준희 486	이시은 505	강민형 526	이해섭 644	이주희 662 이고운 672 김소영 675 조동진 679		박샛별 556 김태영 556 김화숙 556
	정재희 450 이승우 451	조예훈 470 박혜정 471		김경은 506	유영준 527		윤희원 654 최설향 658 김태경 665 주윤아 680		채지유 556 최보윤 556 신유진 556
FAX	561- 0371		539-0852	561-4464	3011-8535	501-6743		552-2100	3011-6600

영등포세무서

대표전화: 02-26309-200 / DID: 02-26309-OOO

서장: **김 휘 영**
DID: 02-26309-201, 202

주소	서울특별시 영등포구 선유동1로 38 (당산동3가 552-1) (우) 07261							
코드번호	107		계좌번호	011934		사업자번호	107-83-00599	
관할구역	서울특별시 영등포구 (신길동, 도림동, 대림동 제외)				이메일		yeongdeungpo@nts.go.kr	

과	체납징세과			부가가치세1과		부가가치세2과		소득세과	
과장	김태선 240			안영선 280		김동영 320		김오곤 360	
팀	운영지원	체납추적1	체납추적2	부가1	부가2	부가1	부가2	소득1	소득2
팀장	양미경 241	김혜란 601	한숙향 621	천영현 281	김규성 301	차순백 321	강정화 341	이규원 361	임한균 381
국세조사관		이정로 602	김우진 262	김기은 282	정상원 302		정은하 343	최남원 362	
국세조사관	정혜영 242 정민순 243 이희창 남전우 592	유진옥 603 손승모 604 김유미 610	이현희 263 이희진 264 연지연 622	소영석 283 박현아 284 기은진 285 이선영 552 이나영 290	오혜실 303 권순미 304	박윤진 323 고완구 325	임효선 342 여정재 344	박정순 363	용수화 382 임길수 383
국세조사관	정화승 244 김은석 591	홍다영 605	이현지 265 최성열 623 김혁 624 김유리 625		이동열 305 박으뜸 306		장승연 345 조영미 552	김석규 364 박순진 540	김소연 384
국세조사관	장수원 247 박지연 246 김성진 618	정영균 606 김세린 607 신유동 608 박승필 609	김서윤 626 권정우 627 강수지 628	강재신 286	김종민 310	장희정 324 박나리 326 양웅비 327	김성희 346 이영욱 347	김보라 365 문혜원 366	전주희 385 고현주 386 감민준 387
FAX	2678-4909			2679-4971		2679-4977		2679-2627	

과	재산세과		법인세1과		법인세2과		조사과		납세자보호담당관	
과장	강기석 480		송종철 400		이남기 440		노태순 640		노동승 210	
팀	재산1	재산2	법인1	법인2	법인1	법인2	정보관리	조사	납세자보호실	민원봉사실
팀장	김령도 481	문지혁 501	고태일 401	현혜은 421	권오승 441	이정현 461	한석진 641	장동훈651	유지유 211	조형석 221
국세조사관	문소진 482 송병섭 483	박성민 502	오대창 402		김민경 442 노수경 452	손성국 462 김한성 이영수 김태석	정갈렙 691 이명문 박찬민 642 한윤정 692	최병국 655 이오나 659 이지원 최동혁 663	김수정 212 서재필 213	김정연 222
	박문숙 484 김소연 485 심수민 515 이주연 487 홍은아 486	채현석 503 정순임 504 박기태 507	임현우 403 김상은 404 윤소윤 405	탁기욱 422 황유숙 423 임성도 424 박소영 425	장은정 443 유제근 444 서용준 445 김문균 446	김경희 463 유승규 464 류지은 465	이지은 643 박희진 서미연 644	이용수 666 안미선 669 권성훈 673 현승철 667 함광주 664 구선영 656 김현준 652 최민경 660	이지훈 215 구현지 214	김경희 223 손미량 224 박민아 225
	오은희 515	이인재 510 남윤종 506 이정은 511	이선미 406 한재일 407 유미선 408 안인엽 409 장유정 410	이지응 426 박진우 427 박호일 428 박지해 429	서진호 447 박근영 448 김선영 449	여혜진 466 장예지 467 손상익 468	엄영희 693	김지현 665 어재경 670 조혜리 653 정승희 657 김경록 658 양지상 654 박미정 671 장원주 668 이은정 661		김윤미 226 김예주 227 형유경 228 임종희 225
	박지수 488 윤수훈 489	신민지 505	송혜인 411 성가현 412	김동완 430 차정미 431	박범우 450 김은진 451	장준원 469 김한슬 470	권윤회 645			강성은 229 정영호 230 박영주 231
FAX	2679-4361		2633-9220		2679-0732		2679-0953, 0185		2631-9220	2637-9295

용산세무서

대표전화: 02-7488-200 / DID: 02-7488-OOO

서장: **정 부 용**
DID: 02-7488-201~2

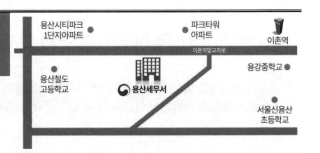

주소	서울특별시 용산구 서빙고로24길 15 (한강로3가) (우) 04388				
코드번호	106	계좌번호	011947	사업자번호	106-83-02667
관할구역	서울특별시 용산구		이메일	youngsan@nts.go.kr	

과	체납징세과			부가가치세과		소득세과		재산세과		
과장	조성훈 240			조구영 280		배세영 360		박해근 480		
팀	운영지원	체납추적1	체납추적2	부가1	부가2	소득1	소득2	재산1	재산2	재산3
팀장	류인용 241	장영환 601	조민숙 621	전승훈 281	최성순 301	신옥미 361	김용만 381	하기성 481	김영민 501	김석제 521
국세조사관		김현아 602	박문철 622 김도경 262	강경수 282	진인수 302	이광수 362	박란수 382	전혜정 482 김기미 483	박정민 502	최병석 522 최태진 523
	최현석 242 이정숙 243 금진희 244	조명기 603 김충상 604 류관선 605 김수연 606	방혜경 623 홍경옥 263 박경애 264 배을주 624	김재형 283 권나예 299 김지연 284 최세라 285	정미선 303 정희진 304 최영아 305	한경석 363 문은진 364	이혜리 383 고병석 384	진관수 484 장용경 485	홍찬희 503 신동주 504 이광은 505	이진 524 임규만 525 김승구 526 류수현 527
	조애정 245 배상철 206	최은정 607 강태경 608	이혜인 625 박은혜 626 박혜근 627	이미진 286 이상화 287	이예지 307 김한일 306	양유진 손국 365 강영묵 366 이지희	이병도 385	유주희 486		
	송인범 246 김동민 614 조창규 615		박지원 628	한도현 288 황선혜 289	박지은 308 김혜민 309	송현화 367 노혜리 368	나희영 386 홍단비 387	김주만 487 노지은 488	표규열 506 박서연 507	이윤선 528 김태훈 529 조성진 530
FAX	748-8269	792-2619		748-8296		748-8160	748-8169	748-8512	748-8515	

210

1등 조세회계 경제신문 조세일보

과	법인세과		조사과		납세자보호담당관	
과장	배정현 400		김영동 640		윤일호 210	
팀	법인1	법인2	정보관리	조사	납세자보호실	민원봉사실
팀장	박인홍 401	장영림 421	정영식 641	범수만 651	노아영 211	강상모 221
국세 조사관				최현진 655 김지현 659 강명부 663 김창호 667 안효진 670 김명희 668 김원종 656	전현혜 212	박세희 222
	박주철 402 최진 403 안소영 404 정민섭 405 강다영 406 김성훈 407	황태연 422 김현 423 유지영 424 임지현 425	윤청연 691 이지원 642 유병수 643 강병순 692	라지영 671 이광성 652 배지영 660 안대엽 664 박자영 653 김소연 657 심정연 669	김재우 213	강은숙 223
	심수빈 408	위다현 426		염진옥 672 차수빈 665 황하늬 661	김세령 215	변가람 224 김나연 225 양심영 227 임성영 226
	이우재 409 이지은 410 박선영 411	한석영 427 노정연 428 권윤섭 429	최원길 644	김민석 654 구진아 658 유세종 662		
FAX	748-8190		748-8696		748-8217	796-0187

은평세무서

대표전화: 02-21329-200 / DID: 02-21329-OOO

서장: **김 태 성**
DID: 02-21329-201~2

녹번현대 2차아파트 / 서울녹번 초등학교 / 녹번서 근린공원
역촌역 / 은평 평화공원 / Sh수협은행 / 은평세무서

주소	서울특별시 은평구 서오릉로7 (응암동 84-5) (우) 03460				
코드번호	147	계좌번호	026165	사업자번호	268-83-00026
관할구역	서울특별시 은평구			이메일	

과	체납징세과			부가가치세과		소득세과	
과장	박일규 240			전병두 280		홍혁기 360	
팀	운영지원	체납추적1	체납추적2	부가1	부가2	소득1	소득2
팀장	김완범 241	황윤숙 601	박우성 621	김웅 281	안무혁 301	김성덕 361	강태호 381
국세조사관		이성진 602		오임순 282	김지혜 302	오해정 362 문형빈 363	손길진 382
	박복영 242 김기연 243 김은이 244 김원화 207 김진몽 593 하륜광 246	김지연 603 양준권 604 백아영 605	노인선 622 진병훈 623 박성혁 624 고기훈 625	오현주 283 김지민 284 박원희 288	양영동 303 이수민 304 박대윤 305	김지헌(파견) 권기홍 364 김숙영 365 이화선 366	박하란 383 김민영 384 정민기 385 김혜영 386
		공윤선 606	정주희 626 조선희 627 도주현 628	성민규 285	김현아 조한아 306	정세나 367 김중규 368	김현희 김해운 387
	윤국한 245	이나경 607 이윤정 608	심경섭 629	이효진 286 강성률 287	권관수 307 김예리 308	이슬 369 차용희 370 김동욱 371	박선영 388 한소백 389 김진아 390
FAX	2132-9571	2132-9505		2132-9572		2132-9573	

과	재산법인세과			조사과		납세자보호담당관	
과장	김장근 400			권기창 640		이동원 210	
팀	재산1	재산2	법인	정보관리	조사	납세자 보호실	민원봉사실
팀장	박평식 481	서윤식 501	배장완 401	신영희 641	고덕환 651	김지원 211	신영섭 221
국세 조사관	이수경 482	김영미 503	공태운 402		김종진 654 김호준 657		장재훈 222
	최웅 483 이창민 484 허성근 485	안미혜 507 이건술 504	성대경 403	전확 642 서용현 643 이정순 644	윤민정 서은주 652 최슬기 658	김흥기 212 김선희 213 김희선 214	정유진 223
	진형석 486 김소희 487 지신영 488 남화영 489	차무중 506 김대용 505	박치현 404 윤주영 405	오은숙 645 윤수향 646	김성율 655		이우남 224
	방솔비 490 조현우 491	김형민 508 소윤지 502	윤혜수 406 이제일 407		김혜연 656 김민상 653		조현희 225 최명훈 226 김은령 227
FAX	2132-9574			2132-9505		2132-9576	

잠실세무서

대표전화: 02-20559-200 / DID: 02-20559-OOO

서장: **김 동 욱**
DID: 02-20559-201

주소	서울특별시 송파구 강동대로 62 (풍납2동 388-6) (우) 05506					
코드번호	230	계좌번호	019868	사업자번호	230-83-00017	
관할구역	송파구 중 잠실동, 신천동, 삼전동, 방이동, 오금동, 풍납동		이메일			

과	체납징세과			부가가치세과		소득세과		법인세과	
과장	이귀병 240			금승수 280		김춘경 360		김기태 400	
팀	운영지원	체납추적1	체납추적2	부가1	부가2	소득1	소득2	법인1	법인2
팀장	어명진 241	신남숙 601	김세종 621	이희경 281	김석모 301	이병곤 361	민승기 381	김시욱 401	배주섭 421
국세조사관	허장 242	윤철민 602	윤선익 622 구자옥 623	유미라 은지현 282	김윤희 302	김태연 362	노일호 382		문주란 422
	박민재 244	강현철 603 이상훈 604	유미경 624 이효주 262 마선희 625 엄순영 265 강귀희 263	이선영 283 이경임 284 김경민 285	백성현 303 김서연 304 인정덕	이민순 363 서미영 392 이아린 364 김정배 365 김명순 379	이성옥 383 함지영 384	홍경헌 402 한영규 403	최성화 423 문명진 424
	김선호 246	박경림 605 권오현 606	정인지 626	김행순 286 남만우 287	김홍래 305 박세인 306	양수정 366 이지윤 367	정수미 385 박민수 386 정효영 387	김승혜 404 이석준 405	송명림 425 이가연 426
	김민주 243 이주영 245 류경탁 596 이재혁 599	공자빈 607 이윤미 608	김혜식 264 고민석 627	백진주 288	윤기섭 307 오정욱 308	유태호 368 이건희 369	김문경 388 황찬연 389	이은아 406 김진달래 407 이난영 408 구용모 409	송채원 427 김준상 428
FAX	475-0881	476-4757		483-1926		475-7511		486-2494	

과	재산세과			조사과		납세자보호담당관	
과장	최영환 480			김형래 640		서영상 210	
팀	재산1	재산2	재산3	정보관리	조사	납세자보호실	민원봉사실
팀장	신지성 481	류명옥 501	이선민 521	이승희 641	황찬욱 651	이수인 211	김향일 221
국세조사관			신이길 522 신정숙 523		도미영 652 윤민오 656 박가을 661 백성태 664 윤재헌 667 도경민 671 이진수 672	박경수 212	
	안수정 482 조춘원 483 천문희 천일 484 김태은 485 조현구 486	마경진 502 곽승현 503 조정진 504 윤신애 505 이성규 506 이난영 511	오강재 524 변우환 525 홍성천 526	김재은 644 박수연 645 이철호 642	이은지 662 정혜영 665 전한식 668	전희경 213 정소영 214	최혜진 223 김지현 222 김지혜 224 이미령 225
	구영민 487 현진희 488	김영심	송수현 527 김우석 528 송창식 529	한광일 643 김고은 646	이혜선 657 이지은 658 정수지 663 유이슬 669 이대근 673	안창남 215	김주영 226
	추다솔 489	이민철 507	조윤희 530 이승연 531		류지호 653 임광훈 666		김성진 228 박상기 227
FAX	476-4587			475-6933		485-3703	470-0241

215

종로세무서

대표전화: 02-7609-200 / DID: 02-7609-OOO

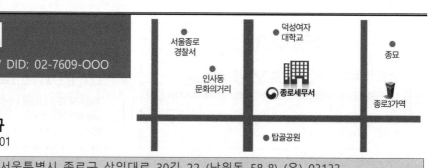

서장: **공 병 규**
DID: 02-7609-201

주소	서울특별시 종로구 삼일대로 30길 22 (낙원동 58-8) (우) 03133				
코드번호	101	계좌번호	011976	사업자번호	101-83-00193
관할구역	서울특별시 종로구			이메일	jongno@nts.go.kr

과	체납징세과			부가가치세과			소득세과	
과장	최학묵 240(4층), 250(3층)			권충구 280			박만욱 360	
팀	운영지원	체납추적1	체납추적2	부가1	부가2	부가3	소득1	소득2
팀장	남궁재옥 241	김기만 601	김은숙 261/621	이귀영 281	박영애 301	채용찬 321	이상조 361	박혜정 381
국세조사관		문광섭 602 김지은 603	이상현 622 김원형 623	변현영 282 하은지 283		정용효 322		
	유순희 242 진미선 243 김성수 244 조천령 620	김영남 604 김선량 605 고은주 606	김영미 624 최용진 625 홍현승 262 조수빈 263 이경하 626	최진영 284 이미형 285	임경미 302 김현준 303 김대환 304	김선영 323 김선우 324	정수영 362 남경일 363	채민호 382 방은정 383
	박배열 249	김훈구 607 김영은 608 박슬기 609	홍기선 627 이슬기 264	고경진 286 이현욱 287 최효영 288	노민경 305	김정우 325 박혜미 326	박소희 364	백은실 384
	도명준 245 권혁찬 246 이정모 248		정현수 628	이가원 289 박도은 297 이은아 290	노은호 306 김예지 307 이다경 308	임인재 327 김유진 328	이은영 312 김지현 365 손홍필 366	최지현 385
FAX	744-4939	760-9632		760-9600			747-4253	

1등 조세회계 경제신문 조세일보

과	재산세과		법인세과			조사과		납세자보호담당관	
과장	오성철 480		김미경 400			윤종상 640		양한철 210	
팀	재산1	재산2	법인1	법인2	법인3	정보관리	조사	납세자 보호실	민원봉사실
팀장	김고환 481	서문교 501	강장환 401	이윤희 421	김소희 441	곽봉섭 641			조판규 221
국세 조사관		전정훈 502 정은정 503 황정화 504	조성오 402	이은숙 422	이상열 442 강경미 443	박정우 691 이경아 642	이승호 651 최재철 656 권혁준 661 조운학 671 문태정 676 민병웅 한원석	전진수 212 강승희 213	탁용성 222 김민지 229
		남호철 482 음홍식 493 권수연 489		김영신 403 윤민수 404 유은진 405 김효원 406	정주현 423 이효정 424 류치선 425	유경숙 444 이성복 445	강보아 643 김정희 692 장영훈 693 김보라 644	한이수 681 강성모 652 김윤미 682 김진식 672 현재민 677 윤미나 672	최연정 214 이정윤 215	김영옥 228 임은형 224 박민우 226
		김예린 483 김선아 484 김지연 485 김용호 486	김인호 506 김혜빈 507	박주연 407 방유미 408	박지희 426	조송희 446 김지원 447	김수정 645	채연기 662 노승환 657 조현주 684 최지수 677		김미경 225
		장철현 487 김수진 488		김수현 409 김형완 411	신다해 427 신현경 428 김민주 410	윤세진 448 김정범 449	김상현 646	이송하 673 김유진 663 김현우 658 배혜원 654 김초아 678		임은주 227 김성은 223
FAX	747-9154		760-9454			747-9156		747- 9157	760-9543 747-9602

중랑세무서

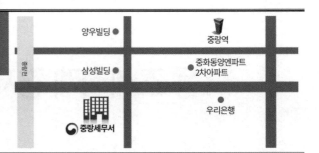

대표전화: 02-21700-200 / DID: 02-21700-OOO

서장: **오 주 희**
DID: 02-21700-200

주소	서울특별시 중랑구 망우로 176 (상봉동 137-1) (우) 02118				
코드번호	146	계좌번호	025454	사업자번호	454-83-00025
관할구역	서울특별시 중랑구			이메일	jungnang@nts.go.kr

과	체납징세과			부가가치세과		소득세과	
과장	유원재 240			노수현 270		류동현 340	
팀	운영지원	체납추적1	체납추적2	부가1	부가2	소득1	소득2
팀장	배은주 241	유한순 601	이은배 621	조한식 271	유경민 291	진홍탁 341	이영미 361
국세 조사관		김준수 602		유성두 272	임종민 292	김선화 342	엄세진 702 이길채 362
	이은경 242 강장욱 595 유승종 595	김영선 603 곽용석 604 함지훈 605	김민섭 622 홍정민 623	이상민 273 박정희 274 임혜진 701 임은주 280	이선민 293 권교범 294 한영섭 295 김채윤 296	원정일 343 신선 344	서금석 363 최은수 364
	안소영 243 이후건 244	이지희 606	손선미 625 황신원 626	최현영 275	허수진 701 한창우 297	양영철 345 이윤정 702 박성훈 346 이성근 347	강지은 365 남영철 366 박정혜 367
	윤성훈 245	문정식 607 주진영 608	장조희 627	박선영 276 김희선 277 박소현 278	김혜현 298 양민정 299 장민경 300	임윤택 348 김다현 349	임석민 368 김재훈 369
FAX	493-7315			493-7313		493-7312	

과	재산법인세과			조사과		납세자보호담당관	
과장	윤기성 460			오창주 640		김미나 210	
팀	재산1	재산2	법인	정보관리	조사	납세자 보호실	민원봉사실
팀장	서인기 461	김영석 481	김영필 531	황병규 641	양재중 651	윤진고 211	김동만 221
국세 조사관	김광록 462 이정희 703 정성은 463	임현영 482 강주영 483	김소연 532		정광륜 654	박정숙 213	
	최미경 464 이미화 465	오경민 624	윤영랑 533 정동원 534	최승혁 643 전정원 642 우승철 643	손승희 657 이찬형 658 정아름 655 이지혜 652	이서원 212	나정학 222 이종성 226 윤영민 223 정강미 224
		신보미 484 김채원 485	엄영진 535 김정인 536	하정민 644	김지현 659 신승현 656 최주연 653	임현경 214	박인희 226
	유선영 466 이현문 467	제우성 486	정상열 537				최시온 225
FAX	493-7316			493-7317		493-7311	493-7310

중부세무서

대표전화: 02-22609-200 / DID: 02-22609-OOO

서장: **박 민 후**
DID: 02-22609-201~2

명동역　충무로역

서울남산
초등학교　이회영기념관　중부세무서　대한극장

남산골공원

주소	서울특별시 중구 퇴계로 170 (남학동 12-3) (우) 04627						
코드번호	201		계좌번호	011989		사업자번호	202-83-30044
관할구역	중구 중 광희동 1,2가, 남대문로 2가, 남산동 1,2,3가, 남학동, 명동 1,2가, 무학동, 묵정동, 방산동, 신당동, 쌍림동, 예관동, 예장동, 오장동, 을지로 6,7가, 인현동 1,2가, 장충동 1,2가, 주자동, 초동, 충무로 1,2,3,4,5가, 필동 1,2,3가, 황학동, 흥인동					이메일	jungbu@nts.go.kr

과	체납징세과			부가가치세과		소득세과	
과장	백승한 240			이석동 280		김성용 360	
팀	운영지원	체납추적1	체납추적2	부가1	부가2	소득1	소득2
팀장	최현석 241	박성호 601	김선순 621	최재현 281	이일영 301	이은영 361	김상근 381
국세 조사관		엄태자 602	박애자 622	임봉숙 282 김소정 283	황주현 302	고상석 362	조명상 382
	김미진 242 정미경 243 이지숙 244	김행복 603 김대윤 604 진덕화 605 최진원 606	허형철 624 홍강훈 625 윤희영 623	황미영 284 손병수 285 김영남 286	이상직 303 이진호 304 정세연 305 서경원 306 윤동숙 307	홍지석 363	김수진 383
	조미애 245 박지훈 595 김유식 595	김지영 607	송진수 626 복권일 627	박세현 287 최원화 288 이한나 289 심지은 290	이소진 308 이유정 309 최수인 310	노경아 370	강동우 384
	서혁준 246	나영미 608 정직한 609 김미란 610	정혜원 628 김가림 629	권용학 291 이주영 292 송예린 293	신순호 311 김영주 312 윤희정 313	이찬 364 채연주 365	진예슬 385
FAX	2268-0582	2268-0583		2260-9582		2260-9583	

과	재산법인세과			조사과		납세자보호담당관	
과장	임숙자 400			이선구 640		조미희 210	
팀	재산	법인1	법인2	정보관리	조사	납세자보호실	민원봉사실
팀장	류중성 481	정준모 401	염경진 421	한상범 641	이상민 651	이경호 211	채상철 221
국세 조사관	조규창 482	민경화 402 오근선 410 이성훈 403	박소영 422		최은영 655 김두환 658 심민경 664 최윤영 661	황성룡 212	이태순 222 김재희 223 이지은 224
	최윤진 483 이창흠 484	김현숙 404 박미영 405 김형주 406	김연자 423 차유경 424 유현아 425 김우성 426	차유해 642	황순영 662 강문석 656 김성주 652 김효동 659 김평섭 이상훈 665	주혜령 213 박선희 214	
	임수기 485 양종열 486			이종룡 643 최세희 644	윤혜미 660 백수경 653 강혜연 663 정현철 666		전화영 225 김영성 226
	김경아 487	한승완 407 이주경 408	송지혜 427 이제헌 428	박현진 645	곽인혜 657		원시열 227
FAX	2260-9584			2260-9586		2260-9581	

중부지방국세청 관할세무서

■ **중부지방국세청**		223
지방국세청 국·과		224
[경기] 구 리 세무서		234
기 흥 세무서		236
남 양 주 세무서		238
동 수 원 세무서		240
동 안 양 세무서		242
분 당 세무서		244
성 남 세무서		246
수 원 세무서		248
시 흥 세무서		250
경기광주 세무서[하남지서]		252
안 산 세무서		254
동 안 산 세무서		256
안 양 세무서		258
용 인 세무서		260
이 천 세무서		262

평 택 세무서[안성지서]		264
동 화 성 세무서		266
화 성 세무서		268
[강원] 강 릉 세무서		270
삼 척 세무서[태백지서]		272
속 초 세무서		274
영 월 세무서		276
원 주 세무서		278
춘 천 세무서		280
홍 천 세무서		282

중부지방국세청

주소	경기도 수원시 장안구 경수대로 1110-17 (파장동 216-1) (우) 16206
대표전화 & 팩스	031-888-4200 / 031-888-7612
코드번호	200
계좌번호	000165
사업자등록번호	124-83-04120
e-mail	jungburto@nts.go.kr

청장   김진현

(D) 031-888-4201

비　　서　　김태진　　　　(D) 031-888-4420

성실납세지원국장	김오영	(D) 031-888-4420
징세송무국장	김대원	(D) 031-888-4340
조사1국장	김재웅	(D) 031-888-4660
조사2국장	이성진	(D) 031-888-4480
조사3국장	박수복	(D) 031-888-4080

중부지방국세청

대표전화: 031-888-4200 / DID: 031-888-○○○○

청장: **김 진 현**
DID: 031-888-4201

주소	경기도 수원시 장안구 경수대로 1110-17 (파장동 216-1) (우) 16206			
코드번호	200	**계좌번호**	000165	**사업자번호** 124-83-04120
관할구역	경기도 일부, 강원도(철원군 제외) [중부지방국세청 관내 22개 세무서 : 안양, 동안양, 안산, 수원, 동수원, 화성, 평택, 성남, 분당, 이천, 남양주, 구리, 시흥, 용인, 춘천, 홍천, 원주, 영월, 삼척(태백지서), 강릉, 속초, 경기광주(하남지서), 기흥]		**이메일**	jungburto@nts.go.kr

과	운영지원과			
과장	박광식 4240			
팀	인사	행정	경리	현장소통
팀장	이봉숙 4242	권순락 4252	김희숙 4262	최고은 4272
국세 조사관	정진원 4243 김원경 4244 김홍균 4245 여우주 4246	민현석 4253 하재봉(시설) 4255 안지은 4254 전형원(방호)	한미자 4263	김용진 4273
	최현정 4247 김은호 4248 유승우 4249 김종훈 4250	김기식 4256 이범주 4257 최삼영(공업) 4260 조용재 4259 강복남(전화) 박종일(방호)	김혜령 4267 박준영 4264 오은경 4266 박정민 4269	고영필 4274 이유진 4275
	오광현 4285 김가인 4251 정연득 4286	윤도란 4234 김지암 4236 김준호 4235 신정무(운전) 김용선(운전) 황영훈(운전) 장연택(방호)	한혜선 4270 장연숙 4268 박순웅 4265	김다람 4276 김영훈 4278
		정현(시설) 4237		
공무직	우희영 4240 박지은 4284	임나영 4238 박소정 4240		
FAX	888-7613	888-7612	888-7614	888-7615

1등 조세회계 경제신문 조세일보

국실								성실납세지원국		
국장								김오영 4420		
과	감사관				납세자보호담당관			부가가치세과		
과장	최종환 4300				윤승출 4600			김상범 4451		
팀	감사1	감사2	감찰1	감찰2	납세자보호1	납세자보호2	심사	부가1	부가2	소비
팀장	천병선 4302	허영섭 4312	이연선 4322	윤영순 4290	장승희 4601	김진숙 4621	정성우 4631	김성미 4422	박선열 4452	오세정 4872
국세조사관	노광수 4303 천만진 4304 이정민 4305 석용훈 4306 구본섭 4307	이현무 4313 박민규 4314 박영웅 4315 김경희 4316	김완종 4323 공석환 4327 김혜원 4328 길요한 4329	이준성 4291 김종훈 4292 김형욱 4293	황인하 4602 김향미 4603	김광태 4622	김성호 4632 김진덕 4633 박종화 4634 이신화 4635 김은주 4636	황상진 4423	장석준 4453 이준용 4454 박주리 4455	황신영 4873 고은선 4874 김태우 4875
	박진규 4308 진수민 4309 김선중 4310	권택경 4317 김다운 4318	윤동호 4324 김여경 4325 김수현 4330 노용승 4331 홍세정 4332	김태용 4295 윤상목 4294	최연주 4604	박현우 4623 김난영 4624	이헌석 4637 조희정 4638 이동준 4639	김수현 4424 최상재 4425 신요한 4426 김순영 (사무) 4428	석장수 4456 김보미 4370	이연석 4876 김상옥 4877
			김수상 4333		송휘종 4605	조영준 4625		김여진 4427	한승일 4457 이하나 4371	김재민 4878 노정윤 4879
공무직	정인순 4300				임보화 4600			최정은 4420		
FAX	888-7616		888-7618	888-7617	888-7619			888-7633		888-7630

225

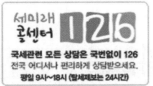

국실	성실납세지원국								
국장	김오영 4420								
과	소득재산세과				법인세과				
과장	이상훈 4381				정희진 4831				
팀	소득	재산	소득지원	소득자료관리	법인1	법인2	법인3	법인4	국제조세
팀장	이승미 4430	고재국 4460	유제연 4382	송찬주 4884	이수형 4832	정용석 4840	윤재웅 4851	이태균 4962	박주원 4952
국세조사관	방미숙 4431 한주희 4432	곽혜정 4461 한종훈 4462 김지향 4463	이재혁 4383		조규상 4953 이인숙 4833 김진우 4835 백정화 (사무) 4838	정선현 4841 김성길 4842	박형주 4852 최미정 4853	이민수 4963 이주연 4964	임승섭 4834 문규환 4954
국세조사관	남명기 4433 윤준호 4434 박현정 4435 남경희 4436	라영채 4464 송우람 4465 우희정 4466	곽병철 4384	박병훈 4885	김희화 4836	장수정 4843 임승수 4844 김학송 4845 김유정 4846	이경열 4854 유홍재 4855	이효경 4965 박은아 4966 김남영 4967 정용선 4968	최영주 4955 손지아 4956
국세조사관	김햇님 4437 임석준 4438	윤경현 4467	김다영 4385 김수진 4386		김훈기 4837	김다이 4847	우보람 4856	오유나 4969	민천일 4957
공무직									
FAX	888-7631	888-7629			888-7635				

국실	성실납세지원국					징세송무국	
국장	김오영 4420					김대원 4340	
과	전산관리팀					징세과	
과장	이창수 4401					최영철 4341	
팀	관리1	관리2	정보화센터1	정보화센터2	정보화센터3	징세	체납관리
팀장	황순영 4402	정현철 4411	송영춘 290-3002	장석오 290-3052	권오진 290-3102	이승규 4342	김근수 4352
국세 조사관	박은숙 4403 이은정 4404 고양숙 4405	이문원 4412 박만기 4413 최재성 4414	오진숙 3003 서미숙(사무) 3004	정을영 3053 맹송섭(사무) 3054	고현주 3103 장용자(사무) 3104	오수연 4343 윤지영 4344	표석진 4353 박미숙 4354 박수안 4355
		정병창 4415	김유경(사무) 3005 박회숙(사무) 3006 노은복(사무) 3007 이성훈(사무) 3008 추정현(사무) 3009	강윤경 3055 김홍남(사무) 3056 김숙영(사무) 3057 윤석숙(사무) 3058 이윤정(사무) 3059 박명숙(사무) 3060	정현주 3105 고은희(사무) 3106 김옥연(사무) 3107 정복순(사무) 3108 고희경(사무) 3111 강미애(사무) 3109 장문경(사무) 3110	김은진 4345 황인범 4346	이상민 4356 문혜경 4357
	최석종 4406 박성준 4407	윤아름 4416	정미진 3011 최하나 3010 신수령 3012 유주희 3013 노현서 3014	박세라 3061 이민선 3062 김새봄 3063	김선화 3112 정지나 3113	서형민 4347	임혜영 4358 정현수 4359 김선근 4360
공무직						박성은 4340	
FAX	888-7627		290-3148	290-3099		888-7621	

227

세미래 콜센터 126

국세관련 모든 상담은 국번없이 126
전국 어디서나 편리하게 상담받으세요.
평일 9시~18시 (탈세제보는 24시간)

DID : 031-8012-OOOO(체납추적과)

국실	징세송무국									
국장	김대원 4340									
과	송무과							체납추적과		
과장	4011							김승현 7901		
팀	총괄	심판	법인	국제거래	개인1	개인2	상증	체납추적관리	추적1	추적2
팀장	김주원 4012	김용곤 4016	윤진일 4022	신진규 4032	홍강표 4042	남영우 4052	김성곤 4062	김분희 7902	강성필 7922	윤영진 7942
국세조사관	최진석 4013		윤경림 4023 류수연 4025 이정용 4026	이경숙 4033 김희선 4034 오상욱 4035	이하나 4043 김민식 4047	박상우 4053 김성훈 4054	고병덕 4063 이정은 4064 배정원 4065	강인욱 7903 김명숙 7904 최옥구 7905	윤호연 7923 김민선 7924 김유진 7925	김주란 7943 백승우 7944 한효숙 7945
	김미나 4014	구태환 4017 김태효 4020	하유정 4027	조창국 4036	정영욱 4045 김소정 4044	남기현 4055 이여성 4056	박현수 4066	손희정 7906 박희경 7907 이원락 7908	김중삼 7926 권기정 7927 김현진 7928 김광준 7929	박영실 7946 박승욱 7947 장익성 7948 황정태 7949
	김운중 4015		선민준 4024		문지선 4046			김예솔 7909 홍근배 7910 최두이 7911	박희영 7930 박미경 7931 권설진 7932	김광혜 7950 조은빈 7951 유창인 7952
공무직										
FAX	888-7624			888-7624			888-7622, 7623			

228

국실	조사1국										
국장	김재웅 4660										
과	조사1과						조사2과				
과장	한상현 4661						채중석 4741				
팀	1	2	3	4	5	6	1	2	3	4	5
팀장	성병모 4662	최동주 4672	전봉준 4682	문한별 4692	심희준 4702	김동조 4712	유상화 4742	허양원 4752	장태성 4762	한광인 4772	김형준 4782
국세 조사관	김정관 4663 신정훈 4664	김재중 4673	최돈희 4683	이현규 4693	김현호 4703 오기일 4704	강주연 4713	유재복 4743	조원희 4753	구홍림 4763 오경선 4764	김현미 4773	이윤주 4783
	박건우 4665 김현일 4666 박미혜 (사무) 4669	채혜인 4675 이경식 4676	최동기 4684 김영석 4685 강정선 4686	백수빈 4694 박다빈 4695 김상민 4696	조해일 4705 박미현 4706	김강주 4714 윤희선 4715	유경훈 4744 이예림 4745 송흥철 4746	임철우 4754 염정식 4755	국경호 4765 차연수 4766	김국성 4774 안현자 4775 주은미 4776	남상준 4784 곽진희 4785 허용 4786
	오아람 4667 김효진 4668	정유진 4677	엄지희 4687	명경자 4697	현은영 4707	정지환 4716 임지혜 4717	전소희 4748 이도헌 4747	류재희 4756 김은성 4757	나희선 4767	김준영 4777	황동형 4787
공무직	홍주연 4660						김민정 4749				
FAX	888–7636						888-7640				

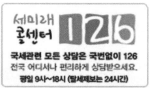

국세관련 모든 상담은 국번없이 126
전국 어디서나 편리하게 상담받으세요.
평일 9시~18시 (탈세제보는 24시간)

DID : 031-888-OOOO(1~3팀), 031-8012-OOOO(4~6팀)

국실	조사1국					조사2국			
국장	김재웅 4660					이성진 4480			
과	국제거래조사과					조사관리과			
과장	김선주 4801					이병오 4481			
팀	1	2	3	4	5	1	2	3	4
팀장	임재규 4802	남용우 4812	최태형 4822	임수현 1802	박광석 1822	최찬민 4482	이순주 4492	김종민 4502	박지원 4512
국세 조사관	허정무 4803	이연화 4813	송영석 4823 김찬섭 4824	김주연 1803	임승빈 1823 김성문 1824	김동현 4483 신현일 4484	정애라 4493	양종훈 4503 임세실 4504	윤재연 4513 김수희 4514
	김영석 4804 이재영 4805 김나경 4806	백일홍 4814 김경일 4815	정희경 4825 조아라 4826	한승철 1804 김건우 1805 김나영 1806	김나영 1825 송민철 1826	최인영 4485 전범철 4486 김지혜 4487	이순복 4495 김송이 4496	서현준 4505 김주연 4506	이은정 4515 박재우 4516
	김수아 4807 김도연 4808	김은주 4816 김동준 4817	박하늬 4827	김재욱 1807	이현택 1827	윤장원 4488 안대엽 4489			권영진 4517
공무직						안기회 4480			
FAX	888–7643					888–7654			

230

국실	조사2국								
국장	이성진 4480								
과	조사관리과				조사1과				
과장	이병오 4481				김민기 4571				
팀	5	6	7	8	1	2	3	4	5
팀장	최준성 4522	장석진 4532	강부덕 4542	송명섭 4552	왕춘근 4572	문도형 4582	박순준 4592	정준 1842	김용환 1852
국세조사관	이창열 4523 임현주 4524	정경화 4533 최명진 4534	김신덕 4543 서경원 4544	이민희 4553 권미희 4554	이선옥 4573 김교성 4574	인찬웅 4583 윤장현 4584	곽재승 4593 방치권 4594	전기석 1843 이수연 1844	김혜령 1853
		이정윤 4535 최혜진 4536 장성환 4537	문승덕 4545 최준완 4546	김중근 4555	박건준 4575 오민선 4576	이은형 4587 임정은 4586	박현준 4596	유희태 1845 이현정 1847	임우현 1854
	유형진 4525	김별아 4538 강미영 4539 전혜영 4540	김다희 4549 현미선 4548 강순택 4547		장재민 4578 여진동 4577	정혜영 4585 전하돈 4588	정대환 4598 이예지 4597 이현주 4595	김은혜 1846 조영래 1848	이호수 1856
공무직					김영경 4579				
FAX	888-7654				888-7644				

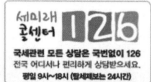

세미래 콜센터 126

국세관련 모든 상담은 국번없이 126
전국 어디서나 편리하게 상담받으세요.
평일 9시~18시 (탈세제보는 24시간)

DID : 031-8012-OOOO

국실	조사2국				조사3국					
국장	이성진 4480				박수복 4080					
과	조사2과				조사관리과					
과장	정순범 1861				홍철수 4081					
팀	1	2	3	4	1	2	3	4	5	6
팀장	양구철 1862	맹환준 1872	박병남 1882	박경옥 1892	김영진 4082	임서현 4092	이수빈 4102	김성근 4112	황영희 4122	조성수 4132
국세 조사관	양용선 1863 임희정 1866	정현덕 1873 김현경 1876	김재형 1883 박재홍 1886	이주희 1893 이광철 1896	이소영 4083 편대수 4084	고은미 4093 박주효 4094	윤영상 4103 박제효 4104	이순철 4113 김은혜 4114	박세민 4123	박은정 4133 이양래 4137
	한유정 1864 정재윤 1867	임혜란 1874 박경수 1877	원종민 1884 한범희 1887	민경석 1894	박기우 4085 황순진 4086	민옥정 4095	신유미 4105 신미리 4106	박제웅 4115 정윤선 4116	송은호 4124 김보미 4125	이남곤 4138 이유라 4134 유기연 4135 구아현 4139
	윤종율 1865 황용택 1868 김민경 1869	박형기 1875 한진아 1878	김민정 1888 강미정 1885	강지영 1897 박미선 1895 채상윤 1898	최기영 4087 박은비 4088 임재혁 4089	박찬승 4096	이슬비 4107 안지훈 4108	김대원 4117	임정혁 4126 고은혜 4127 황정미 4128 나윤수 4129	임애리 4136 홍주희 4140
공무직					원유미 4080					
FAX	888-7644				888–7673					

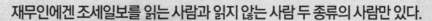

국실	조사3국									
국장	박수복 4080									
과	조사1과					조사2과				
과장	함민규 4151					김일환 5601				
팀	1	2	3	4	5	1	2	3	4	5
팀장	김정현 4152	유병선 4162	장현주 4172	김영기 4182	이재현 4192	장영일 5602	정태경 5612	노중권 5622	김송주 5632	장인섭 5642
국세 조사관	임재승 4153	조숙연 4163 이은창 4164	김은숙 4173	윤용호 4183	채칠용 4193	유승현 5603 강여정 5604	고영욱 5613 문은하 5614	박선범 5623	강문자 5633 이창수 5634	이영태 5643
	도주희 4154 나동욱 4155 김해진 4156 이경심 (사무) 4158	정웅교 4165 팽동준 4166	조용진 4174 양시범 4175 이은정 4176	이원구 4184 홍지우 4185	김민호 4194 배진 4195 임재미 4196	최성희 5605 이충환 5606	강경식 5615 임수정 5616	이시연 5624 이동호 5625 우해나 5626	유승천 5635 정휘섭 5636	정치권 5644 김서은 5645
	정상오 4157	최지은 4167	현병연 4177	권소현 4186	최진화 4197	김경훈 5607	여진혁 5617	김민표 5627	송민숙 5637	이연지 5646
공무직						이지연 5608				
FAX	888–7678					888-7683				

구리세무서

대표전화: 031-3267-200/DID: 031-3267-OOO

서장: **윤 재 갑**
DID: 031-3267-201

주소	경기도 구리시 안골로 36 (교문동736-2) (우) 11934				
코드번호	149	계좌번호	027290	사업자번호	149-83-00050
관할구역	구리시, 남양주시(별내, 퇴계원, 일패, 이패, 삼패, 다산, 수석, 지금, 도농, 와부, 조안)			이메일	

과	체납징세과			부가가치세과		소득세과	
과장	박인국 240			배병석 280		김진삼 360	
팀	운영지원	체납추적1	체납추적2	부가1	부가2	소득1	소득2
팀장	김상우 241	최연구 441	김효상 461	이관열 281	차윤중 301	권흥일 361	황민 381
국세 조사관	강계현(시) 612	유진희 442	배정숙 262 최미옥 462	엄주원 282	문전안 302	김희정 362	
	김민철 242	정희정 443 김선중 445 조아름 446	안문철 463 이나래(시) 264 서승경(사무) 268	김주애(시) 이중재 283 안지은 284 방여진 285	김소라(시) 이기섭 303 김봉수 304 최동휘 305 김하니 306	홍선영 363 정준희 364	김동희 382 박양숙 383 오현수(시)
	오은희 243 김동현(방호) 245	백선주 447 김두수 448	전다인 263 최보미 464 정연주 465	강선희 286 이우정 287 이승희 288	조재훈 307 신주현 308	김지혜 365 정영미(시) 정호식 366	한봉수 384 강정미 385 박미리 386
	김선웅 244 김차돌(운전) 246	임지은 449	진소현 466 박경민 467	이도현 289 김기민 290 심수진 291	손영주 309 남예진 368	김호영 367 정필윤 368	윤경효 387 강문이 389
공무직	최홍인(비서) 손혜자 박지현						
FAX	326-7249	326-7469		326-7359		326-7399	

과	재산법인세과			조사과		납세자보호담당관	
과장	이윤석 480			홍정은 640		김은정 210	
팀	재산1	재산2	법인	정보관리	조사	납세자보호실	민원봉사실
팀장	김경훈 481	허승 491	이은수 401	이주영 641	김민태 651		최상림 221
국세조사관			신현철 402		김경량 654	최인규 212	
	김대연 482 이대웅 483 임훈 485 이우현(시)	김구호 492 이진규 493	방경섭 403 허진혁 404	홍성훈 691 최효진 642 김민성 643	류호정 658 주미진 652 강성구 655 전은지 659	조영미 213 박새별 214	장혜진 222 김인숙(시) 225 김은희(시) 228
	장정수 484 나환영 486	이미림 497 서정우 494 조지현 495	유희수 405 정다은 406 전윤아 407 문현경 408		박정현 653 안현수 660		방선미(시)225 노승미 223 송정은 224 손정아(시)228
	강소영 487 이하연 488	심지현 496	송지은 409		황지영 656 이수빈 692 이주연 644		김혜영 227 김선종 226
공무직							
FAX	326-7439			326-7699		326-7219	554-2100

기흥세무서

대표전화: 031-80071-200/DID: 031-80071-OOO

서장: **박 성 무**
DID: 031-80071-201

광교레이크 스위첸아파트
용인서울고속도로
흥덕파출소
호반써밋레이크 파크아파트
영덕1동 주민자치센터
기흥세무서

주소	경기도 용인시 기흥구 흥덕2로117번길 15(영덕동974-3) (우) 16953				
코드번호	236	계좌번호	026178	사업자번호	
관할구역	경기도 용인시 기흥구			이메일	giheung@nts.go.kr

과	체납징세과		부가소득세과		재산법인세과		
과장	양종명 240		주성태 280		조성인 400		
팀	운영지원	체납추적	부가	소득	재산1	재산2	법인
팀장	송지은 241	홍준만 441	장소영 281	송현종 301	김강훈 481	남선애 501	손민석 401
국세조사관			박상주 282	전병천 302	조행순 482		김윤정 402
국세조사관	김혜경 242 김유리(사무) 244 김태영 243 신현일(운전) 247	최은수 442 한민수 443 김보경 444 박종국 445 박은주 446 김송이 261	김영지 283 황세웅 284 심완수 285 김영지(시) 623 김수지 286	정원석 304 유정선 306 허양숙(시) 307 이지원 308	채상조 483 이효나 484 정희 485 박진희(시) 628 공선영(시) 628 이상준 486	이기언 502 한동훈 503	김정규 403 이준영 404 이교환 405 이경수(시) 413
국세조사관	이수빈(시) 246 이정표 245	신유미 447 이경민 448 박범석 449 김지동 450	이성민 287 윤나래 288 홍문희 289 김윤한 290 김성훈 291	김소은(시) 624 한비룡 310	강다현 487	박수용 504	고도경 406 임수현 407 김소연 408 원계연 409
국세조사관	최석준(방호) 248	이나래 451 유나연 262 박지혜 452	송현정(시) 623	백해정(시) 311 길민재 309 김정은 305 김수인 307 황나경 308	조현진 488	유진선 505	이다은 410 김도현 411 이현준 412
공무직	신은숙(비서) 202 이태자 최병례						
FAX	895-4902	895-4903	895-4904		895-4905		

과	조사과		납세자보호담당관	
과장	문병갑 640		이강석 210	
팀	정보관리	조사	납세자보호실	민원봉사실
팀장	이재준 641	이호창 651	이정걸 211	정하덕 221
국세 조사관	윤환 642	이승호 654 유영옥 657	조은용 212	
	김명환 643	박용훈 652 이하나 658 조숙영(시) 655	김봄 214	이은정 222
	박선영(시) 644	김보미 656 노주연 653	김동민 213	이경이 223 이진희(시) 226 원설희 224
				김수정(시) 226 황길하 225
공무직				
FAX	895-4907		895-4908	895-4950

남양주세무서

대표전화: 031-5503-200 / DID: 031-5503-OOO

서장: **우 창 용**
DID: 031-5503-201

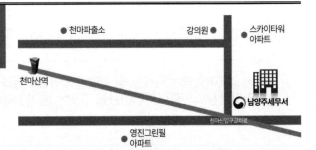

주소	경기도 남양주시 화도읍 경춘로 1807(묵현리) 쉼터빌딩 (우) 12167 가평출장소: 경기도 가평군 청평면 은고개로 19 (청평리) 금곡 민원실: 경기도 남양주시 금곡로 1037(금곡동) 남양주시 제1청사 세무민원실내			
코드번호	132	계좌번호	012302	사업자번호	132-83-00014
관할구역	경기도 남양주시(별내면, 별내동, 퇴계원읍, 다산1,2동, 양정동, 와부읍, 조안면 제외), 가평군		이메일	namyangju@nts.go.kr

과	체납징세과			부가가치세과		소득세과	
과장	이호 240			성기원 280		황용연 360	
팀	운영지원	체납추적1	체납추적2	부가1	부가2	소득1	소득2
팀장	황병광 241	정영훈 441	윤희만 461	안홍갑 281	이환운 301	김영호 361	최용 381
국세조사관			최세영 462			박윤석 362	김은순 382
국세조사관	조성문 242	김정기 442 김주연 443 최지원(사무)	김미선 262 조민희 463 박수춘 464 이은진 263	임병석 282 신준규 283 임소연(시) 전보원 284 구승원 285	박준범 302 박경아(시) 김태진 303 오승배 304 유형우 305	이혜영 363 권현회(시) 강정민 364	임현구 383 이우경 384
국세조사관	이재준 243	김성우 445 황한나 446 박혜인 447	이동현 465 이민규 466	우지영 286	이정하 306	채정석 365 김지현 366	김형준 385
국세조사관	이유민 244 박종현 245 심재호 246	강선이 448 변태민 449 장정윤 450	이상진 467 오세영 468	서지연 287 최윤미 288 박재형 289	박성원 307 김유진 308 최현숙 309	박선영 367 조성윤 368	진영석 386 김병진 387
공무직	장소영 202 (비서) 임선주 손창열						
FAX	550-3249	550-3268		550-3329		550-3399	

238

과	재산법인세과			조사과		납세자보호담당관	
과장	유상화 480			홍필성 640		송수희 210	
팀	재산1	재산2	법인	정보관리	조사	납세자보호실	민원봉사실
팀장	윤지수 481	박진흥 501	백두산 401	김규호 641		박종환 211	임시형 221
국세조사관		서지민 503		이승현 691			안용수(가평) 박태구 222
국세조사관	강선미 482 안정호 483 태종배(시) 양진석 485 윤도식(시) 이솔 486	이동구 502	임광열 403 권은정 406 김아름 409 방민식 404 양이지 407	장수진 642 이명용 692	방정기 654 김호국 657 김한상 651 석종훈 655 주태웅 658	엄영석 212 박지현 213	조건희(가평) 심별 223
국세조사관	황시윤 487 이지수 488 강혜수 484		박보경 405	심단비 643	김상혁 652 조영수 653 조연우 659	진주원 214	이승환(금곡) 정주희 226
국세조사관	이세란 489	이정임 505 심재현 504	배정현 410 김재원 411		장선미 656		오준영 225 안지영 224
공무직							
FAX	550-3519			550-3669		550-3219	

동수원세무서

대표전화: 031-6954-200 / DID: 031-6954-OOO

서장: **유 영**
DID: 031-6954-201

주소	경기도 수원시 영통구 청명남로 13(영통동) (우) 16704 오산민원실: 오산시 성호대로 141 오산시청 1층 민원실 내			
코드번호	135	계좌번호	131157	사업자번호
관할구역	경기도 수원시 영통구, 권선동, 곡반정동		이메일	dongsuwon@nts.go.kr

과	체납징세과		부가소득세과		
과장	조영수 240		이호관 360		
팀	운영지원	체납추적	부가1	부가2	소득
팀장	정봉석 241	김영환 441	나송현 281	채양숙 301	김동수 361
국세 조사관	윤혜진(시) 245	성수미 262 문경 442	이영태 282	강명수 302	
	최진규 242 윤정희 243	김소연 443 김선이 263 곽경미 444	최병화 283 한수현 284	좌현미 303 송지우 304	서미경 362 이고운 363 정기호 364
		이재희 445 지영환 446 조하나 447	한영수 285 조혜숙(시) 박현명(시)	문정희 305	김지영(시) 양승민 365 박현정 366 선수아(시) 양일환 367 이상일 368
	김세기 244 문용준(방호) 246	김민경 448 공채원 449 이태영 450	신수경 286 이한설 287	김경희 306 이유영 307	권영은 369 이은정 370 오재열 371 가주희 372
공무직	이혜원(비서) 201 조미경 이미선				
FAX	273-2416		273-2427		

1등 조세회계 경제신문 조세일보

과	재산법인세과			조사과		납세자보호담당관	
과장	김천수 400			문창전 640		허상엽 210	
팀	재산1	재산2	법인	정보관리	조사	납세자보호실	민원봉사실
팀장	오경택 481	권재효 501	최윤회 401	김정건 641	정성곤 651 윤석배 654 백민웅 656	김영곤 211	김세훈 221
국세 조사관			김도원 402			박수현 212	
	정해란(시) 488 박유정 482 정윤기 483 장민수 484 김경민 485	정택준 502 박재윤 503	박순영(시) 409 김성진 403 정동기 404	주자연 642 박성현 643	강희호 655	정신영 213	김윤희(시) 227 염가연 223 이소원(시) 227
	오진선 486 이유림(시) 489	오지현 504	이준우 405 조혜원 406 박소현 407	박지혜 644	이희정 652		김유미 224 신유라 228
	박소연 487	김보나 505	이요셉 408		신소희 653 정주리 657	김이현 214	박선영(시) 225 박태윤 226
공무직							
FAX	273-2412			273-2454		273-2461	273-2470

동안양세무서

대표전화: 031-3898-200 / DID: 031-3898-OOO

서장: **송 윤 정**
DID: 031-3898-201

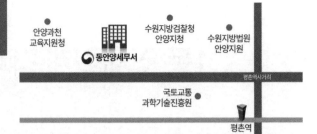

주소	경기도 안양시 동안구 관평로 202번길 27 (관양동) (우) 14054				
코드번호	138	계좌번호	001591	사업자번호	138-83-02489
관할구역	경기도 안양시 동안구, 과천시, 의왕시			이메일	donganyang@nts.go.kr

과	체납징세과			부가가치세과		소득세과	
과장	조용진 240			정진욱 280		박옥련 360	
팀	운영지원	체납추적1	체납추적2	부가1	부가2	소득1	소득2
팀장	최승복 241	강성현 551	김범재 571	김대혁 281	윤영택 301	서성철 361	이상훈 381
국세조사관	김현민 242	서윤희 552	김선미 261 정순남 262	김경태 282	박하홍 302		
국세조사관	이소영 243 양재홍(운전) 613	박찬희 553 김슬아 554 구현영 555 구성민 556	김윤경(시) 장민기 263 홍서연 572 김아영 578 정영석 579	정진희 283 박정옥(시) 김동구 284	길미정 303 이훈기 304 이영순(시) 김지현 305	이자연 362 송우락(시) 강나영 363	박지윤 382
국세조사관	김나현 244 이남길(방호) 615	유명한 557	김현정 573 최지우 574	이영은 285 이현진 286 고우성 287	이창희 306 심지영 307 이지연 308	이혜진 364 김상록 365 김미정 366	조성주 383 김세식 384 노태경 385 옥경민(시)
국세조사관	김남이 245	박지애 558	김미령(시) 김진슬 575	송오은 288 김가현 289	임온순 309 배지연 310	김찬미 367 한수민 368 장명훈 369	현덕진 386 김성범 387 박희연 388
공무직	이정화(비서) 202 정재양(미) 이선순(미) 조윤희(미)						
FAX	389-8628	476-9787		476-9784, 383-0428		383-0429, 0486	

과	재산세과			법인세과		조사과		납세자보호담당관	
과장	조일성 480			전용훈 400		장대식 640		주은화 210	
팀	재산1	재산2	재산3	법인1	법인2	정보관리	조사	납세자보호실	민원봉사실
팀장	문창수 481	윤종근 501	이응찬 521	박동현 401	김창오 421	김강산 641	박기택 651		최현주 221
국세조사관	홍경희 (사무) 490	백규현 502	전강희 522 고대홍 523	김환 402			지선영 657 이병희 654 박홍자 663	문병남 212 윤길성 213	
	조창일 482 조현성 483	이강원 503	오수경 524 김영식 525 강상준 526 박소연 527 김희은(시) 한승우 529	김대환 403 배수영 404 노승옥 405	고빛나 422 강민주 429 원호선 423 한수철 424 문호균 425	송창훈 692 박은정 643	이주미 652 안진환 658 황성연 655 정진형 664 이정수 660	안중현 214 이은경 215	김용숙 (사무)
	이은성 484 김형식 485 신나영 486	이현주 504 양영진 505 이승리 506	정미호(시) 박지수 528		최혜정 426	조은영 644	김선화 656 곽성준 665 이관희 661 이소연 662		황보주연 (시) 김주미(시) 임미송 222 오진욱 223 김우주 224 안애선 225
	임지은 487 조가연 488	이지현 507		유현경 406 김인혜 407 유승연 408	정은지 427 오정현 428	김현서 645 윤준희 646	김기덕 653 최영 659		오슬기(시) 은성도 229 김다영 226
공무직									
FAX	383-0435~7			476-9785		476-9786		476-9782	389-8629

분당세무서

대표전화: 031-2199-200 DID: 031-2199-OOO

서장 : **김 정 주**
DID : 031-2199-201

주소	경기도 성남시 분당구 분당로 23 (서현동 277) (우) 13590				
코드번호	144	계좌번호	018364	사업자번호	
관할구역	경기도 성남시 분당구			이메일	bundang@nts.go.kr

과	체납징세과			부가가치세과		소득세과	
과장	정병진 240			김상문 280		안장열 360	
팀	운영지원	체납추적1	체납추적2	부가1	부가2	소득1	소득2
팀장	전국휘 241	한종우 441	박길대 461	김훈태 281	노태천 301	원한규 361	정지영 381
국세 조사관		박진영 444	박근용 462	조아라 282		김선아 362	김병일 382 이동관 383
	염선경 242 유소정 244	김승국 442 이경현 448 박동일 446	김미옥 464 한성미 262 김환진 467 이은선 465 한수현 466	오연우(시)	이향은 302 김수정 303 김락향 304	어윤제 363 이다솜 364 정재원 365	강희주 384 이진명 385
	임정경 243	박영은 443 이동수 445 유지환 449	노기란 263 황재인 264 이은진 469	이지연(시) 김주희 283 송지훈 284	주성진 305 하태욱 306	하한울 367 양은지(시) 최혜림(시)	고윤정 386
	장보수 245 박병철(방호) 247 서원준(운전) 248	윤미경 447	김태남 463	최진규 285 이수진 286 조서영 287 이효원 288 박지우 289	전세영 307 장기훈 308 이민형 309	한정현 367 이수지 368	권이혁 387 이기연 388 정현정 389
공무직	조혜정 박명화 박순남 손금주						
FAX	219-9580	718-6852		718-8961		718-8962	

과	재산세과			법인세과		조사과		납세자보호담당관	
과장	강찬종 480			정영훈 400		오승찬 640		이민구 210	
팀	재산1	재산2	재산3	법인1	법인2	정보관리	조사	납세자보호실	민원봉사실
팀장	김규한 481	이남진 501	강영구 521	이현준 401	선형렬 421	유철 641	정윤석 651	김웅렬 211	조일제 221
국세조사관	김애숙 482	이재현 502	정직한 522 김기훈 532	조경호 402			정종원 657 최찬규 654 최형진 660	강성훈 213	
	김창우 483 김영은 484 이지우 485 박성순(사) 490	장윤정 503 유훈희(시) 김지현 504 조지원 505	반흥찬 526 이영석 534 황주성 530 전범수 528	이진영 403 박시현 404 박동민 405	노원준 422 김경옥 423 권미애 424 이조은 425	허성훈 692 이우현 642	강신국 663 김태영 652 백인희 655 조희근 658 강용수 661	심선화 212 이희정 215	윤영진 222 진승연(시) 230 오동석 225 정택주 226
	윤희경(시) 이창민 486 유선아 487	박지언(시) 박용현 506	최영환 527 정예지 529	유혜정 406 강진선 407	윤태경 426 윤준웅 427	정은아 643 우근영 644 김나래 691	이동은 664 강수림 662	강유미 214	최소영 227 최수정 223 송유란(시) 228
	김다미 488 김초롱 489	이그린 507	이창진 533 홍새로미 531 김선균 537 김서경 523	김예연 408 박병헌 409	손은하 428 박은비 429	이진희 645	이빛나 653 이주현 659 이성수 656 강서윤 665		김인제 224 윤민경 229
공무직									
FAX	718-6849			718-4721		718-4722		718-4723	718-4724

성남세무서

대표전화: 031-7306-200 / DID: 031-7306-OOO

 성남서중학교   단대동행정복지센터

성남제1
공단근린공원   단대성경
아파트

성남세무서

단대오거리역

서장: **김 민 제**
DID: 031-7306-201

주소	경기도 성남시 수정구 희망로 480 (단대동) (우) 13148				
코드번호	129	**계좌번호**	130349	**사업자번호**	129-83-00018
관할구역	경기도 성남시 수정구, 중원구			**이메일**	seongnam@nts.go.kr

과	체납징세과		부가가치세과		소득세과	
과장	이정윤 240		유인선 280		정용수 360	
팀	운영지원	체납추적	부가1	부가2	소득1	소득2
팀장	신효경 241	강정일 261	김정범 281	정창근 301	이준표 361	최은창 381
국세 조사관		강승조 441	송종민 282	문민호 302	김헌우 362	윤혜정 382
	문정민 242	남기선 442 신상훈 443 김주형 262 김연정 263 조광제 445 이현주 446 조효신 447 허인순(사무) 457	박효숙 283 한규진 284	윤연주 311 김진광 303 김경희 310(사)	천수현 363	김현석 383
	이혜진 243 김승철(운전) 246	강미선 454 김경린 448 최윤아 449 윤미정 450	강승호 285 유혜영 286 양수미 287	이한솔 304 김수인 305 강지안 306	정윤희 364 박지은 365 김지현 505 전세연 366	김수민 384 최민정 385
	윤병현 244 임지광(방호) 247	남현주 451 양지현 452 박정민 453	권순주 506 장인영 288 이명욱 289 허지원 290	김태서 307 김수영 308 최세진 309	김진환 367 서지은 368	조윤영 505 이소연 386 김현배 387
공무직	유은정 245 박윤이 202 윤인자 667 박월례 이미화					
FAX	736-1904		734-4365		743-8718	

택스홈앤아웃

대표이사: 신웅식

서울시 강남구 언주로 148길 19 청호빌딩 2층
전화번호 : 02 - 6910 - 3000   팩스 : 02-3443-5170
이메일 : taxhomeout@naver.com

과	재산법인세과			조사과		납세자보호담당관	
과장	김민양 400			장혁배 640		양덕열 210	
팀	재산1	재산2	법인	정보관리	조사	납세자보호실	민원봉사실
팀장	강병구 481	경재찬 491	양동규 401	이상희 641	염유섭 651		김성은 221
국세조사관			이명수 402	선기영 691 김영근 692		이승훈 211	정수인 222
	박성은 482 손정희 483 박은진 484	강태길 492 양승우 493	우주연 403 박종호 404 김재일 405 강윤지 406	최새록 642	박진수 657 김중현 654 권기주 658 김동우 652 김명선 655 유윤희 659	서동경 212 백두열 213	김윤희 228 노혜정 227 이승민 223
	박지영 485 배상원 486 황효경 487	박소영 502 이강은 502	이도희 407 하정민 408	안미환 643	송혜리 653		최혜승 229 서은애 225
	김소현 488 박보경 489	엄민식 494	허영렬 409 김선주 410		문시현 656		함다운 224 강슬기 226
공무직							
FAX	8023-5836	8023-5834		736-1900, 1905, 721-8611		745-9472	732-8424

수원세무서

대표전화: 031-2504-200 / DID: 031-2504-OOO

서장: **조 수 진**
DID: 031-2504-201

주소	경기도 수원시 팔달구 매산로61(매산로3가 28) (우) 16456				
코드번호	124	계좌번호	130352	사업자번호	124-83-00124
관할구역	경기도 수원시 장안구, 팔달구, 권선구(권선동, 곡반정동 제외)			이메일	suwon@nts.go.kr

과	체납징세과			부가가치세과			소득세과	
과장	노승진 240			이주일 280			박정민 360	
팀	운영지원	체납추적1	체납추적2	부가1	부가2	부가3	소득1	소득2
팀장	이상현 241	이숙정 441	김진수 461	하희완 281	박현종 301	김영철 321	진수진 361	오영철 381
국세조사관		정해란 442	양월숙(사무) 264		양재우 302	김한진 322 유영근 323	이성진 362	이정미 382 김형선(시)
	김미향 242 이영은 243 이상규(열관리) 685 김은애(전화) 259	윤기순 443 신영두 444 한은정 445 이향선(시) 450 성은경 446	양준석 462 최근영 262 김용선(시) 472 김은숙 463 강정호 464 신보경 465	권현정 282 김용연 283 이지현 284 최우성 285	박민정 303 김하강 304 김완(시)	안지현 324 안순주 325	김수연 363 허은정(시) 이현진 364 김수정 365 송예지 366	송창용 383 허진이 384 배진호 385
	이종영 244 백진원(운전) 246	이가령 447 석혜원 448	정한나 263 장유리 466 최명호 467	안지영(시) 김가민 286 김미경(시) 이다운 287 김수종 288	이미나 305 황성희 306 어영준 307	박원경 326 허지은 327	김도연 367 염관진 368 조정환 369	김소영 386 김우경 387 김태범 388
	홍장원 245 김일근(방호) 247	최주희 449	홍다원 468 채희원 469 이주연 470 장현봉 471	김경모 289 김하경 290	정지혜 308 이수환 309	인애선(시) 임양미 328 김연희 329	이주미 370 김소영 371 김다영 372	김연지 389 김종빈 390
공무직	이주화 202 소선희 이명숙							
FAX	258-9411	258-0454		258-9413			258-9415	

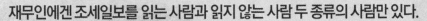

과	재산법인세과			조사과		납세자보호담당관	
과장	용환희 400			이재성 640		박봉철 210	
팀	재산1	재산2	법인	정보관리	조사	납세자보호실	민원봉사실
팀장	한민규 481	강지원 501	주경관 401	정호성 641	유성주 651	신연준 211	김영세 221
국세 조사관	전기희 482	정맹헌 502		정은미 691	강우진 654 김대성 657 김지은 660		박정용 223
	최영윤(시) 김은영 483 주재명 484 김영환 485 김정기(시) 여지현 486 이나연 487	허석룡 503 이오형 504	최민혜 402 정혜정 403 이은경(시) 김영애 404 천혜진 405 유시은	하경종 642 양승규 643	김태연 663 심민정 652 장순임 655 최성일 658 오상택 661 박영환 664	최미영 212 정인경 213	정영희(시) 232 김정림 225
	강혜진 488	박성용 505 박조은 506	이명하 406 신유희 407 강현 408	최주현 692 송미연 644 전영지 693	최우현 656 김민정 659 백소이 665	이재욱 214	박수옥(시) 230 민경진 224 권나경(시) 232 함용식 226 윤호준 227 서연지 233
	박서연 489 김찬기 490	주하나 507	조현민 409 전미경 410		임한섭 653 박수지 662		김현정 229 강은희 231
공무직							
FAX	250-4494	258-0497	258-0453		248-1596	258-1011	

시흥세무서

대표전화: 031-3107-200 / DID: 031-3107-OOO

서장: **이 세 협**
DID: 031-3107-201

주소	경기도 시흥시 마유로 368 (정왕동) (우) 15055 대야동 민원실: 시흥시 비둘기공원7길 51(대야동,대명프라자) 대명프라자 3층 (우) 14912							
코드번호	140	**계좌번호**		001588		**사업자번호**	140-83-00015	
관할구역	경기도 시흥시					**이메일**	siheung@nts.go.kr	

과	체납징세과			부가가치세과			소득세과	
과장	이주형 240			윤나영 280			이규완 360	
팀	운영지원	체납추적1	체납추적2	부가1	부가2	부가3	소득1	소득2
팀장	조상현 241	장남식 441	신지훈 461	류천호 281	서원상 301	하용홍 321	김영선 361	박명수 381
국세 조사관	김현정 243	김미라(시)		전원실 282				문선희 382
	김은경 242 박유신(전화) 609	정민재 443 장명섭 444	박미라 462 이한희(시) 김종선 263 김성현 463	노수창 283 김주옥 284 이수빈 285 황현희 286	박혜경 302 김민수 303 이초롱 304 김나영 305	정경인 322 박찬민 323 최병국 324 하준찬 325	조병섭 362 박송이 363 최용준 364	한상범 383
	윤창식(운전) 246 김준태 244	함윤선 445 이민희 446 서태웅 447	정경윤 264 김수지 464 최세은 465	서덕성 287 김성수 288	소규철 306 강혜연 307 이현정 308 박경일 309	강유진 326 한진선 327 김진옥 328 김아람 329	정강영 365 이효정 (시)	서두환 384 박형규 385 김상아 386
	하나임 245 신영수(방호) 247	김상혁 448 박선희 449 강영중 450 이지현 451 신승훈 452	김종호 466 신여경 467	김지원 289 이종민 290 박보영 291		윤영운 330	이주현 366 이세연 367 박세원 368	채민재 387
공무직	현재은(비서) 202							
FAX	310-7551			314-2174 313-6900			314-3979	

1등 조세회계 경제신문 조세일보

과	재산법인세과				조사과		납세자보호담당관	
과장	박영인 400				유재원 640		이영재 210	
팀	재산1	재산2	법인1	법인2	정보관리	조사	납세자보호실	민원봉사실
팀장	문선우 481	권창위 501	송승한 401	박수홍 421	성창화 641	하광열 651	신영수 211	이봉림 221
국세조사관	권중훈 482 박경휘 483				김승훈 642	전상훈 661 박종석 671 이철환 681	신정환 212	
	김철호 484 송재봉 485 김유현 486 권영인(시)	김기배 502 서정훈 503 이은성 504 장슬기 505	임주현 402 강민구 403 최승훈 404 문현경 405	이미선 422 이령조 423 김유경 424	공정민 643 정경민 644	이동훈 652 양시준 662 구자호 682	신은정 213 최다예 214	신미식 222
	정다운 487		이푸르미 406 신지혜 407	한그루 425 조혜민 426	손윤정 645	이윤선 672		표성진 223 유진아 224 윤소현 225 한민우 226
	김택준 488			박승철 247	김소현 646	이수연 653 박정민 663		송보섭 227 박광태 228 민정은 229 모혜연 230
공무직							대야동민원실 T.8041-3221,2 F.8041-3226	
FAX	314-2178		314-3975		314-3977, 3978		314-3971	314-3972

경기광주세무서

대표전화: 031-8809-200 / DID: 031-8809-OOO

서장: **정 경 철**
DID: 031-8809-201

광주시 보건소 · 누리유치원 · 공설운동장앞교차로 · 광주시 공설운동장 · 중앙노인센터 · 경기광주세무서

주소	경기도 광주시 문화로 127 (경안동) (우) 12752 하남지서: 경기도 하남시 하남대로 776번길 91 (경기도 하남시 신장동 521-4) (우) 12947				
코드번호	233	계좌번호	023744	사업자번호	
관할구역	경기도 광주시, 하남시 (하남시는 경기광주세무서 하남지서 관할)		이메일	singwangju@nts.go.kr	

과	체납징세과			부가소득세과		재산법인세과		조사과	
과장	최종호 240			강표 280		김정남 480		서인창 640	
팀	운영지원	체납추적1	체납추적2	부가	소득	재산	법인	정보관리	조사
팀장	노수진 241	이승재 441	조창권 461	김만식 281	최경초 361	김남호 481	이봉형 401	김기은 641	함은정 651
국세 조사관	양혜민 243		이용욱 262	이현정 282	정아영 362	곽은희 482 김승미 490		이영미 642	박동균 654 정태윤 660 박선영 657 박희경 667 임치성 663 김동진 652
	김도훈 242 이재룡 244	김은기 442 강은영 443 이대훈 444 남현정 445 권정석 446	이현정 263 양주희 264 이기혁 462 박라영 463 이은애 464	정선이 283 김진아 284 홍혜영(시) 김지윤 296 박영은 290 박미영 291 김수현 292	김형규 364 임종훈 365	구본균 483 김창윤 484 이창한 492 강주현 485	서윤석 402 이유진 403 박진호 404	이상근 691 김도희 643	이준무 658 강명호 655 강한수 668 아향섭 664 손영미 661 고재윤 653
	이민우 245 박완식 (방호) 246 이정구 (운전) 247	김혜진 447 윤주영 448	이민의 465 정현정 466 유재상 467	김양희 289 정영현 297 안재현 295 김윤희 294	권승희(시) 최우영 366 송민석 367 정태식 368	손원영(시) 이은미 486 김상덕 493	반승민 405 박은지 406 황지연 407 김인애 408 양다희 409	서가현 644 김신애 692	김강 662 최효임 656 권진솔 665 허진주 659
		윤민경 449	박세용 468	이상윤 293 남지윤 285 강민지 288 김정섭 287 이가원 286	김주찬 369 백지연 370 김예지 371 권혁주 372 손주영 373	김진주 487 이강희 491 원효정 488	박다인 410		강보라 669
공무직	윤미경 202								
FAX	769-0416	769-0417		769-0746		769-0773		769-0685	

과	납세자 보호담당관		하남지서(031-7922-100)					
과장	김시정 210		정윤길 790–3400					
팀	납세자보호실	민원봉사실	체납추적	납세자보호실	부가	소득	재산	법인
팀장	강덕수 211	고현숙 221	이종하 461	이미희 410	우정은 421	김옥남 431	박성배 441	김동호 451
국세조사관			이기현 462			이중한 432		
	강석원 212 안지은 213 송현철 214	윤정환 222	송선영 463 한희자 464 조나래 465 주진선 466	서효영 411	권경훈 422 이건석 423 김민주 424 육현수 425 진선애 426	김종우 433	박주열 442 인한용 443 김세진 444 박상훈 445	이평재 452 이재만 453 공선미 454
		장금희 225 박지예 226 전재형 223	유소희 467 표다은 468	심선희(시) 416 강기훈 412 이길호(방호) 502	송민섭 427 김혜정(시)	정현빈 434 이지윤 435	배진령 446 노주호 447 정은재 448 최정인 449	
		이상영 224	이진원 469 박은지 470	오윤경 413 김두정 414 권서영 415	오병결 428 곽수정 429 김용준 430 오동현 471 조현하 472 강성실 473 우민지 474 함효재 475 육소연 476	박도훈 436 이인심 437 성유빈 438 안태균 439 오승민 440	김장섭 450 노현아(시) 457	전가람 455 박소윤 456
공무직								
FAX	769- 0842	769-0768 769-0803	793-2097	793- 2098	791-3422		795-5193	

안산세무서

대표전화: 031-4123-200 / DID: 031-4123-OOO

서장: **김 형 철**
DID: 031-4123-201

주소	경기도 안산시 단원구 화랑로 350(고잔동 517) (우) 15354				
코드번호	134	계좌번호	131076	사업자번호	134-83-00010
관할구역	경기도 안산시 단원구			이메일	ansan@nts.go.kr

과	체납징세과			부가가치세과		소득세과	
과장	김택근 240			이삼기 280		박춘성 360	
팀	운영지원	체납추적1	체납추적2	부가1	부가2	소득1	소득2
팀장	이종남 241	유정은 441	조성훈 461	박준희 281	전익표 301	신영림 361	박훈수 381
국세조사관		백승화 442	오현정 261	나형욱 282	이창원 302		김현미 382
국세조사관	박병선 242 윤윤숙 243 최광석(운전) 246	오승연 443 장종현 444 이송이 445	서경자 462 김반디 262 권영호 463	김민교 283 이우성(시) 김범준 284	홍현기 303 류미순 304	정가희 362 박재훈 363	
국세조사관	신민규 244 조성수 245	한혜경 446 강수빈 447	정윤정 464 오지현 465	신교준 285 고윤석 286 이노을 287 안유미 288 권구성 289	박현옥 305 김상훈 306 구진선 307 김지선 308	정다운 364 김주영(시) 권민경 365	한용석 383 김민균(시) 김현지 384
국세조사관	이경환(방호) 247	전지현 448	조호준 466 송상민 467	이예지 290 정지헌 291 백유진 292	박선양 309 배윤진(시) 송재은 310	이혜서 366	최승빈 385
공무직	안명순(비서) 202 정지우 유화진 신수빈						
FAX	412-3268			412-3531		412-3550, 3380	

과	재산세과		법인세과		조사과		납세자보호담당관	
과장	이민철 480		송경덕 400		남상웅 640		박금철 210	
팀	재산1	재산2	법인1	법인2	정보관리	조사팀	납세자보호실	민원봉사실
팀장	하광무 481		한순근 401	김도영 421	김광복 641	장창하 651		소수정 221
국세조사관						김준호 663	강경근 212	
	김찬 482 진영상(시)	박관준 522 윤지은 523 이유리 524	이형구 402 한상수 403 김지혜 404	변광호 422 채호정 423	이미연 642 이아름 693	이원진 652 장희진 654 김명호 657 채성호 660 전은정 653 정은솔 655 신민아 658	송준호 213	이해진 222 이종근 223 김춘화(사무) 227
	최완규 483 강화리 484	김진아 525	최현영 405 김지연 406 장소연 407	배정민 424 김기환 425 나혜영 426	정인영 643	조소현 661 한다은 662	박수진 214	박대순 224
	곽윤정 485		곽미송 408	김중헌 427		황석현 656 유제언 659		김지연 225 이승아 226
공무직								
FAX	412-3495		412-3350		412-3580		412-3340, 487-1127	

동안산세무서

대표전화: 031-9373-200 / DID: 031-9373-OOO

서장: **이 미 진**
DID: 031-9373-201

주소	경기도 안산시 상록구 상록수로 20 (본오동 877-6) (우) 15532				
코드번호	153	계좌번호	027707	사업자번호	
관할구역	경기도 안산시 상록구 전체			이메일	

과	체납징세과		부가가치세과		소득세과	
과장	최정희 240		권오직 280		이성호 360	
팀	운영지원	체납추적	부가1	부가2	소득1	소득2
팀장	최성례 241	남숙경 441	인길식 281	이상욱 301	엄남식 361	홍성권 381
국세 조사관		금도미 261 서영춘 442	김선영 282			
	이삼섭 242 윤송희 243	김재희 443 박창선 444 구혜란 262	전진우 283 김정은 284 조현경 (시) 이재남 287 김예지 285	김민 302 차유나 303 방예진 304	강미애 362 박승진(시)	정명기 382
	송진용 244	김미희 446 우동희 263		권영빈 305 강지혜 306 정지수(시)	정유진 363 김민성 364 연송이(시)	김지언 383
	최경식(운전) 245	박수진 446 최용호 447 김윤혁 448	김태현 286		오수영 365 박지인 366	이두호 384 고호경 385
공무직	김영란 202					
FAX	8042-4602, 8042-4603		8042-4604		8042-4605	

과	재산법인세과			조사과		납세자보호담당관	
과장	박상일 400			김연일 640		이필규 210	
팀	재산1	재산2	법인	정보관리	조사	납세자보호실	민원봉사실
팀장	신종무 481	김수진 501	김재일 401	이종복 641		임희경 211	문태범 221
국세 조사관			김학진 402		최성민 651 이은주 654	홍소영 212	
	백은혜 482 강유나(시) 오효정(시) 김정준 483	김효영 502	오선경 403	송민경 642 윤준호 643	김정훈 657 이희석 652 장형보 655 김혜진 658	김준희 213	김동욱 222
	한아름 484	이정환 503 신유하 504	이윤경 404 송상우 405		최유영 653 최호림 659 정지수 656	박해란 214	김진형 223 김경아 224
	조승철 485		지유미 406	한수현 644			곽길영 225
공무직							
FAX	8042-4606			8042-4607		8042-4608, 8042-4609	

안양세무서

대표전화: 031-4671-200 / DID: 031-4671-OOO

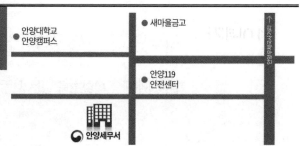

서장: **김 문 희**
DID: 031-4671-201

주소	경기도 안양시 만안구 냉천로 83 (안양동) (우) 14090				
코드번호	123	계좌번호	130365	사업자번호	123-83-00010
관할구역	경기도 안양시 만안구, 군포시			이메일	anyang@nts.go.kr

과	체납징세과			부가가치세과		소득세과	
과장	박충열 240			오성택 280		박수용 360	
팀	운영지원	체납추적1	체납추적2	부가1	부가2	소득1	소득2
팀장	변인영 241	김종태 441		주진아 281	김남주 301	유은주 361	진승호 381
국세조사관			이종완 462	홍경일 282	남궁준 302		
	박종호 242 김미애 243 조숙의(전화) 620	최미란 442 김강미 443 이해영 444 박원규 445	장현준 463 손선영 262 강선영 464 한만훈 465 김경원 263 김은주 466	박수열 283 변철용 284 임석봉 285 박정혜(시) 이은종 286	정회훈 303 이현진 304 문지선 305	김형주 362 김경란 363 한미영(시) 김성식 364 류승윤 365 이재혁 366 이재상 368 성은정(사무) 370	이병옥 382 김성미 383 정은순 384 심현수(시) 김묘정 385
	이나훔 244 정다솔 245 소유섭(운전) 628	조소윤 446	임우영 447	김민정 287 주소희 288	안영순 306 김찬수 307 민병웅(시)	복경아 367	한여름 386 양선미 387
	정지용(방호) 625	임형은 447		정현민 289 윤샛별 290 이영아 291	김동윤 308 여원선 309 강민기 310 박민선 311		이기훈 388
공무직	한경희(사무) 246 김예림(비서) 203						
FAX	467-1600	467-1300		467-1350		467-1340	

과	재산법인세과			조사과		납세자보호담당관	
과장	신범하 400			김국현 640		양동구 210	
팀	재산1	재산2	법인	정보관리	조사	납세자보호실	민원봉사실
팀장	김예숙 481	권영진 501	위현후 401	강선희 641	최선미 651	박인철 211	이길녀 221
국세조사관	문영건 482	최성용 502	서용훈 402 김문환 403	김란주 642	장해순 654 이오섭 657 한경태 652		
	조윤호 483 조수영(시) 장성민 484 송은희 486 성민수 485	서승화 503	한희윤 404 김문희 405 최명화(사무) 410	구명희 643 유성은 644	김효일 655 이성재 658		정현주(시) 천혜령 225 최윤정 222 지민규(시) 황요섭 223
	최지연 487 나경태 488 이상은 489	백하나 504 김정혜 505	이다영 406 이지수 407 봉희진 408 김용국 409	김용희 645	안성선 659	손택영 212 문혜미 213 김서경 214	박현수 223 이혜규 224
	이혜나(시)				박상우 653 김은진 656		
공무직							
FAX	467-1419			469-9831		469-4155	467-1229

용인세무서

대표전화: 031-329-2200 / DID: 031-329-2000

서장: **오 대 규**
DID: 031-329-2201

주소	경기도 용인시 처인구 중부대로 1161번길 71 (삼가동) (우) 17019 수지민원실 : 용인 수지구 문인로54번길2 수지하우비상가 214호 (동천동 887)				
코드번호	142	**계좌번호**	002846	**사업자번호**	142-83-00011
관할구역	경기도 용인시 처인구, 수지구			**이메일**	yongin@nts.go.kr

과	체납징세과			부가가치세과		소득세과	
과장	최은주 240			박진영 280		진상철 360	
팀	운영지원	체납추적1	체납추적2	부가1	부가2	소득1	소득2
팀장	최종훈 241	강지윤 441	심용훈 461	장현수 281	김광수 301	박준현 361	송정숙 381
국세 조사관			정진방				김민정 382
	안정민 242 김고희 243	김미나 442 임대근 443 이문희 444 정현정 445 윤미영 446	이진희 462 차순화(사무) 263 김보름 261 연근영 463 정지현 464	김연아 282 하효연 283 지민경 284 고민경 285	태석충 302 조은비 303 이해남 304	양서진 362 김진환 363 송승재 364 홍제용 365	최숙희 383 한대희 384 권민선 385
	신영호 245	윤한미 447 박윤수 448 정슬아 449 정상아 450	김병호 465 이현지 262 전신희 466 신혜민 467 조성원 468 이미정 469	박원경 (시) 엄현정 286 예성민 287	최미정 305 송성희 306 노현민 307	신지연 366 문가은 (시) 주평하 367 최준환 368	박선영 386 김수지(시) 고운이 387
	김예원 244 이도현(운전) 246 이택민(방호) 247			임아사 288 서지민 289 손가영 290	김재홍 308 조민영 309 조혜진(시) 정경원 310	류민하 369 박미선 370	이은범 388 황혜미 389
공무직	김윤희(비서) 202						
FAX	321-1625	329-2687		321-1627		321-1251	321-1628

1등 조세회계 경제신문 조세일보

과	재산법인세과					조사과		납세자보호담당관	
과장	조일훈 400					마동운 640		서동선 210	
팀	재산1	재산2	재산3	법인1	법인2	정보관리	조사	납세자보호실	민원봉사실
팀장	허두영 481	임교진 501	류두형 521	김경숙 401	최윤기 421	박효서 641	엄선호 651	임선희 211	임성혁 221
국세조사관	송원기 482	유정희 502	이지원 522	이병진 402	전다영 422	이재진 691	손세종 654 구한석 657		
국세조사관	김미영 483 곽정수 484 이상윤(시) 신영민 485	황보람 503 선화영 504 이국성 505	박준규 523 차송근 524 홍지은 525	지용권 403 유혜리 404 한상영 405 안인기 406	김승범 423 한수정 424 김준이 425	조희진 692 이지연 642	송인우 655 박영규 658 차선주 652 천혜미 659	김수인 212 김정화 213	류진희(시) 이대희 222 이윤정(시)
국세조사관	김윤희 486 류예림 487	이준규 (시) 이현정 506 김석주	공영은 526 박상흠 527	이문희 407	서진 426		김수진 653 김정효 656	이진호 214	문하나(시) 이혜리(시) 이다운 224 이혜민 225 강준 226 김수진 227
국세조사관	선우영진 488	최재강 507		김채아 408	이재민 427	김수진 643			민규원 227
공무직									
FAX	321-1641			321-1626		321-1643		321-7210	

이천세무서

대표전화: 031-6440-200 / DID: 031-6440-OOO

서장: **백 승 권**
DID: 031-6440-201

주소	경기도 이천시 부악로 47 이천세무서 (중리동) (우) 17380 여주민원실: 경기도 여주시 세종로10 여주시청 별관5층 (우) 12619 양평민원실: 경기도 양평군 양평읍 군청앞길2(양평군청1층) (우) 12554			
코드번호	126	계좌번호	130378	사업자번호
관할구역	경기도 이천시, 여주시, 양평군		이메일	icheon@nts.go.kr

과	체납징세과			부가가치세과		소득세과		재산법인세과	
과장	박금배 240			김재호 280		이길형 520		원정재 400	
팀	운영지원	체납추적1	체납추적2	부가1	부가2	소득1	소득2	재산1	재산2
팀장	이광희 241	박일환 441	이성훈 461	이수은 281	서효우 301	김현승 521	권희숙 541	남윤현 481	윤명로 501
국세 조사관		김정식 442	이현균 462			이현주 522		김준오 482	김경숙 502 정회창 503
	김경현 242 이승수 243	박연우 443 조희정 444	이수덕 463 김은경 (사무) 262 최연욱 263	변한준 282 조은상 283 하영우 284	박원규 302 황계순 303 김상욱 304	박상우 523 오원정 524 조상희 525	안유진 542 김혜진 543	김용철 483 장인섭 484 양성봉 485 권오교 486	정종원 504 남유승 505
	박준원 (운전) 246	최경락 445	이경원 464	서수아 285 이철원 286	김충모 305 남현두 306 정현위 307	이수정(시) 526	최유연 544 김성현 545	김승래 (시) 김태은 487 김두리 488 채연식 489	
	정은해 244 김나예 245 김영삼 (방호) 597	김충배 446 장미진 447 강민정 448 송혜연 449	곽지수 465 강윤형 466 남효정 467 이상윤 468	전수연(시) 287 김누리 288 박지은 289 김현성 290	윤정임 308 허민주 309 박지우 310 임상희 311	김순옥(시) 527 허광녕 528	손봉균 546 김경민 547	성재경 490 이형진 491 권예림 492	
공무직	이민영 이서현 태혜숙 문묘연			이현숙					
FAX	634-2103			637-3920 638-0148		637-4037, 0144		638-8801	

과	재산법인세과		조사과		납세자보호담당관			
과장	원정재 400		이금동 640		이정원 210			
팀	법인1	법인2	정보관리	조사	납세자 보호실	민원봉사실	여주민원실	양평민원실
팀장	심미현 401	이영호 421	조종하 641	민규홍 651	전동철 211	이수빈 221		
국세 조사관		김원택 422		윤희상 654			심영일 883-8551 이은경 883-8551	심우택 773-2100 김종만 773-2100
국세 조사관	박수태 402	정원석 423	손석호 642 서홍석 643	이치웅 657 임장섭 652 노현주 658	배인희 212 김민정 213	강근영 222 홍순호 223 김안순(사무) 224		
국세 조사관	김용일 403 고운지 404	조경화 424	오소라 644	선승민 655 유가현 653 방민주 659 임경수 660 이송이 656		이석임 225		
국세 조사관	지창익 406 장혜지 405	유더미 425 김지영 426			남훈현 214	박소미 226		유민설 773-2100
공무직								
FAX	634-7377, 2115		637-4594		632-8343	638- 3878 633- 2100	883-8553	771-0524

평택세무서

대표전화: 031-6500-200 / DID: 031-6500-OOO

서장: **윤 영 일**
DID: 031-6500-201

가내초등학교
평택세무타워
평택세무서
하날근린공원
배다리도서관

주소	경기도 평택시 죽백6로 6 (죽백동 796) (우) 17862 안성민원실: 안성시 보개원삼로1(봉산동) (우) 17586				
코드번호	125	계좌번호	130381	사업자번호	125-83-00016
관할구역	경기도 평택시, 안성시			이메일	pyeongtaek@nts.go.kr

과	체납징세과			부가가치세과			재산세과		
과장	김수현 240			김기현 280			전정호 500		
팀	운영지원	체납추적1	체납추적2	부가1	부가2	부가3	재산1	재산2	재산3
팀장	윤희경 241	최송엽 441	김진오 461	황우오 281	황규석 301	구규완 321	양종렬 481	이수용 501	
국세 조사관		변종희 442 홍경 453	황용연 262		윤찬균 302	류종수 263 이충인 340	황지유 486		이호광 521 허병덕 522 신지선 523
	최복기 242	백남현 454 이상범 443 김기영 444 문성운 445 김서연 446	권철균 462 김수미 463 고진숙 262 도종호 465 조덕상 466 임유리 263	최용화 282 정경화 291 정세미(시) 김승원 283 진현정 284 김현기 285	이유미 303 한경란 304	홍윤선 322 김석준 323 이성현 324	유다연(시) 정수일 482 장지환 483 정준영 484	유환동 502 김유창 503 정승용 506 유홍근 504	
	이규선 243 서준 244 남덕희 (방호) 247 정승기 (운전) 246	김이준 449 김다은 447 박민욱 455 김단비 448	이정은 468 김현경 469 김성룡 470	서혜수 286	엄인영 309 박유천 305	강병극 328 손혜진 325 여지수 341	전형정 487 고진효 488	신동주 505	
	박규하 245	김은정 450 송지인 456 허준 451 정채연 452	최원익 471 윤선수 472 이민정 264 박기백 474	김태은 292 박찬호 287 김문형 288 박혜경 293 한서연 289 이하은 290	백진현 306 조병욱 310 임수민 307 김화비 308	육종학 327 채동준 329	유미선 485	배은지 507	장혜림 524 안수민 525 손경미 526
공무직	임순이 (전화) 680 윤지현 (비서) 202 이명숙 이계자 강순자								
FAX	658-1116	658-1107		652-8226			655-4786, 7103		

264

과	소득세과		법인세과		조사과		납세자보호담당관		안성지서
과장	박요철 360		최교학 400		장현기 640		이상우 210		이원남
팀	소득1	소득2	법인1	법인2	정보관리	조사	납세자보호실	민원봉사실	
팀장	임승원 361	이우섭 381	임병일 401	김병기 421	이명훈 641	정현표 652	김영욱 211	고한일 221	
국세조사관	안성호 369 연명희 362	최상미 382	송기원 264	정효중 422		민성원 653 박병관 654 노명환 655		김영주 222	
	김경민 363 강혜영(시)	김명대 389 최근형 383 나상진 384	전진철 402 김정우 409 강병수 403	김보영 423 강이슬 428 유준호 424 박혜영 425	최혁진 642 박보영 648	정인교 656 김숙희 657 김광현 662 박홍규 659 양성욱 658 송영진 660	배재학 212 고지현 213	강경래 223 김수진 224 윤창 230 정지숙 231	
	김근한 364 박병주 365 오병관 366	정예은 385 최민서 386 이초롱 387	진동욱 404 강상희 410 문창환 405 권미경 406	위성호 426 김연광 429 김소리 427 한상화 430	우원준 643 오경미 644 박일주 645 조해정 646	최현정 661 박관중 663 성유미 665 김경연 668	이한나 214	안병용 225 한근자 226 우세진 227	
	고윤형 367 강은혜 368 조아라 370 임아름 371	조학준 388 정완규 390	장세원 407 전혜영 408		이연주 647	이슬이 664 김지연 669 김정하 666 김혜경 667		김소연(시) 김태은 229 김준범 232	
공무직									
FAX	618-6234		656-7113		655-7112		655-0196	656-7111	

동화성세무서

대표전화: 031-9346-200 DID: 031-9346-OOO

서장 : **강 백 근**
DID: 031-9346-201

롯데백화점
동탄역
동탄역롯데캐슬아파트
동탄역시범더샵
센트럴시티1차아파트
🏢 동화성세무서

주소	경기도 화성시 동탄오산로 86-3(MK 타워 3,4,9,10,11층) (우) 18478 오산 지역민원실: 경기도 오산시 성호대로 141 (031-374-4231)				
코드번호	151	계좌번호	027684	사업자번호	
관할구역	경기도 오산시, 화성시 중 정남면·진안동·능동·기산동·반정동·병점동·반월동·배양동·기안동·황계 동·송산동·안녕동·반송동·석우동·청계동·영천동·중동·오산동·방교동· 금곡동·송동·산척동·목동·신동·장지동			이메일	

과	체납징세과			부가가치세과		소득세과	
과장	윤광섭 240			연규천 280		강신걸 360	
팀	운영지원	체납추적1	체납추적2	부가1	부가2	소득1	소득2
팀장	송은영 241	박시후 441	이만식 461	김동열 281	연제열 301	박창용 361	엄태영 381
국세조사관			김신애 462	변성용 295		강문성 362	김숙경 382
	조미영 242 장경희 243	전경선 442 정태형 443 이도영 444 이남경 445 이수지 446	이영아 261 김소영 262 이경희 463 조주현 464 구자헌 465 김성미 466	나기석 282 김선애 283 신미애(시) 김민규 284 최현숙 285 최은희 286 최정연 287 장혜주(사무) 294	박서연 315 김광식 302 김도경 303 한경화 304 한희수 305	조희정 363 성지은 364 차영석 365 윤일주 366 김상민 367	박혜진 383 윤주휘 384 김도헌 385 박주연 386
	장영진 245 권지용 244 천진호(운전) 246	윤현경 447	김미란 467 송혜인 263	최윤성 288 노수지 289 류승혜 290 김지혜 291	정혜정 306 송기순 307 차지숙(시) 안의진(시) 신예술 309	이수연(시) 김가연 368	임승용(시) 이란희 387
	노성태(방호) 247	박정욱 448 김규원 449	강현규 468	김대연 292 최세진 293	김채린 310 박세연 311	정지윤 369 탁봉진 370	송상율 388
공무직	한솔(비서) 202 고서영(미화) 송미숙(미화)						
FAX	934-6249	934-6269		934-6299		934-6379	

과	재산법인세과			조사과		납세자보호담당관	
과장	함명자 400			최동락 640		박정훈 210	
팀	재산1	재산2	법인	정보관리	조사	납세자보호실	민원봉사실
팀장	주충용 481	소기형 491	김종학 401	강수미 641	김수현 651	이용희 211	강윤숙 221
국세조사관	주기영 482	이재택 492	김백규 402 김진희 403		유득렬 654 이정 657 김재현 660	이종우 212	김성호 고경아(시)
	이철우(시) 심수경 483 김주원 484 이훈희 485 신문정 486	권대웅 494 정성은 493	이정언 404 우성식 405 박훈미 406 김수연 407	남경희 642 이범수 643	김인숙 652 권익성 658 전선희 661	정미애 213 이동엽 214	김정희(시) 박연미 229 위장훈(시) 김선(시) 강지은 223
	김민정(시) 박은미 487 민재영 488		조현정 408 김보경 409 박은희 410 이현익 411	장윤정 644	최영준 653 임인혁 662 장은심 655		이은수 230 박지혜 222
	장호욱 489 정해리 490 이경규 496	곽한울 495	박지성 412 곽세욱 413 김다솔 414 백소희 415		이승배 656 안수현 659		박미나 224 이유정 228
공무직							
FAX	934-6479		934-6419	934-6649	934-6699	934-6219	934-6239

화성세무서

대표전화: 031-80191-200 DID: 031-80191-OOO

서장 : **홍 성 표**
DID: 031-80191-201

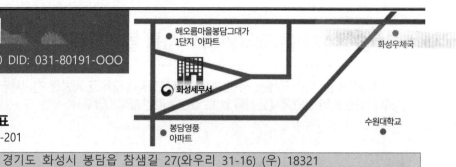

해오름마을봉담그대가
1단지 아파트

화성우체국

화성세무서

봉담영풍
아파트

수원대학교

주소	경기도 화성시 봉담읍 참샘길 27(와우리 31-16) (우) 18321 남양민원실(031-369-6527) 화성시 남양읍 시청로 159 (화성시청 1층 세정과 내)						
코드번호	143		계좌번호	018351	사업자번호	
관할구역	경기도 화성시 4개 읍, 8개 면과 새솔동 * 제외지역 : 정남면, 진안동, 능동, 기산동, 반정동, 병점1,2동, 반월동, 배양동, 기안동, 황계동, 송산동, 안녕동, 동탄1,2,3,4,5,6,7,8동(반송동, 석우동, 능동, 청계동, 영천동, 중동, 오산동, 방교동, 금곡동, 송동, 산척동, 목동, 신동, 장지동)				이메일	hwaseong@nts.go.kr

과	체납징세과				부가소득세과		
과장	정명순 240				최혜진 280		
팀	운영지원	체납추적1	체납추적2	체납추적3	부가1	부가2	소득
팀장	한상윤 241	이영주 441	정규남 451	박남숙 461	이영환 281	김용진 291	구응서 301
국세 조사관			전은영(시) 459		임관수 282 원은미(시)	송주희(시)	
	박득란(전화) 258 김은령 242	송우경 442 홍보희 443 박은정 444 임건아 445	인경훈 452 문혁(시) 460 김보경 453 한영임 454 이수민 455	최재광 462 최정심 463 김주란(사무) 468 곽은선 469	권선화 283 이은경 284 한윤희 285 왕윤세 286	김정은 292 김현준 293 황유진 294 서유식 295	김소영 302 민덕기 303 김건호 304 김수현 305
	조강우 245 정광현(운전) 248 장해성 244	최인경(시) 449 이대훈 446 박지선 447	이재훈 456	김지영 464 공신혜 465 오현주 470	서기영 287 이혜인 288	임성연 296 진향미 297	심예진 306 정하나 307
	이정은 243 안정원(방호) 249	조한우 448	강민재 457 최은선 458	김은서 466 진준 467	윤소미 289 정아름 290	김리하 298 석진호 299	이원자(시) 312 신승훈 308 강휘 309 임혜연 310 조은옥 311
공무직	양승희(비서) 205						
FAX	8019-8211				8019-8257		8019-8202

과	재산세과		법인세과		조사과		납세자보호담당관	
과장	김정래 480		김종운 400		남수진 640		이지숙 210	
팀	재산1	재산2	법인1	법인2	정보관리	조사	납세자보호실	민원봉사실
팀장	박제상 481	임영교 501	이헌식 401	신호균 421	이창훈 641	한은우 651	김영민 211	박순철 221
국세 조사관	김영근 482 김현미 483					양금영 654 김근민 657 이은주 660 김강록		한기석
	김의동(시) 소미현 484	이재인 502 김한선 503 박지현 504	김인철 402 양서용 403 성광민 404 윤지혜 405	김상현 422 박정현(시) 430 유지호 423 원희정 424	김태형 682 정재훈 683 이순아 642	조한정 661 오나현 658 유현정 652 김수연 655	이해자 212 전운 213 유현상 214	장주아(시) 227
	문희제 485 박지연(시)	오혜미 505	정경민 406 홍지민 407 김수지 408 진솔 409	박경진 425 최명 426	김주옥 643 신아름 644	함태희 656 최영진 662		박윤배 222 방은미 223 소연경(시) 227 강지현 224
	박선화 486 조은비 487		신혜정 410	김형민 427 조은희 428 임재빈 429		김보연 659 최지은 653		하상돈 225 김유진 226
공무직								
FAX	8019-1758		8019-8227	8019-8270	8019-8251		8019-8245	8019-8231

강릉세무서

대표전화: 033-6109-200 / DID: 033-6109-OOO

동부지방
산림청

강릉세무서

강릉
올림픽파크

강릉종합
운동장

서장: **우 병 철**
DID: 033-6109-201

주소	강원도 강릉시 수리골길 65 (교동) (우) 25473				
코드번호	226	계좌번호	150154	사업자번호	
관할구역	강원도 강릉시, 평창군 중 대관령면, 진부면, 용평면, 정선군 중 임계면			이메일	gangneung@nts.go.kr

과	체납징세과		부가소득세과		
과장	허진 240		손병중 280		
팀	운영지원	체납추적	부가1	부가2	소득
팀장	권혁찬 241	김억주 441	홍학봉 281	김진희 301	안용 361
국세 조사관		박을기 261 서의성 442 김옥선 262	박상태 282	김범채 302	탄정기 362 양태용 363 전대진 364
	최정원(사무) 244 이덕종 242 홍영준(운전) 245	주승철 443	김재용 283 박상언 284 김현정 285	최승철 303 서지상 304	
	강태규(방호) 246				윤혜원 365
	김진화 243	한성호 444 류승화 445 최슬기 446	이현선 286 이유진 287	신원식 305 조현희 306 안윤혜 307	김우주 366 강하라 367
공무직	최유성 666 김현정 202 박희숙 247 박성자 조미선				
FAX	641-4186	641-4185	646-8914		

1등 조세회계 경제신문 조세일보

과	재산법인세과		조사과		납세자보호담당관	
과장	신상희 400		권혁용 650		신규승 210	
팀	재산	법인	정보관리	조사	납세자보호실	민원봉사실
팀장	정창수 481	안상영 401	김정희 661	지영환 651	양준모 211	조영경 221
국세 조사관	홍승영 482 이학승 483	신영승 402 주선규 403		이상영 652 최청림 653		강근효(시) 222
	윤하정 484	정홍선 404 이현숙 405	김광식 662	안승현 654 김지민 655	박용범 212	김효정 223
						이서진(시) 224
	양가은 485 박원준 486	김희재 663	김희재 663	유미선 656		홍요셉 225 김혜진 226 권오광 227
공무직						
FAX	648-2181		646-8915		641-2100	648-2080

삼척세무서

대표전화: 033-5700-200 / DID: 033-5700-OOO

서장: **남 궁 서 정**
DID: 033-5700-201

교동
청솔아파트

신동아아파트

삼척세무서

삼척시
평생학습관

강부
아파트

주소	강원도 삼척시 교동로 148 (우) 25924 태백지서: 태백시 황지로 64 (우) 26021 동해민원봉사실: 강원 동해시 천곡로 100-1 (천곡동) (우) 25769				
코드번호	222	계좌번호	150167	사업자번호	142-83-00011
관할구역	강원도 삼척시, 동해시, 태백시			이메일	samcheok@nts.go.kr

과	체납징세과			세원관리과		
과장	정국교 240			김훈 280		
팀	운영지원	체납추적	조사	부가	소득	재산법인
팀장	김태훈 241	정성주 441	홍석의 651	김용철 281	신명진 361	우창수 401
국세 조사관			김광식 652	정경진 282	함영록 362	김지현 402 최성도 481
국세 조사관	조상미 242 전수만(운전) 247	이성희 442 조현숙 443 이신정 444 이보라 445	김원명 653 함인한 654 김연화 655	김현성 283 김연지 284	유경진 363 김민선 366	김영숙 403 김태민 482
국세 조사관	임진묵 244 안태길(방호) 246					차지훈 483
국세 조사관	김소윤 243	김동석 446 류재성 447	이지은 656	남연경 285 오규원 286	우수희 364 염수진 365	최성현 404
공무직	이정옥(비서) 203 김필선 626 최유선 242					
FAX	574-5788	570-0668	570-0640	570-0408		

과	납세자보호담당관		태백지서(033-5505-200)		
과장	조예현 210		신민호 201		
팀	납세자보호실	민원봉사실	납세자보호	부가소득	재산법인
팀장		조해원 221	김태경 221	임무일 281	임무일 401
국세 조사관	육강일 211	박미정 222 장호윤(동해) 535-2100		형비오 283 조윤방 282	김진만 482 김시윤 481
		정나영(동해) 홍석민(동해) 532-2100	김유영(방호) 242		
		이예지 223	최정인 222	이지영 284 김승주 286 안해준 285	
공무직			조영미 364		
FAX	574-6583		552-9808	553-5140	552-2501

속초세무서

대표전화: 033-6399-200 / DID: 033-6399-OOO

서장: **구 본 수**
DID: 033-6399-201

속초청초 아파트
노학동 행정복지센터
속초시 생활체육관
속초세관
속초시보건소
속초세무서
속초세관

주소	강원도 속초시 수복로 28 (교동) (우) 24855				
코드번호	227	계좌번호	150170	사업자번호	
관할구역	강원도 속초시, 고성군, 양양군			이메일	sokcho@nts.go.kr

과	체납징세과		
과장	신승수 240		
팀	운영지원	체납추적	조사
팀장	조해윤 241	최돈섭 441	박래용 651
국세 조사관		윤대호 442	최락진 652
	서동원 242 김민정(사무) 244 김성수(운전) 245		박동완 653 정하나 654
		김경록 443 김성민 444	
	김소연 243 신종수(방호) 246	정문승 445 김정은 447	이소라 655
공무직	김수미 203 백귀숙		
FAX	633-9510		631-7920

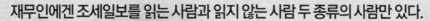

재무인과 함께 걸어가겠습니다 '조세일보'

재무인에겐 조세일보를 읽는 사람과 읽지 않는 사람 두 종류의 사람만 있다.

과	세원관리과				납세자보호담당관	
과장	황태훈 280				이철형 210	
팀	부가	소득	재산	법인	납세자보호실	민원봉사실
팀장	김재형 281	김진관 361	정의성 481	최덕선 401		
국세조사관	박동균 282		김한기 482	김동윤 402		
	황재만 허덕재 283	이금연 362 시현민 363	함귀옥 483 박정수 484	권택만 403	박혜진 212	신진섭 222 임미숙(사무) 223
	김훈민 284	박일찬 364				조민경 224
	이경현 285 이현승 286 박찬웅 287 김태연 288 조무건 289	김성경 365	한수현 485	남유현 404		
공무직						
FAX	632-9523		631-9243		639-9670	632-9519

영월세무서

대표전화: 033-3700-200 / DID: 033-3700-OOO

서장: **임 상 훈**
DID: 033-3700-201

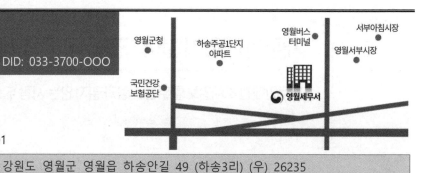

주소	강원도 영월군 영월읍 하송안길 49 (하송3리) (우) 26235				
코드번호	225	계좌번호	150183	사업자번호	
관할구역	강원도 영월군, 정선군(임계면 제외), 평창군(대관령면,진부면,봉평면, 대화면, 방림면 및 용평면제외)			이메일	yeongwol@nts.go.kr

과	체납징세과		
과장	김승욱 240		
팀	운영지원	체납추적	조사
팀장	박태진 241	김화완 441	김석일 651
국세 조사관		심수현 442	배원준 652
	김석채 242 이순정(사무) 243 엄은주(사무) 246 지경덕(운전) 245	이영미(사무) 445	박순천 653
	정의남(방호) 244	김두영 443	
		박석현 444	이은지 654
공무직	신미정(비서) 203 우청자		
FAX	373-1315		374-4943

과	세원관리과			납세자보호담당관	
과장	정현중 280			남중화 210	
팀	부가소득	재산법인		납세자보호실	민원봉사실
		재산	법인		
팀장	김영달 281	최중진 401			
국세 조사관	백윤용 282	진재화 481	엄봉준 402	박애리 211	
	이종훈 283		장석만 403		김범수(사북) 정재근(시) 221 정희정(사무) 222
			최우석 404		김종필(시) 221
	최규선 284 이민주 285 김예은 286 우진원 287 임영선 288	강유정 482 남기홍 483	박나혜 405		서은영 223
공무직					
FAX	373-1316	373-2100			374-2100

원주세무서

대표전화: 033-7409-200 / DID: 033-7409-OOO

서장: **이 세 환**
DID: 033-7409-201

북원여자
고등학교

원주세무서

학성근린공원

치악중학교

단계동
행정복지센터

주소	강원도 원주시 북원로 (단계동) 2325 (우) 26411				
코드번호	224	계좌번호	100269	사업자번호	
관할구역	강원도 원주시, 횡성군, 평창군 중 봉평면, 대화면, 방림면			이메일	wonju@nts.go.kr

과	체납징세과			부가소득세과		
과장	유승환 240			김선재 280		
팀	운영지원	체납추적1	체납추적2	부가1	부가2	소득
팀장	이경자 241	심우홍 441	전소현 461	김경숙 281	한종훈 361	강동훈 621
국세 조사관		김경란 442	정호근 462	장경일 282	김성훈 362 김지원 363	이연호 622
	이지혜 242 김병구(열관리) 245 김세호(운전) 246	정의숙 443	임채문 463 한혜영 464	이건일 283 이영균 284 백애숙 285	이우영 364	원진희 623 임창현 624 박희창 625 안진경 626 최현수 627
	진보람 243 홍성대(방호) 613	강태진 444 조현우 445		박승훈 286	신우용 365 김도헌 366	이송희 628
	김형준 244	서예원 446 안광혁 447 김준혁 448	최수현 465 김햇살 466 지호원 467	어이슬 287 백미연 288 인소영 289	장유진 367 박인희 368 조채연 369 김민정 370	김천섭 629 장재희 630 정승하 631 임경수 632
공무직	권태희 박란희 최돈순 장현옥 박봉순					
FAX	746-4791			745-8336, 740-9635		

과	재산법인세과		조사과		납세자보호담당관	
과장	이춘호 480		서용석 650		조영록 210	
팀	재산	법인	정보관리	조사	납세자보호실	민원봉사실
팀장	강기영 481	노경민 401	김태범 691	홍기남 651	원진희 211	진종범 221
국세 조사관	장광식 482 김형수 483	김정희 402 곽호현 403	김경진 692	김태진 654 이준 657 김병주 655	김수진 212	황보승 222 박선미(시) 229 이정희(사무) 227
	조준기 484 박형주 485 최혁 486 권상원 487 김상빈 488	이진영 404		손선수 652	송희정 213	김은희 223 김정민 225 문주희 224 박현주(시) 226 박미옥(사무) 228
		윤한철 405 최한솔 406	송현주 693	김달님 658 추근우 660		김민주 230
	이걸 489 허정미 490 김유현 491 이창민 492	전인지 407 신원정 408 최진경 409		우문연 653 정회정 656	정상헌 214	
공무직						
FAX	740-9420	740-9204	743-2630		740-9659	740-9425

춘천세무서

대표전화: 033-2500-200 / DID: 033-2500-OOO

서장: **김 태 수**
DID: 033-2500-201

주소	강원도 춘천시 중앙로 115 (중앙로3가) (우)24358 화천민원실: 강원도 화천군 화천읍 중앙로 5길 5 (우) 24124 양구민원실: 강원도 양구군 양구읍 관공서로 14 (우) 24523				
코드번호	221	**계좌번호**	100272	**사업자번호**	142-83-00011
관할구역	강원도 춘천시, 화천군, 양구군			**이메일**	chuncheon@nts.go.kr

과	체납징세과		부가소득세과		
과장	박종경 240		최경화 280		
팀	운영지원	체납추적	부가1	부가2	소득
팀장	이순옥 241	심영창 441	김재영 281	안종은 301	박승주 361
국세 조사관		조성구 442	진봉균 282 유미영 283	박상선 302 강영화 303	김진수 362
	김진영 242 김미경(사무) 244	최호영 443 최완규 444	홍기범 284	신정미 304	노정민 363 강양우 364
	민영규(운전) 245 강정민 243 이찬송 247	최연우 445 박제린 450 부나리 446	이형석 285 김신희 286	유현정 305	김기완 365 배설희 366 정병호 367
	권재서(방호)246	이후돈 447 이현정 451 김주상 448 박재현 449	이진주 287 임빛나 288	임청하 306 권승소 307	조계호 368 최영우 369 김주영 370
공무직	백진주 202 오점순 이명숙				
FAX	252-3589		257-4886		

과	재산법인세과		조사과		납세자보호담당관	
과장	안응석 400		윤동규 640		임희운 210	
팀	재산	법인	정보관리	조사	납세자보호실	민원봉사실
팀장	신재화 481	홍후진 401	김두수 651		남정림 211	유동열 221
국세 조사관		남호규 402		최형지 652 방용익 653 이범주 654		박은희(양구) 지성근(화천) 윤상락(시) 222
	박기태 482 장현진 483 이남호 484	박연수 403 이형근 404	박경미 656 김아영 692	이은규 655	박찬영 212	정선애(시) 223 김산 224
	이종민 489 최자연 485 임정환 486	김민비 405 정슬기 406		정재용 657		
	김보람 487 정수길 488	곽보경 407		조소영 658	김하은 213	양기태 225 권창현 226
공무직						
FAX	244-7947		254-2487		252-3793	252-2103

홍천세무서

대표전화: 033-4301-200 / DID: 033-4301-OOO

서장: **박 옥 임**
DID: 033-4301-201

주소	강원도 홍천군 홍천읍 생명과학관길 50 (연봉리) (우) 25142 인제민원실: 강원도 인제군 인제읍 비봉로 43 (인제종합터미널 내) (우) 24635			
코드번호	223	계좌번호	100285	사업자번호
관할구역	강원도 홍천군, 인제군		이메일	hongcheon@nts.go.kr

과	체납징세과		
과장	홍석원 240		
팀	운영지원	체납추적	조사
팀장	유광선 241	황일섭 441	김진성 651
국세 조사관			
	홍재옥 242		강명호 652 강성우 653
	임재영(방호) 244 이종호(운전) 245		
	한재민 243	이종석 442 김경식 444 이예연 443	
공무직	허미경(비서) 202 허옥란(미화)		
FAX	433-1889		

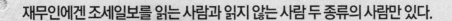

재무인과 함께 걸어가겠습니다 '조세일보'

재무인에겐 조세일보를 읽는 사람과 읽지 않는 사람 두 종류의 사람만 있다.

과	세원관리과				납세자보호담당관	
과장	양희석 280				김재준 210	
팀	부가소득		재산법인		납세자보호실	민원봉사실
	부가	소득	재산	법인		
팀장	김남주 281		심종기 401		유인호 211	
국세 조사관	이성삼 282	이정균 302	장민재 482	이창호 402		최병용 221 이하나 222
	김태경(시) 283 유원숙 284		정재영 483			이병규(인제) 461-2105
				유봉석 403		
	노강래 285	정민수 303 육지원 304	안양순 484 이유안 485	강수현 404		정재윤 223
공무직						
FAX	434-7622				435-0223	

인천지방국세청
관할세무서

■ 인천지방국세청	285
지방국세청 국·과	286
남 동 세무서	294
서 인 천 세무서	296
인 천 세무서	298
계 양 세무서	300
고 양 세무서	302
광 명 세무서	304
김 포 세무서	306
동 고 양 세무서	308
남 부 천 세무서	310
부 천 세무서	312
부 평 세무서	314
연 수 세무서	316
의 정 부 세무서	318
파 주 세무서	320
포 천 세무서[동두천지서]	322

인천지방국세청

주소	인천광역시 남동구 남동대로 763 (구월동) (우) 21556
대표전화 & 팩스	032-718-6200 / 032-718-6021
코드번호	800
계좌번호	027054
사업자등록번호	1318305001
e-mail	incheonrto@nts.go.kr

청장   민주원

(D) 032-718-6201

비 서   최유미   (D) 032-718-6202

성실납세지원국장	공석룡	(D) 032-718-6400
징세송무국장	박국진	(D) 032-718-6500
조사1국장	박병환	(D) 032-718-6600
조사2국장	정연주	(D) 032-718-6800

인천지방국세청

대표전화: 032-7186-200 / DID: 032-718-OOOO

청장: **민 주 원**
DID: 032-7186-201

주소	인천광역시 남동구 남동대로 763 (구월동) (우) 21556				
코드번호	800	계좌번호	027054	사업자번호	1318305001
관할구역	인천권(인천, 김포, 부천, 광명), 경기 북부권(의정부, 양주, 포천, 동두천, 연천, 철원, 고양, 파주)(관내 세무서 : 인천,북인천,서인천,남인천,연수,김포,부천,남부천,의정부,포천,고양,동고양,파주,광명)		이메일	incheonrto@nts.go.kr	

과	운영지원과				감사관	
과장	민종인 6240				윤재원 6310	
팀	인사	행정	경리	현장소통	감사	감찰
팀장	이동훈 6242	박성호 6252	배성심 6262	이승환 6272	박인수 6312	조성덕 6322
국세조사관	송충호 6243	공원재 6253 김선화(기록) 6254	신희명 6263	방성자 6273	김민수 6313 최병재 6314 신거련 6315	김한진 6323 정종천 6324 이한택 6325
국세조사관	김기훈 6244 최수지 6245 이승우 6246 이태곤 6247	한재영 6255 조혜민(시설) 6256 진승철 6257 김한나 6258	조혜진 6264 이준형 6265	임석호 6274 강석훈 6275	오경택 6316 공민지 6317 이영수 6318 서경석 6319	남기인 6326 심주용 6327 배효정 6328 정선영 6329 이동락 6330
국세조사관	천현창 6248 박주희 6249	최윤주 6259 홍성준 6260 이영도(방호) 6281	이미애 6266 김지엽 6267 김한범 6268	차지연 6276 문찬웅 6277		김명규 6331
국세조사관		구대현(운전) 6467 강태헌(방호) 6282 양승훈(운전) 6286 김준수(운전) 6287				
공무직		최유미 6202 김청희 6241 여옥희 6284 이정희 6285				
FAX	718-6022	718-6021	718-6023	718-6024	718-6025	718-6026

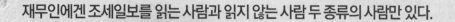

재무인과 함께 걸어가겠습니다 '조세일보'

재무인에겐 조세일보를 읽는 사람과 읽지 않는 사람 두 종류의 사람만 있다.

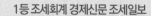

1등 조세회계 경제신문 조세일보

국		성실납세지원국								
국장		공석룡 6400								
과	납세자보호담당관			부가가치세과			소득재산세과			
과장	박임선 6350			전주석 6401			김동형 6431			
팀	보호	심사	공항납세지원	부가1	부가2	소비세	소득	재산	소득지원	소득자료관리
팀장	이진아 6352	고선혜 6362		이기병 6402	김화정 6412	김은정 6422	송인규 6432	임덕수 6452	안성경 6462	오수미 6392
국세조사관	권성미 6353	임재석 6363					김종훈 6433		조진동 6463	
	이상수 6354 이연수 6355	고배영 6364 윤애림 6365 최지민 6366		강소라 6403 오미정 6404	선봉래 6413 백찬주 6414 박지선 6415	이영옥 6423 전승현 6424	정성은 6434 변성경 6435	주승윤 6453 조지현 6455 김희진 6456 김경미 6457	이현준 6464	정현정 6393
	송재성 6356 전예은 6357 박진아 6358	서창덕 6367 곽승훈 6368	정선재 6163 강소라 6164	박예람 6405 정지훈 6406	윤주영 6416 이예슬 6417	한상재 6425 강혜진 6426	배윤정 6436 김민조 6437	이현민 6458	남은영 6465	
공무직				이영실 6499						
FAX	718-6027	718-6028		718-6029			718-6030			

국세관련 모든 상담은 국번없이 126
전국 어디서나 편리하게 상담받으세요.
평일 9시~18시 (탈세제보는 24시간)

DID : 032-718-OOOO

국	성실납세지원국							
국장	공석룡 6400							
과	법인세과				전산관리팀			
과장	이규열 6471				성승용 6101			
팀	1	2	3	4	관리1	관리2	정보화1	정보화2
팀장	김영노 6472	문현 6482	김영수 6488	송숭 6493	안형수(전) 6102	김용우(전) 6112	김경민(전) 6121	
국세 조사관					조광진(전) 6103	최광민 6113	이미경(사무) 6127	김선영 6135
	김정이 6473 전유영 6474 홍준경 6475	류수현 6483 송동규 6484 김혜윤 6485	박지암 6489 한지연 6490	남도경 6494	조은정(전) 6104		이지숙 6122 김은주 6136 서지희 6123 <사무> 정미경 6138 한연주 6128 김복임 6129 김진희 6130	김지수 6142 <사무> 조정자 6147 최명순 6148 김정희 6137 권정숙 6149
	백장미 6476 가준섭 6477 신치원 6478	배경은 6486	이다영 6491	현민웅 6495 김선영 6496	남은빈 6105 박혜선 6106	정보길 6114	김관우 6124 김은향 6125 섭지수 6126	정미영 6143 김영아 6144 조연화 6145 김송정 6146
공무직								
FAX	718-6031				718-6032			

288

1등 조세회계 경제신문 조세일보

국실	징세송무국							
국장	박국진 6500							
과	징세과		송무과				체납추적과	
과장	이호 6501		주승연 6541				이선우 6571	
팀	징세	체납관리	총괄	법인	개인	상증	체납추적관리	체납추적
팀장	이기련 6502	김관홍 6512	성종만 6542	이창현 6546	정선아 6550	이정희 6558	조현관 6572	김광천 6582
국세조사관	방윤희 6503		김진우 6543	이강연 6547 이아미(임) 6548	고재민(임) 6551 임형우 6552	이승은(임) 6559	선창규 6573	
	김향주 6504 엄연희 6505	유현수 6513 현보람 6514 김복래 6515	문성희 6544	김명준 6549	홍성걸 6554 황진영 6555 김재윤 6556	김동열 6560 양홍철 6561	하두영 6574 채미옥 6575 이준희 6576	이상민 6583 가성원 6584 서유진 6585 배은상 6586
	김영진 6506 김동우 6507	하태완 6516	조다인 6545		하수정 6557		양현식 6577 주소미 6578 김혜성 6579	노상우 6587 이혜선 6588 정민혜 6589 박지은 6590
공무직	함미란 6599							
FAX	718-6033		718-6034				718-6035	

국세관련 모든 상담은 국번없이 126
전국 어디서나 편리하게 상담받으세요.
평일 9시~18시 (탈세제보는 24시간)

DID : 032-718-OOOO

국실	조사1국								
국장	박병환 6600								
과	조사관리과					조사1과			
과장	김홍식 6601					이율배 6651			
팀	1	2	3	4	5	1	2	3	4
팀장	강세정 6602	김정대 6612	유대현 6622	양숙진 6632	김병규 6642	이용재 6652	배성수 6662	조홍기 6672	이영진 6682
국세 조사관	김효진 6603	강민수(임) 6613	한창규 6623	박수진 6633		고은희 6653			
	조영진 6604 김재석 6605 김명진 6606	신기주 6614 이정문 6615	박종석 6624 김가람 6625 남은정 6626	김진우 6634 이슬비 6635 박미래 6636	정홍주 6643 이광환 6644 장선영 6645 이승찬 6646	고정주 6654 김건영 6655 전현정 6656	이경석 6663 조원석 6664 김명경 6665	고영주 6673 김민희 6674 우은혜 6675	전준호 6683 김혜연 6684 전영무 6685
	김도협 6607	김유진 6616 최유성 6617	이진우 6627 서문영 6628	이윤애 6637 정지연 6638 이주환 6639	송채영 6647	주보영 6657	강현주 6666	홍세희 6676 정효성 6677	한혜진 6686
공무직	유영미 6799								
FAX	718-6036					718-6037			

국실	조사1국						조사2국			
국장	박병환 6600						정연주 6800			
과	조사2과			조사3과			조사관리과			
과장	우철윤 6701			조민호 6741			오태진 6801			
팀	1	2	3	1	2	3	1	2	3	4
팀장	서명국 6702	최현 6712	박태훈 6722	정현대 6742	김생분 6752	배동희 6762	이기수 6802	박형민 6812	배인수 6822	공용성 6832
국세 조사관	김동현 6703							김태원 6813		김경숙 6833
	김치호 6704 김보나 6705 윤은 6706	임세혁 6713 김수정 6714 우진하 6717	김승희 6723 권병묵 6724 박선미 6725	이규의 6743 김봉완 6744 박일호 6745	박좌준 6753 박정은 6754 이태한 6755	조윤경 6763 임은식 6764 전창선 6765	김재철 6803 남현철 6804	유성훈 6814 박일수 6815	권기완 6823 남일현 6825	성재영 6835 박인재 6834 강성민 6837 최파란 6836
	전홍근 6707	박미소 6715 구표수 6716	정기선 6726	배성혜 6746 여의주 6747	이창학 6756 황정하 6757	한수지 6766	조재희 6805 최연주 6806 김지애 6807	박상아 6816	김이섭 6824 오경선 6827	윤지현 6839 진혜진 6838
공무직							허유나 6999			
FAX	718-6038			718-6039			718-6040			

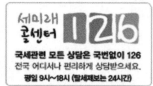

국세관련 모든 상담은 국번없이 126
전국 어디서나 편리하게 상담받으세요.
평일 9시~18시 (탈세제보는 24시간)

DID : 032-718-OOOO

국실	조사2국									
국장	정연주 6800									
과	조사1과					조사2과				
과장	김민 6851					김월웅 6901				
팀	1	2	3	4	5	1	2	3	4	5
팀장	윤경주 6852	박상영 6862	허준용 6872	정해인 6882	김상윤 6892	정은정 6902	이윤우 6912	박근엽 6922	김병찬 6932	허재영 6942
국세조사관			김경진 6873							
	조현국 6853 이규호 6854	이진선 6863 장선정 6864	엄일해 6874	차세원 6883	곽재형 6893	백선애 6903 김성록 6904	김재중 6913 용진숙 6914	신창영 6923 민소윤 6924	이미영 6933 김동현 6934	김상진 6943 박미진 6944
	박영호 6855 최보라 6856	제병민 6865	윤유라 6875	김제헌 6884 이신숙 6885	하현정 6894 안은정 6895	이은진 6905 한완상 6906	최민경 6915 심한보 6916	김다은 6925	송지원 6935	홍영조 6945
공무직										
FAX	718-6041					718-6042				

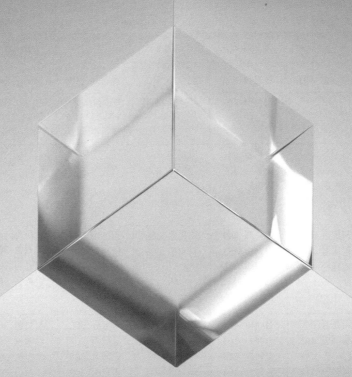

남동세무서

대표전화: 032-4605-200 / DID: 032-4605-OOO

서장: **정 상 진**
DID: 032-4605-201

주소	인천광역시 남동구 인하로 548(구월동 1447-1) (우) 21582				
코드번호	131	계좌번호	110424	사업자번호	131-83-00011
관할구역	인천시 남동구			이메일	namincheon@nts.go.kr

과	체납징세과			부가가치세과		소득세과	
과장	길수정 240			정철 280		김승임 360	
팀	운영지원	체납추적1	체납추적2	부가1	부가2	소득1	소득2
팀장	김준호 241	김명선 441	한원찬 461	신승수 281	유경원 301	고민수 361	최진선 381
국세 조사관			김순석 463	강정원(시간) 297	한송희(시간) 297 나찬주 302		김용철(시간) 298
	박광욱 243 김현경 242	김재원 442	전지연 262 신유나 462 박미영 263	박우영 283 정다은 282	경지민 김혜진 303	김정동 362	조세원 382 장예원 383
		차일현 443 김미정 445 기영준 444	심홍채 469 김기송 465 김태희 466	최은영 288 김지은 285	김선아 304 남관덕 305	김아름 363 박기현 364 최윤정 365 박효은 366	이은정 384 최지웅 385 이문형 386
	서경덕 245 장은경 244 서현석(운전) 246 김하늘(방호) 247	이동석 446 김혜빈 447 안수민 448 김현민 311	김태희 467 김혜린 264 김영훈 468 윤여진 464	조경화(시간) 286 채혜미 292 김건형 289 김원욱 287 이소정 290 김병주 284	최승규 306 황태희 307 김혜정 308 김연서 309	서석현 367 남예원 368 우민석 369	황경서 389 엄경화 388
공무직	장정순 202 이미영 370 김귀희 정화자						
FAX	463-5778			461-0658		461-0657, 3291, 3743	

과	재산법인세과				조사과		납세자보호담당관	
과장	이현범 400				윤성태 640		이오혁 210	
팀	재산1	재산2	법인1	법인2	정보관리	조사	납세자보호실	민원봉사실
팀장	정병호 481		김창호 401	박성찬 411	정동욱 641	이진호 657	권오영 211	최호상 221
국세조사관		김용석 522 김영미 523	김창현 402			반정원 656 최창현 652 박창수 653		김미선 229
국세조사관	박채원 482 신채영 483 정진주 484	노재훈 524	이동광 403 김보람 404	권은경 412 김우환 413 유예진 414	조현준 642 이규종 691	이선행 658 민종권 655 장은용 663 여현정 654	홍지아 212 박태완 216	이아영 228 이승호 226
국세조사관	진영근 485	남윤현 525	조윤영 405	고유경 415 강현창 416		박민희 668 이다혜 664		이지안 225 윤수인(시간) 231 이명훈 224
국세조사관	최윤석 486 박모우 487		정도연 406 김호찬 407 김태린 408	고설민 417	전예진 643	이현선 659 이준호 665	김다형 218	조현종 223 권효정 227 김소연 222
공무직	박은주 490							
FAX	464-3944, 461-6877				462-4232, 471-2101		463-7177, 461-2613	

서인천세무서

대표전화: 032-5605-200 / DID: 032-5605-OOO

서장: **양 경 렬**
DID: 032-5605-201

주소	인천광역시 서구 청라사파이어로 192 (우) 22758				
코드번호	137	계좌번호	111025	사업자번호	137-83-00019
관할구역	인천광역시 서구			이메일	seoincheon@nts.go.kr

과	체납징세과			부가가치세과			소득세과	
과장	이철우 240			이경모 280			정형주 620	
팀	운영지원	체납추적1	체납추적2	부가1	부가2	부가3	소득1	소득2
팀장	황경숙 241	김성연 441	박용호 461	김정원 281	박한중 301	조미현 321	심형섭 361	손의철 621
국세 조사관				김슬기 282				김호 622
	이상희(사무) 244 홍예령 243 김민형 242	이동열(시간) 442 박찬우 442 조초희 443	이혜영 462 송나영 261 송주형 463	윤난영 283	한인정 302 고명훈(시간)	신연희 322 권현택 330 천수진(시간) 박소정 323	이선아 362 김대일 363 정영인 364	이종우 623 조아라 624
	김보경 247 이성엽(운전) 617 정호영 246	김상철 444 김인정 445	박다영 262 신동호 464	정은아 284 박호빈 285 고은비 286 임종우 287	박소희 303 김인환 304 손현진 306	최나연 324 박상규 325	박지혜 365 한연근 366 정은아 367	양성철 625 김수정 626 조가영(시간)
	홍성훈(방호) 615	정현규 446 박준영 447 김하나 448 배지은 450	정기주 465 이하림 466 신승우 467 이정훈 468 조중훈 263 임연우 469	이채현 288 권도현 289 신은주 290	정수진 309 서세형 305 김효윤 308	김세은 326 최서연 327	윤미라 368 유동재(시간) 황종하 369	정수영 627 황윤영 628
공무직	노현주 202 송창인(교환) 616							
FAX	561-5995			561-4144			562-8210	

과	재산법인세과				조사과		납세자 보호담당관	
과장	박경은 400				구정환 640		이미진 210	
팀	재산1	재산2	법인1	법인2	정보관리	조사	납세자보호실	민원봉사실
팀장	김상만 481	이종기 501	김기식 401	문인섭 421	정연섭 641	최준재 651	이영휘 211	강혜진 221
국세조사관	박창환 482				김지영 691	김동진 655 이준년 658 김대범 661		
	정수지(시간) 이선미 483 정정섭 484	김선옥 502	박두원 402 조정은 403 최아라 404	강인행 422 신경아 423	김태완 693 신현원 642	정구휘 656 윤재현 659 김진영 662	이영선 212 전유광 213	이영란 226 김종태 223 정지은 224
	범지호 485 박준영 486	이창우 503 안혜진 504	김소윤 405 김영재 406	김주아 424 김봉호 425	이상곤 643		김미영 214	김지현 225 유순희 226 김보미 227
	이연경 487	이문진 505	최규한 407 정지윤 408	유화정 426 김민주 427	현유진 644	박진실 652 박현우 653 강희천 657 유현희 660 손석호 663		유희붕 228
공무직			김미선 430					
FAX	561-3395		561-4423		562-5673		561-0666	561-5777

인천세무서

대표전화: 032-7700-200 / DID: 032-7700-OOO

서장: **홍 순 택**
DID: 032-7700-201

주소	인천광역시 동구 우각로 75 (창영동) (우) 22564 별관 : 인천 미추홀구 인중로 22, 2층 조사과(숭의동, 용운빌딩) (우) 22171 영종도민원실 : 인천시 중구 신도시남로 142번길 17, 301호 (운서동) (우) 22371							
코드번호	121		**계좌번호**	110259		**사업자번호**	121-83-00014	
관할구역	인천광역시 중구, 동구, 미추홀구, 옹진군						**이메일**	incheon@nts.go.kr

과	체납징세과			부가가치세과			소득세과	
과장	박미란 240			복용근 280			김은오 340	
팀	운영지원	체납추적1	체납추적2	부가1	부가2	부가3	소득1	소득2
팀장	임용주 241	하미숙 441	이민철 461	안형선 281	장기승 301	채송화 321	홍성기 341	강혜련 361
국세 조사관			권영균 261			황창혁 391		황태영 375
	한지원 243 박장수 242 이일환(운)	이종섭 442 정다운 443 김상경 444	조명희 471 임선옥 462 이진숙 262 김향숙 463 권혜화 464	박순득 292 김수원 282 홍석희 283 김성재 284	이아름 302 윤지희 303 김태훈 304	김희창 332 노연숙 322 이송이 323	신경섭 342 서주현 343	양정미 362 장재웅 363 차연아 364
	최형준 244 조종수 245	손태영 445 이종훈 446 김선우 447	엄장원 465 박형준 466 최다혜 467 김대범 468 박해리 469	정종우 285 최영환 286	박경완 305 정근욱 306 이관재 307	임자혁 324 김하얀 325 황선화 326	박성민 344 강경호 345 신현진 346 박슬기 347	곽진우 365 박영수 366
	서은지 246	소서희 448 김민애 449 김영규 450 최이진 451	노종대 470 서문경 263	서지형 287 장슬빈 288 김민중 289 오수연 290 노마로 291 김해리 293	이윤경 308 박미래 309 김수연 310	이혁재 327 김가영 328 송길웅 329 윤석현 330	이종욱 348 김보선 349 남영탁 350	최진욱 367 이주환 368 정다빈 369
공무직	이세희 202 김미순 정찬문							
FAX	763-9007			765-1604			777-8105	

과	재산세과		법인세과		조사과		납세자보호담당관	
과장	김재민 480		이찬희 400		김기석 640		장필효 210	
팀	재산1	재산2	법인1	법인2	정보관리	조사	납세자보호실	민원 봉사실
팀장	원범석 481	박정준 521	이영민 401	이왕재 421	강선영 641	박병곤 651	김창호 211	염철웅 221
국세조사관		장원석 522				김종율 661 김상천 671 전미애 681 최명석 691	김윤희 212	박미선 222
	최예숙 490 이소정 482 양주원 483	김수민 523 임진혁 524	유선정 402 이아연 403 정승훈 404	유정아 422 윤미경 423	김민정 642 김수연 643 이재현 644	이휘승 672 최석운 652	박진서 213 최은정 214 한인표 215	강소여 229 서원식(영종) 박미영 231 윤한수(영종) 이하경 225 신진희 228 이경록(영종) 이선아 223
	김현진 484 국봉균 485 조윤경 486 이재민 487 최상연 488	최보미 525	문영미 405 신혜란 406	김빛누리 424 오재경 425 김소연 426	김진아 645 유승현 646	김혜인 662 남기은 682 허지영 653 박종성 663 현종원 673 이혜미 692 김지현 654 김은송 693		
	변효정 489		서민지 407	최창열 427		윤혜미 655 홍유민 664 김자림 674 유희근 683		민예지 226 복지현 224 조중현 227
공무직								
FAX			777-8109		885-8334, 888-1454		765-6044	765-6042

계양세무서

대표전화: 032-4598-200 / DID: 032-4598-OOO

서장: **이 정 태**
DID: 032-4598-201

정복기
내과의원

계양세무서

미도아파트

인천성지
초등학교

계양청소년
경찰학교

주소	인천광역시 계양구 효서로 244 (우) 21120				
코드번호	154	계좌번호	027708	사업자번호	
관할구역	인천광역시 계양구			이메일	

과	체납징세과		부가가치세과		소득세과	
과장	문민규 240		송영기 280		황재선 360	
팀	운영지원	체납추적	부가1	부가2	소득1	소득2
팀장	정태민 241	이용희 441	장현수 281	강옥향 301	탁경석 361	송석철 381
국세조사관		허광규 263	임경순(시간)			이병용 382
	김혜은 242 김주현 244	이미경 443 박소혜 442	박상선 282		민경원 362	
		이재영 445 한승구 444	장유정 283 강민정 284	이유영 302	이은석(시간) 홍슬기(시간) 권혜련 363	계현희 383
	이은지 243 임해균 246 정기열(방호) 245 정민우(운전) 245	이유경 262	고민경 285 배기헌 286	반재욱 303 함송희 304 박다인 305	김대욱 364 박유리 365	김수지 384 김태웅 385
공무직	최수정 202 심광식 전순화 유미정					
FAX	544-9152	544-9160	544-9153 (544-9154)		544-9156 (544-9157)	

1등 조세회계 경제신문 조세일보

과	재산법인세과			조사과		납세자보호담당관	
과장	진병환 480			김봉섭 640		김용웅 210	
팀	재산1	재산2	법인	정보관리	조사	납세자보호실	민원봉사실
팀장	서흥원 481	현선영 502	강신준 401	민경삼 641	최장영 691	김재석 211	최현 221
국세조사관	이순모 487 김혜진 482 이선기(시간)				엄의성 654 임준일 652		
국세조사관	이영례 483	이상왕 503	안준 402 김민희 403	이은수 642 김남중 643		이수경 212	이진경(시간) 226
국세조사관	차인혜(시간) 지영주 484 정현지 485		최은영 404	하윤정 644	심재은 655		김영한 225 이영재 222
국세조사관		황민희 504	김한솔 405		전소윤 653 김한솔 656	신예원 213	백정하 224 윤종혁 223
공무직	이은설 410						
FAX	544-9158 (544-9159)			544-9155		544-9971	544-9972

고양세무서

대표전화: 031-9009-200 / DID: 031-9009-OOO

서장: **주 현 철**
DID: 031-9009-201

경기도 고양교육지원청		일산동구청
법무부고양 준법지원센터	고양일산 우체국	정발산역
고양세무서		일산문화공원

주소	경기도 고양시 일산동구 중앙로 1275번길 14-43 (장항동774) (우) 10401				
코드번호	128	계좌번호	012014	사업자번호	128-83-00015
관할구역	경기도 고양시 일산동구, 일산서구			이메일	goyang@nts.go.kr

과	체납징세과			부가가치세과			소득세과	
과장	김미나 240			양광준 280			정문현 360	
팀	운영지원	체납추적1	체납추적2	부가1	부가2	부가3	소득1	소득2
팀장	김육노 241	손동칠 441	이병노 461	정선례 281	오병태 301	조영순 321	박영용 361	최연지 381
국세조사관		전미영 442	최은옥 463 한은숙(사무) 262		신선주 302	남영우 322		이상선 382
	이경빈 243 남석주 242 정연철(운전) 613	안재학 443 김지우 444	이은옥 263 김계정(파견) 이은영 463 정정우 464	임경석(시간) 김민욱 282 정지명 283	김정미 303 정미라(시간)	유정식 323 이정원(시간) 최다인 324	이성관(시간) 조정은 362 안국찬 363 김정혁(파견) 백진화 364 한승협 365	강지연 383 김가영 384 송명진(시간) 황인성 385
	신동준 245	박민준 261 이미란 445 유미성 446 백한나 447 원가영 448 이현주 449	최재혁 465 안혜원 466 장원미 467 임재은 468 박수지 469	구지은 284 진민정(시간) 안지영 285	김인찬 304 유길웅 305 강희정 306	김정섭 325 김희진 326 이혜미 327	허세미(시간) 안윤미 369	박종률 386 윤지연(시간)
	김지혁 246 유창수(방호) 614	송일훈 450	이은기 470 최수경 265	김가연 286 선현우 287 이유민 288	임주형 307	권지원 328	황유솔 368 변성희 367 이채빈 370	김민아 389 이선아 387 김승화 388
공무직	김지현(교환) 258 김지현(부속) 202 양순임 이경숙							
FAX	907-0678			907-0677			907-1812	

302

과	재산세과			법인세과		조사과		납세자 보호담당	
과장	박선수 480			정국일 400		유현인 640		김동식 210	
팀	재산1	재산2	재산3	법인1	법인2	정보관리	조사	납세자보호실	민원봉사실
팀장	남형주 481	문삼식 491	서승원 501	김무남 401	추원욱 421	이유미 641	임석현 651		이혜경 221
국세 조사관	조민재 (시간)	정건 492					박윤지 655 최슬기 660	이현석 212	
	조석균 482 박노승 483	이해옥 493	이정현 502 이광희 503	이준영 402 안주희 403	김미옥 422 강민아 423	유수재 692 김우현 642 이재용 (파견) 이신혜 693	김정식 663 허진혁 667 양강진 652 조해동 656	송지혜 213 조한덕 214 정다혜 215	홍형주 229 염정은 (시간) 232 최연경 (시간) 232
	이정화 485 방혜선 484	나유림 494	이여경 504 김유미 505	정다이 404 황선진 405	정인선 424 이강혁 425	최미경 644	배상용 661 홍서준 664 최경화 668		이혜옥 230 이지영 (시간) 이권희 228 조영종 226 이정민 233
	한무현 486 임진옥 487	김보원 495 김창민 496	이진수 506 이서호 507	윤재원 406	이은지 426 박형준 427	채유진 643	유환일 653 박미진 657 강지수 662 이종관 665 양윤숙 669		정류빈 224 김대연 227 이민지 225 장일웅 231
공무직						장점선 645			
FAX	907-0672			907-0973		907-0674		907-7555	907-9177

광명세무서

대표전화: 02-26108-200 / DID: 02-26108-OOO

서장: **김 시 현**
DID: 02-26108-201

주소	경기도 광명시 철산로 3-12(철산동 251) (우) 14235 별관: 경기도 광명시 철산로 5 (철산동 250) (우) 14235				
코드번호	235	계좌번호	025195	사업자번호	702-83-00017
관할구역	경기도 광명시			이메일	

과	체납징세과		부가소득세과	
과장	윤성양 240		조재량 300	
팀	운영지원	체납추적	부가	소득
팀장	서유미 241	서동욱 441	정진혁 301	유영복 351
국세조사관			김성열 302 오유미(시간)	조채영 352
	최종묵 242	주민희 262	이태용 303 윤희수 304 김동준 305	추은정 353 장일영 354
	김용희(방호) 631 이다민(운전) 245	장선희 445 박지민 442 나민지 444 백다정 446	배희경 306 전지원 307 김경해 308	송호연(시간) 강동인 355
	정연선 243 신민철 244	김기환 448 조민경 447 김태영 263	이자영 309 김정인 310 지희창 311	한유진 356 정희수 357 신민서 358 안성국 359 이은경 360
공무직	손다솜 202 전종순 김제랑			
FAX	2614-8443		2617-1486	

과	재산법인세과		조사과		납세자보호담당	
과장	정종오 500		이상길 640		전경옥 210	
팀	재산	법인	정보관리	조사	납세자보호실	민원봉사실
팀장	송영인 401	이영석 501	박병민 647	박주열 641	전영의 211	김형봉 221
국세조사관	류경아 402	이은섭 502		박진원 643 임흥식 645		
국세조사관	이준홍 403 홍보경(시간) 이재한 404	고봉균 503	김민경 648	이상곤 642 이재훈 646	유미연 212	이혜영 222 김태진 223 봉현준 224
국세조사관	김봉재 405 강인한 406	김찬주 504 김하원 505 이서은 506	이슬비 682	김성혜 649	김태훈 213	조지영 225
국세조사관	정형범 407 이명주 408 조민석 409	천인호 507		김소연 644		이영주 226
공무직						
FAX		2060-0027	2685-1992		2617-1485	2615-3213

김포세무서

대표전화: 031-9803-200 / DID: 031-9803-OOO

서장: **김 진 영**
DID: 031-9803-201

고창마을
신영지웰아파트

초당마을휴먼시아
1단지아파트

고창중학교

장기초등학교 솔내근린공원

김포세무서

장기고등학교

고창마을반도
유보라아파트

주소	경기도 김포시 김포한강1로 22 장기동 (우) 10087 강화민원봉사실 : 인천광역시 강화군 강화읍 강화대로 394 (우) 23031						
코드번호	234		계좌번호	023760	사업자번호	
관할구역	경기도 김포시, 인천광역시 강화군				이메일	gimpo@nts.go.kr

과	체납징세과			부가가치세과		소득세과	
과장	배호기 240			한철희 280		양태호 340	
팀	운영지원	체납추적1	체납추적2	부가1	부가2	소득1	소득2
팀장	박기룡 241	이광용 441	한덕우 461	김헌규 281	유은주 301	김영국 341	박찬택 361
국세 조사관		김세영 442	김태형 462				
	김완석 242 신용섭(방호) 황선길(운전)	안지은 443 이인이(시간) 박민규 444 태영연 445	나선회 463 김현정 464 전영출 465 정재욱 466 김수영 467	구성민 282 김태두 283 장선영(시간) 김지혜 284	김윤경 302 황한수 303 석산호(시간) 이동규 304	김진기 342 김정미 343 최혜진(시간) 신기섭 344	임진연 362 이용우 363 이호정 364 진주희(시간)
	윤형식 243 류영리 244	이윤수 446 김한올 447 김지수 448	이온유 468 김동엽 469 박신우 470 윤태인 471	윤선영 285 문용원 286	김진원 305 박은미 306 윤현정 307 유준상 308	최동진 345 예민희 346 김동준 347	김주희 369 김동우 365 이주한 366
	장정현 245	오지연 449 최익훈 450	김인욱 472 김의연 473 황수인 474	지수 287 심수진 288 신중훈 289 김진국 290 조혜인 291	김동수 309 손수아 310 박정현 311 오윤라 312 허성경 313	문진희 348 이진우 349	장훈희 367 박지수 368
공무직	최지선 202 이옥분 김문자 이견희						
FAX	987-9932	987-9862		998-6973		983-8028	

과	재산법인세과				조사과		납세자보호담당관	
과장	원종호 400				이성복 600		박상정 210	
팀	재산1	재산2	법인1	법인2	정보관리	조사	납세자보호실	민원봉사실
팀장	조은희 401	유의상 421	왕태선 501	이호준 521	최원석 601	김민완 621	김근영 211	송주규 221
국세조사관	송영욱 402			황규봉 522		홍순영 625 성정은 629 조종식 632		박영기(강화)
	현양미 (시간) 오기철 403 김민상 404 조정훈 405	윤영섭 422 안연찬 423	최정완 502 김진아 503 이현규 504 송선주 505	박종원 523 태대환 524	유은선 602 김대관 603 안선미 604	유래연 633 이형철 622 김승희 630	오현지 212 선종국 213	김성기 222 김만덕 (강화) 윤도현 225(시간)
	이슬기 406 이민규 407 오고은 408 조병덕 409	황화숙 (시간) 정혜린 424	김성희 506	김윤희 525	이금희 605 박미연 606	이연주 626 김영재 631 안소연 623 마재정 627 이수현 634	박소연 214	정진숙 223 정지영 224 박용운(시간) 225 장진아(시간) 226
	윤지원 410 박근호 411 권도진 412 성다진 413	피연지 425	이윤호 507 이지현 508 고연우 509 이현화 510	조정연 526 한진규 527 김민선 528		선경식 624 최우녕 628		최우정(시간) 227 홍지안 228 심자민 229
공무직								
FAX	998-6971		986-2801		986-2769		986-2806	982-8125 983-8125

동고양세무서

대표전화: 031-9006-200 / DID: 031-9006-OOO

서장: **김 진 갑**
DID: 031-9006-201

은빛마을6단지
프라웰아파트

동고양세무서

화정고등학교

화정역

화정역광장   화정역버스

주소	경기도 고양시 덕양구 화중로104번길 16 (화정동) 화정아카데미타워 3층(민원실), 4층, 5층, 9층 (우) 10497				
코드번호	232	계좌번호	023757	사업자번호	
관할구역	경기도 고양시 덕양구			이메일	

과	체납징세과			부가소득세과			
과장	박상율 240			김연재 280			
팀	운영지원	체납추적1	체납추적2	부가1	부가2	소득1	소득2
팀장	장주열 241	우인식 441	정용석 461	오승필 281	임순하 301	신혜주 321	전동호 381
국세 조사관	민수진 242	김영주 442 양이곤 443 전혜윤 444 최유나(시간) 445	유영숙 462 김용학 463	박윤경 282 신지은(시간)	김영숙 302	김지혜 322 최주광 323 채연학(시간)	서미애 382 채원식(시간) 장설희 383 정도령 384
	강희정 243 김현철(운전) 246		유래경 464 김지윤(시간) 465 이동찬 466	신동영 283 남보영 284 김일용 285 안미영 286 원규호 287	남용휘 303 하명선(시간) 남기홍 304 장엄지 305 김연지 306	강성훈 324	김의영 385
	윤여준 247 김명규(방호) 245	전승헌 446 장유진 447	박찬용 467	김유리 288 변해일 289	이민정 307 김건웅 308 정현준 309	김민주 325 김희영 326 신정수 327 정광표 328	김웅 386 조수연 387
공무직	최민혜 박소영 강찬식						
FAX	963-2979			963-2089			

과	재산법인세과			조사과		납세자보호담당관	
과장	조대규 400			노충모 640		고미경 210	
팀	재산1	재산2	법인	정보관리	조사	납세자보호실	민원봉사실
팀장	김춘동 481	허은성 501	한성호 401	김연수 641	고영환 651	김욱진 211	윤영식 221
국세 조사관	신해규 482	조영호 502	진호범 402		신성환 661 김병찬 671		
	박일수 483 임수진 484 김현서 485 장희숙(시간)	정세경 503	정형석 403	최회윤 642	이현철 652 김덕교 672	최지현 212 권혁준 213	이찬무 222
	김용민 486 김범석 487		김미소 404 이지원 405 조은희 406	김이화 643 최해영 644	안혜진 653 김현준 662		강효정 223 배지민 224 이동훈 225 박상봉(시간) 226
	주아람 488 김린 489 정소정 490	박은지 504	신승진 407	김상균 645	남지은 663 문주희 673		이혜지 227
공무직							
FAX	963-2983			963-2972		963-2271	

남부천세무서

대표전화: 032-4597-200 / DID: 032-4597-OOO

서장: **강 영 구**
DID: 032-4597-201

주소	경기도 부천시 경인옛로 115 (우) 14691				
코드번호	152	**계좌번호**	027685	**사업자번호**	
관할구역	부천시 부천동 일부(원미, 역곡, 춘의), 심곡동, 대산동, 소사본동, 범안동			**이메일**	

과	체납징세과		부가가치세과		소득세과	
과장	김찬 240		김진형 320		최영수 360	
팀	운영지원	체납추적	부가1	부가2	소득1	소득2
팀장	김혜령 241	박창길 441	강경덕 281	문종구 301	황선태 361	노영훈 381
국세 조사관	박영민 242					박대협 382 박지원(시간)
		조미진 442 김원중 443 임욱 444	이승아 282 김인수 283	민경준 302 윤영식 303	김지은(시간) 임순종 362 이소영 363	신준호 383
	이현채(운전) 258 곽유진 243	김재경 445 윤지현 446	김강휘(시간) 박건규 284 박경은 285	송찬빈 304 박규빈(시간)	이상용 364 박주영 365	정혜아 384 박현정 385
	박병태 244 김예슬 245 박민수(방호) 259	강유정 447 이성훈 448 박연진 449 차준형 450 남기은 451 박시현 452	배준영 286 방서주 287 이혜진 288	신지환 305 심현주 306 김현기 307	이영롱 366 이지현 367	홍아름 386
공무직	홍영남 202					
FAX	459-7249		459-7299		459-7379	

과	재산법인세과			조사과		납세자보호담당관	
과장	고종관 480			이평년 640		안미경 210	
팀	재산1	재산2	법인	정보관리	조사	납세자보호실	민원봉사실
팀장	조용식 481	안정민 501	김중재 401	유재식 641	김재호 651	황광선 211	허세욱 221
국세조사관	신기룡(시간)		손민 402		강대선 654 서현희 652 박진석 655		
	홍석후(시간) 한송희 482 류민경 483	성상현 502 김효정 503	임명숙(사무) 408 손창수 403 박성태 404	이광식 642 조태익 645	정승기 653	박진아 212 오진택 213	신동진 222
	김규호 484 김재호 485	김보미 504 오수진 505	김경태 405 황인태 406	김득화 643	박정호 657		박은미 223
			장소영 407	차수빈 644	김은하 658	정해시 214	정지연 224 유광근 225
공무직							
FAX	459-7499			349-8971	349-8972	459-7219	459-7231

부천세무서

대표전화: 032-3205-200 / DID: 032-3205-OOO

중3동우체국 부천세무서

중흥초등학교 중흥중학교 부천부흥중학교

신중동역

서장: **김 상 철**
DID: 032-3205-201

주소	경기도 부천시 원미구 계남로 227 (중동) (우) 14535				
코드번호	130	계좌번호	110246	사업자번호	130-83-00022
관할구역	경기도 부천시 고강동, 내동, 대장동, 도당동, 삼정동, 상동, 약대동, 여월동, 오정동, 원종동, 작동, 중동			이메일	bucheon@nts.go.kr

과	체납징세과			부가가치세과		소득세과	
과장	반종복 240			조병준 280		김웅 360	
팀	운영지원	체납추적1	체납추적2	부가1	부가2	소득1	소득2
팀장	양영규 241	진경철 441	이남주 451	이병준 281	조준구 301	김동현 361	박헌구 371
국세조사관					황미영 302	송충종 362	
국세조사관	조재웅 242 조용호(운전) 259 최옥미(교환) 252 서은미(사무) 244	이찬수 422 신나리 443 김혜연 444 김재권 445	민성기 262 이정훈 263 최애련 452	김대영(시간) 350 양지선 282 전세진 283 송성심(사무) 293	허인규 303 홍근표 304	이준우 363 최종욱 364	양경애 372 이종찬 373 남현주 374 정혜수 378
국세조사관	채명훈 245	최성환 446	정현주 453 김준철 454	배준용 284 류가연 285 김지숙 286 곽동훈 287	손현명(시간) 350 연정현 305 이수진 306 노익환 313	조남명 365	김상균 375
국세조사관	김회연 243 서동천(방호) 618	안경우 447 조정해 448 이주은 449	이병욱 455 김미정 456 김희수 457	박모린 288 박한열 289 류여경 290 주민희 291 김성민 292	정서빈 307 여승구 308 정호성 309 한은미 310 윤다은 311	황성묵(시간) 350 권자인 366 안지혜 367 유현주 368	선유정(시간) 350 오주학 376 박수지 377
공무직	이비아 202 김후희 문선미 이은경						
FAX	328-5248			328-6936		320-5476	

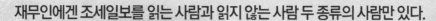

과	재산법인세과			조사과		납세자보호담당관	
과장	강창식 480			이경수 640		송영채 210	
팀	재산1	재산2	법인	정보관리	조사	납세자보호실	민원봉사실
팀장	김유경 481	고진곤 521	서영일 401	이영길 641	유상욱 651	심경희 211	김미나 221
국세조사관		함광수 522	김훈 402		김학규 654 남정식 657		
	정승철(시간) 693 이진례(시간) 693 이주성 482 이건빈 483	김영조 523 이서연 524	임현정 403 송기원 404 오영 405 이현주(사무) 411	이병노 691 이민훈 642	유진하 658 신상은 652 조용권 655 전세림 653	정희원 212	이영숙(시간) 288 이수아 222 이충원 225
	임채경 484 전원진 485	최혜원 525	임기문 406 오정은 407 김수빈 408 이민지 409	이주현 692 성해리 643	조강희 659 신지은 656	김경애 213 황순우 214	권기연 227 권오방 이성인 224 박유라(시간) 228
	김한별 486 고유나 487		이원진 410				이서희 223 전하준 226
공무직							
FAX	320-5431			328-6935		328-5941, 328-6428	

부평세무서

대표전화: 032-5406-200 / DID: 032-5406-OOO

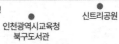

서장: **황 인 준**
DID: 032-5406-201

주소	인천광역시 부평구 부평대로 147 (우) 21366				
코드번호	122	계좌번호	110233	사업자번호	
관할구역	인천광역시 부평구			이메일	

과	체납징세과		부가가치세1과		부가가치세2과		소득세과	
과장	정철화 240		김선일 280		선연자 300		이응수 360	
팀	운영지원	체납추적	부가1	부가2	부가1	부가2	소득1	소득2
팀장	박은희 241	고석철 461	전우식 281	강흥수 291	안상욱 301	송준현 311	공희현 361	김태승 381
국세 조사관		윤난희 262				김성길 312	송승용 363	
국세 조사관	신연순 243 김택우 242	최은경(사무) 263	홍세진 282 유금숙 283	이재우 292 신고현 293	김정미 302	손현지 313	임은영(사무) 370 이소영(시간)	나영 382 임유화(시간)
국세 조사관	김복현(방호) 245 김태용 244	우형기 462 조은빛 463	장연화 284 채진병 285	송지훈 294	조유영 303 강오라 304	길은영 314	박인선 363	이진영 383
국세 조사관	심희정 246	김민정 464 한승민 465 임광빈 466 정수진 264 이유상 467	소진영 286	임보금 295	이승형 305 이주연 306	윤정욱 315	박소연 364 이민정 365 백지현 366	박지은 384 황재승 386 이은자 387
공무직								
FAX	545-0411		543-2100		546-0719		542-5012	

과	재산법인세과			조사과		납세자보호담당관	
과장	조인찬 480			이유원 530		김민수 210	
팀	재산1	재산2	법인	정보관리	조사	납세자보호실	민원봉사실
팀장	김지아 481	여종구 521	구수정 421	송영우 531	강석윤 541	김순영 211	서위숙 221
국세조사관			정경돈 422	천현식 534	김은태 542 이용식 551 류송 581		
	최용선 482 정지운 483 이진하 484	도영만 522 이근호 523	김동휘 423 장수영 424	김인성 533 위은혜 532 김봉식(시간) 535	천재도 552	송보라 213	채혜란 222
	김은정(시간) 488 조혜정 485	김효은 524 이정상 525	최경준 425		김민정 582 채희문 583		김미연 223 박미나 224
	안종근 486 유혜영 487		정혜인 426 김유철 427 김수민 428		진경 543 허정인 553	박수미 214	나태운 225 김소담 226
공무직							
FAX	542-6175			551-0666		542-0132	549-6766

연수세무서

대표전화: 032-6709-200 / DID: 032-6709-○○○

서장: **유 진 우**
DID: 032-6709-201

주소	인천광역시 연수구 인천타워대로 323(송도동, 송도센트로드A동 1층~5층) (우) 22007				
코드번호	150	계좌번호	027300	사업자번호	
관할구역	인천광역시 연수구			이메일	

과	체납징세과		부가가치세과		소득세과	
과장	김항중 240		김선주 280		박진혁 360	
팀	운영지원	체납추적	부가1	부가2	소득1	소득2
팀장	최미영 241	이영권 441	김미정 281	오정일 301	정성일 361	곽진섭 381
국세 조사관					이주영 362	
	노세영 242	김보균 442 홍은지 262 김영숙 443	배재호 282 최경아 283 전현민 288	조영기 302 신성규 599(시간)	박정진 363 김제주(시간) 399	안혜영(시간) 399 조성연 382
	유지현 244	이정혜 444 김재곤 445 이현애 446 강한얼 447	강유진 285 박주연(시간) 599	안세은 303 이재홍 304 정유정 305	도승호 364 안태균 365	이윤경 383 오로지 384
	심기보 245 박주열(방호) 247 박지훈(운전) 248	서진혜 이경혜 448 윤정현 263 이상현 449 황윤재 450	박세윤 286 김준환 287 권예은 284	이원희 306 이소연 307	나길제 366 김유경 367	윤영섭 385 유광열 386
공무직	박경숙 박준희					
FAX	858-7351	858-7352	858-7353		858-7354	

과	재산법인세과			조사과		납세자보호담당관	
과장	김윤용 400			강용 640		이광 210	
팀	재산1	재산2	법인	정보관리	조사	납세자보호실	민원봉사실
팀장	윤양호 481	안세연 501	신민철 401	김주섭 641	정병숙 651	임권택 211	이영숙 221
국세조사관	김영환 482		이수진 410		이지선 654 김하성 657	김진도 212	
국세조사관	김진교(시간) 299 박주현 483 신연주 485 김은주(시간) 299	이익진 502 고대근 503	안재현 402	정치헌 642	이선 652 이은송 658 최정명 655 손종대 659	송노용 213 이혜경 214	하정욱 222 배정미(시간) 223 한세훈 224
국세조사관	김수아 484 유정훈 486		방미경 403 김영진 404 김향숙 405 이민지 406	이규석 643	김준호 656		고명현 225
국세조사관	손재원 487 변정연 488	강다연 505	박세영 407 김성영 408 신희라 409	김태희 644	오수현 653		박시온 226
공무직							
FAX	858-7355			858-7356		858-7357	858-7358

의정부세무서

대표전화: 031-8704-200 DID: 031-8704-OOO

서장: **이 창 남**
DID: 031-8704-201

주소	경기도 의정부시 의정로 77 (의정부동) (우) 11622				
코드번호	127	계좌번호	900142	사업자번호	127-83-00012
관할구역	경기도 의정부시, 양주시			이메일	uijeongbu@nts.go.kr

과	체납징세과			부가가치세과			소득세과	
과장	성봉진 240			채혜정 280			하수현 360	
팀	운영지원	체납추적1	체납추적2	부가1	부가2	부가3	소득1	소득2
팀장	김영문 241	이문영 441	이상락 461	정윤철 281	강태환 301	오동구 321	임정현 361	임상규 381
국세 조사관			김윤주 262					
	김의중 242 김황경(운전)	정영무 442 김대현 443 한승범 444	박미숙 462 이정기 263 손승희 463 박종주 464 최유진 264	김철호 282 김동근 283	박애심(시간) 민백기 302 이영숙 303 신용욱 304	최은복 322 이재균 정민재 330 박근애 323	강경인 362 박신영(시간) 안지윤 363 김남철 364	김은경(시간) 김정호 382 장연경 383 강민지 384
	김주하 243 고민경(시간) 246 황지환 245	나경훈 445	장승원 465	임진영(시간) 이지은 284 모충서 285 장정욱 286	채정화 305 한정호 306	심새별 324 박선희 325 황인환 326	김병현 365 이상미 366 박수진 367 이진우 368 김도애 369	이현아 385 길미정 386 손성수 387 이설아 388
	배명선 244 노기훈 247 김홍영(방호)	장우석 446 조은애 447 최지우 448 정은채 449 김소정 450	이정기 470 유대영 466 김도형 467 손현경 468 최선혜 469	박미경 287 박수진 288 조성조 289 이세은 290	이정한 307 임소영 308 길영은 309	홍수지 327 김세건 328	김도균 370 이도경 371 박수경 372	김영익 389 신미미 390 이지후 391
공무직	이영자(교환) 100 정금란(환경) 김영심(환경)							
FAX	875-2736			871-9015, 874-9012			871-9012, 9013	

1등 조세회계 경제신문 조세일보

과	재산법인세과			조사과		납세자보호담당관	
과장	김종현 400			최한근 640		임창빈 210	
팀	재산1	재산2	법인	정보관리	조사	납세자보호실	민원봉사실
팀장	유한진 481	김성진 521	한문식 401	정환철 641	나선일 651	나민수 211	이규석 221
국세조사관	김희정(시간)		양재호 402	노은영 642 문순철 692	문권주 661 신영웅 671 서광렬 681		
	전경일 482 손명 483	민정기 522 김경호 523 장건후 524	김제봉 403 김정효 405 박창현 404 권두홍 406	김수빈 693	류승진 682 김주홍 652 김지혜 662 한희정 672	원종훈 212	김성진 222 이효진(양주) 윤인미 223 이용희(양주) 황지영(시간) 224
	전성훈 484 주애란 485 이승범 486	박현수 526 정소연 525 송재철 527	최은경 407	오유리(시간) 644	함영은 683	박현경 213 박은지 214	김나연(시간) 224 홍윤석 225 한길택 228 정유빈 226
	송선영 487 최지현 488 최혜원 489 유정환 490 홍혜연 491		송승한 408 배지영 409 박정린 410 이로아 411		권오찬 663 김혜수 653 김희주 673		장혜인 227
공무직							
FAX	871-9014	878-9015	837-9010, 871-9017		871-9018	877-2104

파주세무서

대표전화: 031-9560-200 / DID: 031-9560-OOO

서장: **김 성 철**
DID: 031-9560-201

주소	경기도 파주시 금릉역로 62 (금촌동) (우) 10915			
코드번호	141	계좌번호	001575	사업자번호
관할구역	파주시 전역		이메일	paju@nts.go.kr

과	체납징세과			부가소득세과			
과장	강기헌 240			안재홍 280			
팀	운영지원	체납추적1	체납추적2	부가1	부가2	소득1	소득2
팀장	김태환 241	김병수 441	박수정 461	황영삼 281	임형수 301	송기선 361	유현석 381
국세 조사관			박용주 462	이동근 282			
	공태웅 242 주성숙 243 황창기(운전)	윤혜영 442 이철형 송효선 443	심소영 262 황은희 463	김희정 283 이종현 284 여선(시간) 이난희 285	김지훈 302 문진희 303 최희경 304	김종화 362 김경아(시간) 윤병진 363	송경령 382 신수범 383 이희영(시간)
	추연우(방호) 김예진 244	김주희 444 김민석 445	신정원 464 문서윤 465	이재민 286 홍정수 287	유환성 305 김선혜 306 김경업(시간) 우수정 307	김규림 364 심재일 365	이준영 384 지대진 385
	장진혁 245	김은선 446 김성준 447 이가은 448	이지원 466 김미혜 263 천진영 468	김종서 288 손채원 289 엄지호 290	채예지 308 김한울 309 안수빈 310 백진이 311	김인기 366 정보연 368	신명섭 386 김나미 387
공무직	김지선 202 윤경선 성미숙						
FAX	957-0315	956-0450		946-6048			

과	재산법인세과				조사과		납세자보호담당관	
과장	오관택 400				이종윤 640		최길만 210	
팀	재산1	재산2	법인1	법인2	정보관리	조사	납세자보호실	민원봉사실
팀장	한세영 481	임지혁 501	안태동 401	이기정 421	김태영 641	박민규 681	신동훈 211	이강일 221
국세조사관			고상용 402	서기열 422		박재홍 651 박종진 661		강승룡 224
	이영욱 482 박상수(시간) 조수영 483 김승태 484 김은영 485	이기철 502		윤정현 423	고상권 692 문지영 642	변진형 682 장정엽 652	오상엽 212 김인희 213	박인순(시간) 배인애 225 장미향(시간) 정상근 228
	최현성 486	김인애 505 전건모 503	봉선영 403 손주영 404 김민선 405 황연성 406	김지현 424 윤하영 425	정은주 465	안지선 662 이정욱 663 최용진 683		전은선(시간) 이은영 223 김민희 226
	김감채 487 임호성 488		안수지 407 이득규 408	이지영 426	홍지혜 463	황지혜 653		조지윤(시간)
공무직								
FAX	957-3654				957-0319		957-0313	943-2100

포천세무서

대표전화: 031-5387-200 / DID: 031-5387-OOO

● 신봉초등학교

국민연금공단 ●   송우초등학교

송우고등학교 ●   포천세무서

서장: **전 병 오**
DID: 031-5387-201

주소	경기도 포천시 소흘읍 송우로 75 (우) 11177 동두천지서: 경기도 동두천시 중앙로 136 (우) 11346 포천시청민원실: 경기도 포천시 중앙로 87 포천시청 본관 1층 세정과(우) 11147 별관(철원민원실) : 강원도 철원군 갈말읍 삼부연로 51 (우) 24039				
코드번호	231	계좌번호	019871	사업자번호	
관할구역	경기도 포천시, 동두천시, 연천군, 철원군			이메일	pocheon@nts.go.kr

과	체납징세과			부가소득세과		재산법인납세과	
과장	서민정 240			임양건 280		강신태 400	
팀	운영지원	체납추적1	체납추적2	부가	소득	재산	법인
팀장	김종완 241	이용배 441	송정금 461	배욱환 281	조양선 301	서동옥 481	박회경 401
국세 조사관					이명희 302		
	윤선희 242	김광묵 442 강대규 443 송윤정 444	문성은 462 박미영 463	천광진 282 한영준 285	김규원 303	오현준 482 박진수 483 서래훈 484	유진우 402 오정식 403 이환주 404
	최병문(방호) 612 전주완(운전) 613 김선영 243	명경철 445	오신형 464	박정배 283 오소은 284	김상민 305 김세명 304	최원희 485	김희영 405 김다솔 406
	김성민 244 서동철 245	박효선 446 김보경 447	김민정 465 김지은 466	고동현 286 손다희 287 박소현(시간) 293 전병무 288 고정근 289 윤지현 290 박보민 291 이민경 292	양지원 306 양문욱 307	유한나 486 이다은 487 송영지 488 송나연 489	이주희 407
공무직	최영자 장복동						
FAX	544-6090	538-7249		544-6091		544-6093	544-6094

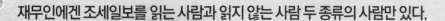

재무인과 함께 걸어가겠습니다 '조세일보'

재무인에겐 조세일보를 읽는 사람과 읽지 않는 사람 두 종류의 사람만 있다.

과	조사과		납세자보호담당관		동두천지서(031-8606-200)			
과장	김성동 640		오민철 210		서기열 201			
팀	정보관리	조사	납세자보호실	민원봉사실	체납추적	납세자보호	부가소득	재산법인
팀장	김진섭 641	장병찬 651	노광환 211		이대일 271		박형진 300	이희현 250
국세조사관		전상호 652 류자영 653 유진희 660	김영환 212	조태욱(철원) 033-452-2100		한희수(연천) 031-839-2932		
국세조사관		박창우 654 임질성 655 김정훈 656	김경라 213	허승호 222 김수정 223	곽훈 272	이명선 230	남동완 302 함상현 301 김희명 303	남명규 251
국세조사관	서아름 642 조다혜 643	강희정 657	신영화 214	안진영(시간) 226 전유완 031-538-3179 김진아 224		지정훈(방호) 231	김슬기 307 홍세미 312 김성진 305	이명행 255 정예원 256 박인배 252
국세조사관	경지수 644	전지영 658 강현우 659		안지은 225	이수민 273 최슬기 274	권기성 232 이다혜 233	김준형(시간) 313 이은지 310 최혜정 309 김경아 308 황다혜 311	
공무직					김은미			
FAX	544-6095		544-6097	544-6098	867-2115		860-6279	867-6259

대전지방국세청
관할세무서

■ 대전지방국세청	325
지방국세청 국·과	326
[대전] 대　전 세무서	332
북대전 세무서	334
서대전 세무서	336
[충남] 공　주 세무서	338
논　산 세무서	340
보　령 세무서	342
서　산 세무서	344
세　종 세무서	346
아　산 세무서	348
예　산 세무서[당진지서]	350
천　안 세무서	352
홍　성 세무서	354
[충북] 동청주 세무서	356
영　동 세무서	358
제　천 세무서	360
청　주 세무서	362
충　주 세무서[충북혁신지서]	364

대전지방국세청

주소	대전광역시 대덕구 계족로 677(법동) (우) 34383
대표전화 & 팩스	042-615-2200 / 042-621-4552
코드번호	300
계좌번호	080499
사업자등록번호	102-83-01647
관할구역	대전광역시 및 충청남·북도, 세종특별자치시

청장　　　이경열

(D) 042-6152-201~2

성실납세지원국장	강종훈	(D) 042-615-2400
징세송무국장	황남욱	(D) 042-615-2500
조사1국장	박정열	(D) 042-615-2700
조사2국장	김종성	(D) 042-615-2900

대전지방국세청

대표전화: 042-615-2200 / DID: 042-615-OOOO

청장: **이 경 열**
DID: 042-615-2201

주소	대전광역시 대덕구 계족로 677 (법동) (우) 34383				
코드번호	300	계좌번호	080499	사업자번호	102-83-01647
관할구역	대전광역시 및 충청남·북도, 세종특별자치시			이메일	

국실								
국장								
과	감사관		납세자보호		운영지원과			
과장	오원화 2300		이영준 2330		김완구 2240			
팀	감사	감찰	보호	심사	행정	인사	경리	소통
팀장	변문건 2302	임상빈 2312	조연숙 2332	유인숙 2342	정필영 2252	최시은 2242	지대현 2262	이주한 2272
국세조사관	김원덕 2303 이미경 2304	박한석 2313 최진옥 2314 채홍선 2315	한수이 2333	박찬희 2343	문정기 2253	이정훈 2243	박지혜 2263	
	이동구 2305 김승주 2306 김현응 2307 이동규 2308	이정운 2316 김재철 2317 박기정 2318 백인정 2319	이휴련 2334	조강희 2344 이성민 2345 김경미 2346	김태훈 2254 이경순(사무) 2257	지슬찬 2244 양영진 2245 권혜지 2246	여인순 2265 이영화(사무) 2266	김태환 2273 조항진 2274
			이형섭 2335		허정필 2255 한종태 2256	유하선 2247 장기원 2248	김정훈 2267 김다현 2268	유가연 2275 이동기 2276
공무직	전교선 2620 황미경 2201, 2202 이은희 2240 정옥순 2629	박우순 2629 이청우 2641 김효중 2642 오영진 2643 최영찬 2644	성광모 2645 오정미 2629 백승분 2629 이미향 2629 유승갑 2646	조영옥 2646 노경철 2646 이대훈 2647 송현아 2629	전호순(연구) 2259 안상헌(운전) 2635 홍성각(운전) 2634 이성주(운전) 2631		유일찬(운전) 2632 남명수(방호) 2613 정무현(방호) 2613	
FAX	634-5098		636-4727		621-4552			

10년간 쌓아온 재무인의 역사를 돌려드립니다 '온라인 재무인명부'

수시 업데이트 되는 국세청, 정·관계 인사의 프로필과 국세청, 지방청, 전국세무서, 관세청, 유관기관 등의 인력배치 현황을 볼 수 있는 온라인 재무인명부

1등 조세회계 경제신문 조세일보

국실	성실납세지원국											
국장	강종훈 2400											
과	부가가치세과			소득재산세과				법인세과				전산관리팀
과장	유은영 2401			오승호 2431				왕성국 2461				송지은 2131
팀	부가1	부가2	소비	소득	재산	소득지원	소득자료관리	법인1	법인2	법인3	법인4	관리1	관리2
팀장	이한성 2402	전지현 2412	김구봉 2422	강민석 2432	전옥선 2442	김현숙 2452	김희란 2602	송형희 2462	윤홍덕 2472	한숙란 2482	윤태경 2492	이영구 2132	김재융 2142
국세조사관			정영웅 2423	차건수 2433	문미희 2443			김정수 2463				서정은 2133 박승현 2134 문동배 2136	이홍조 2143
	안선일 2403 안지영 2404 정선군 2405	이현상 2413 박세환 2414 전병헌 2415	원대한 2424 이영 2425	김태서 2434 김진기 2435	정윤정 2444 김홍근 2445 배경희 2446	김영기 2453	윤석창 2603	황남돈 2464 이선영 2465 김동혁 2466	김민정 2473 강정숙 2475 박상옥 2474	이경욱 2483 한란 2484	임현철 2493 김태건 2494	양선미 2135	박준형 2144 오백진 2145
		김현태 2416	선명우 2426	이준탁 2436	황후용 2447	정예지 2454		김재민 2467		나유숙 2485	이선림 2495	장영석 2137	
공무직	이푸른 2400 임영신 2406											
FAX	625-9751			634-6129				632-7723				625-8472

327

DID : 042-615-OOOO

국실	성실납세지원국							
국장	강종훈 2400							
과	전산관리팀		개발지원1팀			개발지원2팀		
과장	송지은 2131		박재근 2021			김희재 2081		
팀	정보화센터1	정보화센터2	정보분석	상담1	상담2	엔티스지원	개발1	개발2
팀장	최영돌 2152	이정미 2172	김상숙 2022	박현숙 2042	김미애 2062	라유성 2082	장윤석 2652	이기업 2672
국세 조사관			이상운 2023 박경미 2024 강선홍 2025 최학규 2026 김은희 2027 오수진 2028	유미영 2043 손윤숙 2044 정혜영 2045 김필순 2046 최윤실 2047 김연숙 2048 김경선 2049	박종수 2063 정윤희 2064 김형미 2065 이채윤 2066 신주영 2067	조명순 2084 김주영 2083 박미경 2085		
	최은혜 2153 백수아 2165 <사무> 윤명희 2154 이화자 2157 김태순 2160 신상례 2155 최금년 2164 천은영 2163 송인희 2156 안은향 2161 김홍란 2158 김수영 2162	안지연 2173 문영임 2185 <사무> 한도순 2174 김영선 2175 김광순 2181 박진숙 2184 신선희 2180 김연숙 2186 유수향 2183 김양미 2177 김명순 2176 강영자 2178		이윤희 2050 김수영 2051	김상진 2068 조수연 2069 주재철 2070	주명오 2086 최수영 2087		
	조현구 2159	유혜민 2182			최홍열 2071	이은정 2088 이용재 2089		
							강태양 2654 박지민 2655 김홍기 2656 이창화 2660 이혜린 2661 김서연 2657 이소연 2658 오재원 2662 장동근 2659 유민경 2663	하유정 2673 박주영 2674 이동준 2679 남다영 2680 임은총 2675 이민지 2681 이정택 2682 장한별 2676 강혜빈 2677 류은영 2678
공무직								
FAX	625-8472							

328

국실	징세송무국						조사1국				
국장	황남욱 2500						박정열 2700				
과	징세과		송무과		체납추적과		조사관리과				
과장	김혜경 2501		이진혁 2521		김병식 2541		양용산 2701				
팀	징세	체납관리	송무1	송무2	체납추적관리	체납추적	1	2	3	4	5
팀장	여미라 2502	송칠선 2512	황경애 2522	이덕주 2532	류성돈 2542	연수민 2552	이윤우 2702	백인억 2712	김영교 2719	이미영 2732	권민형 2742
국세 조사관	이정선 2503		박태정 2523 권준경 2524	양주희 2533 양동욱 2534 김빛나 2538	노은아 2543			류다현 2713	이태희 2724	신명식 2733	이경숙 2743
국세 조사관	이상봉 2504	양희연 2513 임한준 2514 김수월 2515	신방인 2525 김아름 2526 최지훈 2527	심재진 2535 임지훈 2536 박옥길 2537	고일명 2544 노용래 2545 윤상탁 2546	황지은 2553 전명진 2554 김양수 2555	김남훈 2703 김다연 2704 박준규 2708 윤춘미 2709 임동섭 2705 김상현 2710	김희영 2714 구승완 2715	손신혜 2725 김진주 2726 윤수환 2720 임정혜 2727	김지현 2734 정인애 2735	이제현 2744 태상미 2745 박성룡 2746
국세 조사관	오희정 2505	임수민 2516	이가희 2528		석원영 2547 박노욱 2548	박홍기 2556	황석규 2706		조성빈 2721 박승권 2728	이진수 2736	이안수 (파견) 엄채연 2747
국세 조사관											
공무직	최은지 2500 신민정 2529						강민채 2700 김길정 2707				
FAX	632-1798		626-4512		625-9758		634-6325				

329

국세관련 모든 상담은 국번없이 126
전국 어디서나 편리하게 상담받으세요.
평일 9시~18시 (탈세제보는 24시간)

DID : 042-615-OOOO

국실	조사1국									
국장	박정열 2700									
과	조사1과				조사2과			조사3과		
과장	이창수 2751				김종일 2781			하신행 2811		
팀	1	2	3	4	1	2	3	1	2	3
팀장	배은경 2752	조선영 2762	박흥현 2772	김장용 2882	이주영 2782	김수진 2792	송태정 2802	김용보 2812	연경태 2822	금영송 2832
국세 조사관	고혜진 2753 박주오 2754 신광철 2755	김승태 2763 박상욱 2764	김두섭 2773 김선미 2774 김중규 2775	정진성 2883 허지혜 2884	송인용 2783 이환규 2784 주진수 2785	이현상 2793 강경묵 2794	윤재두 2803 윤희창 2804	이종신 2813 박종호 2814 이연주 2815	김대용 2823 이한기 2824	장덕구 2833 강안나 2834
	주환욱 2756	윤용화 2765		유석모 2885	한기룡 2786	권명윤 2795	서연주 2805	김근환 2816	허성민 2825 최우진 2826	최동찬 2835
공무직	강민채 2700 김길정 2707									
FAX	634-6325									

국실	조사2국									
국장	김종성 2900									
과	조사관리과			조사1과				조사2과		
과장	최수종 2901			하상진 2931				이완표 2961		
팀	1	2	3	1	2	3	4	1	2	3
팀장	문상균 2902	박영주 2912	조재규 2922	홍성자 2932	김경철 2942	조은애 2952	조정주 2992	서용하 2962	민양기 2972	이정임 2982
국세 조사관	김아경 2903	진소영 2913								
	이원근 2904	한경수 2914 장시찬 2915 육재하 2916	최성호 2923 최미숙 2924 차보미 2925	이화용 2933 오승희 2934	신상훈 2943 신숙희 2944	김선기 2953	오세윤 2993	장준용 2963 강훈 2964	하정우 2973 이현진 2974	이정훈 2983 지상수 2984
	이승택 2905	조한규 2917	오수진 2926 추원규 2927	권대근 2935		육정섭 2954	한원주 2994	추원득 2965	고민철 2975	
공무직	김현주 2900 정영숙 2906									
FAX	626-4514									

대전세무서

대표전화: 042-2298-200 / DID: 042-2298-OOO

서장: **김 기 수**
DID: 042-2298-201

중구국민
체육센터 ● ○ 대전세무서
농산물관리원
충남지원
←호수돈여중고 유안타증권
빌딩
대전시민대학
↓중구청네거리

주소	대전광역시 중구 보문로 331 (선화 188) (우) 34851				
	금산민원실 : 충청남도 금산군 금산읍 인삼약초로 42 (중도리 16-1) (우) 32739				
코드번호	305	계좌번호	080486	사업자번호	305-83-00077
관할구역	대전광역시 동구, 중구, 충청남도 금산군			이메일	daejeon@nts.go.kr

과	체납징세과			부가가치세과			소득세과	
과장	김원호 240			최재균 280			조병길 360	
팀	운영지원	체납추적1	체납추적2	부가1	부가2	부가3	소득1	소득2
팀장	윤태요 241	박선영 551	류세현 261	이정기 281	남광우 301	전현정 321	김은철 361	고영춘 381
국세조사관		이석원 552 신계희 553	김은혜 262 유경열 263	신대수 282 박정수 283	박태구 302	라기정 322	오정탁 362	오용락 382 김영철 383
국세조사관	최서현 242 황순금 250 안형식 616 김정환 247	이선미 554	정미영 264 황소원 265	서준용(오전) 335 양지현 284 홍상우 285	박소연 303 김재환 304	유경희 323 안은경 324 이현재 325	윤현숙 363 이준혁(오후) 335 이숙희 364	
국세조사관	홍혜령 243 정희나 244 김병훈 614	문호영 555 박성원 556 조태희 557 이지은 558	최서영 266 조한민 267 이병권 268		정휘언 305	김병철 326	이다원 365 김규원 366 임지훈 367	오미영 384 변다연 385
국세조사관	이종혁 245 박동규 245	전지현 559		최인혜 286 임지혜 287 박재홍 288 곽민지 289	김민정 306 최민지 307 문서림 308 박대현 309	정윤수 327 송윤태 328 유채원 329	노혜원 368 김준성 369	김준영 386 김다솜 387 주영서 388
공무직	이선영 202 김민정 246 임춘희 황순하							
FAX	253-4990	253-4205		257-9493, 257-3783			257-3717	

1등 조세회계 경제신문 조세일보

과	재산법인세과				조사과		납세자보호담당관	
과장	송익범 400				김양래 640		최창원 210	
팀	재산1	재산2	법인1	법인2	정보관리	조사	납세자 보호실	민원봉사실
팀장	윤문수 481	이경자 501	정규민 401	이광자 421	김인태 641		김기채 211	박소영 221
국세 조사관		정창훈 502 유승원 503	윤명한 402	강희석 422	엄태진 642	<1팀> 김진술(6) 651 이홍순(7) 652 김정근(7)(파견) 이설이(8) 653	이준현 212 김성연 213	원광호 222 윤영준 223 한석희(오전) 224
	강병조 482 황현순 483 권혁희 484	이선민 504	이정환 403 김선주 404	이재승 423	송석중 643 이정길 644	<2팀> 권순근(6) 661 황정민(8) 662 신성호(8) 663	이봉현 214	이은숙 225 이수연 226
	성완유 485	황지연 505	박요안나 405	오하라 424		<3팀> 이한승(6) 671 최진이(7) 672		최동훈 227
	강민정 486 김세욱 487		허지언 406	김유빈 425		<4팀> 문찬식(6) 681 김재현(8) 682		이정주(오후) 228 김보미 229 이지연 230
공무직								
FAX	254-9831		252-4898		255-9671		253-5344	253-4100

북대전세무서

대표전화: 042-6038-200 / DID: 042-6038-OOO

서장: **최용섭**
DID: 042-6038-201

주소	대전광역시 유성구 유성대로 935번길7 (죽동 731-4) (우) 34127				
코드번호	318	계좌번호	023773	사업자번호	
관할구역	대전광역시 유성구, 대덕구			이메일	Bukdaejeon@nts.go.kr

과	체납징세과			부가가치세과		소득세과		재산세과	
과장	김용철 240			허일한 280		박종빈 360		임종찬 480	
팀	운영지원	체납추적1	체납추적2	부가1	부가2	소득1	소득2	재산1	재산2
팀장	이문원 241	문지영 551	신지명 571	이형훈 281	박인국 301	맹창호 361	권영조 381	조대서 481	성창경 501
국세조사관	강성대 242	김경애 552	박신정 572	신원영 손경아 282	김정수 302 김은주 (오후) 614	국윤미 362 오연균 363	이성도 382 이명석 383	김세희 482 가재윤 483 전윤희 484	서동근 502 김관오 504 유장현 503
	신상수 243 강혜윤 246 주관종 244 정근선 245	권석용 553 최서진 554	이안희 576 박미진 574 정영화 262	방경선 (오전) 614 안영희 283	송현희 303 백미순 304	최현정 364 권경숙 385 정미현 365	박미경 384 김덕영 386	정상남 485 안재욱 486	김경환 505
		김유라 558 이준석 555 김태헌 557 권유빈 556	김자경 263 박재우 578 이채민 264	권영선 284 조윤민 285 김민정 286	금종희 305 김근하 310		유관호 387	한정민 487 김이수 488 김용석 489	
	김민준 247	임한솔 559	이혜민 577 정보경 575	정주관 287 안수안 288 한수영 289 오세준 290 임지완 291	김지호 307 윤옥진 308 오수빈 309 손태희 306	박미리 366 권태민 367 곽지훈 368 박민주 369	황수민 388 박종훈 389 박세희 390	이지은 490	
공무직	김현숙 620 경유림 202 강천순 정소영								
FAX	823-9662	603-8560		823-9665		823-9646		823-9648	

334

과	법인세과		조사과		납세자보호담당관	
과장	황규용 400		지영진 640		정한영 210	
팀	법인1	법인2	정보관리	조사	납세자보호실	민원봉사실
팀장	최원현 401	이왕수 421	문강수 641		이우용 211	윤건 221
국세조사관	차정환 402 이승환 403	김병일 422	김동현 642	<1팀> 이경선(6) 663 심영찬(6) 652 전영(6) 653 장성봉(9) 654	김균태 212	이용철 222
	최지영 404 정유리 405	남경 423 조정진 424	구명옥 643 유태응 644	<2팀> 이현찬(6) 655 최길상(6) 656 박엘리(8) 657	김희태 248 조명상 213 전형주 214	채상희 223 김유림(오전) 226
	유경모 406	김근아 425	옥진경 646 이민경 645	<3팀> 주형열(6) 658 이희종(7) 659 황윤철(8) 660		정미현(오후) 226 김금립(오전) 224 문진영 225
	김수현 407 한송이 408 박상희 409	송연서 426 김수진 427 한승희 428		<4팀> 이응구(6) 661 박지윤(7) 662		오정선 227 박지수 228 김로환 229
공무직						
FAX	823-9616		823-9617		823-9619	823-9610

서대전세무서

대표전화: 042-4808-200 / DID: 042-4808-OOO

서장: **이 인 희**
DID: 042-4808-201

주소	대전광역시 서구 둔산서로 70 (둔산동 1296) (우) 35239				
코드번호	314	계좌번호	081197	사업자번호	314-83-01385
관할구역	대전광역시 서구			이메일	seodaejeon@nts.go.kr

과	체납징세과		부가가치세과		소득세과	
과장	박미란 240		나정희 280		진정욱 360	
팀	운영지원	체납추적	부가1	부가2	소득1	소득2
팀장	백오숙 241	이재일 551	최영호 281	육영찬 301	최승오 361	배효창 381
국세조사관		조현경 552 정광호 553	홍창표 282 김년호 283 백선주 284 안혜은 285	이충근 310 이주한 302 최민우 303 임진규(오후)	박준규 362	강재근 382
	이순영 242 최미진 243	김영목 554 이선화 555 이선교 556 안은경 557 황영숙 558 이영희 559 손현정 560	최혜지 286	정수연 304	최은희 363 양유미 364	강윤화 383
	김학진 244	금기태 561	김수량(오전)	정금희 305	유주상 365 나혜진(오후) 김석현 366	손경숙 384 송재호 385
	배형기 246 정남용 245	이솔지 562 홍은화 563 박세진 564	서동화 287 정수연 288 최호열 289	임선하 306 안은지 307 김의연 308	김미솔 367 김민석 368	이대희 386 박서희 387 진원용 388
공무직	신민화 618 박다솜 247 김기복 202 강명선 배문선					
FAX	486-8067	480-8687	472-1657	480-8682	480-8683	

과	재산법인세과			조사과		납세자보호담당관	
과장	마삼호 400			최갑진 640		박성일 210	
팀	재산1	재산2	법인	정보관리	조사	납세자보호실	민원봉사실
팀장	박경균 481	주구종 501	김완주 401	신미영 641		이경한 211	김성오 221
국세조사관	김보혜 482	우창제 502		조미화 642 이도연 643	〈1팀〉 이호중(6) 651 정다겸(6) 652 이호제(8) 653	양광식 212	박영선 222 김진희 224
	탁현희 483 김보혜 484 권윤구 485	안현정 503 정판균 504	김정수 402 김수정 403		〈2팀〉 한현섭(6) 661 서문석(6) 662 장준(7) 663 이정주(7) 664	이규완 213	이채민 223 이화진(오전) 226
	김유진 486 박영일 487		박현아 404 조영주 405 임형빈 406 강정현 407	위태홍 644 김승현 645	〈3팀〉 심용주(6) 671 김지훈(6) 672 황은지(7) 673	최성미 214	고병준 228 유은혜(오후) 231 박길원 225
	김준하 488		문형식 408				이주연 229 박경환 227 김경빈 230
공무직							
FAX	480-8685	480-8684		480-8686		486-8062	486-2086

공주세무서

대표전화: 041-8503-200 / DID: 041-8503-OOO

서장: **고 승 현**
DID: 041-8503-201

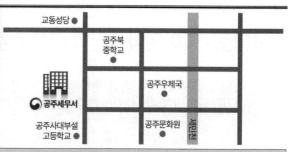

주소	충청남도 공주시 봉황로 87 (반죽동 332) (우) 32550				
코드번호	307	계좌번호	080460	사업자번호	
관할구역	충청남도 공주시		이메일	gongju307@nts.go.kr	

과	체납징세과			부가소득세과	
과장	김정범 240			박춘자 280	
팀	운영지원	체납추적	조사	부가소득	
				부가	소득
팀장	이덕형 241		주정권 671	금기준 281	
국세조사관		차광섭 552		김경만 282	
	지소영 242		정소라 672	이영순(오후) 222 이신열 285 최윤경 283 서원희 284	한상훈 291 이미희 292
	가혜미 244 이재강 245	여윤수 553 정윤주 554	노준호 673		
		임해리 555	송효주 674	김세연 287	박재욱 293
공무직	김지연 202 하정숙				
FAX	850-3692			850-3691	

과	재산법인세과		납세자보호담당관	
과장	정진호 400		이진수 210	
팀	재산법인		납세자보호실	민원봉사실
	재산	법인		
팀장	고윤하 421		이계홍 211	박학일 221
국세 조사관	이상용 422	박병화 521		
	김연수 423 홍명숙 424	문미란 522 이성준 523		박민채(오전) 223
				이연희 223
	신혜인 425	한송희 524		임소현 223
공무직				
FAX	850-3693		850-3690	

논산세무서

대표전화: 041-7308-200 / DID: 041-7308-OOO

서장: **박 광 전**
DID: 041-7308-200

↑부여

청솔아파트　논산중앙　백제
　　　　　초등학교　종합병원

논산대로
←대건고등학교

🏛 논산세무서

논산하나
요양병원　　　　대공연장

주소	충청남도 논산시 논산대로 241번길 6 (강산동) (우) 32959 부여지역민원실 : 충청남도 부여군 부여읍 사비로 41 군민회관내 (우) 33153 계룡출장소 : 충청남도 계룡시 장안로 46 계룡시청내 (우) 32823				
코드번호	308	계좌번호	080473	사업자번호	
관할구역	충청남도 논산시, 계룡시, 부여군		이메일	nonsan@nts.go.kr	

과	체납징세과			부가소득세과	
과장	김현종 240			윤동규 280	
팀	운영지원	체납추적	조사	부가	소득
팀장	김윤진 241	길웅섭 551	박주항 651	이정룡 281	강선규 361
국세 조사관		변상권 552 김은경 553 이기수 554	임경숙 김기숙 652	임유란 284	
	김영지 242 조민정 243	이호영 555 김광성 556 권동원 557	최상형 653	김나희 282 이수미 283 이은숙 285 강현정 286	이재희 362 이미주 363
	홍동기 244		강민구 654	구은정 287 신연주 288	한누리 365
	윤상준 245		홍덕길 655	송승윤 289	심현이 364 이근수 366 김승범 367
공무직	이혜진 201 김춘기 246 황윤진				
FAX	730-8270	733-3137	733-3140	733-3139	

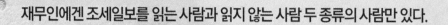

재무인과 함께 걸어가겠습니다 '조세일보'

재무인에겐 조세일보를 읽는 사람과 읽지 않는 사람 두 종류의 사람만 있다.

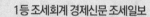

1등 조세회계 경제신문 조세일보

과	재산법인세과		납세자보호담당관	
과장	남은숙 400		서민덕 210	
팀	재산	법인	납세자보호	민원봉사
팀장	송채성 481	이철효 401	김선학 211	이준영 221
국세 조사관		김선자 402		이영호 223
국세 조사관	김수옥 482 곽문희 483 이건홍 484	오수연 403 백귀순 404 이재열 405		김초혜 223 김선애222
국세 조사관	박수진 485			조유진 222
국세 조사관	정계승 486	김민형 406		홍관의 224 임세희(부여) 836-7349 (계룡)551-6014
공무직				
FAX	735-7640	730-8630	733-3136 551-6013(계룡) 832-7932(부여)	

보령세무서

대표전화: 041-9309-200 / DID: 041-9309-OOO

서장: **김 영 찬**
DID: 041-9309-201

홈플러스 / 대명중학교 / 한내로 ← 한내로터리 / 충남보령 경찰서 / 보령시청 / 보령세무서 / 보령베이스CC

주소	충청남도 보령시 옥마로 56 (명천동) (우) 33482 장항민원실 : 충청남도 서천군 장항읍 장항로 193 (창선2리) (우) 33674				
코드번호	313	**계좌번호**	930154	**사업자번호**	
관할구역	충청남도 보령시, 서천군			**이메일**	boryeong@nts.go.kr

과	체납징세과			세원관리과	
과장	조종연 240			이관수 205	
팀	운영지원	체납추적	조사	부가	소득
팀장	신광재 241	조연 551	조복환 651	허충회 281	김미경 290
국세 조사관		이기순(징세) 261 김용기 552	서옥배 652 이명해 653		최영권 291
	윤문원 242 구은숙 243	이영재 553	김훈수 654	최환석 282 엄유환 283	이선우 허남주 292 민찬근 293
	문안전 245	최연평 554 이수연 555	이미정 655	하미현 284	
	오양금 244			임찬휘 285 강필원 286	김성은 294
공무직	김가영 202 박경화				
FAX	936-7289	936-2289		930-9299	

과	세원관리과			납세자보호담당관	
과장	이관수 205			이영호 210	
팀	재산법인			납세자보호실	민원봉사실
	법인	재산			
팀장	박현배 401				김삼수 221
국세 조사관	정상천 402 배문수 403	이영락 482			임종화(장항) 956-2100
	최지영 404	김준익 483		이진희 211	양종혁(오전) 222
		김유태 484			지충환 223
		이미현 485			김미경(오후, 장항) 956-2100
공무직					
FAX	930-5160	934-9570		931-0564	956-5292(장항)

서산세무서

대표전화: 041-6609-200 / DID: 041-6609-OOO

서장: **임 경 환**
DID: 041-6609-201

주소	충청남도 서산시 덕지천로 145-6 (우) 32003 태안민원실 : 충청남도 태안군 태안읍 후곡로 121 (우) 32144				
코드번호	316	**계좌번호**	000602	**사업자번호**	
관할구역	충청남도 서산시, 태안군			**이메일**	seosan@nts.go.kr

과	체납징세과			부가소득세과	
과장	강신혁 240			차은규 280	
팀	운영지원	체납추적	조사	부가	소득
팀장	김응남 241	임창수 551	허원갑 651	박광수 281	정승재 361
국세 조사관		전상배 552	정현원 652	조미영 282	배준 362
	이연실 242 윤숙영 245 유연우 243	유미숙 553 김영균 554 이영주(징세) 558 박민우 555	양대식 653 성지환 654	김문수 283 길민석 284 이상요 285	송인우 363 김현태 364
		김보영 556	김영길 655	이은선 286	김택창 365
	조욱 244	송유나 557		홍성희 287 진용미 288 육예연 289	백경령 366 김영중 367
공무직	김지현 이덕순				
FAX	660-9259	660-9569		660-9299	

당진↑

충남서산
의료원

중앙로

← 서산시청

석리1통
마을회관

공영주차장 ● 서산여자고등학교

🏵 서산세무서

1등 조세회계 경제신문 조세일보

과	재산법인세과		납세자보호담당관	
과장	이인근 400		김영식 210	
팀	재산	법인	납세자보호실	민원봉사실
팀장	박순규 481	김기성 401	김재구 211	정혜진 221
국세 조사관	양병문 482 박한수 483	이승기 402	최기순 212	김성렬 223
	장석현 484 한서희 485	이대연 403 김유정 404		김진화 224
	김윤희 486			
	류제현 487	이규림 405 한재상 406 천상미 407		권순영 225 정구현 226
공무직				
FAX	660-9499		660-9219 675-1281(태안)	

세종세무서

대표전화: 044-8508-200 / DID: 044-8508-OOO

서장: **임 영 미**
DID: 044-8508-201

금강

보람고등학교　세종세무서　세종특별자치시 시청　세종남부 경찰서
버스 ←터미널　NH농협은행
여울초등학교　보람동 행정복지센터

주소	세종특별자치시 시청대로 126 (보람동 724) (우) 30151 조치원민원실 : 세종특별자치시 조치원읍 충현로 193 (침산리 256-6) (우) 30021				
코드번호	320	계좌번호	025467	사업자번호	
관할구역	세종특별자치시			이메일	

과	체납징세과		부가가치세과		소득세과
과장	김미애 240		박재혁 270		국태선 340
팀	운영지원	체납추적	부가1	부가2	소득
팀장	김덕규 241	한광우 551	김진영 271	정인숙 281	소재성 341
국세 조사관		서대성 552	서정원 272	도우형 282	이성호 342
	박혜진 242	장현수 553 마승진 554 권혁수 555 나경미 556 최희경(징세) 262 진순자 557	신시영 273	원지연 283	서혜진(오전) 311 김은의(오후) 311 정명하 343 김대운 344 홍진영 345
	이수민 243 윤여룡 246	김희은 558	이재진 274 임슬기 275	정영은 284 강수지 285	김재완 346 김예슬 347
	김성준 247 배종호 244	김진서(징세) 263	강동훈 276 한동규 277	손영주 286	박소연 348 이재성 349
공무직	송문주 박지혜 정종순 조은희				
FAX	850-8431	850-8443 850-8432	850-8443		850-8434

과	재산법인세과			조사과		납세자보호담당관	
과장	김민수 460			이수영 640		김우성 210	
팀	재산1	재산2	법인	조사관리	조사	납세자보호실	민원봉사실
팀장	김인화 461	양창호 491	이정선 531	고수영 641		백지은 211	최한진 221
국세조사관	옹주현 462 박은정 463	김상훈 492 유지희 493	고영경 532	송영화 642	<1팀> 김말숙(6) 651 김한용(7) 652 김보성(8) 653	김연화 212	이선영 226 (오전)
국세조사관	박희정 464 이진석 465		노혜정 533 최영숙 534 이수현 535 심재인 536	김구호 643			한동희 222 이혜경(오후) 226 유장현 223 김진아(오전) 227 조은지 224 곽민혜 225
국세조사관	양상원 466 장민환 467	김규리 494	서경하 537 전지은 538	최지은 644	<2팀> 김한민(6) 661 김지선(8) 662 이정인(9) 663	정상원 213	
국세조사관	이정원 468 김소연 469		민효정 539				
공무직							
FAX	850-8435	850-8441	850-8436	850-8437		850-8438	850-8439 (본서) 850-8440 (조치원)

아산세무서

대표전화: 041-5367-200 / DID: 041-5367-OOO

서장: **김 태 훈**
DID: 041-5367-201

주소	충청남도 아산시 배방읍 배방로 57-29 (공수리 282-15) 토마토빌딩 (우) 31486				
코드번호	319	계좌번호	024688	사업자번호	
관할구역	충청남도 아산시			이메일	asan@nts.go.kr

과	체납징세과		부가소득세과		
과장	김종문 240		최익수 280		
팀	운영지원	체납추적	부가1	부가2	소득
팀장	변종철 241	김대규 551	유범상 281	두진국 291	김은하 301
국세 조사관		박수경 유재남 552	이은숙(오전) 288 김대진 282	최근호 292 장미영 293	이동근 302
	노기우 242 지은정 243 김영남 244	정영석 553 백민정 261 강희수 554 석진안 555 신순영 556 가윤선	양선숙 283 연제석 284	이정아 294 김정옥 295	박금숙 303 윤연심 304 차지원 305
	한명철 245	오인화 557 박혜숙 262	양소라 285	유성운 296	신보경 306 윤이슬 307 한용 308
	안호진 246	최유정 558 한수관 559 김주언 560	김지수 286 서재우 287	김경숙 297 한주성 298	안서진 309 이예진 310
공무직	박윤지				
FAX	536-7770	533-1352	533-1325		533-1326

과	재산법인세과		조사과		납세자보호담당관	
과장	박매라 400		신승태 640		황인자 210	
팀	재산	법인	정보관리	조사1	납세자보호실	민원봉사실
팀장	김관용 481	장우영 401	유경룡 641		이무황 211	황진구 221
국세조사관	오진성 482	조영혁 402	노학종 642 박미진 643	\<1팀\> 권순일(6) 651 김효순(6) 652 오건우(7) 653	김명진 212	
국세조사관	김현중 483 정재경 484 채민기 485	이영순 백영신 403 함미란 404 양전옥 405	이경노 644	\<2팀\> 유달근(6) 661 엄재희(7) 662 이철우(7) 663	서명옥 213	구정인(오전) 222
국세조사관	김기동 486 홍경표 487 김경오 488	서범수 406 안세영 407 어경윤 408				박혜림 223 박찬오(오후) 224 정인형 225
국세조사관		최지연 409 류원석 410 김세령 411		\<3팀\> 김상엽(6) 671 김주현(7) 672 이상재(8) 673		김효근 226
공무직						
FAX	533-1327	533-1328	533-1354	533-1353	533-1383	

예산세무서

대표전화: 041-3305-200 / DID: 041-330-5OOO

서장: **이 상 용**
DID: 041-3305-201

주소	충청남도 예산군 오가면 윤봉길로 1883 (좌방 19-69) (우) 32425 당진지서 : 충청남도 당진시 원당로 88 (원당동 790-4) (우) 31767					
코드번호	311	**계좌번호**	930167	**사업자번호**	
관할구역	충청남도 예산군, 당진시			**이메일**	yesan@nts.go.kr

과	체납징세과			세원관리과		납세자보호담당관	
과장	신현서 240			김형기 280		강지원 210	
팀	운영지원	체납추적	조사	부가소득	재산법인	납세자보호실	민원봉사실
팀장	도해구 241	백선자 551	이영찬 651	강인성 281	이모성 481		노태송 221
국세 조사관				박규서 285	박세국 482 남택원 483		
	강은실 242 김영아 243	신경희 552 송미나 553 김은규 554 강현주 555	김윤환 653 김수원 652	이유정 286 엄진숙 282	유미숙 402	백승민 211	안태유 222 염미숙 223
	강태곤 245			허재혁 283			
	양동현 246 임재돈 244		박성재 655	박채영 284 임소현 287	이의신 484 변민영 403 이진하 404		
공무직	김미나 202 이재실						
FAX	330-5305	330-5302		334-0614	334-0615	334-0612	

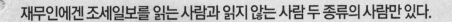
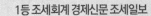
과	당진지서(041-3509-200)					
과장	최병기 201					
팀	체납추적	부가	소득	재산	법인	민원봉사실
팀장	정용협 451	이창홍 281	김찬규 361	장석안 481	이성영 401	권수중 221
국세조사관	송인광 452	염태섭 282				
국세조사관	이민표 458	김정화 283 박두용 284	김봉진 362 김영희 363	육경아 482 최우영 483	임재철 402 곽한민 403	장현하 223
국세조사관	변상미 453 김진웅 454 이나미 455	김수현 285 임유리 286	조세희 364	박원진 484 이다빈 485	유수지 404	이경아 222
국세조사관	이다연 456 김아영 457	홍충 287	김수빈 365	정지영 486	손은채 405	노우성 224
공무직						
FAX	350-9424	350-9410		350-9369		350-9229

351

천안세무서

대표전화: 041-5598-200 / DID: 041-5598-OOO

서장: **김 재 휘**
DID: 041-5598-201~2

지도: 대전지방검찰청 천안지청, 대전지방법원 천안지원, 청룡동 행정복지센터, 천안청수지구 수자인아파트, 하나로마트, 농협, 천안세무서, 동천안 우체국, 청당2 체육공원, 남부대로

주소	충청남도 천안시 동남구 청수14로 80 (우) 31198				
코드번호	312	계좌번호	935188	사업자번호	312-83-00018
관할구역	충청남도 천안시			이메일	cheonan@nts.go.kr

과	체납징세과			부가가치세과		소득세과	
과장	남동균 240			김영걸 280		김용주 360	
팀	운영지원	체납추적1	체납추적2	부가1	부가2	소득1	소득2
팀장	윤영재 241	박승원 551	오승진 571	기회훈 281	김순복 301	하정영 361	정영순 381
국세 조사관		이석기 552	박정숙(징세) 262 김범전 572	남무정 282 원순영 283	현주호 302	윤지희 362	김인호 382
	고철호 242 권혜원 243	강미영 553 홍창화 554 손민영 555 고정환 556	전인복 583 이안희 573 손진이(징세) 263 이공후 574 주란 575 김미희 576 임송빈 577 한정필 578	안승연 284 김현아 285 도미선 286	고종철 303 남기범 304 송재하 305 최진용 306 남현지 307	여중구 363 박상민 364 정호석 365	정소라 383 박미경 384 김황경 385
	이재성 244 공기성 245 조지훈 614 고정연 246	방아현 557	김선돌 579 최서진(징세) 264	홍은정 287 변정미 288 이송미 289 신우열 290	신진아 308 김선주 309	김희원 366	전창우 386
	김기대 248	방수민 558 강소영 559 임경수 560 이철종 561	김보경 580 이헌진(징세) 265 백현심 581 김영래 582	정보빈 291 최은선 292 이유진 293 조은비 294	신은주(오전) 296 김지영 310 김지우 311 이상각 312	김태은 367 지혜연 368 구혜영 369	박희정 387 홍성수 388 손새봄 388
공무직	이푸름 203 김은주 247 강동완 608 정현옥 홍계숙						
FAX	559-8250	559-8699		551-2062		555-9556	

과	재산세과		법인세과		조사과		납세자보호담당관	
과장	윤영현 480		이상현 400		김창미 640		고은정 210	
팀	재산1	재산2	법인1	법인2	정보관리	조사	납세자보호실	민원봉사실
팀장	최영준 481	송인한 521	장정우 401	김진문 421	최승식 641			이성호 221
국세조사관	석혜숙 482 김운주 483	위정호 522 고용국 523	김경호 402	김상린 422	이종호 642 오민경 643	<1팀> 김상태(6) 651 김기준(6) 652 김가영(9) 653	엄태선 212 이정우 215 박은정 213	주명진 222
	황연주 484 오서진 485 송재윤 486	양명호 524 박동일 524 박범석 525	장세연 403	안진영 423 이순길 424	윤희민(정보) 692 이재명 644	<2팀> 김종진(6) 654 박성경(7) 655 강기철(8) 656		김진환 223 민옥자 224 손화승 225 박민호 226 최혜경 227
	이재봉(오전) 492 이은혜 487 최상선 488 신용식 489		서규호 404 정태윤 405 이민규 406 조우진 407	진승환 425 채희준 426 김용진 427		<3팀> 조석정(6) 657 이수진(6) 658 강병수(7) 659	마숙연 214	왕수현 228 박미현 229 박민아 230
	계예슬 490		조지훈 408 김예림 409 지영은 410	김민영 428 우재은 429 차나리 430		<4팀> 박인수(6) 660 황규동(7) 661 이하경(8) 662		한민아(오후) 231 권영서 232 이선관 233
공무직								
FAX	563-8723		553-7523		561-2677 551-4175		551-4176	553-4356 562-4677

홍성세무서

대표전화: 041-6304-200 / DID: 041-6304-OOO

서장: **손 유 승**
DID: 041-6304-201

주소	충청남도 홍성군 홍성읍 홍덕서로 32 (우) 32216 청양민원실 : 충청남도 청양군 청양읍 중앙로 158 (우) 33327				
코드번호	310	**계좌번호**	930170	**사업자번호**	
관할구역	충청남도 홍성군, 청양군			**이메일**	hongseong@nts.go.kr

과	체납징세과			세원관리과	
과장	양회수 240			이종길 280	
팀	운영지원	체납추적	조사	부가소득	
				부가	소득
팀장	임인택 241	장찬순 551	종만 651	박기민 281	
국세 조사관		홍성도 552		이호 282 윤철원 283	이화용 292 박현정 293
	황성희 242 김정일 244 김지연 243	김진식 553 이재명 554	박상곤 652 노영실 653	류성권 284	강인근 294
	이진희 245				엄소정 295
		임진영 556 고석희 555		김호겸 285 최다솜 286 민수호 287	
공무직	이경아 202 구소미				
FAX	630-4249	630-4559		630-4335 0503-113-9173	

과	세원관리과		납세자보호담당관	
과장	이종길 280		채정훈 210	
팀	재산법인		납세자보호실	민원봉사실
	재산	법인		
팀장	이선태 481		박종호 211	
국세 조사관	이동환 482	서창완 402		박희정 221
	양세희 483 이민호 484 성기오 485	이지숙 403 박진숙 404		이영주 223 우은주 222 최지선(오전, 청양) 944-1050
		이유나 405		박은영(오후, 청양) 944-1050
공무직				
FAX	630-4489 0503-113-9173		630-4229 0503-113-9172 944-1060(청양)	

동청주세무서

대표전화: 043-2294-200 / DID: 043-2294-OOO

서장: **정 성 훈**
DID: 043-2294-201

주소	충청북도 청주시 청원구 1순환로 44 (율량동 2242) (우) 28322 괴산민원실 : 충청북도 괴산군 괴산읍 임꺽정로 90 (서부리 125) 괴산군청 1층 민원과 (우) 28026 증평민원실 : 충청북도 증평군 증평읍 광장로 88 (창동리 100번지) 증평군청 종합민원실 (우) 27927				
코드번호	317	계좌번호	002859	사업자번호	301-83-07063
관할구역	청주시 상당구, 청원구, 증평군, 괴산군			이메일	dongcheongju@nts.go.kr

과	체납징세과			부가가치세과		소득세과
과장	김영덕 240			최은미 280		박추옥 360
팀	운영지원	체납추적1	체납추적2	부가1	부가2	소득
팀장	이용환 241	석영일 551	박미숙 571	박병수 281	유영복 301	성백경 361
국세 조사관		이성기 552		이상석 282	김약수 302	
	강기진 242 곽노일 243 이재현 244 이동욱 245	김기미 553 이승석 554 문미영 555 심준석(오전) 556	김도연 572 조하영(징세) 261 정준희 573	박제영 283 이경숙(오전) 강현영 284 유수정 285 정영선 286	최임규 303 남기태 310 박인선 304 박성희 305	유다형 362 서승의 364 서은영 365 전현아 366
		장혜린 557 권진영 558 오광석 559	김민선 574 정은아(징세) 262		박은실 306	한정희 367 이수빈 368
	이경호 246			백고은 287 정미화 288 이민지 289 오지은 290	이익중 307 강지훈 308 한수진 309	송수인 369 이승찬 370 전수연 371 이준혁 372
공무직	박용선 200 이은숙 202 유광현 김태문					
FAX	229-4601			229-4605		229-4602

1등 조세회계 경제신문 조세일보

과	재산법인세과			조사과		납세자보호담당관	
과장	신동우 400			김민규 640		김진배 210	
팀	재산1	재산2	법인	정보관리	조사	납세자보호실	민원봉사실
팀장	송영찬 481	김대식 501	전서동 401	강덕근 641		송지원 211	신언순 221
국세조사관		황재중 502 송경진 503	오관택 402		<1팀> 강남규(6) 651 유지현(7) 654 장동환(8) 657	이은혜 212	윤상호 222
	이인숙 482 박수아 483 연상훈 484	강지은 504	권경미 403 손정화 404 황미화 405 김유경 406	성은숙 642	<2팀> 조남웅(6) 652 강소령(7) 655 임보라(7) 658	정연경 213	서민경 223
	장한울 485	김두연 505	홍석우 407	박가향 643			정해은(오전) 224 조미겸 225 박시형 226 신형원 227 김선영 228
	전현주 486 이현주 487		김유나 408 이수빈 409 양희윤 410	김가원 644	<3팀> 고의환(6) 653 최충일(7) 656 신원철(8)(파견)		문보경 229
공무직							
FAX	229-4609	229-4606		229-4607		229-4603	229-4604 229-4133

영동세무서

대표전화: 043-7406-200 / DID: 043-7406-OOO

서장: **김 성 기**
DID: 043-7406-201

주소	충청북도 영동군 영동읍 계산로2길 10 (계산리 681-4) (우) 29145 옥천민원실 : 충청북도 옥천군 옥천읍 동부로 15 옥천읍행정복지센터 3층 (우) 29040 보은민원실 : 충청북도 보은군 보은읍 삼산로 50 보은읍행정복지센터 2층 (우) 28947				
코드번호	302	**계좌번호**	090311	**사업자번호**	306-83-02175
관할구역	충북 영동군, 옥천군, 보은군			**이메일**	yeongdong@nts.go.kr

과	체납징세과		
과장	노영인 240		
팀	운영지원	체납추적	조사
팀장	김영선 241	임달순 551	
국세 조사관		조영자 552	김동일 651
	이명한 242 최연옥 243 이지호 244	이주성 553	유은주 652
			강현애 653
	정성관 245	안지민 554 정상수 555	
공무직	신수인 202 이금희		
FAX	740-6250	740-6260	

과	세원관리과				납세자보호담당관	
과장	우인제 280				안승호 210	
팀	부가소득		재산법인		납세자보호실	민원봉사실
	부가	소득	재산	법인		
팀장	김용전 281		강영기 481		오문수 211	
국세 조사관	노영하 282	전혜영 288	김용호 485	최인옥 402		이창권(보은) 542-2400
	김혜원 283		김창순 482 김미선 483	조혜민 403	이석재 212	이재숙 221 오현석 222
		안승희 289	전재령 484			이신정(옥천) 733-2157
	신승환(오전) 284 이보라 285 안용환 287	박채린 290 김성환 286		김유식 404 김소연 405		
공무직						
FAX	740-6600		743-5283		(영동)743-1932 (옥천)731-5805 (보은)543-2640	

제천세무서

대표전화: 043-6492-200 / DID: 043-6492-OOO

서장: **조 종 호**
DID: 043-6432-107

주소	충청북도 제천시 복합타운1길 78 (우) 27157				
코드번호	304	계좌번호	090324	사업자번호	
관할구역	충청북도 제천시, 단양군			이메일	jecheon@nts.go.kr

과	체납징세과			세원관리과	
과장	이영규 240			유선우 280	
팀	운영지원	체납추적	조사	부가	소득
팀장	이세호 241	신열석 551	김승환 651	김영일 281	이미정 361
국세 조사관		황은희 556 오재홍 552	김정섭 652		
	오상은 242 인길성 243 박익상 244	김보미 553 최성찬 554	최용복 653	명혜란 282 양해만 이철주 283 이솔 284 조정헌 285	이경순 362 박현희 363
		이문석 555 이주형 557	나정현 654 김지윤 655	방재필 286	
	국주헌 245			김윤겸 287 한미연 288	고재우 364 조은서 365
공무직	김경숙 246 정유정 202 김정임 246				
FAX	648-3586		653-2366	645-4171	

과	세원관리과		납세자보호담당관	
과장	유선우 280		조영우 210	
팀	재산법인		납세자보호실	민원봉사실
	재산	법인		
팀장	임영수 401		이평희 211	김무영 221
국세조사관	김기태 482	반병권 402		송연호 222
	최경아 483	전현숙 403		김은영 223
	이은지 484 장문수 485	김정현 404		
		김보람 405		한성경 224
공무직				
FAX	652-2495		652-2630	

청주세무서

대표전화: 043-2309-200 / DID: 043-2309-OOO

서장: **송 영 주**
DID: 043-2309-201

주소	충청북도 청주시 흥덕구 죽천로 151 (복대동 262-1) (우) 28583				
코드번호	301 || 계좌번호	090337	사업자번호	301-83-00395
관할구역	충청북도 청주시 흥덕구, 서원구 || 이메일	cheongju@nts.go.kr		

과	체납징세과			부가가치세과		소득세과	
과장	안주훈 240			김선문 280		장훈 360	
팀	운영지원	체납추적1	체납추적2	부가1	부가2	소득1	소득2
팀장	최해욱 241	성보경 551	최진숙 571	유병민 281	김관수 301	이영휘 361	박병문 381
국세 조사관			남현우 572			이태호 362	
	김종현 243 이동준 244 최경하 245	김소민 552 박정연 553 오세민 554 박수진 555 김복선 556	장명화 573 박지은 574 윤여용(오전) 575 이신영(오후) 576 이지윤 262 김혜미 577	김지원 282 김민정 283 이현우 284 임유진 285	옥지웅 302 박윤주 303	이재욱 364 최경인 363	최윤정 382 김보경 383 오현민(오전) 정성화 384
				염나래 286 김지아 287 남보라 288 송인경 289	조아연 304 신은지 305 나은주 306 김병철 307	박문수 246	구효진 387
	주현민 247 김두환 김승훈 249 김태규 247	왕지영 557 심진영 558	전범준 263	이수비 290 장영준 291	황준석 308 이지영 309	이재원 367 이근원 366 문채은 365	황선유 386 조훈연 385
공무직	양진실 박미정 신지현 최진수						
FAX	235-5417	235-5410		235-5415		235-5414	

과	재산법인세과			조사과		납세자보호담당관	
과장	김윤용 400			한구환 640		이도회 210	
팀	재산1	재산2	법인	정보관리	조사	납세자보호실	민원봉사실
팀장	오세덕 481	우근중 501	엄기붕 401	연태석 641			김남중 221
국세조사관	이수진 482 신승우 483	이병용 502	이효진 402	나용호	<1팀> 오승훈(6) 651 송수빈(8) 655 이건우(8) 659	정성무 212 전민정(파견)	이명하 222 김주미 224
	이종희 484 이규화 486	김은경 503	박선영 403 오진용 404 허숙영 405	김은기 642 권예리 643	<2팀> 양용환(6) 652 이유진(8) 654	오지윤 213	박유자 223 최영미 김영간(오후) 225 김수정 226
	윤보배 487	김국현 504	한효경 406 유세곤 407 유승아 408 박민수 409		<3팀> 이양호(6) 653 이원종(7) 657 이병욱(9)		이은경(오전) 225 이진수 227
	조용우 485 박민근 488	성진혁 505	나유진 410 정유진 411				조혜연 228
공무직							
FAX	235-5419	234-6445	234-6446			235-5412	235-5418

충주세무서

대표전화: 043-8416-200 / DID: 043-8416-OOO

GS충주 주유소 · 충주세무서 · 충주시청 · 금제2구 마을회관

← 남한강 · 무지개삼일 아파트 · 금능현대 아파트 · 반영대로

서장: **이 광 호**
DID: 043-8416-201

주소	충청북도 충주시 충원대로 724 (금릉동) (우) 27338 충북혁신지서 : 충청북도 음성군 맹동면 대하1길10 센텀CGV타워 3층 (우) 27738					
코드번호	303	계좌번호	090340	사업자번호	303-83-00014
관할구역	충주세무서(충청북도 충주시), 충북혁신지서(충청북도 음성군, 진천군)			이메일	chungju@nts.go.kr

과	체납징세과		부가소득세과		재산법인세과		조사과	
과장	이상학 240		김몽경 280		안기호 400		김영두 640	
팀	운영지원	체납추적	부가	소득	재산	법인	정보관리	조사
팀장	권오찬 241	유병호 551	김붕호 281	서혜숙 361	이영직 481	이승재 401	김명호 641	
국세 조사관		최병분 262	안재진 282	노정환 362	윤은택 482	김문철 402		<1팀> 안남진(6) 651 김용진(7) 652 정영철(7) 691 이수영(9) 653
국세 조사관	최광식 242	정명숙 263 박지은 552 류희식 553	이상봉 283 강윤정 284	장성미 363	김광섭 483	임인택 403	박승권 642 홍기오 644	<2팀> 한상배(6) 654 이동섭(7) 655 정성모(8) 656
국세 조사관	안수용 243 허천일 245 박영임 244	권희갑 554 박재곤 555	권오성 285 정희정 286	이강원 364 김효선 365	정재남 484	김희창 404	허승열 643	<3팀> 강희웅(7) 657 사현민(7) (파견) 이오령(9) 658
국세 조사관		주은경 556 손규리 557	이혜진 287 장혜린 288 심혜원 289 최휘철 290 이예은 291	김지희 366 박수현 367 김예름 368	김나리아 485	문지원 405		
공무직	안진숙 235 이문형 202 정혜원 강기순							
FAX	845-3320		845-3322		851-5594		845-3323	

과	납세자보호담당관		충북혁신지서(043-8719-200)					
과장	이기활 210		정승태 201					
팀	납세자보호	민원봉사실	체납추적	부가	소득	재산	법인	납세자보호
팀장	신혁 211	홍순진 221	신현준 551	신기철 281	임헌진 361	신진우 481	임현수 401	박예규 221
국세조사관	손영진 212			이건호 282	오철규 362	이경숙 482 우창영 483		최성한(오전) 222
국세조사관	김명진 213	임수정 222 김용현 223 김유라(오전) 224	백혜진 552 박미정 553 김영삼 554	안미분 283 이승균 284 김동현 285	임성옥 363 송승호 364	이양로 484	차회윤 402 전광희 403 이종태 404 한인수 405 김지현 406	
국세조사관		심혜정 225 유송희 226	오소진 555 임새봄 556 이주형 557	한지우 286 손권호 287	이단비 365	김태균 485		
국세조사관			서정원 558	박수연 288 박현정 289 박준성 290	정원준 366	김재영 486	방준석 407 한주희 408 임다림 409 남경아 410	황은서 223 방지선 224 이종용 225
공무직								
FAX	851-5595	847-9093	871-9631	871-9632		871-9633		871-9634

광주지방국세청
관할세무서

■ 광주지방국세청		367
	지방국세청 국·과	368
[광주]	광 산 세무서	374
	광 주 세무서	376
	북광주 세무서	378
	서광주 세무서	380
[전남]	나 주 세무서	382
	목 포 세무서	384
	순 천 세무서[벌교지서, 광양지서]	386
	여 수 세무서	388
	해 남 세무서[강진지서]	390
[전북]	군 산 세무서	392
	남 원 세무서	394
	북전주 세무서[진안지서]	396
	익 산 세무서[김제지서]	398
	전 주 세무서	400
	정 읍 세무서	402

광주지방국세청

주소	광주광역시 북구 첨단과기로 208번길 43 (오룡동 1110-13) (우) 61011
대표전화 & 팩스	062-236-7200 / 062-716-7215
코드번호	400
계좌번호	060707
사업자등록번호	102-83-01647
e-mail	gwangjurto@nts.go.kr

청장　　　윤영석

(D) 062-236-7200

징세송무국장	임경환	(D) 062-236-7500
성실납세지원국장	김태열	(D) 062-236-7400
조사1국장	장신기	(D) 062-236-7700
조사2국장	나종선	(D) 062-236-7900

광주지방국세청

대표전화: 062-236-7200 / DID: 062-236-OOOO

청장: **윤 영 석**
DID: 062-236-7201

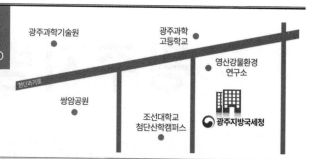

광주과학기술원
광주과학고등학교
영산강물환경연구소
첨단과기로
쌍암공원
조선대학교 첨단산학캠퍼스
광주지방국세청

주소	광주광역시 북구 첨단과기로 208번길 43 (오룡동) (우) 61011 별관 : 광주광역시 서구 월드컵4강로 101길 (화정4동 896-3) (우) 61997						
코드번호	400	**계좌번호**	060707	**사업자번호**	410-83-02945	
관할구역	광주광역시, 전라남도, 전라북도 전체			**이메일**	gwangjurto@nts.go.kr	

과	운영지원과				감사관		납세자보호담당관	
과장	김훈 7240				장성재 7300		이상준 7330	
팀	행정	인사	경리	현장소통	감사	감찰	납세자보호	심사
팀장	오상원 7252	송방의 7242	남자세 7262	조종필 7272	이필용 7302	손충식 7312	박정일 7332	박소현 7342
국세 조사관	임성민 7253	황인철 7243	박종근 7263	김경주 7273	오경태 7303 박연 7304	박은재 7313	강성기 7333	이건주 7343
	나승창 7254 김미해 7620 김세곤 7615	이재남 7244 박성정 7245 노성은 7246	선경미 7264 박환 7265	홍정기 7274 김현진 7275	정철기 7305 유종선 7306 김민경 7307 김승수 7308	안호정 7314 김우신 7315 최창무 7316 박란영 7317 이건호 7318	유희경 7334	김대일 7344 김재환 7345
	김태준 7255 김재경 7256 김환 7617 정에녹 7618	정다희 7247 곽재원 7248	김현성 7266 정진아 7267	오한솔 7276	한다정 7309		한나라 7335	백지원 7346
	이승훈 7257							
공무직	이혁재(기록 연구사) 7259 김진 7202 정홍섭	박혜현 7249						
FAX	716-7215	371-4911			376-3102		376-3108	

국실	성실납세지원국									
국장	김태열 7400									
과	부가가치세과			소득재산세과				법인세과		
과장	홍영표 7401			곽명환 7431				민준기 7461		
팀	부가1	부가2	소비세	소득	재산	소득지원	소득자료관리TF	1	2	3
팀장	염지영 7402	윤병준 7412	문식 7422	박미선 7432	최태전 7442	문주연 7452	정희경 7456	임철진 7462	최영임 7472	윤연자 7482
국세조사관	박선영 7403		이정민 7423	강병관 7433				정병주 7463		강지선 7483
국세조사관	김태원 7404	심현석 7413 장수연 7414 오세철 7415	최환석 7424 조현국 7425	배민예 7434	강종만 7443 김민정 7444	배은선 7453	김미진 7457	강희정 7464 정혜화 7465 손종현 7466	강이근 7473 박상범 7474 정미진 7476 백철주 7475	민지홍 7484
국세조사관	박지언 7405 양현황 7406	유항수 7416	주송현 7426	김은영 7435 김재원 7436	김지민 7445	김명희 7454 김재욱 7455		김화영 7467	박설희 7477	박형민 7485 김득수 7486
공무직	주선미 7400									
FAX	236-7651			236-7652				716-7224		

DID : 062-236-OOOO

국실	성실납세지원국				징세송무국	
국장	김태열 7400				임경환 7500	
과	전산관리팀				징세과	
과장	박숙희 7131				김대학 7501	
팀	전산관리1	전산관리2	정보화센터1	정보화센터2	징세	체납관리
팀장	김보현 7132	정현호 7142	박원석 7152	김옥희 7172	조상옥 7502	김옥현 7512
국세 조사관	이성 7133 김운기 7134 김영오 7136	백근허 7143 윤여관 7144			노은주 7503	
	조선경 7135	오상훈 7146	류진 7153 김경례 7156 김희숙 7158 정영숙 7155 김경임 7154 황경숙 7161 이승희 7167 강진 7162 김혜영 7160 염현주 7164	이향화 7182 김영미 7179 박귀자 7175 김양미 7177 이혜경 7186 신미숙 7176 유희경 7174 김은자 7185 윤희경 7183	노미경 7504	이장원 7513 최향미 7514
	송재윤 7137			김미경 7173	김은솔 7505	임정민 7515
공무직					김여진 7500	
FAX	716-7221				716-7219	

국실	징세송무국				조사1국				
국장	임경환 7500				장신기 7700				
과	송무과		체납추적과		조사관리과				
과장	정장호 7521		김창현 7541		손오석 7701				
팀	1	2	추적관리	추적	1	2	3	4	5
팀장	이동현 7522	최영주 7532	박성진 7542	민동준 7552	김용주 7702	김엘리야 7712	이성근 7722	임주리 7732	김은미 7742
국세 조사관	박남주 7523 김화영 7526	고복님 7534	황득현 7543		조영숙 7703	정소영 7713	박수인 7723	김혜란 7733	
국세 조사관	박은영 7524 이호석 7527 나인엽 7528	이영훈 7535 이상철 7536 이성 7537	송재중 7546 강경희 7545 김성준 7544	정희섭 7553 한채윤 7554 김우성 7555	정태호 7704 곽미선 7705 윤길성 7706 이채현 7707	김은정 7714 박민주 7715	김현주 7724 이영은 7725 김상민 7726	오진명 7734 김예준 7735 조해정 7736	강윤성 7743 박슬기 7744 조정효 7745
국세 조사관	윤형길 7525		김예진 7547	박지은 7556 최창욱 7557 김주현 7558	이승준 7708 강성현 7709		김지혜 7727		김보람 7746
공무직					김아람				
FAX	716-7220		716-7223		716-7225				

371

국세관련 모든 상담은 국번없이 126
전국 어디서나 편리하게 상담받으세요.
평일 9시~18시 (탈세제보는 24시간)

DID : 062-236-0000

국실	조사1국					
국장	장신기 7700					
과	조사1과			조사2과		
과장	설경양 7751			채규일 7781		
팀	1	2	3	1	2	3
팀장	임선미 7752	김철호 7762	강성준 7772	김근우 7782	윤경호 7792	김기정 7802
국세 조사관	문형민 7753					
	서영우 7754	김형주 7763 윤정익 7764	신정용 7773 강중희 7774	정경종 7783 이승완 7784	문윤진 7793 최원규 7794	박석환 7803 성명재 7804
	이선민 7755	안이슬 7765	양용희 7775	유판종 7785	김학민 7795	송희진 7805
공무직						
FAX	236-7653			236-7654		

국실	조사2국								
국장	나종선 7900								
과	조사관리과			조사1과			조사2과		
과장	박진찬 7901			정완기 7931			김희봉 7961		
팀	1	2	3	1	2	3	1	2	3
팀장	최권호 7902	윤석헌 7912	이정관 7922	박기호 7932	김성희 7942	변재만 7952	김정운 7962	이수진 7972	김만성 7982
국세 조사관		김완주 7913	김윤희 7923					민혜민 7973	
	이창주 7903	강문승 7914 윤조아 7915	나채용 7927 신영남 7924 최효영 7928 문홍배 7926	유춘선 7933	송원호 7943	정수자 7953	한정규 7963		김용태 7983
	윤은미 7904	임정미 7916 안지섭 7917	박재환 7925	주온슬 7934	최장균 7944	문은성 7954	이하현 7964	안재형 7974	최보영 7984
공무직	김윤희								
FAX	716-7228			716-7229			716-7230		

광산세무서

대표전화: 062-9702-200 /DID: 062-9702-○○○

서장: **임 진 정**
DID: 062-9702-201

주소	광주광역시 광산구 하남대로 83(하남동 1276, 1277) (우) 62232				
코드번호	419	계좌번호	027313	사업자번호	
관할구역	광주광역시 광산구, 전라남도 영광군			이메일	

과	체납징세과			부가가치세과		재산법인세과			
과장	박정식 240			양길호 280		김용오 400			
팀	운영지원	체납추적1	체납추적2	부가1	부가2	재산1	재산2	법인1	법인2
팀장	홍수경 241	하철수 511	송만수 261	박인환 281	김광현 301	김종숙 481	김정연 501	공성원 401	방양석 421
국세조사관		박병일 512 정이준 513	기승연 262	신동용 282 김지호 283 이동훈 284 정재훈 621	정오영 302	최미영 482 박경란 483	김영선 502	박종현 402	추지연 422
국세조사관	구윤희 242 기대원 243 최철승 247 전혜정 244	이지연 514 선양기 515	김정화 263 엄하얀 264	김혜정 285 한초롱 286 윤미옥 287	김영순 303 김미영 304 심명진 305 손상필 306 안현창 307	강혜미 624 류호진 484 정호영 625 박금옥 485	윤현웅 503	최기환 403 이윤경 404 강경완 405	유훈주 423
국세조사관		황경미 516 범서희 517	박소영 265 이서정 266	이정호 288	배성관 308		지정국 504	김단 406	문보라 424 이하연 425 김영석 426
국세조사관	양한별 245 장수희 246	김재은 518	전성준 267 최소아 268	문수미 289 박채연 290 조정현 291 심태섭 292	김형연 309 조세경 310 최원영 311	박승연 486 박예진 487	김용운 505	정예슬 407	송다영 427
공무직	정혜진 202 김현숙								
FAX	970-2259	970-2269		970-2299		970-2419			

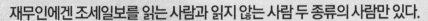

재무인과 함께 걸어가겠습니다 '조세일보'

재무인에겐 조세일보를 읽는 사람과 읽지 않는 사람 두 종류의 사람만 있다.

과	소득세과		조사과		납세자보호담당관	
과장	정길호 360		오현미 640		이성묵 210	
팀	소득1	소득2	정보관리	조사	납세자보호실	민원봉사실
팀장	우재만 361	한동석 381	김영호 641	정성수 651	정기중 211	정종필 221
국세조사관	강현아 362	김수영 382		김현철 654 신승훈 657		나미선 222
국세조사관	이경환 363 기민아 364 이정화 622	김정호 383 김현진 623 한창균 384 김지훈 385	나혜경 642 김대호 643	배제섭 655 김영보 652 손승재 658 이성진 656	정선태 212	양동혁 223 서정숙 224 양은진 626 이승근 225
국세조사관	차영준 386 윤채린 365		전지선 644 안소연 645	박새얀 659	하주희 213	
국세조사관	오가원 366 김시영 368	나유민 387 강설화 367		홍해라 653		박지선 627 최준민 226 장서영 227
공무직						
FAX	970-2379		970-2649		970-2219	970-2238

광주세무서

대표전화: 062-6050-200 /DID: 062-6050-OOO

서장: **나 향 미**
DID: 062-6050-201

지도: ←금남로5가역, 금남로4가역, 광주극장, NC백화점, 문화전당역→, 금남로, CGV 광주금남로, 광주세무서, 광주천

주소	광주광역시 동구 중앙로 154 (호남동 39-1) (우) 61484					
코드번호	408	계좌번호	060639	사업자번호	408-83-00186	
관할구역	광주광역시 동구, 남구, 전라남도 곡성군, 화순군		이메일	gwangju@nts.go.kr		

과	체납징세과		부가가치세과			재산법인세과		
과장	박영수 240		박권진 280			손재명 400		
팀	운영지원	체납추적	부가1	부가2	부가3	재산1	재산2	법인
팀장	김명숙 241	서삼미 511	백광호 281	김대현 301	류제형 321	박기홍 481	구성본 501	정찬일 401
국세 조사관		김명선 512 배현옥 513 정혜경 514 박진호 515 서범석 516	이진환 282	최연희 302	김미선 322	주재정 482	현경 502 안유정 503	
	박신아 242 이은광 243	권인오 517 정옥진 518	김도연 283 박민국 284	오근님 303 성동연 304	박소영 323 임치영 324 서민하 397	조혜진 483 박문상 484 김필선 431 문소현 485	배진혁 504 위광환 505	정기종 402 한연식 403 유민희 404 강태양 405
	양정희 244 서영조 246 조재연 247	김영하 519 정미향 520 허경숙 521 형신애 522	이소영 285			고재성 431		한정관 406
	정덕균 245	신세연 523	변지수 286 엄석찬 287	최가인 305 문은서 306 서상호 307	이태진 325 하주연 326 강혜송 327	나선영 486 장지민 487 최종민 488 정종호 489 최상혁 490		임미희 407 정찬우 408 이기훈 409 이다영 410
공무직	김수민 202 김은주 620 김황식 614 이현 안구임							
FAX	716-7232		716-7233~4			716-7236~7		

과	소득세과		조사과		납세자보호담당관	
과장	정찬성 360		박순희 640		김덕호 210	
팀	소득1	소득2	정보관리	조사	납세자보호실	민원봉사실
팀장	박이진 361	이강영 381	이태훈 641	오민수 651	이성용 211	강미화 221
국세조사관	박준규 362	박경단 382	최정욱 642	김준석 661 심재운 671 정성문 681	채남기 212	이윤호 222
	최순옥 363 박현화 364 오재란 365 김희진 366 이경희 398	최성배 383 정미선 384 장진영 385	안진영 643 유자연 644	김재경 652 김광현 662 진혁환 672 황정현 682	전수영 213	이은아 223 장수희 224 이재아 225 주선영 226
		김세린 398		류지윤 683	유광호 214	이재성 227 방영화 228
	김동신 367 장선균 368	송혜원 386 고채영 387	이수진 645	정혜진 673 윤준영 653 염래경 663		
공무직						
FAX	716-7235		716-7238		716-7239	227-4710

북광주세무서

대표전화: 062-5209-200 / DID: 062-5209-OOO

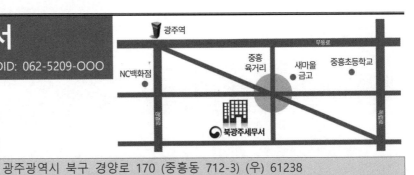

서장: **최 재 훈**
DID: 062-5209-201

주소	광주광역시 북구 경양로 170 (중흥동 712-3) (우) 61238				
코드번호	409	계좌번호	060671	사업자번호	409-83-00011
관할구역	광주광역시 북구, 전라남도 장성군, 담양군		이메일		bukgwangju@nts.go.kr

과	체납징세과			부가가치세과			소득세과	
과장	박정국 240			김형숙 280			최승용 360	
팀	운영지원	체납추적1	체납추적2	부가1	부가2	부가3	소득1	소득2
팀장	정준갑 241	김정아 511	박봉선 531	이영태 281	전해철 301	한동환 321	박철성 361	김선희 381
국세 조사관	심성연 242		이정미 532 김소영 533	최연희 319 이성률 282	정미연 302	전용현 322 정형준 323 유관식 324	박정애 362	박행진 382 오선주 383
	박선미 248 한송이 243 오혜경 244 정현태 249	양창헌 512 김광성 513 박명철 514 조은지 515	이인숙 534 김수경 535 정재원 536 정숙경 537	이숙경 283 박복심 284 이승준 285	김철준 303 양혜성 304	이경환 325 김혜민 326	김동구 363 이승재 364 이승찬 365	이창훈 384 김재은 385 남도욱 386
	방해준 245 신영주 610	박지혜 516 신평화 517	임강혁 538		강용명 305		박봉현 320 주은영 320	기은지 387
	조연종 246 신나영 247	손정인 518 송현진 519	오동화 539 김윤호 540 이수현 541	김지민 286 정미영 287 박정배 288 신은송 289	박경호 306 공다인 307 김초원 308	김영유 327	박시원 366 조상진 367 이돈영 368	김다예 388 오로라 389 정승기 390
공무직	최지현 203 박건혜 249 정년숙 249 윤명자 249 김경희 249							
FAX	716-7280			716-7282~3			716-7287	

과	재산세과		법인세과		조사과		납세자보호담당관	
과장	김현성 480		이철웅 400		진중기 640		추근식 210	
팀	재산1	재산2	법인1	법인2	정보관리	조사	납세자보호실	민원봉사실
팀장	박용우 481	윤석길 501	김안철 401	윤성두 421	김영호 641	김환국 671	박기혁 211	이송희 221
국세조사관	오춘택 482	오금선 502	박찬열 402			한규종 675 김희석 679 최종선 683 나윤미 686	김승진 212	박정희 222 김아란 225 허선덕 223 정필섭 226
	박은영 483 박홍일 484 양정숙 485 박세인 486	박봉주 503 한상춘 504	정명숙 403	위지혜 422 이병조 423	양명희 642 최방석 643 김가람 644	김민재 672 박지연 676 이재완 680 이승훈 684 정영현 687	김상훈 213 양은정 214	김희정 224 김민정 227
	안현아 510 하경아 487 박정욱 488	윤정호 505	조호연 404 채화영 405 유재곤 406	조혜선 424 강성식 425	하지영 645	김효수 677 곽새미 681 정리나 688		박유미 228
	이아라 489 윤수연 490 김시온 491 김정은 492		채우리 407 고혜진 408	이보람 426 이수빈 427	안자영 646 최예린 647	박형지 673 박지현 685		임채영 229 이언우 230
공무직								
FAX	716-7286		716-7285		716-7289		716-7284	716-7291

서광주세무서

대표전화: 062-3805-200 / DID: 062-3805-OOO

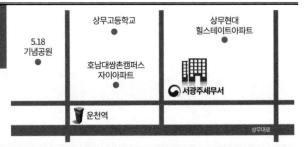

서장: **선 규 성**
DID: 062-3805-201

주소	광주광역시 서구 상무민주로 6번길 31 (쌍촌동 627-7) (우) 61969				
코드번호	410	계좌번호	060655	사업자번호	410-83-00141
관할구역	광주광역시 서구			이메일	seogwangju@nts.go.kr

과	체납징세과		부가가치세과		재산법인세과		
과장	김용우 240		이장근 280		김형국 400		
팀	운영지원	체납추적	부가1	부가2	재산1	재산2	법인1
팀장	박병환 241	조영규 511	서근석 281	최문자 301	정은연 481	남왕주 501	박득연 401
국세조사관	장형재	이환성 512	나한태 282	홍용길 302 목영주 441		강형탁 502	이혜경 402
	이철승 242 강소정 243 김정진 247 최상연 246	진문수 513 소찬희 515 송은주 519 김희관 520 지은호 514	임남옥 283 최원정 441 한은정 284	김미애 303 박은영 304 김진광 305	방현정 482 김근형 443 고선미 483 선경숙 443 최윤주 484	서경무 502 정재훈 503	이상훈 403 김혜정 404 홍연희 405
		김영심 515 김유연 521 이호승 516	박새봄 285 이수연 286		장지원 485 박은지 486	정건철 504 이옥진 505	
	김다혜 244 황선우 248	강기호 조화경 최시은	전태호 287 김태경 288 박지연 289	박유나 306 박다현 307	강나영 487		이정우 406 정유진 407 구태휴 408 정윤기 409
공무직	장경화 201 박금아 610 이미자 김정숙 한상금						
FAX	716-7260(운지), 716-7264(체납)		371-3143		716-7265		

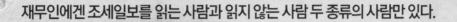
과	소득세과		조사과		납세자보호담당관	
과장	하상진 360		진남식 640		오금탁 210	
팀	소득1	소득2	정보관리	조사	납세자보호실	민원봉사실
팀장	박인수 361	최형동 381	정영천 641	문경준 655	김자회 211	강춘구 221
국세조사관		이창언 382		박형희 661 김광섭 658		국승미 222 조윤경 226 한윤희 225
	박해연 362 차경진 442	박향엽 383 박진웅 442	이지영 642 정미라 643 정기은 644	김병기 656 김용태 659 하남우 662	박남중 212 이승환 213	이연희 224 정수현 230 설영석 228
	김민승 363			김미리 657 정형필 663 양현진 660		
	이효선 364 조가윤 365 강민규 366	김현재 384 정보현 385 김초현 386				김수민 229 노영명 223
공무직						
FAX	376-0231		716-7266		716-7267	

나주세무서

대표전화: 061-3300-200 / DID: 061-3300-OOO

서장: **정 학 관**
DID: 061-3300-201

주소	전라남도 나주시 재신길 33 (송월동 1125) (우) 58262				
코드번호	412	계좌번호	060642	사업자번호	412-83-00036
관할구역	전라남도 나주시, 영암군(삼호읍 제외), 함평군			이메일	naju@nts.go.kr

과	체납징세과			부가소득세과	
과장	양정주 240			정일상 280	
팀	운영지원	체납추적	조사	부가	소득
팀장	이미자 241	박태훈 511	박경수 651	손삼석 281	윤한표 361
국세 조사관		양행훈 512	조만호 652		최승재 362
	이영민 242 황동욱 243 전은상 244	최제후 513 박시연 514 조영란 515 신명희 516	기남국 653 최신호 654 전태현 655 배주애 656 염보미 657	김인중 282 이정 283 김현진 284	박창용 363 박현준 364
		백지은 517 안제은 518	송용기 658	정세미 285	채숙경 365
	장진혁 245 오종권 247		최나영 659	천서정 286 이다예 287 천주헌 288 박준영 289	이지은 366
공무직	나유선 248 김지수 201 조은향 338 최세희 338				
FAX	332-8583		333-2100	332-8581	

382

1등 조세회계 경제신문 조세일보

과	재산법인세과		납세자보호담당관	
과장	장동규 400		기연희 210	
팀	재산	법인	납세자보호실	민원봉사실
팀장	선희숙 481	문동호 401	박삼용 211	마현주 221
국세조사관	고균석 482 고부경 483	김철호 402 박무수 403 이기순 404	강지만 212	김현정 222
	박정환 484 문지원 485 김민석 486 정세훈 487	한국일 405		남승원 223 황지선 224 차은정 224
		이유미 406		신초일 225
	주희은 488	정호연 407 김도훈 408 박선영 409		
공무직				
FAX	332-2900		333-2100	332-8570

목포세무서

대표전화: 061-2411-200 / DID: 061-2411-OOO

서장: **노 현 탁**
DID: 061-2411-201

주소	전라남도 목포시 호남로 58번길 19 (대안동 3-2) (우) 58723				
코드번호	411	계좌번호	050144	사업자번호	411-83-00014
관할구역	전라남도 목포시, 무안군, 신안군, 영암군 삼호읍			이메일	mokpo@nts.go.kr

과	체납징세과		부가가치세과		소득세과	
과장	임광준 240		윤권욱 280		김재만 360	
팀	운영지원	체납추적	부가1	부가2	소득1	소득2
팀장	고재환 241	조영숙 511	이수창 281	김재석 301	정은영 361	김민후 621
국세 조사관		윤미숙(징) 261 최전환 512 한상용 513 강석구 514	고수영 282	김종일 302	정성의 362	남기정 622
	신우영 243 이주현 242 문승식(운) 247	심상원 515 신영아 516 김민수 517 문형일 518 오윤정(징) 262 최지혜 519 박상일 520	나소영 283 한주성 284 김세나 285 송은영 286	이점희 303 김은수 304 모성하 305 김공해 306	조성애 363 윤해진 364	정성오 623 임창관 624
	지행주(방) 246	박유라 521			박종근 365	김영지 625
	박명수 244		박준후 287 정주리 288 강태훈 289	김세원 307 김초원 308 김단비 309	강희다 366 류지훈 367	한수현 626 한정화 627
공무직	강주선 202 이맹이 242 조미 242					
FAX	244-5915		247-2900		241-1349	

384

과	재산법인세과			조사과		납세자보호담당관	
과장	남애숙 400			배삼동 640		고대영 210	
팀	재산1	재산2	법인	정보관리	조사	납세자보호실	민원봉사실
팀장	천경식 481	강석제 491	정경일 401	우영만 641	박철우 651 김진호 654 손경근 657	설영태 211	김은숙 221
국세 조사관	정명근 482 이창근 483	조영두 492	김규표 402	김현자 642 임미란(정보) 692		윤여찬 212	신은화 222 이은경 223 손광민 224
	김은경 484 장시원 485	김현철 493 오종수 494	신종식 403 노민경 404 김수희 405		박민원 652 김영준 658	장슬미 213	김송심 225 양윤성 226 김주현 227
	노현정 486		김자희 406 한송이 407	김규태 643	오승섭 655 박지현 656 박태준 659		최원선 228
	김평화 487		진누리 408 염정훈 409		최미혜 653		유형근 229
공무직							
FAX	241-1602			245-4339		241-1214	

순천세무서

대표전화: 061-7200-200 / DID: 061-7200-OOO

서장: **강 병 수**
DID: 061-7200-201

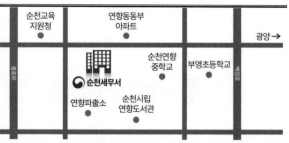

주소	전라남도 순천 연향번영길 64 (연향동 1379) (우) 57980 벌교지서 : 전라남도 보성 벌교 채동선로 260 (우) 59425 광양지서 : 전남 광양 중마중앙로 149 (우) 57785				
코드번호	416	계좌번호	920300	사업자번호	416-83-00213
관할구역	전라남도 순천시, 광양시, 구례군, 보성군, 고흥군			이메일	suncheon@nts.go.kr

과	체납징세과		부가가치세과		소득세과		재산법인세과		
과장	이용혁 240		박상현 280		김행곤 360		정영곤 400		
팀	운영지원	체납추적	부가1	부가2	소득1	소득2	재산1	재산2	법인
팀장	이호 241	구대중 511	김진재 281	이용철 301	박도영 361	최인광 381	김준성 541	백남중 561	정종대 401
국세 조사관		김선진 512	김혜경 282	류성주 310 강성원 302	박용문 362	김종철 382	박천주 542	신찬호 562	정성일 402 심성환 403
	하성철 242 황숙자 246 김성진 248	강태민 513 김상훈 514 윤경희 262	임현택 283 김현정 284	이성창 303 최현아 304 박준선 305	김상호 363	유영근 383 곽진영 384	손명희 543 강혜정 544	이은진 563	김미영 404 이호남 405 류숙현 406 박범진 407 한용희 408
	명국빈 243 서광기 247	김정은 515 손성희 516 홍영준 517 최다혜 263	오자은 285		음지영 364	강구남 385		우남준 564 윤다희 565	노순정 409
	김명중 244	정종은 518 강여울 519	박승윤 286 이준호 287 박혜림 288	정지은 306 배은정 307	전미선 365 이재원 366	나형배 386 강초희 387	김경현 545		
공무직	한지호 202 김지현 200 김현주 이청엽								
FAX	723-6677		723-6673		720-0330		720-0410		

과	조사과		납세자보호담당관		벌교지서(061-8592-200)			광양지서(061-7604-200)			
과장	백홍교 640		이시형 210		송창호 201			장영수 201			
팀	정보관리	조사	납세자보호실	민원봉사실	납세자보호실	부가소득	재산법인	납세자보호실	부가	소득	재산법인
팀장	임향숙 641	임수봉 651 배진우 656 이탁신 661 윤승철 666	심재용 211	서동정 221	박진갑 211	김강수 301	박후진 401	나형채 211	이환 281	이재갑 361	강경진 401
국세조사관	은희도 691 차지연 692		김영하 212	이양원 222 정병철 223		전복진 311 김영순 312 민순기 305 조규봉 302	진정 402 천우남 450	노시열 212 이성호 213	박영수 282 윤유선 291		이종필 481
	김진우 642 이세라 643 김승범 644 이성실 645	김광호 667 이진우 652 김정진 657 곽민경 662	남상진 213	홍성표 224 박은화 225 김주일 226		최선 303	이철 403 채명석 451	박설화 214	강선대 292 신상덕 283	서현영 362	류성백 402 강경수 403
	이재원 646	강윤지 653 김희창 668 김태진 654 류은미 658 김한림 663			정시온 212 박유진 213	최상영 304 박소미 306	유상원 404		김유정 293		김강진 482
				김윤정 227 김혜원 228		유의지 307	강아라 452		손수아 284 박동진 285 강성민 286 권민정 294 추경진 295 노승규 287	차유곤 363 이희진 364 한규리 365	이아림 404 문한솔 483
공무직					김명엽						
FAX	720-0420		723-6676		857-7707	857-7466	859-2267	760-4238			760-4379, 4299(체납)

여수세무서

대표전화: 061-6880-200 / DID: 061-6880-OOO

서장: **문 홍 승**
DID: 061-6880-201

주소	전라남도 여수시 좌수영로 948-5 (봉계동 726-36) (우) 59631				
코드번호	417	**계좌번호**	920313	**사업자번호**	417-83-00012
관할구역	전라남도 여수시			**이메일**	yeosu@nts.go.kr

과	체납징세과		부가소득세과		
과장	서옥기 240		염삼열 280		
팀	운영지원	체납추적	부가1	부가2	소득
팀장	김윤주 241	오용호 511	이정철 281	류영길 301	남상훈 361
국세 조사관		위석 512 윤종호 262 고길현 513 윤정필 514 서미순 515	배숙희 282	장재영 302 김진희 303	
	최병윤 242 이순민 245 김재찬 246 한은정 243	최인효 516 황선태 517	김문희 283 홍미숙 284 김현진 285	황승진 304 유지화 305	곽용재 362 김임순 363 허미나 364
		손세민 518	박혁 286 김태원 287	정지운 306	김소망 365
	장지선 244	정인환 519 김지현 263	이은석 288 한지현 289	양태영 307 배준호 308	최낙훈 366 조유리 367 신예진 368 안찬종 369
공무직	박누리 203 김유선 620 김효숙 장점자				
FAX	688-0600	682-1649	682-2070		682-1652

과	재산법인세과		조사과		납세자보호담당관	
과장	배종일 400		박정환 640		문미선 210	
팀	재산	법인	정보관리	조사	납세자보호실	민원봉사실
팀장	황교언 481	박연서 401	김경민 651	서민성 661	강채업 211	민경옥 221
국세 조사관	박귀숙 482	김정현 402		한기청 671 송윤민 662	정일 212	홍은영 222
	김정희 483 정찬조 484 신수정 485 주은상 486 최보람 487	정현미 403 권상일 404 김효정 405	정경식 654 이용욱 652	오인철 672 김동선 663 안민숙 673	박광천 213	주연봉 226 김금영 224
	이호철 488	김종율 406 이민희 407	김아영 653			전주화 226 김은진 223
		김우정 408				이한이 225
공무직						
FAX	682-1656		682-1653		682-1648	

해남세무서

대표전화: 061-5306-200 / DID: 061-5306-OOO

서장: **박 성 열**
DID: 061-5306-201

주소	전라남도 해남군 해남읍 중앙1로 18 (우) 59027 강진지서 : 전라남도 강진군 강진읍 사의재길 1 (우) 59226				
코드번호	415	계좌번호	050157	사업자번호	415-83-00302
관할구역	전라남도 해남군, 강진군, 완도군, 진도군, 장흥군			이메일	haenam@nts.go.kr

과	체납징세과			세원관리과		
과장	노정운 240			김성수 280		
팀	운영지원	체납추적	조사	부가	소득	재산법인
팀장	공병국 241	박상을 511	한영수 651	김재춘 281	오성실 361	최재혁 401
국세 조사관		전종태 512 임수경 513	최연수 652 이일재 653		유수호 362	정란 402 이화섭 403
	김용일 242 박정순 243 유승철 246	유성진 514 김진영 517	정현아 654	박미애 282 박용희 283 정미선 284	한일용 363	최훈 482 기금헌 483
	권혁일 245	김창훈 515	조유정 655	배정주 290 양시은 285		김효희 484 이소연 485 이동엽 404
		권준용 516		김수현 286 최건호 287	황선진 허지혜 박여준	손혜은 405 하은지 406
공무직	조희주 202 함용숙 200 서정애 200					
FAX	536-6249		536-6132	536-6131		534-3995

과	납세자보호담당관		강진지서(061-4302-200)	
과장	김봉재 210		서순기 201	
팀	납세자보호실	민원봉사실	납세자보호	세원관리
팀장		장민석 221	박홍균 210	이정훈 300
국세 조사관	서병희 211	김옥천 222		이선화 361 오은주 481 박홍범 511
		양진호 223		국명래 401 장형욱 512 문경애 482 구혜숙 321
		박명식 224 임수미 544-5997		서은지 483 이수라 402 박상은 362
		안혜정 552-2100	강정님 212	강예은 322
공무직			마진우 213 윤길남 200	
FAX		534-3541	433-0021	434-8214

군산세무서

대표전화: 063-4703-200 / DID:063-4703-OOO

서장: **장 성 우**
DID: 063-4703-201

주소	전라북도 군산시 미장13길 49 (미장동 525) (우) 54096			
코드번호	401	**계좌번호** 070399	**사업자번호**	401-83-00017
관할구역	전라북도 군산시		**이메일**	gunsan@nts.go.kr

과	체납징세과		부가소득세과		
과장	하명림 240		이은영 280		
팀	운영지원	체납추적	부가1	부가2	소득
팀장	채수정 241	김영관 511	박성종 281	장미자 291	배정훈 361
국세 조사관		김은아 262 정한길 512 이정애 513	이종호 282 이승훈 283	배기연 292 허진성 293	안형숙 362
	류종규 242 최순희 243 구판서 244 유행철 245	김소영 514 조홍수 515 정필경 516 백종현 517 문은희 263	김선영 284 김은옥 507 박선영 285	황호혁 294	강인석 363 소윤섭 364 소수혜 365
		양아름 518 조성현 519 고현재 520 안성민 521		문선택 295	김지혜 366 황현 367
			박신영 286 최호일 287 이도한 288	배성윤 296	이민영 368 한상훈 369 이은서 370
공무직	최지선 202 유순자 이현주				
FAX	468-2100		467-2007		

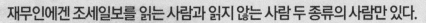

재무인과 함께 걸어가겠습니다 '조세일보'

재무인에겐 조세일보를 읽는 사람과 읽지 않는 사람 두 종류의 사람만 있다.

1등 조세회계 경제신문 조세일보

과	재산법인세과		조사과		납세자보호담당관	
과장	정명수 400		김창연 640		박인환 210	
팀	재산	법인	정보관리	조사	납세자보호실	민원봉사실
팀장	조준식 481	전익선 401	이기웅 651	고선주 654 이용출 657	고진수 211	오두환 221
국세 조사관		양향열 402	김재실 692		이승용 212 한길완 213	신덕수 222
국세 조사관	문영준 482 김진철 483 이한일 484	고의환 403 허유경 404 김보미 405 이원교 406	황병준 652	손세영 655 이기원 658		황현주 226 김환옥 223
국세 조사관	김혜은 485 정새하 486 최고든 487		박소희 653 손정현 693	장용준 659		이경진 226 김남덕 224
국세 조사관		반장윤 407 홍서윤 408		장하영 656		문가나 225
공무직						
FAX	470-3636		470-3344		470-3214	470-3441

남원세무서

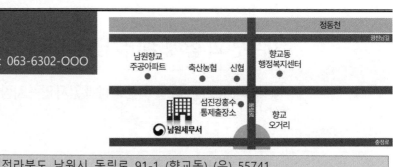

대표전화: 063-6302-200 / DID: 063-6302-OOO

서장: **엄 인 찬**
DID: 063-6302-201

주소	전라북도 남원시 동림로 91-1 (향교동) (우) 55741				
코드번호	407	계좌번호	070412	사업자번호	407-83-00015
관할구역	전라북도 남원시, 순창군, 임실군, 장수군(천천면, 장계면, 계북면 및 계남면 제외)			이메일	namwon@nts.go.kr

과	체납징세과			세원관리과	
과장	조호형 240			염대성 280	
팀	운영지원	체납추적	조사	부가	소득
팀장	손선미 241	정준 511	임종안 651	김종운 281	권영훈 361
국세조사관		이백용 512 양용환 513	공대귀 652 송봉선 653	이정수 282	장미랑 362
	김철수 244 곽민호 242 김은지 243	김정아 516 이성민 514	박민주 654 윤희겸 655	민호성 283 박성용 284	정초희 364
		김나은 515	송은선 656	나진희 285	도하정 364 문준규 365
	윤영원 245			최윤영 286 윤겸주 287	이수연 366
공무직	박소현 202 김봉임 모옥순				
FAX	632-7302			631-4254	

과	세원관리과		납세자보호담당관	
과장	염대성 280		강용구 210	
팀	재산법인		납세자보호실	민원봉사실
팀장	김정임 401			박미선 221
국세 조사관	임경선 482	문해수 402	김춘광 211	손현태 222
	이정환 483 류진영 484	한정용 403 박지호 404		김현옥 223
	한도흔 485	김효근 405		강선양 224
	권태원 486	양다은 406		김법열 225
공무직				
FAX	630-2419		635-6121	

북전주세무서

대표전화: 063-2491-200 / DID: 063-2491-OOO

서장: **황 영 표**
DID: 063-2491-201

주소	전라북도 전주시 덕진구 벚꽃로 33 (진북동 416-11) (우) 54937 진안지서 : 전북 진안군 진안읍 중앙로 45 (우) 55426				
코드번호	418	**계좌번호**	002862	**사업자번호**	402-83-05126
관할구역	전주시 덕진구, 진안군, 무주군, 장수군 중 일부			**이메일**	bukjeonju@nts.go.kr

과	체납징세과		부가소득세과			재산법인세과	
과장	정흥기 240		장영철 280			이상수 400	
팀	운영지원	체납추적	부가1	부가2	소득	재산	법인
팀장	고선주 241	김춘배 511	김영민 281	윤석신 301	김대원 361	이종현 481	안윤섭 401
국세 조사관		조미옥 512		정애리 302 이현기 311		조경제 482 김회광 492	최지훈 402
	양수빈 243 김학수 242	권정환 513 장현숙 514 심재옥 515 문찬영 516 김용남 517	노화정 282 손현주 283 김세웅 284 장미영 554 이성준 556	이정은 303 이하나 304	김수경 362 김재만 363 서동진 364	이주형 483 박태신 484	전요찬 403 이서진 404 김재준 405 허현 406
	김용선 244 김종호 247 최경배 246	류아영 518 한수경 519		박미진 305	김예슬 365 장현정 366	이하은 492 임아련 485	
		전유진 520 고은정 521 이햇살 522	전이나 285 정소영 286 김귀종 287 윤성민 288	최희재 306 문지홍 312	송송이 367 한소은 368 박주형 369 송채원 370	이승하 486 김선미 487	박효정 407 나진주 408 엄재연 409
공무직	최지영 202 정금순 김상욱						
FAX	249-1555	249-1680	249-1682			249-1681	249-1687

396

1등 조세회계 경제신문 조세일보

과	조사과		납세자보호담당관		진안지서(063-4305-200)	
과장	이상두 640		정은숙 210		이종운 201	
팀	정보관리	조사	납세자보호실	민원봉사실	납세자보호실	세원관리
팀장	박윤규 641	이명준 651	한재령 211	김광희 221	이서재 211	박정재 300
국세조사관	김대옥 642 김은영 643	김준연 661 권도영 671 차상훈 672	이선경 212	김명숙 222	손안상 212	강혜린 302
	김새롬 644 진동권	박종원 662		권은숙 223 김애령 224 이성은 222	방귀섭 213 김이영 214	조성훈 301 이수복 511 양영훈 401
	성미경 645	최현영 652 신지수 663 김성용 673		김혜인 225		문미나 501 박태완 303
		오유진 653	김한솔 213			유재룡 402 김상현 502 임형용 304 고필권 512
공무직					무주출장소	
					정흥엽 322-2100 정진미 322-2100 (팩스) 322-2022	
FAX	249-1683		249-1684		433-5996	432-1225

익산세무서

대표전화: 063-8400-200 / DID: 063-8400-OOO

서장: **김 상 원**
DID: 063-840-0201

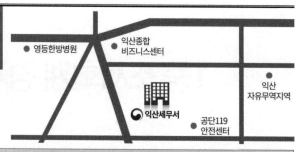

주소	전라북도 익산시 선화로 425 (우) 54630 김제지서 : 전라북도 김제시 신풍길 205 (신풍동 494-20) (우) 54407					
코드번호	403		**계좌번호**	070425	**사업자번호**	403-83-01083
관할구역	전라북도 익산시, 김제시				**이메일**	iksan@nts.go.kr

과	체납징세과		부가소득세과			재산법인세과	
과장	김진환 240		김신흥 280			홍성훈 400	
팀	운영지원	체납추적	부가1	부가2	소득	재산	법인
팀장	박지원 241	소태섭 511	김은정 281	최미경 301	최현선 621	한권수 481	임기준 401
국세 조사관		김은미 512 이철호 513	박성란 282	서명권 302 김정원 303 노동호 304		노도영 482	문정미 402
	전봉철 242 이은경 243	박봉근 520 문은수 514 이규호 515 이선림 521	최성관 283 박효진 284 김중휘 285 유명훈 286	김희태 305 김소연 306	김소영 623 장지안 624 김기동 625	박승훈 483 조길현 484	배종진 404 지승룡 405 오영우 406 송미소 407 이승훈 408 성정민 409
	백원길 244 최정연 246 조준철 245	이지희 516 박범수 517 문희원 518	서보경 287		최건희 626	이경선 485 김종인 486	
		정지혜 519	이승호 288 변은지 289	김영현 307 하나정 308 지혜주 309	박가영 627 이현지 628 송의진 629 김지수 630 박현아 631	한윤주 487 김민주 488	김민관 410
공무직							
FAX	851-0305		840-0447	840-0448		840-0549	

과	조사과		납세자보호담당관		김제지서 (063-5400-200)		
과장	김현 640		이창준 210		조혜영 201		
팀	정보관리	조사	납세자보호실	민원봉사실	납세자보호실	부가소득	재산법인
팀장	설진 641	민훈기 651 이종철 661 김민웅 671	이상순 211	양정희 221	유근순 210	김삼원 280	장해준 400
국세 조사관	이수현 642 이민호 643	차상윤 652		박인숙 223	김용수 221	임양주 281 김지홍 511 이병재 621	채웅길 481 전수현 401 한원윤 402
	오미경 644 민경훈 645	이진택 653 이훈 662 김성주 672	김중석212	조근우 222 정진화 227 김복선 226 김형만 225	강성희 222 김재영 222	박종호 512 허정순 622 배정우 282	박동진 403 이다현 482 류필수 483
	안기웅 646	이현주 653 박하연 673	박수정 213			김희숙 283 양준복 623	
		조성우 663		나혜정 224	김광괄 223		
공무직					박수현		
FAX	840-0509		851-3628		540-0202		

전주세무서

대표전화: 063-2500-200 / DID: 063-2500-OOO

서장: **심 상 동**
DID: 063-2500-201

주소	전라북도 전주시 완산구 서곡로 95 (효자동3가 1406) (우) 54956				
코드번호	402	계좌번호	070438	사업자번호	418-83-00524
관할구역	전라북도 전주시 완산구, 완주군		이메일	jeonju@nts.go.kr	

과	체납징세과		부가가치세과		소득세과	
과장	정홍석 240		오길춘 280		라용기 360	
팀	운영지원	체납추적	부가1	부가2	소득1	소득2
팀장	이규 241	이사영 511	최병하 281	김용례 301	정용주 361	박영민 621
국세조사관		강원 512 문교병 513 최영근 514	이광선 282 김정은 283	오은영 302 신용호 312	유은애 362 양성철 583	이미선 622
	김민지 243 김준석 242 박상종 258 김경환 425 권미자 620 설진원 259	박인숙 525 조상미 515 김종화 516 안춘자 526	금윤순 284 김병삼 285 김덕진 286 임소희 287 박정숙 582 김영은 288	강석 311 김경희 303 박성수 304 배영태 305	강태진 363 김주현 364	이현정 623 신성희 624
	강수성 244	김병주 517 고석중 518 장준엽 519	이보영 289	김현주 306	조란 365	이정호 625 백연비 626
	이진주 245	노명진 520 조지영 521 이하승 522 백승헌 523	김이경 290 이유진 291	전찬희 307 최은철 308 김유정 309	김경은 366 손수현 367 송하준 368 조혜진 369	이다혜 627 박성윤 628 김선경 629
공무직	박지현 202 정서연 421 정금태 조인숙					
FAX	277-7708		277-7706		250-0449	250-0632

과	재산법인세과			조사과		납세자보호담당관	
과장	홍기석 400			이경섭 640		한주형 210	
팀	재산1	재산2	법인	정보관리	조사	납세자보호실	민원봉사실
팀장	조형오 481	허윤봉 491	이현주 401	유요덕 641	방정원 651	김영규 211	김복기 221
국세조사관	백원철 482		조용식 402 정미란 403	공미자 645	유경근 652 정균호 661 이승일 671	이동규 212 윤정호 213	정숙자 222
	박지명 483 이성식 484 유진선 485 이광열 486 이두호 487 남주희 581	박현수 492 임소미 493 김지호 494	김효진 404 유제석 405 염보름 406 손형주 407	장완재 642 허경란 643 한겨레 646	이용진 653 이학승 654 이영민 662 박인 672		최복례 223 최미란 224 이소은 225
		심혜진 495	심미선 408 홍윤기 409 이세리 410	장영주 644	김해강 663 최지희 673		문가영 226 양지연 227
	박현진 488 은혜민 489		임지훈 411 김세연 412				채준석 225 진예슬 228
공무직							
FAX	250-0505	250-7311		250-0649		275-2100	

정읍세무서

대표전화: 063-5301-200 / DID: 063-5301-OOO

서장: **백 계 민**
DID: 063-5301-201

주소	전라북도 정읍시 중앙1길 93 (수성 610) (우) 56163			
코드번호	404	계좌번호	070441	사업자번호	404-83-01465
관할구역	전라북도 정읍시, 고창군, 부안군		이메일	jeongeup@nts.go.kr

과	체납징세과			부가소득세과	
과장	양천일 240			오기범 280	
팀	운영지원	체납추적	조사	부가	소득
팀장	이정복 241	김남수 511	송경희 651	장기영 281	김웅진 361
국세 조사관		홍완표 512	하봉남 652	신규용 291 이재희 282 최정이 283	천명길 362
	박진규 245 강정희 243 한성희 242	허문옥 513 이수현 514 조성재 515	김의철 653 최은영 655 노동균 654	고서연 284 정성택 285	이동영 363 지혜림 364
		김서현 516	김남이 656	신솔지 286	홍현지 365
	김대석 246	박상민 517		이지영 287 김정석 288 이종훈 289	김진만 366 김수진 367 김태기 368
공무직	나영희 202 김영례 김명자				
FAX	533-9101		535-0040	535-0042	535-0041

1등 조세회계 경제신문 조세일보

과	재산법인세과		납세자보호담당관	
과장	유태정 400		안선표 210	
팀	재산	법인	납세자보호실	민원봉사실
팀장	김민철 481	남궁화순 401	류장훈 211	이동진 221
국세 조사관	김기옥 482 김영숙 483	문영권 402		문기조 222 이정길 225 최문영 222
	한숙희 484	장형준 403		이주은 226 김기아 224
	강길주 485 이윤선 486 전혜진 487	정우진 404 이윤정 405 최현진 406	박성주 212	이효선 225 김유진 223
		오현창 407		
공무직				
FAX	535-0043	535-6816	535-5109	530-1691

대구지방국세청 관할세무서

■ 대구지방국세청		405
지방국세청 국·과		406
[대구]	남대구 세무서[달성지서]	412
	동대구 세무서	414
	북대구 세무서	416
	서대구 세무서	418
	수 성 세무서	420
[경북]	경 산 세무서	422
	경 주 세무서[영천지서]	424
	구 미 세무서	426
	김 천 세무서	428
	상 주 세무서	430
	안 동 세무서[의성지서]	432
	영 덕 세무서[울진지서]	434
	영 주 세무서	436
	포 항 세무서[울릉지서]	438

대구지방국세청

주소	대구광역시 달서구 화암로 301 (대곡동) (우) 42768
대표전화	053-661-7200
코드번호	500
계좌번호	040756
사업자등록번호	102-83-01647
e-mail	daegurto@nts.go.kr

청장   정철우

(D) 053-6617-201

징세송무국장	남영안	(D) 053-6617-500
성실납세지원국장	이상락	(D) 053-6617-400
조사1국장	강상식	(D) 053-6617-700
조사2국장	김상현	(D) 053-6617-900

대구지방국세청

대표전화: 053-661-7200 / DID: 053-661-OOOO

청장: **정 철 우**
DID: 053-661-7201

주소	대구광역시 달서구 화암로 301 정부대구지방합동청사 6~9층 (우) 42768				
코드번호	500	계좌번호	040756	사업자번호	102-83-01647
관할구역	대구광역시, 경상북도			이메일	daegurto@nts.go.kr

과	운영지원과				감사관실		납세자보호담당관실	
과장	박규동 7240				윤재복 7300		이하철 7330	
팀	행정 7252-8	인사 7242-8	경리 7262-7	현장소통 7272-7	감사 7302-9	감찰 7312-9	납세자보호 7332-5	심사 7342-7
팀장	최기영	배재홍	최남숙	정경남	문효상	김정환	장은경	이선영
국세 조사관	최영윤		전영현	양미례	김승년 명기룡 정성호	장현기 김경한	이형우	한재진
국세 조사관	이상원 공성웅 황길례(기록)	김대훈 남동우 이경아 정중현	김주영 이영주	권순형 양철승	우영재 김자헌 김연희	김동욱 박윤형 김인 김민창 임채홍	김민주	박지연 배영옥 김경수
국세 조사관	박수현 김지수	이수영 서장은	최용훈 김지민	박원돈 도민지			이유지	박은영
공무직	성주연(부) 7150 백지혜 7155 박규도(사회복무) 7104				백효진 7309			
FAX	661-7052				661-7054		661-7055	

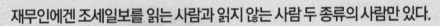
국실	성실납세지원국									
국장	이상락 7400									
과	부가가치세과			소득재산세과				법인세과		
과장	한채모 7401			이광수 7431				김기형 7461		
팀	부가1 7402-6	부가2 7412-6	소비세 7422-6	소득 7432-6	재산 7442-6	소득지원 7452-5	소득자료관리 7456-7	법인1 7462-8	법인2 7472-6	법인3 7482-6
팀장	성한기	권용덕	이상호	김혜진	권태혁	이소영	김상무	권대훈	김지인	정창근
국세조사관	김효경			김희정	정호선			임치수		김현두
국세조사관	오호석	김재환 장근철	황성만 최민석 정대석	김효삼 신재은	곽민경 조명석	조은경 이동균	정경미	김정환 최재협 이동규	손은숙 우승하 김안나	정승우 이슬
국세조사관	소충섭 임희인	정유나 권민규	박재규	권은진	김지향	박시현		황석현 김종석	권순모	배진우
공무직	한은라(부) 7151									
FAX	661-7056			661-7057				661-7058		

국세관련 모든 상담은 국번없이 126
전국 어디서나 편리하게 상담받으세요.
평일 9시~18시 (탈세제보는 24시간)

DID : 053-661-7○○○

국실	성실납세지원국				징세송무국					
국장	이상락 7400				남영안 7500					
과	전산관리팀				징세과		송무과		체납추적과	
과장	조승현 7621				최은호 7501		문진혁 7521		이동원 7541	
팀	관리1 7622-6	관리2 7632-5	센터1 7642-7659	센터2 7662-7678	징세 7502-5	체납관리 7512-5	송무1 7532-6	송무2 7522-7	체납추적 관리 7542-8	체납추적 7552-7
팀장	전현정	서계주	송재준	정이천	안병수	이경민	김부자	이정국	최지숙	김정철
국세 조사관	손동민 김은진 김미경	박경련 강지용		서영지	안해찬		최재화 곽미경	김종수	김일룡	배소영
	이은주	김미량	김수현 채명신		조은영	엄경애 마성혜	정수호 유병모	변지흠 최현주	박현하 이성훈 이상욱	안성엽 김지윤 김광현
			황주미	신주영	조남철	김태완	정정하	박수정	임효신 이태희	서소담
공무직					배금숙(부) 7152					
FAX	661-7059				661-7060		661-7061		661-7062	

국실	조사1국							
국장	강상식 7700							
과	조사관리과					조사1과		
과장	임종철 7701					김상섭 7751		
팀	1 7702-9	2 7712-5	3 7722-9	4 7732-6	5 7742-6	1 7752-7	2 7762-5	3 7772-5
팀장	류재무	신연숙	소현철	이정남	허재훈	이중구	이성환	조재일
국세 조사관	이석진		김성균	장경희		하성호		
	박진희 남상헌 이주형 김재락	최윤영	김경훈 이준익 김득수 권소연	정은주 김수민	류상효 김연희 우상준	류춘식 황지성	오세민 이채윤	권우현 서상범
	김주원 임재학	정종권	이현영 김진영	김재홍	신진우	김병욱	조성민	정현준
공무직	김수연(부) 7153					정소영 7757		
FAX	661-7063					661-7065		

DID : 053-661-7OOO

국실	조사1국			조사2국		
국장	강상식 7700			김상현 7900		
과	조사2과			조사관리과		
과장	최종기 7801			이승괄 7901		
팀	1 7802-6	2 7812-5	3 7822-5	1 7902-5	2 7912-6	3 7922-7
팀장	이재혁	김정석	이장환	김명경	김성제	박정길
국세 조사관	정윤철					조현덕
	손세규 박정화	이정호 서민수	김미애 김종민	민갑승	김민호 하승범	황보정여 송시운 성원용
		박소정	신성용	배유리	이향옥 박상혁	이진욱
공무직	서지나 7806			이가현(부) 7154 김애영 7905		
FAX	661-7066			661-7067		

국실	조사2국					
국장	김상현 7900					
과	조사1과			조사2과		
과장	은경례 7931			강정호 7961		
팀	1 7932-6	2 7942-4	3 7952-4	1 7962-5	2 7972-5	3 7982-5
팀장	서지훈	정규삼	김재국	김봉승	차종언	이승은
국세 조사관	박종원 민은연	우병재	황성희	박순출 김미현	구근랑 배건한	손정훈 안지연
	김정미	박민주	임성훈	김송원	김혜림	서동원
공무직	김현정 7936					
FAX	661-7068			661-7069		

411

남대구세무서

대표전화: 053-6590-200 / DID: 053-6590-OOO

서장: **조 성 래**
DID: 053-6590-201

대구안지랑 우체국 · 대명역(1번출구) · 안지랑역 → · 대명로
← 서부정류장 · 신협 · 대명초등학교
남대구세무서

주소	대구광역시 남구 대명로 55 (대명10동 1593-20) (우) 42479 달성지서 : 대구광역시 달성군 현풍읍 테크노대로 40 (중리 509-4) (우)) 43020			
코드번호	514	계좌번호 040730	사업자번호	410-83-02945
관할구역	대구광역시 남구, 달서구 중 월성동, 대천동, 월암동, 상인동, 도원동, 진천동, 대곡동, 유천동, 송현동, 본동, 달성군		이메일	namdaegu@nts.go.kr

과	체납징세과		부가가치세과		소득세과		재산세과		법인세과	
과장	이종훈 240		최지안 280		박유열 360		김복성 480		이광오 400	
팀	운영지원	체납추적	부가1	부가2	소득1	소득2	재산1	재산2	법인1	법인2
팀장	성낙진 241	조철호 441	이광희 281	김태룡 301	홍동훈 381	전승조 621	조래성 481	김진환 501	김근우 401	임병주 421
국세조사관		이선희 442 이기연 262 마명희 443	고재봉 282 정현중 283	이동민 302 박만용 303	권성우 382	이정노 622	김영화 482 신윤숙(시간)	정영일 502 김영인 503	강대호 402	김준우 422
	장형순 242 추혜진 243 도세영(사무) 244 김정목(운전) 245	안정환 444 이미선(시간) 453 남미숙 263 김대영 445 박자임 446	윤석천 284 배영환 285 손춘희(사무) 291	이인우 304 전은미 305 천정희 306 권정석 307	곽철규 383 김은주 384 정형태 385	김애진 623 이영애 624	강인순 483	이강석 504	이상훈 403 서인현 404	이민우 423 안진희 424
	이안섭(열관리) 246 하효준 247 최현석(방호) 248	조화영 264 손준표 447 김여경 448	박미선 286 황다영 287	이종휘 308			이현정 484	이재락 505 이창우 506 김영아 507		
	강률인 249	강민지 449 권인석 450 도지회 451 김덕년 452	김시현 288 박성우 289 김혜영 290	장효경 309 황은아 310 박소영 311	장정혜 386 김효인 387 이지은 388	이채원 625 박다겸 626 김은영 627 이다원 628	강은비 485 윤기한 486		김수지 405	윤중호 425
공무직	이숙희(교환) 200 차은실(부속) 202									
FAX	627-0157	625-9726	627-7164		627-5281		626-3742		627-0262	

과	조사과		납세자보호담당관		달성지서(053-6620-200)				
과장	이훈희 640		박영언 210		박수철 201				
팀	정보관리	조사	납세자보호실	민원봉사실	체납추적	납세자보호실	부가	소득	재산법인
팀장	신경우 641	<1팀> 윤희진(6) 651		이호 221	오찬현 241	박상열 221	임창수 301	김상태 401	김영주 601
국세 조사관	김영숙 642	정영주(7) 652 장창걸(7) 653 최은애(9) 654 <2팀> 김현수(6) 655 한창수(6) 656	조남규 211 추은경 212	이종숙 222	장연숙 242	박명우 222		변영철 402	신근수(법) 602 이재현(재) 501 김태영(법) 603 정경희(법) 604
	김상우 643 유현숙 644	이지민(8) 657 <3팀> 이희영(6) 658 김종인(6) 659 최유철(8) 660	이미영 213 최지영 214 한성욱(시간 제) 215	이정영 223 조준서 224	박영주 243 이연숙 244	김순자 223	손경수 302 이병영 303 김병모 304 이재홍 305	정미연 403 신선혜 404 남영호 405 김형욱 406	박근윤(재) 504 이재욱(재) 502 신진연(법) 605 박홍수(재) 503
				이치욱 225 최미나 226 정지환 227	김윤종 245		김현숙 306	오현직 407	정찬호(재) 504
	김좌근 645	<4팀> 김태겸(6) 661 노은미(7) 662 유미나(8) 663 <5팀> 이덕원(6) 664 백유정(7) 665 이보라(8) 666 <6팀> 윤판호(6) 667 임중균(7) 668			박해정 246 김성우 247		이주하 307 김유진 308 이승은 309 김희연 310	배수진 408	전현진(법) 606 유창진(법) 607
공무직		도이광(8) 669							
FAX	627-0261		627- 2100	622- 7635	627- 2100	662- 7635	662- 0259	662- 0229	662- 0329

동대구세무서

대표전화: 053-7490-200 / DID: 053-7490-OOO

서장: **김 태 형**
DID: 053-7490-201

주소	대구광역시 동구 국채보상로 895 (우) 41253				
코드번호	502	계좌번호	040769	사업자번호	410-83-02945
관할구역	대구광역시 동구			이메일	dongdaegu@nts.go.kr

과	체납징세과		부가가치세과		소득세과	
과장	장경숙 240		최병달 280		전찬범 360	
팀	운영지원	체납추적	부가1	부가2	소득1	소득2
팀장	이영철 241	장종철 441	곽봉화 281	최점식 301	신동식 361	정영진 381
국세 조사관		이동호 442 백경은 443 고성렬 444 최성실 445		임주환 302	이정범 362 장현우 363	김정섭 382
	김홍경 242 류성주 246	여창숙 262 박지연 263 김보정(시간제) 264 이상협 446	이광민 282 박남진 283 조준환 284 김경석 285	공윤미(시간제) 313 안미경 303 이재복 304 서미정 305	신정연 364 최현희 365 조정혜(시간제) 373	장외자 383
	임향원 243 주홍준 244	김수희 447 배혜진 448	손소희 286	이대호 306 류재리 307		구수목 384
	박판식 247 김진규 248 박가람 245	이도현 449 차재익 450	이동명 287 이소연 288	박은옥(시간제) 308 홍수림 309	전지영 366 이수경 367	양서안 385 김민정 386
공무직	전소영(비서) 202 김승희(교환) 542					
FAX	756-8837		754-0392		756-8106	

1등 조세회계 경제신문 조세일보

과	재산법인세과		조사과		납세자보호담당관	
과장	엄기범 400		박경춘 640		장석현 210	
팀	재산	법인	정보관리팀	조사팀	납세자보호실	민원봉사실
팀장	박규철 481	김창구 401	문창규 641		임한경 211	유병성 221
국세조사관	이재철 482 백미주(시간제) 490 이은영 483	박양규 402	김상균 642	1팀 류재현(6) 651 권민정(8) 652 박혜영(9) 653	이정희 212	이경옥 222
	우제경 484 조경희 485 신미영(시간제) 490 이근호 486	이미남 403 김상조 404 이승택 405 이현정 406	우주형 643	2팀 정이열(6) 654 이나영(8) 655 손은식(9) 656	신은정 213	백효정 223 김정옥 224 최은선 225
	김종한 487	심규민 407	하수진 644			서혜경 226
	한경태 488 허규진 489	이윤재 408		3팀 강덕우(6) 657 장교준(7) 658 김지원(9) 659		김동현 227
공무직						
FAX	744-5088	756-8104	742-7504		756-8111	

북대구세무서

대표전화: 053-3504-200/ DID: 053-3504-OOO

서장: **배 창 경**
DID: 053-3504-201

주소	대구광역시 북구 원대로 118 (침산동) (우) 41590			
코드번호	504	계좌번호 040772	사업자번호	410-83-02945
관할구역	대구광역시 북구, 중구		이메일	bukdaegu@nts.go.kr

과	체납징세과			부가가치세과			소득세과		
과장	이춘희 240			권호경 280			이동일 360		
팀	운영지원	체납추적1	체납추적2	부가1	부가2	부가3	소득1	소득2	소득3
팀장	김진숙 241	김경자 441	박재진 461	장철 281	배대근 301	권대명 321	정인현 361	박영진 371	전상련 381
국세 조사관	박수선 (사무) 244	윤원정 442 김재윤 443 이춘복 444	김훈 262 박승용 462 김삼규 463 유영숙 464	박정환 282	이동준 302 권영대 303	김동환 322 정환동 323 박주현 (소비) 324		이창근 372 박정수 373 류명지 374	이해봉 382
	도명선 243 김동훈 242 김태환 (운전) 250	이경순 445 김상균 446	김정숙 465 김재형 466 권순홍 467	권혁도 283 이은정 284 김완섭 285	김현진 304 강현구 305 이상민 306	김진희 325 이원형 326 신유림 327	이정훈 362 박현경 363 이상규 364		이연경 383 송홍준 384
	안진우 245	진미란 447 김현주 448	김현희 263 김우리 264	박선희 (오후) 573 임종호 286	황선정 307 고병열 308	박순주 328	김도훈 (오전) 572	정중수 375	이지연 385
	장수연 246 송주현 247 김윤수 (방호) 248	장호정 449 하예진 450	권민정 265 박상욱 468	배혜윤 287 강민경 288 김태민 289 강승지 290	이선애 309 류광오 310 조은비 311 정수빈 312	강대화 329 신예람 330 오진석 331	이승은 365 김대성 366	이상분 376 구소림 377	이성한 386 공인호 387
공무직	이은지(비서) 202 최명자(환경) 문한선 홍성우								
FAX	354-4190		354-4190	356-2557	신고지원: 354-4075		356-2105		

과	재산세과		법인세과		조사과		납세자보호담당관	
과장	김창신 480		이상경 400		김선민 640		김영동 210	
팀	재산1	재산2	법인1	법인2	정보관리	조사	납세자보호실	민원봉사실
팀장	전영호 481	황일성 501	정경일 401	이준건 421	송기익 641			이도영 221
국세조사관	정재기 482 김혜경 483	김광열 502 정호태 503	황재섭 402		류기환 642	1팀 김규수(6) 651 윤태희(7) 652 김하나(8) 653 2팀 손정완(6) 654 김수호(7) 655 노현진(8) 656	김병훈 211	이금순 222
	이경향 484 신대환 485 김현정 486 유혜진(오후) 575 허현정 487		박정용 403 방미주 404 박수범 405	김정국 422 김선영 423 양세영 424	김민수 643	3팀 이현수(6) 657 최선근(7) 658 최영은(9) 659	천혜정 양준호 212	이선이 223
		김남연 504 송성근 505	박청진 406	정혜진 425 문혜령 426	최재우 644 정지헌 645 손가영 646	4팀 윤종현(6) 660 이동민(8) 661 손신혜(8) 662	진언지 213	이민해 224 최주영 225
	추민성 488		박예진 407	이대헌 427	홍은지 647	5팀 김민국(6) 663 옥수진(8) 664 채미연(9) 665	김호경 215 박은정 214	신지애 226 김동범 227 설재혁 228 이홍엽 229
						6팀 이승명(6) 666 김은경(7) 667 정녕현(9) 668		
공무직						7팀 전창훈(7) 669 이영재(8) 670		
FAX	356-2556		356-2030		357-4415	351-4434	356-2016	358-3963 356-2009

417

서대구세무서

대표전화: 053-6591-200 / DID: 053-6591-OOO

서장: **정 규 호**
DID: 053-6591-201

주소	대구광역시 달서구 당산로38길 33 (두류동) (우) 42645				
코드번호	503	계좌번호	040798	사업자번호	410-83-02945
관할구역	대구광역시 서구, 달서구(갈산동, 감삼동, 두류동, 본리동, 성당동, 신당동, 용산동,이곡동, 장기동, 장동, 죽전동, 호산동, 파호동, 호림동), 경상북도 고령군			이메일	seodaegu@nts.go.kr

과	체납징세과			부가가치세과			소득세과		
과장	김성협 240			김영중 280			정순도 360		
팀	운영지원	체납추적1	체납추적2	부가1	부가2	부가3	소득1	소득2	소득3
팀장	연상훈 241	신석주 441	고재근 461	김명규 281	김영섭 301	신상우 321	김광석 361	장현미 381	이영조 621
국세조사관		전미자 442 이영우 443	김인덕 462 손예정 463 이정선 464 오향아 (징세) 262	황수진 282 김하영 283 이승환 (오후) 314	조호연 302	이백춘 322	이제욱 362	정현규 382	이원명 622
국세조사관	하경숙 242 정민주 243 민재영 (방호) 249 최태용(열관리) 248	배경순 (사무) 449 정운월 444	윤희범 465 강용철 466 김혜진 (징세) 263	이명수 284 최춘자 (사무) 291 이선영 285	정동철 303 김인자 304 임정관 (오전) 314 김혜정 305	김봉수 323 성현성 324 이동하 325	구병모 363 장병호 364	정민아 (오전) 389 이경숙 383	서대영 (오후) 389 이민지 623 김두영 624
국세조사관	강흥일 (운전) 247	구광모 445 서현지 446	김은경 467 이상미 (징세) 264	정경미 286 김수경 287	김선미 306	이순임 326	장희정 365		
국세조사관	배민정 244 김경난 245	안대근 447 김채은 448	임수현 468	허환 288 이유정 289 이지하 290	장유나 307 김민주 308 유영환 309	예성진 329 박재원 328 이은우 327	조인애 366	허성혁 384 김유진 385	여정현 625
공무직	석미애 (비서) 202 최지연 (교환) 200 오미숙 이성숙 박옥연								
FAX	627-6121	629-3642		622-4278, 653-2515			624-6001		

과	재산법인세과				조사과		납세자보호담당관	
과장	홍경란 400				석용길 640		김경식 210	
팀	재산1	재산2	법인1	법인2	정보관리	조사	납세자 보호실	민원봉사실
팀장	정문제 481	박찬노 501	박서규 401	진준식 421	이재경 641		강전일 211	김성종 221
국세 조사관	임상진 482 정재현 483	정수연 502	황은영	김태우 422	김진도 642	1팀 오재길(6) 651 백승훈(7) 652 최윤영(8) 653	김도숙 212	(고령)054-950-6550 안영길 222
	김선영 484 이경옥 485 고영석(오전) 492 김민연 486	김석호 503 조영태 505	강정화 403 박남규 402 임영진 405	정성희 423 강승묵 424	유수현 643 정다운(정보) 644 정현정 645	2팀 김진한(6) 654 장해탁(7) 655 정미금(9) 656		김혜영 223 정수현 225
			장한슬 404	윤강로 425		3팀 배창식(6) 657 배은경(7) 658 반아성(8) 659	이승준 213	김현수 226 황준순 228
						4팀 김현수(6) 671 김영은(7) 672 박희원(9) 673		
		성민지 504	이승환 407	신유정 426		5팀 여제현(6) 674 양지윤(8) 676 박진아(8) 675	엄슬희 214	전소원 224 최유나 227 안준현 229
공무직						6팀 김재섭(6) 677 이은영(7) 678 김남규(8) 679 권현지(9) 680		
FAX	624-6003, 629-3643				629-3373, 624-6002		627-5761, 625-2103	

수성세무서

대표전화: 053-7496-200 / DID: 053-7496-OOO

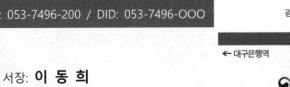

서장: **이 동 희**
DID: 053-7496-201~2

주소	대구광역시 수성구 달구벌대로 2362 (수성동3가5-1) (우) 42115				
코드번호	516	계좌번호	026181	사업자번호	
관할구역	대구광역시 수성구			이메일	suseong@nts.go.kr

과	체납징세과		부가가치세과		소득세과	
과장	임성애 240		김성진 280		김성열 360	
팀	운영지원	체납추적	부가1	부가2	소득1	소득2
팀장	이병주 241	이용균 441	박동호 281	김이원 301	박정성 361	김은희 381
국세조사관		이원희 442 이경희 443 장수정 444 김용한 445	임유선 282	남상호 302	류희열 362 이광재 363	김병욱 382
국세조사관	박현주 242 나현숙 243 김영희(사무) 244	배현숙 446 송혜정 262 이연진 263 구혜림 447 이준식(오후) 264	이효진 283 박석흠 284	박정길 303 강덕주 304 백근민 305	신정석 364 김보경(오후) 272	장창호 383 박현정 384
국세조사관	이윤정 245	천승현 448	정쌍화(오후) 271		이상민 365	이영수 385
국세조사관	박상현 246 이범철(운전) 247 권기창(방호) 248	오영빈 449 박기호 450 송인준 265	김호승 285 이윤주 286	안규민 306 원종화 307	박혜경 366 박근영 367 정나영 368	문정혁 386 김민석 387 성주희 388 김민애 389
공무직	박정희(환경) 김봉애(환경) 유준영(공익) 이예범(공익)					
FAX	749-6602	749-6623	749-6603		749-6604	

과	재산법인세과			조사과		납세자보호담당관	
과장	이재영 400			이병주 640		김서현 210	
팀	재산1	재산2	법인	정보관리	조사	납세자보호실	민원봉사실
팀장	신옥희 501	하철수 541	김종욱 401	이유조 641		이명희 211	박환협 221
국세조사관	강대일 502	정재호 542 정호용 543	석수현 402 한정환 403	박진영 644	1팀 유현종(6) 651 송재민(6) (파견) 김남정(7) 652 백종헌(9) 653		윤호현 222 김미현 223
	오주경 503 장훈 504 김지숙(오후) 274 김나영 505	이승엽 544 고광환 546 하헌욱 547 박서형 545	오승훈 404 이유진 405 정진웅 406 김송연 407	정순재 642	2팀 김성대(6) 654 김대열(7) (파견) 도선정(7) 655 권승비(8) 656	김광련 212 서은호 213	권현주 224 전재희(오전) 225
	이주석 506				3팀 이종현(6) 657 윤종훈(7) 658 김지은(8) 659		최은영 226 김선경 227
	박수빈 507 이진욱 508 이푸름 509 서지현 510		김정숙 408 최근재 409	손명주 643			
공무직							
FAX	749-6605			749-6606		749-6607	749-6608

경산세무서

대표전화: 053-8193-200 / DID: 054-8193-OOO

서장: **최 흥 길**
DID: 053-8193-201

주소	경상북도 경산시 박물관로 3 (사동 633-2) (우) 38583			
코드번호	515	**계좌번호**	042330	**사업자번호** 410-83-02945
관할구역	경상북도 경산시, 청도군		**이메일**	gyeongsan@nts.go.kr

과	체납징세과		부가소득세과	
과장	지재홍 240		한순국 280	
팀	운영지원	체납추적	부가	소득
팀장	임채현 241	김도광 441	김성수 281	김상희 301
국세조사관		길성구 442 황보웅 443 김경택 444	황지영 282 정성희 284	우명주 302
	박해영 243 최용훈 242 배시환 244	김민주 445 황순영(징) 262 양희정 446 박자윤 447 이지영(징) 263 박동열(징) 264	김상철 285 김강훈 286 김영하 287 박재찬 288 김도민 289	이승아 303 이선미 304 조윤주 305 김경희 306
	염길선 245		이인호 290 최병준(소비) 283 이종민 291	이주안 307 노한가람 308
	황무근 246	김정한 448 최재은 449	송은지 292 홍진주 293 최유미 294	이종현 309 강고운 310 김정헌 311
공무직	배가야(사무) 202 신영미(행정) 247 임수연(교환) 523 김중남(미화) 강순열(미화) 정지문(사회복무) 백재영(사회복무)			
FAX	811-8307	802-8300	802-8303	

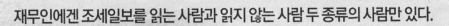

과	재산법인세과		조사과		납세자보호담당관	
과장	이충형 400		김대중 620		박성학 210	
팀	재산	법인	정보관리	조사	납세자보호실	민원봉사실
팀장	채성운 481	박형우 401	김진도 621		정영순 211	전현진 221
국세조사관	윤성아 482 김종현 483	양병열 402	황성진 622	1팀　고기태(6) 631 윤상환(7) 632 김세철(8) 633		김하수 222 김연희(청도) 054-372-2100
국세조사관	최유일 484	이현수 403 정소영 404 김재민 405	김경림 623 이창구 624	2팀　도해민(6) 634 권오신(7) 635 김영미(9) 636	최장규 212	
국세조사관	윤성욱 485 김지은 486	최경화 406 장유민 407 오정훈 408				박선영(오후) 225 김아영 223 원효주 224
국세조사관	송민준 487 최도영 488	정혜원 409		3팀　서영교(6) 637 전종경(7) 638 손태우(8) 639		
공무직						
FAX	802-8305	802-8304	802-8306		802-8301	802-8302

경주세무서

대표전화: 054-7791-200/ DID: 054-7791-OOO

서장: **백 종 찬**
DID: 054-7791-201

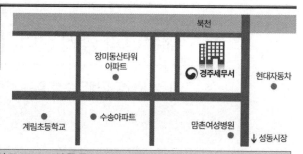

주소	경상북도 경주시 원화로 335 (성동동180-4) (우) 38138 영천지서 : 경상북도 영천시 강변로 12 (성내동 230) (우) 38841				
코드번호	505	계좌번호	170176	사업자번호	410-83-02945
관할구역	경상북도 경주시, 영천시			이메일	gyeongju@nts.go.kr

과	체납징세과		부가소득세과			재산법인세과	
과장	김종근 240		김두현 280			이홍환 400	
팀	운영지원	체납추적	부가1	부가2	소득	재산	법인
팀장	김동춘 241	이미숙 441	전갑수 281	양정화 301	박기영 361	김병석 481	이병희 401
국세조사관	강경미 242	김준연 배형수 442 김이규 443	김병훈 282	권순식 302	김용민 362	이길석	이주형 402 최재혁 403
국세조사관	백경엽 243 설진우 611	최진 444 김지연 445 이혜란(징) 262 채주희(징) 263	은종온 283 김윤경 288	최정혜 303	이인원 363	이상건 482 박재형 483 김태희 484	오규열 404
국세조사관	김재현 244	김규식 446	김주완 284		정인회 364	김상운 485	오가은 405 박주현 406
국세조사관	정연훈 245 유재현 246	이승렬 447 장두수 448 현우창 449	이규호 285 유헌정 286 나원정 287	김혜지 304 한규원 305 조은미 306 이지무 307	임완수 365 조민제 366 신문정 367 오준오 368	권대호 486 이나경 487	양예주 407 이시형 408 김민혁 409
공무직	정미애(교환) 523 한휘(부속실) 202 전명선(환경) 최정화(환경) 김두현 (사회복무) 김효련 (사회복무)						
FAX	743-4408	742-2002	749-0917, 749-0918			749-0913	745-5000

과	조사과		납세자보호담당관		영천지서(054-3309-200)			
과장	장시원 640		고상기 210		이병탁 201			
팀	정보관리	조사	납세자 보호실	민원봉사실	체납추적	납세자 보호실	부가소득	재산법인
팀장	김성희 641		이재훈 211	양순관 221	문성연 261		이원복 231	변재완 241
국세 조사관	이유상(정) 642	1팀 한청희(6) 651 윤근희(6) 652 우정화(8) 653	구정숙 212	김상우 222	이동우 262 이지안 263		김구하(부) 232	
	김혁동 643	2팀 황왕규(6) 654 이형준(7) 655 권은경(9) 656	나상일 213			이해진(오후) 251 조라경(오전) 251 복현경 252	채승훈(부) 233 김선규(소) 237 도연정(부) 234	이규태(법) 242 안우형(법) 243 장진욱(재) 245
	김정훈 644	3팀 박영호(6) 657 김도연(7) 658 나지윤(9) 659		임지은 223	박유민 264		강동호(소) 238 윤상아(부) 235	박정희(재) 246
	백지영 645	4팀 최인우(6) 660 이은희(7) 661 정유철(7) 662		최준기 224 정현정 225		정원용 253	서애영(소) 239 홍민영(부) 236	정세희(재) 247 오주희(법) 244
공무직					조우영(부속) 202 유출이(환경)			최숙희(사무) 250
FAX	771-9402		773-9605	749-9206	338-5100	333-3943	338-5100	331-0910

구미세무서

대표전화: 054-4684-200 / DID: 054-4684-OOO

서장: **신 영 재**
DID: 054-4684-201~2

주소	경상북도 구미시 수출대로 179 (공단동) (우) 39269 선산이동민원실 : 경상북도 구미시 선산읍 선산중앙로 83-2 (우) 39119 칠곡민원실 : 경상북도 칠곡군 왜관읍 공단로1길 7 (우) 39909		
코드번호	513	계좌번호 905244	사업자번호 410-83-02945
관할구역	경상북도 구미시, 칠곡군	이메일	gumi@nts.go.kr

과	체납징세과			부가가치세과		소득세과	
과장	이강훈 240			오재환 280		백희태 360	
팀	운영지원	체납추적1	체납추적2	부가1	부가2	소득1	소득2
팀장	이상헌 241	민태규 441	전근 461	박기탁 281	강상주 301	김정열 361	김익태 381
국세 조사관		정환주 442 서경영 443	박성구 468 이순기 462 성영순 262 이도경 463	황윤식 282 이선호 283 도인현 284	강태윤 302 백유기 303 심상운 304		시진기 382
	김진우 242 고광현 245	이희옥 444 김민정 445 박찬녕 446	조미경 263 김민준(오전) 264	김태운(소비) 299 이주미(주, 오전) 293 진소영 285 이승엽 286	이한샘 305 김상희 306 박미정 307 이찬우 308	마일명 362 김경동 363 장현정 364	김성순 383 최재성 384
	서이현 243 이은정 244		김정협 464 김수진 465	문호영 287	염지혜 309	이선영 365	이주미(주) 385 우병호 386
	김은석 246	문지윤(시간) 447 최은진 448	이예슬 466 남정민 467	김규리 288 안예지 289 김승현 290	김보배 310 김민석 311 권순근 312	천승렬 366 우현지 367 옥승오 368	우상훈 387 이현지 388 김휘민 389
공무직	김미숙(사무) 202 박지숙(사무) 205 최말숙(환경) 권쌍선(환경) 황민서(공익)						
FAX	468-4203	464-0537		461-4057		461-4666	

1등 조세회계 경제신문 조세일보

과	재산법인세과				조사과		납세자보호담당관	
과장	김성호 400				권병일 640		신용석 210	
팀	재산1	재산2	법인1	법인2	정보관리	조사	납세자보호실	민원봉사실
팀장	변정안 481	서정우 501	노진철 401	배세령 421	유창석 641		송기삼 211	최상규 221
국세조사관	김준식 482		김규진 402			1팀 조용길(6) 651 김소희(7) 652 정학기(8) 653 강하연(6) 663		안진용 222
국세조사관	김태호 483 강은진 485 유보아 484	배민경 502 윤일식 503 김도유 504	신영준 403 이정순 404 윤지연 405	추시은 422 안성덕 423 김종연 424 유지연 425	이선육 642 허성은 643 최기용 644	2팀 조한규(6) 654 정현모(7) 655 윤웅희(8) 656	김상헌 212	박승현(칠곡)
국세조사관	이혜영 486			노동영 426 허정미 427		3팀 권갑선(6) 657 김대업(7) 658 이지영(8) 659		황현정(오전) 223 황지원(임기) 224 박효임(칠곡)
국세조사관	이수정 487		오은비 406 정경식 407 조현태 408	복소정 428	함희원 645	4팀 이기동(6) 660 배진희(7) 661 김성호(7) 662	이정은 213	천민근 225 우수경 226 김유정 227
공무직								
FAX	461-4665				461-4144		463-5000	민원 463-2100 칠곡 972-4037

427

김천세무서

대표전화: 054-4203-200 / DID: 054-4203-OOO

서장: **이 미 애**
DID: 054-4203-201

주소	경상북도 김천시 평화길 128 (평화동) (우) 39610 성주민원실 : 경상북도 성주군 성주읍3길 57 (예산리 334-1) (우) 40026				
코드번호	510	계좌번호	905257	사업자번호	410-83-02945
관할구역	경상북도 김천시, 성주군			이메일	gimcheon@nts.go.kr

과	체납징세과			세원관리과	
과장	박영길 240			이동훈 280	
팀	운영지원	체납추적	조사	부가	소득
팀장	최승필 241	김경남 441	정성민 651	천상수 281	최재영 361
국세 조사관				정석호 282	유세은 362
	김정수 243 김명국 242	김주원 442 최혜영 443 강진영 444 박미숙(징세) 263	백성철 652 김신규 653	이수미(소비) 292 최수진 283	박선옥 363 이나현 364
	손동진(운전) 247	김남희 445	이선정 654 조재범 655	양혜진 284 정은진 285	
	서석태(방호) 246	송채연 446 안유진 447		변연주 286 김민주 287	김소연 365 박경태 366
공무직	강미정(교환) 244 이수진(환경) 245 전상미(비서) 202 이상진(사회복무) 여현준(사회복무)				
FAX	430-6605	433-6608		430-8764	

과	세원관리과		납세자보호담당관	
과장	이동훈 280		조희선 210	
팀	재산법인		납세자보호실	민원봉사실
	재산	법인		
팀장	이성환 481			민택기 221
국세조사관	김용기 482			박세일 222 서은혜(성주)
	김정숙 483	장철현 402 천해자 403 전지희 404 권희정 405		
	왕화 484 김세현 485		박시현 211	서용준 223
	정현명 486	윤현식 406 홍민아 407		
공무직				
FAX	430-8763		432-2100	432-6604 933-2006

상주세무서

대표전화: 054-5300-200 / DID: 054-5300-OOO

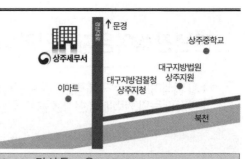

서장: **이 범 락**
DID: 054-5300-201

주소	경상북도 상주시 경상대로 3173-11 (만산동) (우) 37161 문경민원실 : 문경시 당교로 225 (모전동) 문경 시청내 문경지역민원봉사실 (우) 36982				
코드번호	511	계좌번호	905260	사업자번호	410-83-02945
관할구역	경상북도 상주시, 문경시			이메일	sangju@nts.go.kr

과	체납징세과			세원관리과	
과장	송명철 240			김종석 280	
팀	운영지원	체납추적	조사	부가	소득
팀장	김두곤 241	김성우 441	김철연 651	이재성 281	임광혁 361
국세 조사관			김종훈 652	안홍서 282 조강호(소비) 291	
	황영숙 243 이승훈 242	강성철 442 구태훈 443	권현목 653	강미진(시간) 682 김민철 283 유선희(시간) 682	정동준 362
	최화성(방호) 244 권익찬(운전) 245	정해진 444 김성민 445	강지현 654 강덕훈 655	남창희 284	김동현 363
		장선희(징세) 261		안예지 285 김태희 286	신유진 364 김은영 365
공무직	김채현(사무) 202 임남숙(환경) 695 윤영규(사회복무) 247				
FAX	534-9026		534-9025	535-1454	

430

과	세원관리과		납세자보호담당관	
과장	김종석 280		조금식 210	
팀	재산법인		납세자보호실	민원봉사실
	재산	법인		
팀장	박재갑 401			김창환 221
국세조사관			배익준 211	신건묵 222 조원영(문경) 553-9100
	김영록 482 김덕현 483 박선혜 484	이혜경 402 전성우 403		임수경 223
	김길희 485	김현호 404 이승현 405		성도현(문경) 552-9100
공무직				
FAX	535-1454		534-9017	536-0400 문경 553-9102

안동세무서

대표전화: 054-8510-200 / DID: 054-8510-OOO

서장: **정 하 용**
DID: 054-8510-201

안동시보건소 · 가톨릭 상지대학교 ↑ · 안동동부초등학교 · 안동문화원 · 한양아파트 · 안동세무서

주소	경상북도 안동시 서동문로 208 (우) 36702 의성지서 : 경상북도 의성군 의성읍 후죽5길 27 (우) 37337					
코드번호	508	계좌번호	910365	사업자번호	410-83-02945
관할구역	경상북도 안동시, 영양군, 청송군, 의성군, 군위군		이메일		andong@nts.go.kr

과	체납징세과			세원관리과			
과장	이창규 240			김일우 280			
팀	운영지원	체납추적	조사	부가	소득	재산법인 재산	법인
팀장	우운하 241	김수정 441	김동찬 651	배웅준 281	김진모 361	권오규 401, 481	
국세조사관		박근열 442		남해용(소비) 290 이범구 282	이기동(오후) 이정욱 362	김용석 482	박성욱 402
국세조사관	김태형 242 이문한(운전) 244 강순원(방호) 245	김영아 443 이미자(징세) 262 김수정(징세) 263 최재광 445	안수경 652 권영한 653 조순행 654 이충호 655	김옥자 283 김순남 284 최은숙 285	배태호 363	전우정 483 김이레 484	김현욱 403 이호인 404
국세조사관	최미란 243	조식 446			이은서(오전)	신소연(오전)	
국세조사관		김소정 447	이동우 656	김소현 286 홍라겸 287 이유진 288	구신영 364 이소현 365	조경숙(오후) 김상근 485 정혜림 486	김주영 405 최승현 406
공무직	권영란(부속) 202 양미경(교환) 246 박말남(환경) 조영애(환경)						
FAX	859-6177	852-9992	857-8411	857-8412	857-8414	857-8413	857-8415

과	납세자보호담당관		의성지서(054-8307-200)		
과장	박정숙 210		변호춘 601		
팀	납세자보호실	민원봉사실	납세자보호실	부가소득	재산법인
팀장		권혁규 221	박철순 210	배동노 300	오조섭 400
국세조사관	권미영 211 남효주 212	노현정 222	김영만 211	송영진(소득) 301 장병호(부가) 302 하경섭(체납) 303	우남구(법인) 471 최종운(재산) 401
		김민정(오전) 223			고인수(재산) 402
		김윤정(임기) 225		이윤주(부가) 304 김길영(체납) 307	김완태(법인) 472
		정혁철 224	이현란(7시간) 212 임진환(방호) 213	장진영(부가) 306 김수빈(소득) 305	
공무직			신화자(환경)		
FAX	852-7995	859-0919	832-2123 군위 383-3110	832-9477	832-7334

영덕세무서

대표전화: 054-7302-200 / DID: 054-7302-OOO

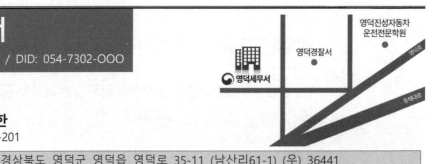

서장: **김 부 한**
DID: 054-7302-201

주소	경상북도 영덕군 영덕읍 영덕로 35-11 (남산리61-1) (우) 36441 울진지서 : 경상북도 울진군 울진읍 월변2길 48 (읍내리 346-2) (우) 36326				
코드번호	507	**계좌번호**	170189	**사업자번호**	410-83-02945
관할구역	경상북도 영덕군, 울진군			**이메일**	yeongdeok1@nts.go.kr

과	체납징세과			세원관리과			
과장	김지윤 240			김순석 280			
팀	운영지원	체납추적	조사	부가소득		재산법인	
				부가	소득	재산	법인
팀장	김중영 241	강정호 441	권준혁 651	이주환 281		김병철 401	
국세 조사관			서우형 652	정해영 282		박상희 482	엄유섭 402
	송인순 243 이경준 242 박만기(운전) 244	이재원(체납) 442			여세영 284		
	박영우(방호) 245	안재근(징세) 262 장호우(체납) 443	김혜영 653			안지민 483	
		김유진(체납) 444		김태원 283	안소형 285		전호종 403
공무직	전은현(비서) 202 김경미(환경) 246						
FAX	730-2504	730-2695		730-2314			

1등 조세회계 경제신문 조세일보

과	납세자보호담당관		울진지서(054-7805-100)	
과장	우병옥 210		권성구 101	
팀	납세자보호실	민원봉사실	납세자보호실	세원관리
팀장			박문수 120	최준호 140
국세조사관	이경철 212			고순태(법) 171 이동희(재) 161
				이광용(법) 172 이보영(소) 151
		신지연 222		김세훈(부) 141 김재연(재) 162
			변명미 121	윤지승(소) 152
공무직			홍춘자(환경) 122	장명자(사무) 142
FAX	730-2625 민원인용 734-2323		780-5181	780-5182~3

영주세무서

대표전화: 054-6395-200 / DID: 054-6395-OOO

서장: **고 병 재**
DID: 054-6395-201

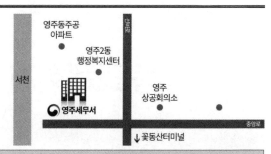

주소	경상북도 영주시 중앙로 15 (가흥동 2-15) (우) 36099 예천민원실 : 경상북도 예천군 예천읍 충효로 111 (대심리 353) (우) 36826 봉화민원실 : 경상북도 봉화군 봉화읍 봉화로 1111 (내성리) 봉화군청 민원실내 (우) 36239				
코드번호	512	**계좌번호**	910378	**사업자번호**	410-83-02945
관할구역	경상북도 영주시, 봉화군, 예천군		**이메일**	yeongju@nts.go.kr	

과		체납징세과			세원관리과	
과장		이현종 240			신유환 280	
팀		운영지원	체납추적	조사	부가	소득
팀장		김성하 241	권오형 441	배석관 651	김시근 281	안재훈 361
국세 조사관			권은순 442	임종철 652	송윤선 289	유성춘 362
		문지현 243 박규진 242 권일홍(방호) 244	김종택 443 이복남 256	정지원 653 조재영 654	장현주 282 김인경 283 신익철 284	석종국 363 박준욱 364
		이준석(운전) 245	엄수민 445 김영엽 446	이호열 610 이승휘 655	김태훈 285	
					최승훈 286 곽우정 287	김도훈 365 김의영 366
공무직		박성희(비서) 202 김수진(사무) 246 정익수(환경)				
FAX		633-0954			635-5214	

과	세원관리과		납세자보호담당관	
과장	신유환 280		남정근 210	
팀	재산법인		납세자보호실	민원봉사실
	재산	법인		
팀장	엄세영 401			권상빈 221
국세 조사관	손증렬 482		정용구 212	김찬태(예천) 654-2100 금대호 222
	전상주 483 김동준 484	황상준 402 박중억 403		우희정(사무) 223
	김혜림 485 박주성 486	김종혁 404		이지현(반일) 225
		임예인 405		석귀희(시간) 224
공무직				
FAX	635-5214		634-2111 예천 654-0954 봉화 674-0954	

포항세무서

대표전화: 054-2452-200 / DID: 054-2452-OOO

서장: **김 진 업**
DID: 054-2452-201

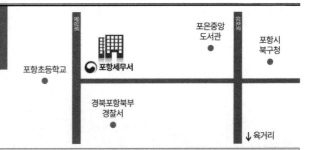

주소	경상북도 포항시 북구 중앙로 346 (덕수동46-1) (우) 37727 울릉지서 : 경상북도 울릉군 울릉읍 도동2길 76 (도동리266) (우) 40221 오천민원실 : 경상북도 포항시 남구 오천읍 세계길5 (오천읍주민센터 별관) (우) 37912				
코드번호	506	계좌번호	170192	사업자번호	410-83-02945
관할구역	경상북도 포항시, 울릉군			이메일	pohang@nts.go.kr

과	체납징세과			부가가치세과		소득세과	
과장	김상훈 240			윤혁진 280		이동범 360	
팀	운영지원	체납추적1	체납추적2	부가1	부가2	소득1	소득2
팀장	이건옥 241	김장수 441	박원열 461	박경호 281	이창수 301	이춘우 361	박종욱 381
국세 조사관		채충우 442	이규활 462 배재호 463	김재연 이상훈 282		박상국 362 이승모 363	류승우 382
	우인호 242 조병래(운전) 611 예동희 243	김정은 443 천기문 444	남옥희 464 박금희 465 이도현 466 최윤형(징세) 261 임지원(징세) 262	김미 283 강수련 284 김도형 285 정주영 286	박점숙 302 김재미 308 박준영 303 김상련 304	이은호 364 김상기 365	정연옥 383 고남우 384 김명선 385
		김정영 445 배재호 446		김윤우 287 권지숙 288	박귀영 305	허소영 366 김성홍 367	박미희 386
	장준환 244 (공업) 장세황 245 김서영 246 (방호)	장은영 447 최원제 448	임지수 467	안서윤 289 남희욱 290 박관석 291 진유빈 292	김종원 306 성현진 307 한혜영 309 박언준 310	이주현 368 손효빈 369	박승호 387 최하진 388
공무직	김정근(교환) 523 김정아(비서) 202 안금숙(환경) 박송희(환경) 전도일(공익) 이재근(공익)						
FAX	248-4040	241-0900		249-2665		246-9013	

10년간 쌓아온 재무인의 역사를 돌려드립니다 '온라인 재무인명부'

수시 업데이트 되는 국세청, 정·관계 인사의 프로필과 국세청, 지방청, 전국세무서, 관세청, 유관기관 등의 인력배치 현황을 볼 수 있는 온라인 재무인명부

1등 조세회계 경제신문 조세일보

과	재산법인세과				조사과		납세자보호담당관		울릉지서 (054-791-2100)
과장	강정석 400				조현진 640		정희석 210		조범제 601
팀	재산1	재산2	법인1	법인2	정보관리	조사	납세자보호실	민원봉사실	세원관리
팀장	김현숙 481	한종관 501	이향석 401	김영기 421	이문태 641		김용제 211	황병록 221	하태운 8582-602
국세조사관		김진건 502	이동욱 402		장혁민 642	1팀 우정호(6) 651 최경미(8) 652 채민화(8) 653		조금옥 222 권영숙 223	김관태 8582-603
국세조사관	김월하 482 최병구 483 김은윤 484 박노진 485 최미애 488 임정훈 486 정성윤 (오후) 492	오춘식 503 손태욱 504 윤태영 505	서은우 403 김영훈 404	박종국 422 전윤현 423	김형국 643 이승재 644 임경희 645	2팀 김혁준(6) 654 김영철(7) 655 양유나(8) 656 / 3팀 최경애(6) 657 박경남(7) 유승헌(7) 658	박용우 212 박재성 213 김지웅 214	김민식 224	
국세조사관	홍준혁 487		김형준 405 박주언 406	김병수 424 조윤정 425		4팀 허성길(7) 659 손근희(8) 660			
국세조사관						5팀 박필규(7) 661 김태훈(8) 662		우승형 225 이채민 226 성혜원 227	이동욱 8582-604 이성엽(방호) 8582-605 박슬기 8582-606
공무직									이명자(환경)
FAX	249-2549, 242-9434				241-3886		248-2100		791-4250

부산지방국세청
관할세무서

■ 부산지방국세청	441
지방국세청 국·과	442
[부산] 금　정 세무서	450
동　래 세무서	452
부 산 진 세무서	454
부산강서 세무서	456
북 부 산 세무서	458
서 부 산 세무서	460
수　영 세무서	462
중 부 산 세무서	464
해 운 대 세무서	466
[울산] 동 울 산 세무서[울주지서]	468
울　산 세무서	470
[경남] 거　창 세무서	472
김　해 세무서[밀양지서]	474
마　산 세무서	476
양　산 세무서	478
진　주 세무서[하동지서, 사천지서]	480
창　원 세무서	482

통　영 세무서[거제지서]	484
[제주] 제　주 세무서[서귀포지서]	486

부산지방국세청

주소	부산광역시 연제구 연제로 12 (연산2동 1557번지) (우) 47605
대표전화 & 팩스	051-750-7200 / 051-759-8400
코드번호	600
계좌번호	030517
사업자등록번호	607-83-04737
e-mail	busanrto@nts.go.kr

청장　　　장일현

(D) 051-750-7200

징세송무국장	오상훈	(D) 051-750-7500
성실납세지원국장	한재현	(D) 051-750-7370
조사1국장	양철호	(D) 051-750-7630
조사2국장	강성팔	(D) 051-750-7800

부산지방국세청

대표전화: 051-7507-200 / DID: 051-750-OOOO

청장: **장 일 현**
DID: 051-750-7201

주소	부산광역시 연제구 연제로 12 (연산2동 1557) 부산지방국세청 (우) 47605 별관 : 부산광역시 연제구 토곡로 20 (연산동) (우) 47586				
코드번호	600	**계좌번호**	030517	**사업자번호**	607-83-04737
관할구역	부산광역시, 울산광역시, 경상남도, 제주특별자치도			**이메일**	busanrto@nts.go.kr

과	운영지원과				감사관	
과장	주맹식 7240				신예진 7300	
팀	행정	인사	경리	현장소통	감사	감찰
팀장	현경훈 7252	차무환 7242	백주현 7262	이승준 7272	최강식 7302	정상봉 7322
국세 조사관	이혁섭 7253 김동원 7254	김형래 7243 황정민 7244 한동훈 7245	손보경 7263	노영일 7273 최대림 7274	한상수 7303 이동혁 7304 최영선 7305 김호 7306 박정하 7307	이호상 7323 최윤겸 7324 전봉민 7325 장효영 7326
	정성만 7255 정은영 7256 한청규 7258 김남희 7260 김묘연 7200 손성자 7200 금도훈 7611 박두제 7625 김동신 7627 김동욱 7627 금병호 7628 김종월 7629	이강식 7246 이성재 7247 이정웅 7248	손석민 7264 윤정원 7265 김옥진 7269	김남영 7275	이주영 7308 김성기 7309 김민정 7310	김현성 7327 변민석 7328 박진우 7329 최윤미 7320
	박진호 7257 하승훈 7259 이도경 7620	김창영 7249 김민지 7250	박지우 7267 윤지연 7266 김은수 7268	김형진 7276 이제연 7277	송민국 7311	박영훈 7321
공무직	백인혜 7206 김지윤 7610					
FAX		711-6446	711-6455	711-6427	758-2747	754-8481

442

1등 조세회계 경제신문 조세일보

국				성실납세지원국			
국장				한재현 7370			
과	납세자보호담당관			소득재산세과			
과장	김광수 7330			전재달 7401			
팀	납세자보호1	납세자보호2	심사	소득	재산	소득지원	소득자료관리
팀장	심정미 7332	정도식 7342	김종웅 7352	최희경 7402	박종헌 7412	권승민 7422	김효숙 7492
국세 조사관	이지하 7333 박은주 7334	김지현 7343 문서연 7344	제상훈 7353 김대희 7354 김미아 7355 오쇄행 7356	김준평 7403	허남현 7413 정혜원 7414	지연주 7423	
		이용정 7345 안혜영 7346	정유영 7357 박진희 7358	김보석 7404 이정규 7405 서호성 7406	배재연 7415 조형석 7416	박성민 7424	김판신 7493
	박재우 7335 서미영 7336		김보경 7359	하원경 7407 김효진 7408	백지훈 7417	박하나 7425	
공무직							
FAX	711-6456		751-4617	711-6461			

국	성실납세지원국								
국장	한재현 7370								
과	부가가치세과			법인세과				전산관리팀	
과장	양순석 7371			천용욱 7431				정규진 7471	
팀	부가1	부가2	소비세	법인1	법인2	법인3	법인4	전산관리1	전산관리2
팀장	오세두 7372	조명익 7382	조성용 7392	최만석 7432	김용정 7442	윤선태 7452	이석중 7462	류용운 7472	이현혜 7482
국세 조사관	한창용 7373	봉지영 7383	김봉진 7393 송진욱 7394	안수만 7433	홍민표 7443 이진경 7444	강희경 7453 허종주 7454	이동욱 7463	장석문 7473	장원창 7483
	김동일 7374 이소애 7375	장덕희 7384 안창현 7385 이인혁 7386	박정의 7395 이승훈 7396	최우영 7434 김영경 7435 김동영 7436 서수현 7437 오진수 7438	유홍주 7445 박미영 7446	유지현 7455 김호승 7456	하민혜 7464	강기모 7474 김지현 7475	김현진 7484
	설전 7376 주은진 7377	이윤서 7387	전진하 7397 서충석 7398 김슬지 7399	최정훈 7439 조은서 7440	김혜진 7447 지우석 7448	김현주 7457	조준우 7465	정전화 7476 이영신 7477	조학래 7485
공무직	홍은혜 7607								
FAX	711-6451			711-6432				711-6457	711-6592

444

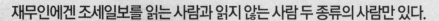
국	성실납세지원국			징세송무국						
국장	한재현 7370			오상훈 7500						
과	전산관리팀			징세과		송무과				
과장	정규진 7471			김동근 7501		최현창 7521				
팀	정보화센터1	정보화센터2	정보화센터3	징세	체납관리	총괄	법인	개인1	개인2	상증
팀장	한희석 7102	문승구 7132	박상구 7162	주종기 7502	황순민 7512	박혜경 7522	김항범 7526	김대욱 7532	채한기 7536	김성호 7542
국세조사관	남창현 7103		이동면 7163	정수진 7503 박정수 7504	임종진 7513 이수임 7514	김주완 7523	배영호 7527 이진 7528	김민수 7533	김혜영 7537 최진호 7538	황민주 7543 이상현 7544
				장혜민 7505	우성현 7515 정하선 7516	이희진 7524	배달환 7529	송미정 7534 김성훈 7535	권지은 7539	박욱현 7545
	최정운 7106 정미선 7107	이혜란 7133 박가영 7137	송창훈 7164 김희경 7165	이한빈 7506 서명진 7507	정성훈 7517	조태성 7525	설도환 7530			
	허수정 7112 송영아 7111 장인숙 7104 임태순 7110 정의지 7113 임미선 7109 김정남 7105 김소연 7108	최진숙 7140 배미애 7144 손명숙 7138 허윤진 7134 이주연 7143 이복재 7136 정정희 7135 석이선 7141 장은경 7139 김외숙 7142	김영미 7172 예성미 7167 김애란 7170 조외숙 7168 박선애 7171 이정애 7166 최진민 7169 이진경 7173							
공무직				신보민 7608						
FAX	711-6590	711-6597		758-2746		711-6458				

445

DID : 051-750-OOOO

국	징세송무국			조사1국					
국장	오상훈 7500			양철호 7630					
과	체납추적과			조사관리과					
과장	김성범 7551			정동주 7631					
팀	체납추적	추적1	추적2	1	2	3	4	5	6
팀장	박행옥 7552	송성욱 7562	신관호 7572	권상수 7632	이정로 7652	손희영 7662	윤현아 7672	장영호 7682	하치석 7702
국세 조사관	방유진 7553 김보경 7554	김경무 7563	장원대 7573	이종건 7633 정성훈 7634	우미라 7653 구수연 7654	현경민 7663	김형훈 7677 마혜진 7676	김재중 7683 안준건 7684 김동우 7685	윤영근 7703 박웅종 7704
	김성진 7556	임경주 7564 주형석 7565 문하윤 7566	김성준 7574 장해미 7575 황미경 7576	김형수 7635 최병철 7637 이나영 7636	경수현 7656	정민경 7664 김상현 7665 조승연 7666	김명윤 7678 김종헌 7679	강길순 7686 정경미 7687 이지민 7688	조현진 7705 어윤필 7706
	이승진 7557 최혜리 7558	김경진 7567	정선두 7577	김성진 7640 최지영 7639 윤홍규 7638	정창재 7657	김봉준 7667	김나영 7680	김수창 7689 임부은 7690	배현경 7707 권진아 7708 조정목
공무직				박수연 7606					
FAX	759-8816			711-6442			711-6429	711-6433	

446

국실	조사1국									
국장	양철호 7630									
과	조사1과					조사2과				
과장	손병환 7711					권동철 7741				
팀	1	2	3	4	5	1	2	3	4	5
팀장	이동규 7712	강경구 7717	김영창 7722	고준석 7726	엄인성 7730	조용택 7742	김현도 7747	정성훈 7752	차상진 7756	기노선 7760
국세 조사관	강경보 7713 손석주 7714	송창희 7718 김명훈 7719	최세영 7723	박미회 7727	이상훈 7731	홍윤종 7743	이현희 7748	서정균 7753	심우용 7757	전성화 7761
	류혜미 7715	추병욱 7720	강성민 7724	이재영 7728	김경화 7732	최해성 7744 이윤미 7745	정원석 7749 이상언 7750	허영수 7754 문희진 7755	이용진 7758	박건 7762
	김나래 7716	강민규 7721	이한솔 7725 김진수 7734	민선희 7729	지현민 7733	이지은 7746	박지영 7751	임도훈 7764	김희선 7759	서은혜 7763
공무직										
FAX	711-6454					711-6435				

447

DID : 051-750-OOOO

국실	조사1국					조사2국					
국장	양철호 7630					강성팔 7800					
과	조사3과					조사관리과					
과장	손해수 7771					김필식 7801					
팀	1	2	3	4	5	1	2	3	4	5	6
팀장	조준호 7772	남관길 7777	유성욱 7781	이영재 7785	김동진 7792	성병규 7802	천선경 7812	이창렬 7822	김분숙 7832	강연태 7842	서승희 7852
국세조사관	한현국 7773 강동희 7774	김평섭 7778	황재민 7782	김성호 7786	여지은 7793	하복수 7803 하지경 7804	전지현 7813 이제헌 7814	김재열 7823 조주호 7824	김도연 7833 이혜정 7834	강동희 7843	김헌국 7853
	김두식 7775	김종길 7779 박치호 7780	김태훈 7783	김미숙 7787	김세진 7794 김고은 7795	김도영 7805	우나경 7815	이보은 7825 신민혜 7826 김주영 7827	박종군 7835 김혜원 7836 박지영 7838	이성재 7844 김일권 7845 정수연 7846 최숙경 7847	김정호 7854
	추지희 7776	홍민지 7789	김보민 7784	김형섭 7788	김홍석 7796	이상준 7806 하소영 7807		하승민 7828	정현옥 7837 김동민	안세희 7848 조홍규 7849	유승주 7855
공무직						이미연 7609					
FAX	0503-116-9019					711-6443					

448

국	조사2국										
국장	강성팔 7800										
과	조사1과				조사2과			조사3과			
과장	이재영 7861				이경순 7881			최청흠 7901			
팀	1	2	3	4	1	2	3	1	2	3	4
팀장	조현진 7862	임지은 7866	오광철 7872	이재식 7876	최용훈 7882	박병관 7886	김재광 7892	감경탁 7902	손희경 7906	김동업 7912	고동환 7916
국세 조사관	배진만 7863	김병삼 7867	정승우 7873	주광수 7877	박선영 7883	안부환 7887	임병훈 7893	권영록 7903 박지숙 7904	김난희 7907	박영곤 7913	강종근 7917
	진효영 7864	김정환 7868	김정현 7874	강회영 7878	김선경 7884	김민경 7888	한윤주 7894	유상선 7905	안경호 7908	서효진 7914	박건영 7918
	하선우 7865	이선규 7869	이정화 7875	김소영 7879	임득균 7885	양수원 7889	엄지환 7895	남윤석 7910	최민식 7909	우윤중 7915	박승희 7919
공무직											
FAX	711-6462				711-6434			711-6444			

금정세무서

대표전화: 051-5806-200 / DID: 051-5806-OOO

서장: **이 민 수**
DID: 051-5806-201

주소	부산광역시 금정구 중앙대로 1636 (부곡동 266-5) (우) 46272				
코드번호	621	계좌번호	031794	사업자번호	621-83-00019
관할구역	부산광역시 금정구, 기장군			이메일	geumjeong@nts.go.kr

과	체납징세과		부가가치세과		소득세과	
과장	권익근 240		임채일 280		김현철 320	
팀	운영지원	체납추적	부가1	부가2	소득1	소득2
팀장	강보길 241	최인식 441	노세현 281	최현택 301	홍정자 321	박정호 341
국세조사관	박현정 242 백종렬 243 이자원 244	김동환 261 김상덕 442	김금주 282	김찬일 302	소현아 322 이동우 323	김종요 342 이진영 343
	천원철 245 양승철 246	이선자 443 김민석 김오순 262 노윤희 444 박주범 445 김민진 446 현지훈 447 이경재 448 이미경 449	김덕원 283 안정민 284 박민우 285 김도형 286 이동현 287	최호성 303 고지원 김민정 304 조형래 310	박성환 324 손성락 325	정준용 344 송주현(파견)
		김용현 263	김명미 288 김보현 289	김소현 305 김민진 306 오지혜 307		정승현 345
	양세실리아 247 신소영	양기혁 450	곽미숙 290	이상일 308	최고은 326 김미송 327	백승훈 346
공무직	강민정 202 김윤자 239 김동순 239					
FAX	711-6419		516-9939		711-6415	

과	재산법인세과			조사과		납세자보호담당관	
과장	서재균 480			양기화 640		김동현 210	
팀	재산신고	재산조사	법인	정보관리	조사	납세자보호실	민원봉사실
팀장	박병진481	장인철 501 전영수 503	이수용 401	김태희 641	김성연 651 조재성 655 박정화 658	이선호 211	우창화 221
국세 조사관	하진우 482		이지영 402 정희종 403	서재은 642 마순옥 643	김병환 652 김주훈 656 권익현 659	임동욱 214	윤은미 222
	은기남 483 김준연 강정연 494 조현진 484 이정필 485	박용남 502 김명지 504	우희준 404 하회성 405 민영신 406 박미선 407 정성욱 408 문소원 409	노진명 644	김수연 653 이지영 657 김민규 660	장선우 212 정현우 213	김서형(기장) 박성우 223 이지수 224 심서현 225
	손정화 486 신지혜 487 추아민 488		정영록 410		양수원 659		박민영 226 이채호 225 여수민 226
	오혁기 488		박영규 411 문정현 412				오주하(기장) 정희숙 227
공무직							
FAX	711-6418			516-9549	711-6421	711-6413	516-9456

동래세무서

대표전화: 051-8602-200 / DID: 051-8602-OOO

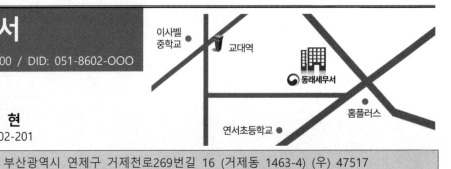

서장: **김 호 현**
DID: 051-8602-201

주소	부산광역시 연제구 거제천로269번길 16 (거제동 1463-4) (우) 47517				
코드번호	607	**계좌번호**	030481	**사업자번호**	607-83-00013
관할구역	부산광역시 동래구, 연제구			**이메일**	dongnae@nts.go.kr

과	체납징세과			부가가치세과			소득세과	
과장	신승환 240			권성호 280			권오식 360	
팀	운영지원	체납추적1	체납추적2	부가1	부가2	부가3	소득1	소득2
팀장	임주경 241	강태규 441	문경덕 461	이봉기 281	김병선 301	손성규 321	김건중 361	양봉규 381
국세조사관		이현기 442 윤성조 443	조인국 462 최민준 463	윤태우 282	정명환 302	곽원일 322 조은하 323	박진용 362 박성훈 363	박정이 382 홍성민 383
	이정숙 243 유문희 244 최은태 242 박희종 245 김진상 616	김연희 444 장두진 445 엄새얀 446	김미지 467 김진경 466 최현정 468 박효진 464	정춘영 283 박은숙 291 최근식 284	허순미 291 김학욱 303 이효진 304 이효정 305	윤한(소비) 324 채승아 325 김지언 326	서미선 364 안도영 365	강은선 375 김양욱 384
	권유화 246 백광민 247	김슬아 447 최혜윤 448 김동한 449	정혜진 465 편지현 469	곽상은 285 박홍제 286	이강현 306	임성미 327	송주은 366 이창호 367 김지용 375	정영희 385 허태구 389 유동준 386 이정미 387
				정미나 287	강보경 307		이나영 368	이미경 388
공무직	이선경 202 조영미 601 구미숙 노정화			(민원창구) 291			(민원창구) 375	
FAX	866-6252			711-6574			866-1182	

1등 조세회계 경제신문 조세일보

과	재산법인세과				조사과		납세자보호담당관	
과장	이상명 400				윤남식 640		양철근 210	
팀	재산신고	재산조사	법인1	법인2	정보관리	조사	납세자 보호실	민원봉사실
팀장	최용국 481		지재기 401	김경태 421	김명렬 641	한면기 651	성기일 211	윤혜경 221
국세 조사관	서정희 482 김성엽 483	추병일 501 정회영 505	최고진 402 최연덕 403	이민희 422	성대경 691	김영란 665 도현종 668 장유진 661 김동수 664	원성택 212	김은연 222
	이정호 484 박건대 485 이현지 486 홍승현 487 송민정 488	김현미 502 허윤형 506 김혜진 503	이용수 403 송보경 405	김민정 423 박경주 424	우을숙 692 배영태 642 박선하 645 이수진 643	최아라 659 김종호 665 최대현 652 김진석 656 이정숙 662	김병윤 213 노윤주 214	문성철 223 황종하 224 김은애 225 김도연 226 정경민 227
	김아람 489 서화영 490		이민주 406	김상훈 425		오지현 653 최혜진 654 윤혜정 666		이신애 228 강경숙 223 류호림 229
			주명진 407	이현승 426	공휘람 644	홍수민 657 김민희 660 전윤지 663		백진서 230
공무직	(민원창구) 495							
FAX	711-6577				866-5476		711-6572	866-2657

부산진세무서

대표전화: 051-4619-200 / DID: 051-4619-OOO

서장: **안 형 태**
DID: 051-4619-201

주소	부산광역시 동구 진성로 23 (수정동) (우) 48781				
코드번호	605	계좌번호	030520	사업자번호	605-83-00017
관할구역	부산광역시 부산진구, 동구			이메일	busanjin@nts.go.kr

과	체납징세과			부가가치세과				소득세과	
과장	유병길 240			정헌호 280				차규상 320	
팀	운영지원	체납추적1	체납추적2	부가1	부가2	부가3	부가4	소득1	소득2
팀장	윤상동 241	변환철 441	이상곤 461	김부석 281	신미정 381	김현철 301	김덕성 361	문원수 321	김정욱 341
국세조사관		김후영 442 전병일 443	김은경 262 이옥임 263 진종희 462 조병녕 463	이재원 282 전영욱 283	유치현 382	신현우 302	박문호 362 김형천 363	윤성기 322	변숙자 342
	심영주 242 이수정 243 손동주 247 김해은 244 손성웅 245	최소윤 444 오지연 445 김한신 446 송현주 447	이영일 464 김성이 465 차윤주 264 강인숙 466 허준영 468	손선희 284 최정웅 285	박진영 383 박선남 384 전태용 385	곽현숙 303 윤경출 304 최보경 295	박서연 364	김혜영 392 문경희 323 양선미 324 장상원 325 김도년 326	황진희 343 임혜경 392 한준혁 344
	김승용 248		박병태 469	임은미 286 조은해 287	권순한 386 남예나 387	박선연 305	서자영 295 백아름 366 이희령 365		문민지 345
	임지현 246	김예원 448	최재용 467	곽건우 288		김세은 306	박유진 367	오영동 327 김진수 328	석진배 346 문권선 347 최유림 348
공무직	김지혜 698 옥은영 202 윤현지 김남숙 송혜정								
FAX	464-9552	466-9097		465-0336				711-6478	

과	재산세과		법인세과		조사과		납세자보호담당관	
과장	박기식 480		백종복 400		손완수 640		김일한 210	
팀	재산신고	재산조사	법인1	법인2	정보관리	조사	납세자 보호실	민원봉사실
팀장	박경석 481	이도경 501 박상길 503	김상영 401	김인화 421	박정인 641	박필근 651 강혜윤 655 강호인 658	김동건 211	석준기 221
국세 조사관	이동준 482		류진수 402 김대연 403	천태근 422	임윤영 642		조창래 212	
	배선미 491 이민경 483 전하윤 484 이문호 485 엄송미 494 옥호근 486	백상순 502 김현숙 504	이연숙 411 구경임 404 정정민 405 김현목 406	백은주 423 김유리 424 김호진 425 송봉근 426	김성환 643 양소라 644 하현주 645	최원태 652 안병만 661 정종근 659 김태원 656 박경희 653	윤호영 213	류임정 222 추원희 223 이가영 224 진성은 225 김용제 226
	곽소라 487 박준태 494		박지현 407		위부일 646	이재성 662 최제희 657 구상은 663 하선유 660 최안욱 654		김서현 227 민정 228 박수빈 228 서금주 229
	김민주 488		이현재 408	손미숙 427	최지은 647			도진주 230
공무직								
FAX	468-7175		466-8538		466-8537		466-2648	

부산강서세무서

대표전화: 051-7409-200 / DID: 051-7409-OOO

서장: **김 종 진**
DID: 051-7409-201

주소	부산시 강서구 명지국제7로 44 (퍼스트월드브라이튼 3~6층) (우) 46726				
코드번호	625	계좌번호	027709	사업자번호	
관할구역	부산시 강서구 전지역			이메일	

과	체납징세과		부가소득세과		
과장	김용곤 240		조미숙 280		
팀	운영지원	체납추적	부가1	부가2	소득
팀장	김용대 241	김미영 441	정은성 281	류현철 301	정창후 361
국세 조사관	장희라 242	김찬중 442			이호영 362
	문승준 243 남인제(운전) 245	김상희 261 박상준 443 김민숙 262	박인혁 282 이일구 류세경 이정현 283 이규현 284	김태인(소비) 302 김혜경 303	정해연 363 이성훈 364 이택건 365
		유효진 445 임채영 446		정수영 304 김경옥 305	
	김대희 244 권영채(방호) 246	김은비 447 김지민 448 강두석 449	이승익 285 박민영 286 권영민 287	추민재 306 이효진 307 강혜령 308	김혜리 366 김다희 367
공무직	이혜인 202 소정선 홍정미 최소영				
FAX	294-9506	294-9507	466-9508		

과	재산법인세과			조사과		납세자보호담당관	
과장	박경민 400			신기준 640		염세영 210	
팀	재산1	재산2	법인	정보관리	조사	납세자보호실	민원봉사실
팀장	김대철 481	고영조 501	안정희 401	이상표 641	한재영 651	김진삼 211	김철태 221
국세 조사관	채규욱 482		원욱 402				
	이혜령 483 정효주 (사무운영) 490	박종민 502	김형두 403 명상희 404 박종현 405 진현진 406	정민석 642 김영진 691	김태근 652 박순찬 655 강선실 656 신성일 659 문진선 660	김영경 212 정원미 213	임성준 222
	박소현 484		류영선 407 이상현 408 강한솔 409 김유정 410 김동현 411	이청림 692 윤주련 643	서준영 653 정대교 661		이수영 223
	조연주 485		조근비 412		천민아 657 양인애 662		손현정 224
공무직							
FAX	294-9509			294-9510			294-9511

북부산세무서

대표전화: 051-3106-200 / DID: 051-3106-OOO

서장: **이 용 규**
DID: 051-3106-201

주소	부산광역시 사상구 학감대로 263 (감전동) (우) 46984				
코드번호	606	계좌번호	030533	사업자번호	606-83-00193
관할구역	부산광역시 북구, 사상구			이메일	bukbusan@nts.go.kr

과	체납징세과		부가가치세과		소득세과	
과장	임인수 240		김지훈 280		이종우 360	
팀	운영지원	체납추적	부가1	부가2	소득1	소득2
팀장	강승묵 241	서귀자 441	백순종 281	이진홍 301	조재성 361	이재수 381
국세 조사관		지광민 261 최재호 442 주성민 443	박영진 282	김승철 302 문성배 303 선병우 304	김재철 362	전인석 382
	김상순 242 김현준 243 강경민 249 김덕봉 246	이태형 444 정숙희 445 김해영 262 장주영 446 송윤희 263 이규호 447 심민정 448	김동한 283 이순영 284 김도윤 285 노희옥 286 송은영 607 김순정 607 고현주 287 김대원 288	오영주 305 김희련 306 정건화 307 김지원 308	제민경 363 정미연 608 이성준 364 박정화 365	신하나금 383 우동윤 384 한은숙 385
	구화란 244 권성주 247	감지윤 449 서미영 450	박하영 289 김민정 290	조연수 309 강남호 310		강영희 386
		김은영 451 장홍정 452	강승우 291 장서영 292	제민지 311 이재진 312	황상진 366 강준구 367 하수민 368	장다혜 387 정인경 388
공무직	김현정 602 주미아 202 강외숙 김선희 조해미					
FAX	711-6389		711-6377		711-6379	

458

1등 조세회계 경제신문 조세일보

과	재산법인세과			조사과		납세자보호담당관	
과장	백선기 400			정철규 640		백정태 210	
팀	재산1	재산2	법인	정보관리	조사	납세자보호실	민원봉사실
팀장	전병도 481	이수원 501	신호철 401	김동원 641	이구현 651	정인택 211	최영호 221
국세 조사관				민승기 642 전종태 643	류정희 655 한대섭 659 유세명 663 성봉준 667	예종옥 212 공을상 213 심은정 214	
국세 조사관	강은순 482 신영승 483 최지윤 484 김영은 485 이상훈 486 김시연 557 서자원 487	하정욱 502 서주희 503	오승현 402 손민정 403 김희범 404 황은영 405 형서우 406	정지현 644 안재필 645	이훈희 652 정성용 656 이태호 660 이미영 664 김경진 668	김상욱 215	강영미 222 최정주 226 박태훈 227 김대원 223
국세 조사관	위지혜 488	서주희 503	장성욱 407 허유미 408 정수인 409	정세미 646	이남호 653 김지현 661		고정예 224 김수현 228 문혜리 225
국세 조사관			박용훈 410 하상우 411 한정희 412 박성진 413		윤미현 654 안상언 657 박현주 658 이예담 665 김정대 669		
공무직			차지현 415				
FAX	711-6381		711-6380	314-8143		711-6385	314-8144

서부산세무서

대표전화: 051-2506-200 / DID: 051-2506-OOO

서장: **정 헌 미**
DID: 051-2506-201

주소	부산광역시 서구 대영로 10 (서대신동2가 288-2) (우) 49228				
코드번호	603	계좌번호	030546	사업자번호	603-83-00535
관할구역	부산광역시 서구, 사하구			이메일	seobusan@nts.go.kr

과	체납징세과		부가가치세과		소득세과	
과장	신동익 240		황승화 280		최해수 360	
팀	운영지원	체납추적	부가1	부가2	소득1	소득2
팀장	박선영 241	이명용 441	이상호 281	정창성 301	박정신 361	김대엽 381
국세 조사관		김현배 442 윤석중 443 지만 444 이승희 262	김은영 282	박재완 302 강성문 303	신도현 362	김숙아 382
	박지혜 242 김지연 243 박성재 246	김정미 445 김선임 446 강유신 447 강원혁 448 이경희 449 김주영 450	진훈미 283 송인숙 341	정준모 309 박혜원 304 김상우 305	이우정 363 구선희 342	김숙희 383 이철민 384 송향기 385 조선영 342
	김병수 247	최기원 451 전현명 263 이예영 264	김수현 284 김동겸 285 이현실 286 이명호 287	임윤정 306 박선애 341	오보람 364 박하니 365 유재학 366	노종근 386 서지원 387
	석대겸 244 김현정 245	조윤서 452	배수진 288 서예주 289	박민정 288 안정희 289	천지영 367	
공무직	추지선 202 김미야 200 김혜숙 249 이성금 류태순					
FAX	241-7004		253-6922	256-4490	256-4492	

460

과	재산법인세과				조사과		납세자보호담당관	
과장	조민래 400				홍중훈 640		전익성 210	
팀	재산신고	재산조사	법인1	법인2	정보관리	조사	납세자 보호실	민원봉사실
팀장	김이회 481	조재화 501	박동기 401	박태원 421	박정태 641	장준영 651	박동진 211	박현지 221
국세 조사관	장재윤 482		김동건 402		이준길 642	윤종식 654 임선기 658	천호철 212	박미영 222
	김권하 483 이한아 484 하정란 485 선은미 488	김병인 503 홍정희 502	정성화 403 박화경 404	이계훈 422 정호진 423 김진홍 424	성상진 643 박미영 644	이혜령 661 장성근 652 이승주 659 이경훈 665	주선영 213	홍영임 223 임상현 224 이동철 225
	이윤경 488	허재호 504	이정호 405		안태영 645 박미화 646 박모영 647	이동민 660 백상훈 656	김경우 214	
			박다정 406	김수현 425 전수미 426		오초롱 653 이수연 657 이다인 663		김한솔 226
공무직								
FAX	256-7147		253-2707		257-0170, 255-4100		256-4489	256-7047

수영세무서

대표전화: 051-6209-200 / DID: 051-6209-OOO

서장: **손 진 호**
DID: 051-6209-201

주소	부산광역시 수영구 남천동로 19번길 28 (남천동) (우) 48306				
코드번호	617	계좌번호	030478	사업자번호	
관할구역	부산광역시 남구, 수영구			이메일	suyeong@nts.go.kr

과	체납징세과			부가가치세과		소득세과		재산법인납세과	
과장	이의태 240			정창원 280		문서영 360		정용민 400	
팀	운영지원	체납추적1	체납추적	부가1	부가2	소득1	소득2	법인	재산1
팀장	이태호 241	신성만 441	윤동수 461	조석권 281	김정도 301	손연숙 361	신미옥 381	서명준 401	유민자 481
국세조사관		이시호 442 이묘금 443	양은주 462	박종민 282 정한나 283	김승환302			김진영 402	김병활 482 서계영 483 김점준 484
국세조사관	임우철 242 이성민 243 김은희 244 권용승 616	이태호 444 김도헌 445 강정대 446	김성희 463 이미숙 262 김상엽 464 임나경 263	이용환 284 이수경 285 김민영 286	정선경 303 조정훈 김종철304 안지연305 권수현306	민연배 362 이선주 556 이상혁 363 강덕영 364	이치권 382 박재군 383	이영옥 403 정재철 404 민경민 405 문강민 406 배용현 407	김명철 485 이정국 박영진 486 박유나 487
국세조사관	이은진 245 김철 246		이유정 465 최재혁 466	장윤정 287	김민정 박지민307	김혜진 365 최미르 366	김나은 384 심창훈 556	하태영 408	안지영 488 백승옥 489
국세조사관		박수영 447 김서영 448		김화진 288 김준성 289	박경화 308 정재호 309	배형철 367 이수연 368	김선혁 385 허진웅 386 박용규 387 이지연 388 장윤지 389	김은영 409 이승훈 410 서정미 411	하승민 490
공무직	손보예 202 백수지 임지현 권용희								
FAX	711-6152			711-6149		622-2084		711-6153	

과	재산법인납세과		조사과						납세자보호담당관	
과장	정용민 400		백영상 640						조선제 210	
팀	재산2		정보관리	조사1	조사2	조사3	조사4		납세자 보호실	민원 봉사실
	1팀	2팀								
팀장			윤상필 641						211	이상훈 221
국세 조사관				이영근 651	김수재 661					김양수 222
	안영준 501 오종민 503	김재준 502 강지훈 504	조상래 642 송치호 643	박승찬 652	장수연 662	이종배 671 박수경 672	최창호 681 고광철 682		김병욱 212	정은희 223 엄미라 225
	강승훈 505		배주원 644		김일희 663				이정은 213	김민진 226
				박승희 653		정효주 673			최진영 214	이지희 228 이승걸 227 권동민 230
공무직										
FAX	623-9023		711-6154						711- 6148	626- 2502

중부산세무서

대표전화: 051-2400-200 / DID: 051-2400-OOO

서장: **손 호 익**
DID: 051-2400-201

동아대학교 부민캠퍼스
스타벅스
토성역
보수파출소
보수초등학교
중부산세무서
보수동우체국
보수사거리
대청로
부평파출소
자갈치

주소	부산광역시 중구 흑교로 64 (보수동1가) (우) 06068				
코드번호	602	**계좌번호**	030562	**사업자번호**	602-83-00129
관할구역	부산광역시 중구, 영도구			**이메일**	jungbusan@nts.go.kr

과	체납징세과		부가소득세과		
과장	유탁균 240		김가원 280		
팀	운영지원	체납추적	부가1	부가2	소득
팀장	조홍우 241	서경심 441	천효순 281	이미향 301	염왕기 361
국세 조사관		김정인 262	양규복 282	최임선 307	김정수 362
	정미현 243 박정현 242 황승현 244 최두환 246	이현재 442 정연재 443 김금순 263 박정운 444 박창수 445	김지혜 283	김한석 313 백승우 302	김미현 363
	최정훈 245	이치훈 446 임종근 447	임하나 284	김미희 303 김현범 314 신선미 304	박판기 364
	송희진 248 김영민(방호) 247	이하림 264 장주환 448 엄정은 449	최영철 285 천지은 286	이현아 305 최규진 306	이동환 365 김다빈 366 전혜원 367
공무직	강경임 200 옥은주 202 송순례 619 김은희 619				
FAX	240-0554	711-6537	711-6535		253-5581

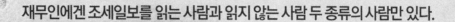

재무인과 함께 걸어가겠습니다 '조세일보'

재무인에겐 조세일보를 읽는 사람과 읽지 않는 사람 두 종류의 사람만 있다.

과	재산법인세과		조사과		납세자보호담당관	
과장	이재춘 400		허성준 640		정경주 210	
팀	재산	법인	정보관리	조사	납세자보호실	민원봉사실
팀장	이정훈 481	최창배 401	윤성환 641	김영숙 651	신용현 211	하성준 221
국세조사관		이동목 402	이지민 642	박상용 652 이지민 653 최미녀 654		
국세조사관	강담연 482 최학선 483	이호성 403 유지혜 404 강지선 405	최상덕 643 박건태 644	이형석 661 박재형 662 진영희 663 최현빈 664	박승종 212	김정이 224 김경민 223 신미경 224 김재형 222
국세조사관	강재희 484 홍경은 486		오애란 645	임완진 671 권준혁 672 추수연 673	김솔 213	
국세조사관	김경이 485	이수경 406 김마리아 407 김효진 408 이재빈 409				조민희 226
공무직						
FAX	240-0419		711-6538		240-0628	

해운대세무서

대표전화: 051-6609-200 / DID: 051-6609-OOO

서장: **이 인 우**
DID: 051-6609-201

주소	부산광역시 해운대구 좌동순환로 17 (우) 48094 별관 : 부산광역시 해운대구 해운대로 726 4층 (우) 48101				
코드번호	623	계좌번호	025470	사업자번호	
관할구역	부산광역시 해운대구			이메일	

과	체납징세과		부가가치세과		소득세과	
과장	조병옥 240		박희술 280		정진주 360	
팀	운영지원	체납추적	부가1	부가2	소득1	소득2
팀장	이인권 241	김익상 441	박찬만 281	김용문 301	권영규 361	강병철 621
국세 조사관		김민수 442 박수경 443	강준오 282		안양후 362	양문석 622
	이지은 242 전현주 243	심은경 261 최윤실 262 진채영 444 김미영 445 고은 446 강성룡 447 윤노영 448	이소영 283 강병진 284 최낙상 285 윤근호 286	정우영 302 박용진 308 주연신 303 조영진 304 김태영 305 나단비 613	전경숙 363 장지영 364 최한호 365 윤제현 366	김영미 623 양승민 624 김건우 625
	김혜은 244 성문성 246 하창길 247	최지혜 449 방은혜 450 김태헌 451	박시현 287 이하경 288	박재한 311 장유나 306	김초이 367	
	이준혁 245	김가령 263 노학준 452	공미영 289	강가빈 307	이미희 368	김아름 626 박준용 627 유재랑 613
공무직	정민경 200 문윤선 202 박준희 248 조경숙 박서연					
FAX	512-3917					

10년간 쌓아온 재무인의 역사를 돌려드립니다 '온라인 재무인명부'

수시 업데이트 되는 국세청, 정·관계 인사의 프로필과 국세청, 지방청, 전국세무서, 관세청, 유관기관 등의 인력배치 현황을 볼 수 있는 온라인 재무인명부

1등 조세회계 경제신문 조세일보

과	재산법인세과			조사과		납세자보호담당관	
과장	김봉수 400			장재선 640		김유신 210	
팀	재산신고	재산조사	법인	정보관리	조사	납세자보호실	민원봉사실
팀장	김성홍 481	최명길 501 김현두 503 전제영 505	김필곤 401	김광수 641	조경배 651 이영태 661 엄상원 671 정유진 681	엄지명 211	이상근 221
국세조사관	이성호 482		최창우 402	전영심 642			
국세조사관	김태순 483 김찬희 484 최성희 485 김민정 486 이배삼 487 문홍섭 488 이예지 489 김록수 490	김도곤 502	최성준 403 최선경 404 신정아 405	구태효 643	손찬희 652 양효진 653 금인숙 662 윤석미 663 강유정 672 이재석 682	이상도 212 김선기 213	서순연 222 김언선 223 김선광 224 성현영 227
국세조사관	박영철 614	서유리 504 황지영 506	이미연 406 김성준 407 여효정 408 강슬아 409 정진호 410	정상훈 644	조미주 654 오규진 673 정민영 683	이영재 214	전하나 225
국세조사관	김이현 491		송강 411 김예지 412	김지현 645 박영민 646	김동현 664		김소영 226
공무직							
FAX							

동울산세무서

대표전화: 052-2199-200 / DID: 052-2199-OOO

서장: **이 용 안**
DID: 052-2199-201

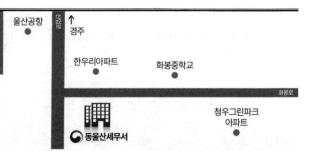

주소	울산광역시 북구 사청2길 7 (화봉동) (우) 44239							
코드번호	620		계좌번호	001601		사업자번호	610-83-05315	
관할구역	울산광역시 중구, 동구, 북구, 울주군(언양읍, 범서읍, 두동면, 두서면, 상북면, 삼남면, 삼동면)					이메일	dongulsan@webmail.nts.go.kr	

과	체납징세과			부가가치세과		소득세과		재산법인세과	
과장	한민희 240			지우영 280		임종훈 360		진우영 400	
팀	운영지원	체납추적1	체납추적2	부가1	부가2	소득1	소득2	재산신고	재산조사1
팀장	김형걸 241	신동훈 441	조숙현 461	김국진 281	신정곤 301	강도현 361	박현순 621	이기용 481	서기석 501
국세조사관		박종무 442	제재호 462	박형호 282	신상수 315			정재효 482	
	박복자 242 곽민석 243 김은주 244 이정애 200	이상훈 443	이진희 262 강보화 263	권미정 283 김라은 284	허명화 302 최항호 303 엄준호 304 송민지 316	박수경 362 김정은 363	김은호 622	곽영근 483 최경은 484 한건희 485	김기범 503
	최동석 246 김광덕 247	전용준 444	이한라 264 박원호 463 김윤서 464	진선미 285 강양욱 286	이기정 255 변혜정 305	정주희 364 오혁기 365	이효진 623 장미진 624 황지원 625	박민주 236 최성임 486 이형근 487 윤지영 488	
	김태완 245	이성은 445 정혜윤 446 백선미 447	백지원 465 정순욱 466 김숙 467	이예원 287 정유진 288 오경언 289 조소연 290	김남현 306 김인주 307 장바롬 308	김준희 366 장유진 367 김유진 368	김시은 626 전승록 627 김시우 628	최은수 489	
공무직	정여은 202 임공주 강래윤								
FAX	713-5173			289-8367		289-8375		287-0729	

468

1등 조세회계 경제신문 조세일보

과	재산법인세과		조사과		납세자보호담당관		울주지서(052-219-9203)		
과장	진우영 400		송인범 640		정승원 210		최정식 201		
팀	재산조사2	법인	정보관리	조사	납세자 보호실	민원 봉사실	납세자 보호실	부가소득	재산법인
팀장	정원대 502	장세철 401	조석주 641		손민영 211	김기중 221		최주영 300	이승진 400
국세 조사관		장광택 402	이현진 642	<1팀> 윤달영 651 이동형 652 박지영 박현주 653	우형수 212	박진수 222 서상율 223	최봉순 211	윤창중 301	
	최제환 504	김미옥 403 노근석 404	우인영 692 김민재 643	<2팀> 남경호 661 이소영 662 이재열 663	이선화 213	손지혜 224	전성곤 212 정혜경 213	노동율 302 황경호 303 박찬익 311	김연진 411 남수빈 412 김종선 401 박선희 402 정미라 421
		권나영 405 엄기동 406 이창훈 407 이소정 408 박은영 409	노민욱	<3팀> 강성헌 671 이선우 성환석 672 김민정 673	최원우 214	손주희 225 강수연 226		조세영 304 김계향 김다예 312	전세현 422
		이연수 410 김승규 411		<4팀> 윤민희 681 신병준 682 이다솜 683				우세훈 305 정보겸 313	김나영 413 서지훈 423
공무직							최선자		
FAX	287- 0729	289- 8368	289-8369		289- 8370	289- 8371			

울산세무서

대표전화: 052-2590-200 / DID: 052-2590-OOO

서장: **임 경 택**
DID: 052-2590-201

주소	울산광역시 남구 갈밭로 49 (삼산동 1632-1번지) (우) 44715						
코드번호	610		계좌번호	160021		사업자번호	
관할구역	울산광역시 남구, 울주군(웅촌,온산,온양,청량,서생)					이메일	ulsan@nts.go.kr

과	체납징세과			부가가치세과		소득세과	
과장	김경철 240			홍석주 280		정문수 360	
팀	업무지원	체납추적1	체납추적2	부가1	부가2	소득1	소득2
팀장	박성민 241	하인선441	정정애 461	유진희 281	전희원 301	권윤호 361	진은주 621
국세조사관		이준우 442	이태진 462 조인순 463	주철우 282	서덕수 이은희 302 김경화 303	김기업 362	임정훈 622
	김명수 242 백승연 244 김우형 243	정경임 443 정영호 444 박경민 445	장재필 464 윤영자 262 최효순 465 류장식 466	김수진 283 조재천 673 우정순 284 안은주 285	이상덕 304 허규석 311 박주아 305	엄태준 363 박미영 364 김미경 365 박정은	전국화 623 정재현 624 김현아 625
	이위형 246 이정걸 247	박주희 446 박소정 447	김보희 263 김희애 264	유희진 286 최태영 287	박영순 306 김사라 307		
	권순영 245	신민기 448 김나현 449	민병현 467 이재연 468	김지윤 288 이지유 289 백수의 290	김보은 308 정윤지 309	박혜지 366 박정현 367	고윤학 626 권나율 627
공무직	전덕순 방금자 이현정 620 이나경 202						
FAX	266-2135			266-2136		257-9435	

470

과	재산법인세과				조사과		납세자보호담당관	
과장	한정홍 400				김창수 640		박상준 210	
팀	재산1	재산2	법인1	법인2	정보관리	조사	납세자 보호실	민원봉사실
팀장	신용도 481	강양동 501	김석환 401	류진열 421	강경태 641	조형주 655	고영준 211	정태옥 221
국세 조사관	조현 448		박종수 402 김병철 403	김상우 422	배영애 692	이종호 652 조희정 653	박진관 212	공미경 222
	김미옥 482 김현기 519 박주희 484 박준성 485 김지은 486	심정보 502 이재경 504	박일동 404	김령우 423 김지현 424	조영일 642	손병열 654 한석복 656 임영희 658 정수희 659 강정환 661	김효정 213	권지혜 223 김영진 253 한준희 224 김지현 225 권병수 226 엄제현 227
	이현민 519 한혜숙 487 백제흠 488		박정연 405 김효민 406	남나은 425	문예지 644 김애진 693	박준영 655 박정은 657 손민정 658 이상욱 660 황나래 662 이강욱 663		
		한시윤 503	배서연 407 안은미 408 손예린 409	이진수 426 윤주민 427 황지혜 428	최보윤 643		김나현 214	황지영 229
공무직								김영옥 252
FAX	257-9434				266-2139	273-1636	273-1636	273-2100

거창세무서

대표전화: 055-9400-200 / DID: 055-9400-OOO

서장: **이 동 훈**
DID: 055-9400-201

주소	경상남도 거창군 거창읍 상동2길 14 (상림리) (우) 50132				
코드번호	611	계좌번호	950419	사업자번호	611-83-00123
관할구역	경상남도 거창군, 함양군, 합천군			이메일	geochang@nts.go.kr

과	체납징세과		
과장	박종영 240		
팀	운영지원	체납추적	조사
팀장	김재년 241	임용규 441	서정학 651
국세 조사관		김세현 442 유옥근 443	이동진 652 하민수 653
	이은상 242 김순구 245 이준희 246	이정훈 444 이성규 445	박태성 654
	조용현 243		박미혜 655
공무직			
FAX	942-3616		

472

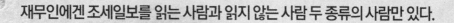

재무인과 함께 걸어가겠습니다 '조세일보'

재무인에겐 조세일보를 읽는 사람과 읽지 않는 사람 두 종류의 사람만 있다.

과	세원관리과				납세자보호담당관	
과장	강승구 280				이원섭 210	
팀	부가소득		재산법인		납세자보호실	민원봉사실
	부가	소득	재산	법인		
팀장	김충일 281		김원희 481		장덕진 211	조강래 221
국세 조사관	윤영수 283	홍정수 290 김종철 291	이상민 482 염인균 483	정재록 402 정태환 402 송우용 403		두영배 (합천민원실) 224 박호용 222
	한임철 282 김현수 284 박석훈 285	박상도 292	심상길 484 송우진 485	김환진 404 김경은 405		박주영 222
		김민정 293	고진수 486			서솔지 223 백영규 (함양민원실)
	김예인 286					
공무직						
FAX	944-0382		944-5448		944-0381	

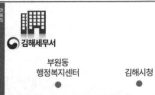

김해세무서

대표전화: 055-3206-200 / DID: 055-3206-OOO

서장: **이 종 현**
DID: 055-3206-201

김해세무서
부원동 행정복지센터   김해시청
부원역   ↓가락

주소	경상남도 김해시 호계로 440 (부원동) (우) 50922 밀양지서 : 경남 밀양시 중앙로 235 (삼문동 141-2번지) (우) 50440		
코드번호	615	계좌번호 00178	사업자번호
관할구역	경상남도 김해시, 밀양시	이메일	gimhae@nts.go.kr

과	체납징세과			부가가치세과			소득세과		재산세과	
과장	최천식 240			송석하 280			김명수 360		한성삼 480	
팀	운영지원	체납추적1	체납추적2	부가1	부가2	부가3	소득1	소득2	신고	조사
팀장	김풍겸 241	한종창 441	문명식 461	장호철 281	이강우 301	변주섭 321	김호 361	조미애 621	김경대 481	이장호 501
국세조사관		김주홍 442 전태호 443	김병우 462 윤정아 463	김진우 290 최태훈 282	김슬기론 302 박지현 303	이영진 322	맹수업 362 손민지 363	배명한 622	박미연 482	
국세조사관	조소현 242 조미희 243	송재경 444 박문주 445 이현진 446 김석민 448 김수연 449	박해경 464 문상영 465 김종명 466 김지희 261 박상미 467 김미정 468 오정민 262	김인숙 283 권선주 284 박지은 285	조병환 304 김은연 305	유연숙 323 백종욱 330	장노기 364 이미애 365 박종욱 366	배기윤 623 이근환 624 김화선 625	노미해 483 박노성 484 양서영 485	김장석 502 김태정 503 신민수 504 이민우 505
국세조사관	송세미 244	이광재 450	정유영 263 도주연 469 정도영 470	이승민 286 최성민	제갈형 306 운숙현 307 이준서 308	이탁희 324 오현아 331 장송영 325	최수진 367	안성태 625	김진영 486	장수연 506
국세조사관	김승훈 245 김나영 246 김명섭 247 김민재 248	정가영 451	김영현 471 고기석 472	구자양 287 정성훈 288 김미경 289	배소희 309 함수민 310	조예언 326 김유이 327	박건학 368 최지나 369	문아현 627 김지현 628 최재은 629	김나영 487 송연지 488 박태준 489	
공무직	강민영 202 윤슬기 김선희									
FAX	335-2250	349-3471		329-3476			329-3473		329-4902	

474

과	법인세과		조사과		납세자보호담당관		밀양지서(055-3590-200)		
과장	이상헌 400		공명호 640		신준기 210		김수영 201		
팀	법인1	법인2	관리	조사	납세자보호실	민원봉사실	납세자보호실	부가소득	재산법인
팀장	이종면 401	강호창 421	박주현 641	엄지원 651	권종인 211	장준 221	양현근 211	김성수 300	이진섭 400
국세조사관	이송우 402			강선미 652 진유신 653 김병찬 654 이동훈 655	윤정훈 212		이동곤 212	김경용 308	배기득 401 박용섭 512
국세조사관	김형섭 403 서준영 404 정인구 405 박희령 406	김미숙 422 최수식 423 정희선 424 이주현 425	박수성 642 김규한 643 신성용 691 이혜경 644	공민석 656 이혜경 662 신연정 663 김지원 666 추종완 664 신혜진 665 김형종 673 서기원 661	이현정 213 안상재 214	윤덕희 222 최순봉 223 유화윤 224 고상희 225		안준식 305 주선돈 301 김준영 309 이채은 302 박윤경 306	이수길 402 홍기성 513 배선미 403
국세조사관	황선주 407 박진하 408	남연주 428 정대화 427 김태훈 428	서주영 692 허준영 693	박주현 671 김동길 672 박소영 674	안언형 215	강혜은 228 한정예 226		김형민 303 박일호 304	임규빈 514
국세조사관	송다성 409 이유정 410 정은이 412	김나겸 429 김현준 430		황홍비 675			류선아 212 이우현 215 박지원 615	김수진 312 박도현 307	
공무직							백민영 202		
FAX	329-3477		329-4303		335-2100	329-4901	355-8462	359-0612	353-2228

475

마산세무서

대표전화: 055-2400-200 / DID: 055-2400-OOO

서장: **정 영 배**
DID: 055-2400-201

주소	경상남도 창원시 마산합포구 3.15대로 211 (중앙동3가 3-8) (우) 51265				
코드번호	608	계좌번호	140672	사업자번호	
관할구역	경상남도 창원시(마산합포구, 마산회원구), 함안군, 의령군, 창녕군		이메일	masan@nts.go.kr	

과	체납징세과			부가가치세과			소득세과	
과장	김상민 240			권예준 280			이민우 360	
팀	운영지원	체납추적1	체납추적2	부가1	부가2	부가3	소득1	소득2
팀장	전지용 241	김종진 441	박석규 461	이승규 281	김희준 301	정부섭 321	오세은 361	하경혜 381
국세조사관		이중호 442 하서연 443	이병국 462 우재경 262 정성욱 463	이남범 282	김희문 302	이희정 322	이봉철 362	
국세조사관	송인수 242 고명순 243 성지혜 244 김경혜(사무) 246	정옥상 444 배선경 445 박현경 446	송미연 464 정다운 263 주혜진 264	윤현식 283 남동현 284 이영수 285 남송이 286 이현희(사무) 288	우경화 303 최혜선 304 황수영 305 임수정 272 김기용 306 조강훈 307	이진호(소비) 329 곽윤영 323 안수진 324 구현진 325 김봉재(소비) 330	이점순 363 김진수 364 최은진 273 박미숙 365 박희숙(사무) 369	서재필 382 유송화 383 김가은 384 박정오 385
국세조사관	박상우 245 유정우(방호) 247 김중훈(운전) 248	김규민 447 우재진 448	이대현 465 김정은 466	홍민정 272		윤재련 326	배지홍 366	이은미 386 송승리 387
국세조사관			진현호 467	김동현 287	김연수 308	정수진 327	유도권 367 옥상하 368	김성범 388 김윤지 389
공무직								
FAX	223-6881			241-8634			245-4883	

과	재산법인세과				조사과		납세자보호담당관	
과장	곽귀명 400				손성주 640		신현국 210	
팀	재산1	재산2	법인1	법인2	정보관리	조사	납세자 보호실	민원봉사실
팀장	조민경 481		백성경 401	권태훈 421	이상미 641	홍덕희 651	신성원 211	문선희 221
국세 조사관		이종욱 501	정월선 402		전창석 642	구경식 652 임정환 653 이재관 654 이동규 655	안승훈 212	김종식 (창녕민원실) 231
국세 조사관	이세훈 482 이경미 483 김예정 274 강희(사무) 489	김진아 502 조재형 503 안종규 504	강정선 403 황민훈 404 전홍미 405 이병철 406 김유리 407 이소은(사무) 409	심연주 422 김현정 423 박동홍 424 최진숙 425 차민식 426 정희태 427	명영빈 643 정창국 691	임상조 656 윤세영 659 김도헌 658 이현우 661 이성훈 660 노지원 663	양예진 213	옥채순 222 김나영 223 강효경 224
국세 조사관	서학근 484 박주희 485 이은주 486		김민후 408		조현아 692	양재영(파견) 김성훈 657 김현정 665 윤태영 667 이성혜 662 안혜령 664	김혜린 214	김대현 225 박세린 226
국세 조사관	조원희 487 박재홍 488			김민채 428	이경희 644	서가은 666		홍경숙 227 김정현 (창녕민원실) 231 박구슬
공무직								
FAX	223-6911		245-4885		244-0850		223-6880	240-0238

477

양산세무서

대표전화: 055-3896-200 / DID: 055-3896-OOO

서장: **허 종**
DID: 055-3896-201

주소	경상남도 양산시 물금읍 증산역로 135, 9층, 10층 (가촌리1296-1) (우) 50653 웅상민원실 : 경상남도 양산시 진등길 40 (주진동) (우) 50519				
코드번호	624	계좌번호	026194	사업자번호	
관할구역	경상남도 양산시			이메일	

과	체납징세과		부가소득세과			재산세과	
과장	권순일 240		현은식 280			김병수 480	
팀	운영지원	체납추적	부가1	부가2	소득	재산1	재산2
팀장	이장환 241	노운성 441	김홍수 281	김태우 301	최재우 321	이수미 481	김연종 501
국세 조사관		한정민 442	조준영 282	정해룡 302 김윤경 303 김연주 274	윤성훈 322	김숙례 275	제범모 503
	강병문 242 백상인 245	조성래 443 이영란 444 김영주 445 서유희 262 손채은 446	이정관 283 김동욱 284 배지현 285	김태민 304 이창일 310 노미향 305	정부원 323 허종구 324 최혜미 325 우성락 326	임주영 482	박헌숙 502 김병창 504
	정미선 243 장성근 246	장현진 263 강병수 447 이혜림 448 이길재 449	김지현 286 양은지 287 김성수 288	신은숙 306	주아라 327	전봄내 483 문희준 484 제홍주 485	옥경훈 504
	황영 244 부강석 247	김병주 450		우지희 307	김지현 328 남학진 329 이주엽 330	최주연 486	
공무직	임혜진 202 구혜경 김경미		김영은 290				
FAX	389-6602	389-6603	389-6604			389-6605	

과	법인세과		조사과		납세자보호담당관	
과장	김도암 400		김창일 640		유종호 210	
팀	법인1	법인2	정보관리	조사	납세자보호실	민원봉사실
팀장	임정섭 401	이금대 421	김성찬 641	곽한식 651	최갑순 211	박병철 221
국세 조사관		이철호 422		신용하 654 김경우 657	김갑이 212	정현주 222
	김구환 402 이현진 403	박경수 423	하승희 642 양은수 643	조재승 652 김세운 655 정슬기 656 김태호 658 박재희 658	송인출 213	안지현 781-2267 김준호 224 이세호 223 김희정 225 고주환 226
	김준현 404		이채은 644	조미란 653		
	김세은 405	김명선 424 이옥주 425				
공무직						
FAX	389-6606		389-6607	389-6608	389-6609	389-6610

479

진주세무서

대표전화: 055-7510-200 / DID: 055-7510-OOO

서장: **김 선 미**
DID: 055-7510-201

주소	경상남도 진주시 진주대로908번길 15 (칠암동) (우) 52724 사천지서 : 경상남도 사천시 용현면 용현2길 27-20 (우) 52539 하동지서 : 경상남도 하동군 하동읍 하동공원길 8 (우) 52331				
코드번호	613	계좌번호	950435	사업자번호
관할구역	경상남도 진주시, 사천시, 하동군		이메일	jinju@nts.go.kr

과	체납징세과		부가소득세과			재산법인세과			
과장	김환중 240		김정남 280			문병엽 400			
팀	운영지원	체납추적	부가1	부가2	소득	재산1	재산2	법인1	법인2
팀장	신웅기 241	이병숙 441	김무열 281	오영권 301	김귀현 361	최윤섭 481		김창현 401	신용대 421
국세 조사관	이정례 246	장은영 하영설 김현열 김수영 262 강동수 442 강상원 443 이종원 444	허치환 282	박병규 295 김민정 302		배준철 482 김영훈 483	최은호 501	김용원 402 김동호 403	이은영 422
	김영민 243 김재환 242 박용선 247	이보라 445 김아영 447 정하정 263 김은주 447 천승리 448	김태성 283 우동훈 264 김난영 285	손해진 303 장승일 304 홍성기 296 배정환 305 강경옥 306	김경인 362 오성현 365 신재원 364	안원기 484 정의웅 485	김재철 502 윤중해 503 여명철 504 이은미 505	정은미 404 김수연 405	윤성혜 423 최서윤 424 신영철 425
	진현탁 244 정연국 613	박윤정 449 김준호 450 김경미 451	박지혜 286 장윤화	백지은 307	하민경 608 최승훈 365	윤경현 608		배영은 408	구경택 426
	신기한 245		김민지 287 김정민 288 성승민 289	서민재 308 김태환 309	황미정 366 이희정 367 정수영 368 손우현 369 김현주 370	오연정 486 김민정 487		이진주 407	
공무직	유정숙 (교환) 200 박순옥 (환경관리)	김양현 (부속) 202 김춘란 (환경관리)							
FAX	753-9009		752-2100	761-3478		762-1397			

1등 조세회계 경제신문 조세일보

	조사과		납세자보호 담당관		하동지서(055-8684-201)			사천지서(055-8685-201)		
과	조사과		납세자보호 담당관		하동지서(055-8684-201)			사천지서(055-8685-201)		
과장	신준기 640		김양수 210		강승구 201			김현철 201		
팀	정보관리	조사	납세자보호실	민원봉사실	납세자보호실	부가소득	재산	납세자보호실	부가소득	재산
팀장	이철승 641		조완석 211	김병수 221		권성표 300	하병욱 400		모규인 301	박성규 401
국세조사관	고병렬 691 여정민 642	강은아 651 강신태 652 최대경 653	손은경 212	박주하 222 이은순 223	진영숙 211 오병환 970-6207	천승민 301 전영철 306	화종원 401 조현용 501 하은미 502	정준규 211	김성혁 309 서정운 302	강욱중 402 정유진 501 이인재 403
	임상만 643 박용희 692	김화영 661 강민규 654 정호성 류태경 663 배승현 671 최욱경 673 박장훈 662	강철구 213	이승록 224	이전승 862-2341 여리화 212	유민호 307 김인수 302 이환선 304 김정식 303	임원희 402	김진 212 김규진 213	류정운 310 이진경 312 조기현 306 곽진우 311 이설희 307 박수민 303 정진우 308	진경준 402 김재준 502 이영미 503
		정소영 672	현경석 214	김준영 225		서형선 305			강혜인 304	
		이현우 674		성정현 226						
공무직					강희연 (환경관리)			하영미 (환경관리)		
FAX	758-9060		753-9269	758-9061	883-9931		882-9627	835-2105		835-0571

창원세무서

대표전화: 055-2390-200 / DID: 055-2390-OOO

서장: **이 광 호**
DID: 055-2390-201

주소	경상남도 창원시 성산구 중앙대로 105 STX오션타워 (중앙동 93-3) (우) 51515 진해민원실 : 경상남도 창원시 진해구 진해대로 719 진해상공회의소 1층 (우) 51582				
코드번호	609	**계좌번호**	140669	**사업자번호**	
관할구역	경상남도 창원시(성산구, 의창구, 진해구)			**이메일**	changwon@nts.go.kr

과	체납징세과			부가가치세과			소득세과	
과장	김진석 240			김경돈 280			박영민 360	
팀	운영지원	체납추적1	체납추적2	부가1	부가2	부가3	소득1	소득2
팀장	김종오 241	장백용 441	이상현 461	정용섭 281	전태회 301	문병찬 321	이상호 361	김유진 381
국세 조사관		심순보 442 오익수 443	박성진 462 하재현 463 이유만 464 김태숙 470	이병준 282	김세영 302	윤한필 322 김정국 323 윤정미 324	윤간오 370 박흥수 362	김태균 382
	이창희 242 배미영 243 이혜정 244 김경태 245 이기영 (열관리) 247 김태철(방호) 248	안대철 444 윤진명 445	이성웅 465 오승희 262 홍지영 263 임지혜 466 김성택 467	이지현 283 이영진 284 박은경 285 윤현화 286	송대섭 303 변은희 304 박정환 305	손영미 325 고인식 326 안영서 327 백운기 328	노재진 363 진석주 364 권은경 372 주보은 365 황혜경 391	이효영 383 황성업 384 이부경 385 양현정 386
		황지언 446 전영우 447 이민정 448	김영혜 264 서유진 265 정다윗 468	김현주 287 유지향 288 배성원 289	김영수 235 채경연 306 김지혜 307 송효진 308	권보란 329 서기정 330 박성희 331	김민서 366 정권술 367	전종호 372 김가은 387 이수빈 388
	신동근 246 한지혜 250 임종필(운전) 249	조정선 449	김년성 469	김미소 290	변광률 309		김다운 368 정현정 369	박성현 389
공무직	김성미(교환) 560 김정옥(부속) 202 김복선 박재숙							
FAX	285-1201	287-1394		285-0161	285-0162		285-0163	285-0164

482

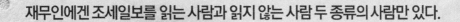

재무인과 함께 걸어가겠습니다 '조세일보'

재무인에겐 조세일보를 읽는 사람과 읽지 않는 사람 두 종류의 사람만 있다.

1등 조세회계 경제신문 조세일보

과	재산세과		법인세과		조사과		납세자보호담당관	
과장	구석연 480		이진환 400		유진호 640		변승철 210	
팀	재산1	재산2	법인1	법인2	정보관리	조사	납세자보호	민원봉사실
팀장	성희찬 481	윤봉원 501	임희택 401	박욱상 421	강성호 641	김계영 651	임창수 211	박호갑 221
국세 조사관	김태호 482 허성은 483		이주현 402		강보경 642	김홍기 654 이광섭 657 홍원의 671 김창윤 674 임창섭 681	엄애화 212	이상현 222 김창석 228 조경진 228
	김영주 484 김성철 485 최호영 486 김회정 487 최인아 492 권성준 488	곽용석 502 황성택 503	문두열 404 장명수 403 김준수 405 임정진 406 강곡지 411	박지영 422 강대현 423 우현하 424 안태명 425	김태수 646 채여정 643 이상묵 644 문숙미 645	최윤혁 652 손타영 653 이주석(파견) 황동일 655 이진화 658 이동윤 659 최은경 672 허유정 675 신수미 682	권영철 213 임병섭 214	김경승 223 이재웅 224 김영숙 225
	장혜원 492	김영화 504	신민정 407	박수진 426 이상민 427	허준호 647	최지선 656 홍고은 676 전지민 683	박인애 215	안재현 226 박보중 227 안승현 229 곽은미 230
	김혜빈 489 엄희지 490	도준혁 505	박지은 408 이지수 409 박수인 410	최인영 428 이은상 429 최서우 430		박성준 673	신유진 216	배지현 231
공무직								
FAX	285-0165		287-1332		285-0166		239-0219	

통영세무서

대표전화: 055-6407-200 / DID: 055-6407-OOO

서장: **박 광 룡**
DID: 055-6407-201

주소	경상남도 통영시 무전5길 20-9 (무전동) (우) 53036 거제지서 : 거제시 계룡로11길 9 (고현동) (우) 53257			
코드번호	612	계좌번호	140708	사업자번호
관할구역	경상남도 통영시, 거제시, 고성군		이메일	tongyeong@nts.go.kr

과	체납징세과				세원관리과			
과장	이낙영 240				김남배 280			
팀	운영지원	체납추적	조사	정보관리	부가	소득	재산법인	
							재산	법인
팀장	강성태 241	정석주 441	유승명 651	최진관 691	이재열 281	최경희 361	최명환 401	
국세 조사관		윤연갑 442 진호근 443	유영진 652		이화영 290 김민규 282 정희봉 283	서수정 362		
	정연욱 243 이현주 242 서형숙 244 김기웅 245	조경혜 262 김행은 263 정성원 444 이장석 445	김수진 653 박진영 654 강수원 655	최선우 692	최은경 284 박인홍 285 최지현 286	강민호 363 임수정 364	허진호 482 임현진 483	김병기 402 서성덕 403 이해웅 404
	황규현 246	허지영 446 권혜수 447	한명진 656 김승미 657 김문재 658 박희진 659			구영범 365	정소윤 484	
	노성민 247				허금희 287 이규영 288 하현주 289 송예은 291	김경민 366 강지현 367 이창주 368 박혜선 369	류시철 485	김시윤 405 김리완 406
공무직	박은주 (교환) 614 조미경(부속) 202 최경순(미화) 홍경숙(미화)							
FAX	644-1814	645-0397	642-5117	644-4010			648-2748	649-5117

과	납세자보호담당관			거제지서(055-6307-200)					
과장	신언수 210			박민기 201					
팀	납세자 보호실	민원봉사실	체납추적	납세자 보호실	부가소득			재산법인	
					부가	소득			
팀장	오대석 211	김정분 221	김주수 441	김정면 211	김문수 300		전종원 401		
국세 조사관		이동희 222 정성우 223	정수환 442 배광한 443	백상현 213	임태수 301	이봉화 311			
	허춘도 212	이정옥 김혜영 224	서용오 444 손진락 445 김성민 446		김경숙 310 박성준 302 정대희 303 이현정 304	서윤경 312 최정애 313 윤덕원 314	김명희 482 이혜진 483 성미로 484	전문숙 402 김용백 403 옥수빈 404	
	추상미 213			조윤주 214 최윤정 215 성민주 216	진현덕 305 하이레 306 김지안 307	김태경 315	박성환 485 유창경 486	조혜윤 405	
		백선우 225	박세웅 447	문라형 217	이미선 283 윤지영 308	정해식 316	김민주 487	배소연 406	
공무직									
FAX	645-7287	646-9420		635-5002	636-5456		636-5457		

제주세무서

대표전화: 064-7205-200 / DID: 064-7205-OOO

서장: **이 성 글**
DID: 064-7205-201

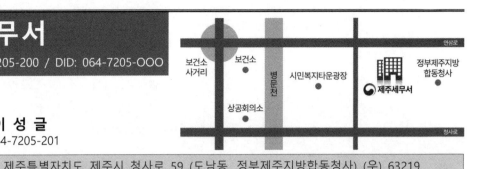

주소	제주특별자치도 제주시 청사로 59 (도남동, 정부제주지방합동청사) (우) 63219 서귀포지서 : 제주도 서귀포시 신중로55 서귀포시청 제2청사 1층 (우) 63565						
코드번호	616	계좌번호	120171	사업자번호		
관할구역	제주특별자치도(제주시, 서귀포시)			이메일		jeju@nts.go.kr

과	체납징세과			부가가치세과		소득세과		재산세과	
과장	김성준 240			김성오 280		조영빈 360		이정걸 480	
팀	운영지원	체납추적1	체납추적2	부가1	부가2	소득1	소득2	재산신고	재산조사
팀장	양원혁 241	이철수 441	조용문 461	이창림 281	홍영균 301	노인섭 361	문현국 381	강동균 481	
국세 조사관		고봉국 442 양석재 443	진경희 262 박길훈 462 양영혁 463 오정임 464	천세훈 294 변관우 282	오창곤 (소비) 315 김용주 302			강희언 482 홍명하 483	<1팀> 백기호(6) 521 나혁균(7) 525
	김성민 242 김진열 244 강형수 246	이대구 444 김성면 447 김양수 446	지현철 465 이부형 466 이진선 467 이창욱 263 강정인 264	문영순 283 신은주 284	부종철 303 신담호 304	이창환 362 강상임 363 좌용준 364 김지원 365	안동주 382 허현 383 허윤숙 384	고창우 484	<2팀> 박희찬(6) 522 최수현(7) 527
	고예나 243	김성주 447 추현희 448	김연순 468	강창희 285 송정민 286 한상명 287 김찬희 288	김수연 305 고희주 306 고민하 (소비) 316 이종률 307	홍수은 366		장익준 485	<3팀> 고창기(6) 523 이승환(7) 525
	박진형 245	박소영 449 장소영 450	박연주 469	김태환 289 김용재 290 송하연 291 오혜원 292 김용준 293	임경표 308 김연주 309 김성은 310 박수진 311	정우현 367 강은빈 368 이성민 369	서현경 385 김택우 386 김남희 387 장민석 388	김혜림 486 오미진 487 김승용 488 석혜연 489 오제곤 490	<4팀> 김지훈(6) 524 고민지(8) 528
공무직	강보미 247 이현해 251 김성연(민원) 252 진성숙 201 박소현 200 김연숙			민원 272		민원 274		민원 512	
FAX	724-1107			724-2272		724-2274		724-2273	

과	법인세과		조사과		납세자보호담당관		서귀포지서(064-7309-200)		
과장	고택수 400		양석범 640		박진홍 210		오항우 201		
팀	법인1	법인2	정보관리	조사	납세자보호	민원봉사실	납세자보호	부가소득	재산법인
팀장	최경수 401	김유철 421	고규진 641		정희문 211	홍성수 221		최재훈 220	부상석 250
국세조사관	김평화 402 이상진 403 차정우 404 이은영 405 김시현 406 신정아 407 김민건 408 오지섭 409	김완철 422 김우석 423 김대훈 424 김재환 425 김민규 426 김문정 427 변민정 428 김수민 429	양용석 (정보) 644 김정주 (관리) 642 김원경 (정보) 645 황현석 (관리) 643	<1팀> 문기창(5) 651 이경상(7) 652 <2팀> 강보성(6) 654 김준섭(7) 655 <3팀> 강영진(6) 657 김민경(7) 658 문혜정(8) 659 <4팀> 현승철(6) 660 정성호(7) 661 이지은(9) (소득,동원) 662 <5팀> 조영심(6) 662 강민종(6) 663 김수현(7)	문영수 212 고계명 213 이상희 214	고영남 222 김형익 223 이정민 224 박지호 225 오소희 (오전) 226 김다혜 (오전) 227 김진호 228 임성아 229 박경원 230 김도연 231	송주영 210 강영식 211 변시철 212	이효철(체) 240 손선아(소) 230 정재조(체) 241 이영옥(부) 221 윤만성(소) 231 유인숙(부) 222 허태민(부) 223 변현영(부) 224 강정림(부) 225 이희윤(체) 242 이호승(부) 226 최정은(소) 232 정세나(부) 227 조인태(소) 233 김은주(체) 243 김수남(체) 244 박유린(부) 228 김현민(소) 234	김한석(재) 251 구인서(법) 261 이현동(법) 262 오주영(재) 252 박지용(법) 263 김은자(재) 253 이지환(재) 254 이수민(법) 264
공무직								민원 255	민원 256
FAX	724-2276		724-2280		720-5217		730-9280		

487

관세청

■ 관세청   489

본청 국·과   490

서울본부세관   493

인천본부세관   497

부산본부세관   501

대구본부세관   505

광주본부세관   507

관 세 청

주소	대전광역시 서구 청사로 189 정부대전청사 1동 (우) 35208
대표전화	1577-8577
팩스	042-472-2100
당직실	042-481-1163
고객지원센터	125
홈페이지	www.customs.go.kr

청장   윤태식

(D) 042-481-7600, 02-510-1600 (FAX) 042-481-7609

비 서 관	최문기	(D) 042-481-7601
비 서	손충희	(D) 042-481-7602
비 서	송선화	(D) 042-481-7603

차장   이종우

(D) 042-481-7610, 02-510-1610 (FAX) 042-481-7619

비 서	우제국	(D) 042-481-7611
비 서	박은지	(D) 042-481-7612

관세청

대표전화: 042-481-4114 DID: 042-481-OOOO

청장: **윤 태 식**
DID: 042-481-7600

과	대변인	관세국경위험관리센터	운영지원과	코로나19미래전략추진단
과장	이철훈 7615	김현정 1160	강연호 7620	

국실	기획조정관			
국장	박헌 7640			
과	기획재정담당관	행정관리담당관	법무담당관	비상안전담당관
과장	최연수 7660	최현정 7670	이상욱 7680	이병호 7690

국실	감사관		정보데이터정책관					
국장	이석문 7700		유영한 7950					
과	감사담당관	감찰팀	정보데이터 기획담당관	정보관리담 당관	빅데이터분 석팀	연구장비개 발팀	시스템운영 팀	디지털혁신 기획팀
과장	이철재 7710	김창영 7720	한창령 7760	현명진 7790	김지현 3290	방대성 3250	김기동 7770	이효진 7946

국실	통관국					심사국			
국장	이종욱 7800					장웅요 7850			
과	통관물류 정책과	관세국경 감시과	수출입안 전검사과	전자상거 래통관과	보세산업 지원과	심사정책 과	세원심사 과	기업심사 과	공정무역 심사팀
과장	김희리 7810	성용욱 7820	김한진 7830	조한진 7840	김원식 7750	양승혁 7860	윤동주 7870	나종태 7980	이원상 7880

국실	조사국		
국장	서재용 7900		
과	조사총괄과	외환조사과	국제조사과
과장	손성수 7910	이동현 7930	박천정 7740

국실	국제관세협력국			
국장	이진희 3200			
과	국제협력총괄과	자유무역협정집행과	원산지검증과	해외통관지원팀
과장	민희 3210	정구천 3230	이승필 3220	신재형 7970

관세인재개발원			중앙관세분석소			
원장 : 유선희 / DID : 041-410-8500			소장 : 양진철 / DID : 055-792-7300			
충청남도 천안시 동남구 병천면 충절로 1687 (병천리 331) (우) 31254			경상남도 진주시 동진로 408 (충무공동 16-1) (우) 52851			
과	교육지원과	인재개발과	탐지견훈련센터담당관	총괄분석과	분석1관	분석2관	분석3관

과	교육지원과	인재개발과	탐지견훈련센터담당관	총괄분석과	분석1관	분석2관	분석3관
과장	김은경 8510	마순덕 8530	김용섭 4850	곽재석 7310	한규희 7320	문상호 7330	신을기 7340

관세평가분류원			평택직할세관			
원장 : 윤선덕 / DID : 042-714-7500			세관장 : 유태수 / DID : 031-8054-7002			
대전광역시 유성구 테크노2로 214 (탑림동 693) (우) 34027			경기도 평택시 포승읍 평택항만길 45 (만호리 340-3) (우) 17962			
과	관세평가과	품목분류1과	품목분류2과	통관총괄과	통관검사과	특송통관과
과장	김영경 7501	이승연 7521	정지원 7541	백광환 7020	윤해욱 7060	조정훈 7101
과	품목분류3과	품목분류4과	수출입안전심사1과	수출입안전심사2과	물류감시과	심사과	조사과	여행자통관과
과장	강보원 7551	유승희 7560	박정우 7570	홍성구 7590	이동화 7130	신동석 7170	김현구 7200	이규본 7240

예규 판례 서비스

서울본부세관

주소	서울특별시 강남구 언주로 721 (논현2동 71) (우) 06050
대표전화	**02-510-1114**
팩스	**02-548-1381**
당직실	**02-510-1999**
고객지원센터	**125**
홈페이지	**www.customs.go.kr/seoul/**

세관장 　 정승환

(D) 02-510-1000 (FAX) 02-548-1922

비　서　　이설희　　　(D) 02-510-1002

직위	이름	전화
통 관 국 장	김용익	(D) 02-510-1100
심 사 1 국 장		(D) 02-510-1200
심 사 2 국 장	백도선	(D) 02-510-1400
조 사 1 국 장	남성훈	(D) 02-510-1700
조 사 2 국 장	이민근	(D) 02-510-1800
안 양 세 관 장	박진희	(D) 031-596-2001
천 안 세 관 장	김동이	(D) 041-640-2300
청 주 세 관 장	신강민	(D) 043-717-5700
대 전 세 관 장		(D) 042-717-2200
속 초 세 관 장	김성복	(D) 033-820-2100
동 해 세 관 장	김익헌	(D) 033-539-2650
성 남 세 관 장		(D) 031-697-2570
파 주 세 관 장		(D) 031-934-2800
구 로 지 원 센 터 장	이상수	(D) 02-2107-2501
대 산 지 원 센 터 장	이준원	(D) 041-419-2700
충 주 지 원 센 터 장	권오성	(D) 043-720-5691
고 성 지 원 센 터 장		(D) 033-820-2180
원 주 지 원 센 터 장	윤영진	(D) 033-811-2850
의 정 부 지 원 터 장	안준	(D) 031-540-2600
도 라 산 지 원 센 터 장	김재석	(D) 031-934-2900

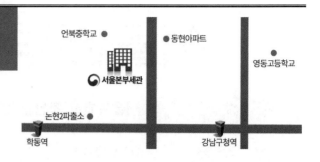

세관장: **정 승 환**
DID: 02-510-1000

과	세관운영과	납세자보호담당관	감사담당관	수출입기업지원센터
과장	신숙경 1030	성행제 1060	유병하 1010	도기봉 1370

국실	통관국			
국장	김용익 1100			
과	수출입물류과	통관검사1과	통관검사2과	이사화물과
과장	지성근 1110	박헌욱 1150	장은수 1130	김성태 1180

국실	심사1국				심사2국			
국장	1200				백도선 1400			
과	심사총괄1과	심사1관	심사2관	심사3관	심사총괄2과	심사1관	심사2관	심사3관
과장	김미정 1210	박세윤 1240	정하경 1250	김진용 1270	박성주 1410	이훈재 1440	유명재 1470	김명섭 1490
과	심사정보과	환급심사과	체납관리과	분석실	심사4관	심사5관	FTA검증1과장	FTA검증2과장	FTA검증3과장
과장	김종철 1310	장영민 1350	김대길 1330	양승준 1290	양현 1510	박재열 1530	양두열 1550	이의상 1580	임길호 1640

국실	조사1국			조사2국			
국장	남성훈 1700			이민근 1800			
과	조사총괄과	조사1관	조사2관	외환조사총괄과	외환조사1관	외환조사2관	외환조사3관
과장	이옥재 1710	이은렬 1680	어태룡 1690	김재철 1810	박수영 1840	최인규 1850	박부열 1860
과	특수조사과	디지털무역범죄조사과	조사정보과	외환검사과	외환검사1관	외환검사2관
과장	문을열 1740	이근영 1750	김관주 1780	박일보 1870	김영기 1910	전우홍 1920

국실	안양세관(031-596-2000)		천안세관(041-640-2333)	
세관장	박진희 2001		김동이 2300	
과	통관지원과	조사심사과	통관지원과	조사심사과
과장	박준희 2050	유성우 2010	조진용 2350	서승현 2320

세관	청주세관(043-717-5780)			대전세관(042-717-2234)		속초세관(033-820-2114)	
세관장	신강민 5700			정학수 2200		김성복 2100	
과	통관지원과	조사심사과	여행자통관과	통관지원과	조사심사과	통관지원과	조사심사과
과장	김흥주 5710	김남섭 5730	심상수 5750	이용훈 2220	김용국 2250	김창옥 2120	백철형 2140

세관	동해세관 (033-539-2662)	성남세관 (031-697-2580)	파주세관 (031-934-2807)	구로지원센터 (02-2107-2500)	대산지원센터 (041-419-2714)
세관장	김익헌 2650	이영도 2570	민정기 2800	이상수 2501	이준원 2700

세관	충주지원센터 (043-720-2000)	고성지원센터 (033-820-2181)	원주지원센터 (033-811-2853)	의정부지원센터 (031-540-2618)	도라산지원센터 (031-934-OOOO)
세관장	권오성 5691		윤영진 2850	안준 2600	김재석 2900

재무인의 가치를 높이는 변화

조세일보 정회원

온라인 재무인명부	수시 업데이트되는 국세청, 정·관계 인사의 프로필, 국세청, 지방국세청, 전국 세무서, 관세청, 공정위, 금감원 등 인력배치 현황
예규·판례	행정법원 판례를 포함한 20만 건 이상의 최신 예규, 판례 제공
구인정보	조세일보 일평균 10만 온라인 독자에게 구인 정보 제공
업무용 서식	세무·회계 및 업무용 필수서식 3,000여 개 제공
세무계산기	4대보험, 갑근세, 이용자 갑근세, 퇴직소득세, 취득/등록세 등 간편 세금계산까지!

묶음 상품

정회원 기본형

유료기사 + 문자서비스
+   +
온라인 재무인명부 + 구인정보

= 15만원 / 연

정회원 통합형

정회원 기본형
+
예규·판례

= 30만원 / 연

개별 상품

온라인 재무인명부

= 10만원 / 연

구인정보

= 10만원 / 연

※ 자세한 조세일보 정회원 서비스 안내 http://www.joseilbo.com/members/info/

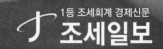

1등 조세회계 경제신문
조세일보

인천본부세관

주소	인천광역시 중구 서해대로 339 (항동7가 1-18) (우) 22346
대표전화	032-452-3114
팩스	032-452-3149
당직실	032-452-3535
고객지원센터	125
홈페이지	www.customs.go.kr/incheon/

세관장   김재일

(D) 032-452-4000 (FAX) 032-891-9131

비 서	이병철	(D) 032-452-4002
부 속 실	신선아	(D) 032-452-4003

항 만 통 관 감 시 국	김정	(D) 032-452-3200
항 만 수 출 입 물 류 과 장	이소면	(D) 032-452-3210
항 만 통 관 정 보 과 장	김종웅	(D) 032-452-3500
공 항 통 관 감 시 국 장	김종덕	(D) 032-722-4110
여 행 자 통 관 1 국 장	최재관	(D) 032-722-4400
여 행 자 통 관 2 국 장	김태영	(D) 032-723-5100
특 송 통 관 국 장		(D) 032-722-4300
심 사 국 장	정기섭	(D) 032-452-3300
조 사 국 장	김혁	(D) 032-452-3400
김 포 공 항 세 관 장	임현철	(D) 02-6930-4900
인 천 공 항 국 제 우 편 세 관 장	노시교	(D) 032-720-7410
수 원 세 관 장	강병로	(D) 031-547-3910
안 산 세 관 장	정광춘	(D) 031-8085-3800
부 평 지 원 센 터 장	신효상	(D) 032-509-3700

대표전화: 032-452-3114/ DID: 032-452-OOOO

세관장: **김 재 일**
DID: 032-452-4000

과	세관운영과			감사담당관	수출입기업지원센터	협업검사센터
과장	김경호 3100			장용호 4702	박재선 3630	공성회 3680
팀	인사팀	기획팀	통합검사장T/F팀			
팀장	문성환 3120	장세창 3110	심평식 3034			

국실	항만통관감시국				
국장	김정 3200				
과	항만수출입물류과	인천항운영팀	항만물류감시1과	항만통관검사5과	신항통관과
과장	이소면 3210	이승희 3205	이윤택 3490	강승현 3270	오영진 3650

과	항만통관정보과	통관총괄팀	항만통관검사1과	항만통관검사2과	항만통관검사3과	항만통관검사4과
과장	김종웅 3500	정웅일 3477	주성렬 3230	황윤주 3240	이자열 3280	김수복 3220

국실	공항통관감시국(032-722-OOOO)							
국장	김종덕 4110							
과	공항수출입물류과	공항통관정보과	공항물류감시1과	공항물류감시2과	공항통관검사1과	공항통관검사2과	공항통관검사3과	장비관리과	전산정보관리과
과장	석창휴 4105	남동수 4101	김인순 4730	김상식 5810	권대호 4210	이재훈 4250	김경태 4190	민병조 4780	서용택 4790

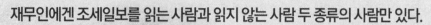

재무인과 함께 걸어가겠습니다 '조세일보'

재무인에겐 조세일보를 읽는 사람과 읽지 않는 사람 두 종류의 사람만 있다.

국실	여행자통관1국(032-722-OOOO)						
국장	최재관 4400						
과	공항여행자통관1과	여행자정보분석과	공항여행자통관검사1관	공항여행자통관검사2관	공항여행자통관검사3관	공항여행자통관검사4관	공항여행자통관검사5관
과장	임동욱 4410	김규진 4470	신승호	최훈균	강민석	김성수	이정우
			(B)4520 (C)4530 (D)4540 (E)4550				

과	공항여행자통관검사6관	공항여행자통관검사7관	공항여행자통관검사8관	공항여행자통관검사9관	항만여행자통관과	항만여행자통관검사관
과장	표동삼	임용견	김진갑	김은득 4450	김영준 3460	김원섭 3520
	(B)4520 (C)4530 (D)4540 (E)4550					

국실	여행자통관2국(032-723-OOOO)							
국장	김태영 5100							
과	공항여행자통관2과	공항여행자통관검사1관	공항여행자통관검사2관	공항여행자통관검사3관	공항여행자통관검사4관	공항여행자통관검사5관	공항여행자통관검사6관	공항여행자통관검사7관
과장	홍준오 5110	황영철	문미호	원모세	박병옥	박상원	배국호	손요나 5180
		(A)5160 (B)5170						

국실	조사국									
국장	김혁 3400									
과	조사총괄과	조사1관	조사2관	조사3관	조사4관	조사5관	조사6관	조사정보과	마약조사1과	마약조사2과
과장	조영상 3410	이철옥 3040	장춘호 3440	이정희 3430	정교진 4610	김충식 4670	정길호 5040	신동윤 3420	문흥호 4650	최상배 4690

국실	심사국									
국장	정기섭 3300									
과	심사총괄과	심사1관	심사2관	심사3관	FTA검증1과	FTA검증2과	심사정보1관	심사정보2관	분석실	분석관
과장	김재홍 3310	이종호 3390	곽경훈 3340	노근홍 3570	김민호 5910	오도영 4010	유정환 3350	김성희 4340	정재하 3380	류혜경 4390

세관	특송통관국(032-722-OOOO)				김포공항세관(02-6930-4999)		
세관장					임현철 4900		
과	특송통관1	특송통관2	특송통관3	특송통관4	통관지원과	조사심사과	여행자통관과
과장	류하선 4310	김두현 4800	강봉구 5200	여환준 5240	최형균 4910	이돈변 4940	전병건 4970

세관	인천공항국제우편세관 (032-720-7400)		수원세관 (031-547-3900)		안산세관 (031-8085-3880)		부평지원센터 (032-509-3736)
세관장	노시교 7410		강병로 3910		정광춘 3800		신효상 3700
과	우편통관과	우편검사과	통관지원과	조사심사과	통관지원과	조사심사과	
과장		윤동규 7440	고광규 3920	김보성 3950	김범준 3850	차상두 3810	

부산본부세관

주소	부산광역시 중구 충장대로 20 (중앙로 4가 17) (우) 48940
대표전화	**051-620-6114**
팩스	**051-469-5089**
당직실	**051-620-6666**
고객지원센터	**125**
홈페이지	**customs.go.kr/busan/**

세관장 　　고석진

(D) 051-620-6000 (FAX) 051-620-1100

비　　　서　　　심희정　　　(D) 051-620-6001

통 관 국 장		(D) 051-620-6100
감 시 국 장	**김현석**	(D) 051-620-6700
신 항 통 관 감 시 국 장	**하유정**	(D) 051-620-6200
심 사 국 장		(D) 051-620-6300
조 사 국 장	**문행용**	(D) 051-620-6400
김 해 공 항 세 관 장	**송석범**	(D) 051-899-7201
용 당 세 관 장	**이현주**	(D) 051-793-7101
양 산 세 관 장	**김완조**	(D) 055-783-7300
창 원 세 관 장	**강성철**	(D) 055-210-7600
마 산 세 관 장	**오상훈**	(D) 055-240-7000
경 남 남 부 세 관	**손영환**	(D) 055-639-7500
경 남 서 부 세 관	**신진일**	(D) 055-750-7900
부 산 국 제 우 편 지 원 센 터	**나두영**	(D) 055-783-7400
진 해 지 원 센 터	**오명식**	(D) 055-210-7680
통 영 지 원 센 터	**황종규**	(D) 055-733-8000
사 천 지 원 센 터	**허지상**	(D) 055-830-7800

부산본부세관

대표전화: 051-620-6114/ DID : 051-620-OOOO

세관장: **고 석 진**
DID: 051-620-6000

과	세관운영과	감사담당관	수출입기업지원센터	협업검사센터
과장	정진우 6030	구태민 6010	임창우 6950	김원희 6910

국실	통관국					
국장						
과	통관총괄과	통관검사1과	통관검사2과	통관검사3과	통관검사4과	통관검사5과
과장	류경주 6110	장경호 6140	박언종 6170	조홍영 6501	김가웅 6520	정호남 6540

국실	감시국						
국장	김현석 6700						
과	수출입물류과	물류감시과	물류감시1관	물류감시2관	물류감시3관	여행자통관과	장비관리과
과장	신각성 6710	이종필 6760	박해준 6790	김현구 6810	이상진 6830	홍석헌 6730	민정기 6850

국실	신항통관감시국				
국장	하유정 6200				
과	신항통관감시과	신항물류감시과	신항통관검사1과	신항통관검사2과	신항통관검사3과
과장	오성호 6210	피상철 6240	남창훈 6260	김훈 6560	이민영 6580

국실	심사국							
국장								
과	심사총괄과	심사1관	심사2관	자유무역협정검증과	심사정보과	체납관리과	분석실	분석관
과장	임종민 6310	윤인철 6430	안병윤 6350	김용진 6630	김기현 6370	곽승만 6390	김영희 6650	김정욱 6660

국실	조사국					
국장	문행용 6400					
과	조사총괄과	조사1관	조사2관	조사3관	외환조사과	조사정보과
과장	노경환 6402	장종희 6460	조흥래 6470	김민세 6490	조철 6430	최병웅 6450

세관	김해공항세관(051-899-7200)			용당세관(051-793-7100)		양산세관(055-783-7311)	
세관장	송석범 7201			이현주 7101		김완조 7300	
과	통관지원과	조사심사과	여행자통관과	통관지원과	조사심사과	통관지원과	조사심사과
과장	김국만 7210	유현종 7260	김병헌 7240	송인숙 7130	최현오 7110	정용환 7304	윤해욱 7303

세관	창원세관(055-267-2102)		마산세관(055-981-7012)		경남남부세관(055-639-7519)	
세관장	강성철 055-210-7600		오상훈 7000		손영환 7500	
과	통관지원과	조사심사과	통관지원과	조사심사과	통관지원과	조사심사과
과장	최진희 7610	정진 7630	이병용 7003	이학보 7004	김성진 7510	오순학 7520

세관	경남서부세관 (055-750-7999)	부산국제우편지원센터 (055-783-7420)	진해지원센터 (055-210-7681)	통영지원센터 (055-733-8005)	사천지원센터 (055-830-7803)
세관장	신진일 7900	나두영 7400	오명식 7680	황종규 8000	허지상 7800

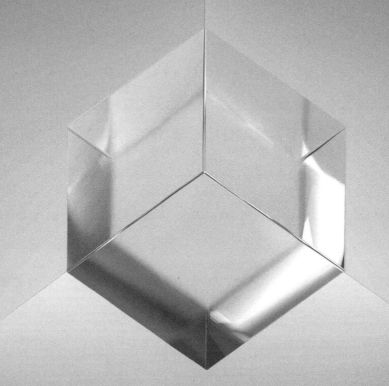

대구본부세관

주소	대구광역시 달서구 화암로 301 정부대구지방합동청사 4층, 5층 (우) 42768
대표전화	**053-230-5114**
팩스	**053-230-5611**
당직실	**053-230-5130**
고객지원센터	**125**
홈페이지	**www.customs.go.kr/daegu/**

세관장 　　　 주시경

(D) 053-230-5000 (FAX) 053-230-5129

비　　서　　　정성은　　　　(D) 053-230-5001

울 산 세 관	**심재현**	(D) 052-278-2200
구 미 세 관		(D) 054-469-5600
포 항 세 관	**한용우**	(D) 054-720-5700
온 산 지 원 센 터	**정연오**	(D) 052-278-2340

대구본부세관

대표전화: 053-230-5114/ DID: 053-230-OOOO

세관장: **주 시 경**
DID: 053-230-5000

수목원삼성래미안 1차아파트

● 대진어린이공원

● 대구대진초등학교

대진고등학교 대진중학교

대구본부세관

과	세관운영과	감사담당관	수출입기업지원센터	통관지원과	납세지원과	심사과	조사과	여행자통관과
과장	김기환 5100	반재현 5050	김용국 5180	임민규 5200	임종덕 5300	김희권 5301	최연재 5400	조강식 5500

세관	울산세관(052-278-2234)			
세관장	심재현 2200			
과	통관지원과	조사심사과	감시과	감시관
과장	이창준 2230	강승남 2260	박병철 2290	노동섭 2300

세관	구미세관(054-469-5635)		포항세관(054-720-5736)		온산지원센터 (052-278-2342)
세관장			한용우 5700		정연오 2340
과	통관지원과	조사심사과	통관지원과	조사심사과	
과장	김원석 5610	송승언 5630	권신희 5710	이동수 5730	

광주본부세관

주소	광주광역시 북구 첨단과기로208번길 43 정부광주지방합동청사 10층, 11층 (우) 61011
대표전화	**062-975-8114**
팩스	**062-975-3102**
당직실	**062-975-8114**
고객지원센터	**125**
홈페이지	**www.customs.go.kr/gwangju/**

세관장 　　　 김용식

(D) 062-975-8000 (FAX) 062-975-3101

비　　서　　　남소연　　　(D) 062-975-8003

광 양 세 관 장	**윤청운**	(D) 061-797-8400
목 포 세 관 장	**염승열**	(D) 061-460-8500
여 수 세 관 장	**김덕종**	(D) 061-660-8601
군 산 세 관 장	**최천식**	(D) 063-730-8701
제 주 세 관 장	**양을수**	(D) 064-797-8801
전 주 세 관 장	**정진욱**	(D) 063-710-8951
완 도 지 원 센 터 장	**이철**	(D) 061-460-8570
보 령 지 원 센 터 장	**강정수**	(D) 063-730-2751
익 산 지 원 센 터 장	**신동현**	(D) 063-720-8901

광주본부세관

대표전화: 062-975-8114 / DID: 062-975-OOOO

세관장: **김 용 식**
DID: 062-975-8000

과	세관운영과	감사담당관	수출입기업지원센터	통관지원과	심사과	조사과	여행자통관과
과장	박재붕 8020	임동욱 8010	강봉철 8190	양병택 8040	김승현 8060	김양관 8080	송현남 8200

세관	광양세관(061-797-8413)		목포세관(061-460-8515)	
세관장	윤청운 8400		염승열 8500	
과	통관지원과	조사심사과	통관지원과	조사심사과
과장	양술 8410	장유용 8430	정연교 8510	송웅호 8540

세관	여수세관(061-660-8600)		군산세관(063-730-8700)		제주세관(064-797-8812)		
세관장	김덕종 8601		최천식 8701		양을수 8801		
과	통관지원과	조사심사과	통관지원과	조사심사과	통관지원과	조사심사과	여행자통관과
과장	정진호 8610	선승규 8650	곽기복 8710	이한선 8730	박상준 8810	안상욱 8850	고장우 8830

세관	전주세관 (063-710-8950)	완도지원센터 (061-460-8571)	보령지원센터 (041-419-OOOO)	익산지원센터 (063-720-8900)
세관장	정진욱 8951	이철 8570	강정수 2751	신동현 8901

세금신고
가이드

법 인 세
종합소득세
부가가치세
원 천 징 수

국 민 연 금
건강보험료
고용보험료
산재보험료

지 방 세
재 산 세
자동차세
세 무 일 지

연 말 정 산
양도소득세
상속증여세
증권거래세

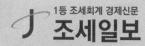

행정안전부 지방재정경제실

대표전화: 02-2100-3399/ DID: 044-205-OOOO

실장: **최 병 관**
DID: 044-205-3600

주소	세종특별자치시 정부2청사로 13(나성동) (우) 30128 제1별관: 세종특별자치시 한누리대로 411(어진동) (우) 30116 제2별관: 세종특별자치시 가름로 143(어진동) (우)30116

과	지방재정정책관 이동옥 3700				지방세정책관 진명기 3800			
	재정정책과	재정협력과	교부세과	회계제도과	지방세 정책과	부동산 세제과	지방소득 소비세제과	지방세특례 제도과
과장	홍성철 3702	이용일 3731	서정훈 3751	김수경 3771	이현정 3802	홍삼기 3831	진선주 3871	권순태 3851
서기관	김문호 3703 나기홍 3710	장현석 3769	임성범 3760	최정숙 3777	나종혁 3818 손병하 6656 홍자은 3811	김남헌 3834 오경석 3803 한수덕 3803	천혜원 3881	
사무관	김하영 3706 심창수 3716 이화령 3705 장혜민 3711 허정 3721 홍성우 3704	김경옥 3766 김태범 3732 박영주 3733 이정우 3738	명삼수 3753 백진걸 3754 위형원 3763 장유진 3752	권오영 3783 김종갑 3772 손동주 3788 양현진 3781 예병찬 3782 유재민 3799 정창기 3786 홍성권 3785	김용구 3804 김한경 3808 류병욱 3816 박미정 3817 손우승 3807 안성현 3812 조석훈 3803 한현 3819	김종택 3848 손은경 3843 이상훈 3845 최찬배 3846	권순현 3878 박은희 3875 박해근 3885 신지희 3889 이유경 3883 한지혁 3876	박현정 3852 서명자 3861 오정열 3858 채가람 3856
주무관	고진영 3718 이동건 3707 이선경 3712 전지양 3717 정회연 3722 주은희 3701 정양제 3709 김선태 3708 최지영 3713	김민경 3739 김선 3767 김용진 3736 심효선 3770 이준호 3734 이해창 3737 진판곤 3735 김원민 3768	문성훈 3755 박경숙 3756 양필수 3758 이영민 3757 이재우 3761 박희주 3759 이광일 3764	김성중 3784 류경옥 3779 이종만 3787 이효진 3774 최창완 3798 백선희 3778 석희정 3773 윤찬섭 3789 이동하 3792	심철구 3809 이동렬 3813 이수호 3814 손영화 3801 고민경 3806 김효정 3806 김효주 3805 장은영 3810 이영우 3815	김정훈 3840 신진주 3844 안명환 3844 조익현 3837 황인산 3838 엄세열 3833 정유진 3847	김요왕 3886 신인섭 3873 김영호 3882 장유정 3877 김다혜 3874 김원웅 3884 김진아 3887 유수연 3888	공지훈 3853 남건욱 3857 이재호 3855 이태훈 3860 조용식 3860
행정 실무원	조선영 3601			김은성 3775				
기타				이충길 3795 이동인 3794 김혜미 3793 오아름 3797				

1등 조세회계 경제신문 조세일보

	지역경제지원관					차세대지방재정세입정보화추진단			
	김광휘 3900					여중협 02-2100-4200			
과	지역경제과	지방규제혁신과	지역금융지원과	공기업정책과	공기업관리과	기획인프라과	재정정보화사업과	세외수입보조금정보과	지방세정보화사업과
과장	한치흠 3902	이기영 3931	박종옥 3941	김태익 3961	장재원 3981	심진홍 4202	김종범 4141	정유근 4161	전종길 4181
서기관		김두수 3937	서왕장 3719	이경하 3971	권오수 3985 박상국 3935	이수진 4212	조현혜 4145	김수정 4166 이채광 4169	
사무관	권용탁 3903 서호성 3904 안형원 3914 우연 2835 이동훈 3908 이상로 3912 이현종 3917 전철영 3909 형광현 3920	강말순 3933 김길수 3932 김은희 3934 박원기 3911 장형석 3997 정병진 3936 정유천 3996 하헌균 4312 허은정 3998	노지원 3943 박진숙 3946 박찬혁 3944 정동화 3955 조성조 3947 주현민 3954	김미영 3969 김호일 3969 박창우 3963 박현우 3962 변석영 3970 이경은 1865	박진우 3987 양성훈 3984 이범수 3990 전형구 3991 한정희 3986	노광래 4214 성고운 4222 양석모 4216 이은숙 4204 이도원 4209	김현경 4228 신동화 4226 이관석 4148 이상화 4227 이진경 4176 정석원 4146 최길남 4179	정양기 4162 조상호 4183 현승우 4167	이윤경 4182 하관수 4189 강윤정 4185
주무관	권성일 3906 김민관 3905 김영규 3919 박신혁 3923 윤희문 3913 이승언 3918 윤진아 3907	하현권 3940 강민수 3938	구정석 3948 김인겸 3945 이창일 3950	설창환 3968 신소은 3964 조세희 3966 박선재 3965	박규선 3988 이윤희 3992 이재용 3983 심가현 3989	김동영 4219 김수연 4170 김예수 4215 오혜림 4203 유아랑 4223 이우영 4210 이호찬 4218 황성일 4205	고명현 4149 최호준 4177	고복인 4168 김태광 4164 이정은 4180 한지성 4165	김곤휘 4187 양중구 4190 김민 4197 이승엽 4198
행정실무원	이민아 3901		심규현 3953			조민지 4201			
기타				황판희 3973					이보람 4194

국무총리실 조세심판원

대표전화: 044-200-1800 / DID: 044-200-OOOO

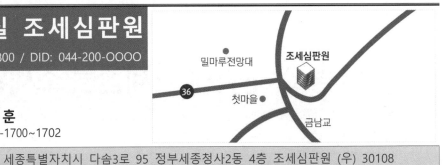

밀마루전망대 · 조세심판원 · 첫마을 · 금남교

원장: **황 정 훈**
DID: 044-200-1700~1702

주소	세종특별자치시 다솜3로 95 정부세종청사2동 4층 조세심판원 (우) 30108 서울(별관): 서울특별시 종로구 종로1길 42, 3층 301호 (이마빌딩) (우) 03152

원장실						심판부	1심판부	2심판부	3심판부
박미란(비서) 1703						심판관	박춘호 1802	류양훈 1805	이상길 1801
FAX	044-200-1705					비서	신영남 1817	박선임 1837	신영남 1817

			행정실									
			행정실장			심판조사관	1조	2조	3조	4조	5조	6조
			은희훈 1710				이용형 1750	박태의 1770	곽상민 1870	김병철 1860	최영준 1790	지장근 1780
구분	행정	기획	운영	조정1	조정2	조정3						
서기관	김신철 1711			이재균 1741			서기관	성호승 1751					
사무관		주강석 1731	윤연원 1735 송기영 1712	윤근희 1742	전성익 1721 곽충험 1722	김종윤 1725	사무관	조혜정 1752 신정민 1753 문상묵 1754	이지훈 1771 오대근 1772 김혁준 1774	장태희 1871 조진희 1862 권병준 1873 김필한 1888	이은하 1861 조광래 1874 모재완 1864	황성혜 1791 김승하 1794 강경관 1792 전연진 1793	정해빈 1784 권오현 1782 김동원 1783
주무관	임대규 1713 최유미 1716 최승택 1799 최진현 1714 성현일 1717	이재곤 1732 이승호 1734	김온식 1736 김문수 1719 황혜진 1704 송혜림 1718	오세민 1743 이지연 1744	문정우 1724 강병희 1723	박천호 1726 김기홍 1727	주무관	장효숙 1759		김수정 1869		임윤정 1789	
	※민원실 강경애 1800 황재호 1715			※서울별관 이정희 02-722-8801 Fax)725-6400									

	전산1, 전산2(1728)						조사관실	200-1758	200-1868	200-1778
FAX	200-1706(행정실) 200-1707(민원실)					**FAX**	심판관실	200-1818	200-1838	200-1818

세무회계 해강

대표세무사 : 이기태 (前 조세심판관)
서울시 서초구 서초대로58길 18, 201호

전화 : 02-525-2115 팩스 : 02-584-2115
핸드폰 : 010-5358-7696 이메일 : kttax7@gmail.com

심판부	4심판부		5심판부		6심판부(소액·관세)			7심판부(지방세)		8심판부(지방세)	
심판관	김영노 1803		정정회 1804		이명구 1806			이동혁 1807		김영빈 1808	
비서	신영남 1817		윤승희 1827		윤승희 1827			박선임 1837		박선임 1837	
심판조사관	7조	8조	9조	10조	11조	12조	13조	14조	15조	16조	17조
	박정민 1760	이슬 1766	이주한 1820	최경민 1830	이종철 1845	오인석 1850	우동욱 1840	최선재 1880	조용민 1890	서은주 1894	강필구 1895
서기관	김정오 1761								조용도 1891		배병윤 1889
사무관	오대근 1763 박인혜 1762 허광욱 1764	김두섭 1853 이정화 1765 김상곤 1767	송현탁 1822 윤석환 1823 김보람 1824	이석원 1832 박희수 1833 한나라 1872	김성엽 1846 김효남 1856 박수혜 1844	남연화 1854 김예원 1852 하명균 1855 이현우 1857	지영근 1841 강용규 1842 한종건 1843 안중관 1847	박석민 1881 김상진 1883 박지혜 1884	현기수 1886 홍승연 1893	홍순태 1885 이승훈 1896 이유진 1879	서지용 1882 박천수 1892
주무관	강혜란 1745		박혜숙 1829		이승희 1858			김연진 1899		전경선 1729	
FAX 조사관실	200-1778		200-1788		200-1848			200-1898			
FAX 심판관실	200-1818		200-1828		200-1828			200-1838			

513

한국조세재정연구원

대표전화:044-414-2114/DID: 044-414-OOOO

원장: **김 재 진**
DID: 044-414-2101

세종국책
연구단지

금강

행정중심
복합도시
4-1
생활권

한국조세
재정연구원

소속	성명/원내	소속	성명/원내	소속	성명/원내
부원장		연구위원	김빛마로 2339	세정연구센터	
원장실		연구위원	오종현 2289	센터장 직무대리	정훈
선임전문원	홍유남 2100	부연구위원	강동익 2575	명예선임연구위원	홍범교 2226
감사실		부연구위원	고지현 2321	초빙전문위원	박찬욱 2383
실장	신영철 2118	부연구위원	권성오 2248	선임행정원	변경숙 2252
감사역	김정현 2117	부연구위원	권성준 2360	세정연구팀	
특수전문직2급	정훈 2485	부연구위원	정다운 2243	팀장	정훈 2485
연구기획실		부연구위원	최인혁 2446	선임연구원	김민경 2325
실장	정재호 2120	부연구위원	홍병진 2315	특수전문직4급	권순오 2451
기획예산팀		부연구위원	홍용기 2409	특수전문직4급	권정교 2422
팀장	최윤용 2121	선임연구원	권선정 2263	특수전문직4급	김재경 2216
선임행정원	김선정 2123	선임연구원	김미정 2371	연구원	박하얀 2466
선임행정원	오승민 2126	선임연구원	김학효 2482	특수전문직4급	이나현 2404
선임전문원	정경순 2124	선임연구원	노지영 2246	특수전문직4급	이미현 2450
선임연구원	정은경 2122	선임행정원	변경숙 2252	특수전문직4급	이희경 2408
행정원	배지호 2128	선임연구원	서주영 2471	위촉연구원	유승혜 2484
성과확산팀		선임연구원	정경화 2310	조세·개발협력팀	
팀장	이준성 2520	선임연구원	황미연 2369	팀장	정훈 2485
선임전문원	박주희 2521	연구원	나영 2578	연구원	김세인 2349
선임전문원	신지원 2522	연구원	노수경 2405	연구원	오현빈 2334
전문원	이슬기 2524	연구원	이희선 2525	연구원	윤소영 2324
위촉연구원	김선화 2512	연구원	장아론 2402	연구원	이다영 2354
위촉연구원	박지은 2513	세법연구센터		특수전문직4급	이은경 2437
연구사업팀		센터장 직무대리	홍성희 2418	연구원	최은혜 2493
팀장	유재민 2500	초빙전문위원	나종엽 2346	연구원	최이선 2579
선임행정원	김영화 2505	선임행정원	변경숙 2252	조세지출성과관리센터	
선임연구원	박성훈 2506	선임연구원	현하영 2499	센터장	김용대 2238
선임연구원	송진민 2501	세제연구팀		책임연구원	강미정 2261
선임연구원	조혜진 2502	팀장	홍성희 2418	책임연구원	이은경 2273
위촉연구원	길민선 2504	책임연구원	송은주 2262	선임연구원	김상현 2376
위촉연구원	신예진 2503	특수전문직3급	박수진 2412	선임행정원	최미영 2265
위촉연구원	정재원 2507	특수전문직3급	이형민 2201	연구원	허현정 2236
연구출판팀		선임연구원	허윤영 2308	조세재정전망센터	
팀장	장정순 2130	연구원	김효림 2239	센터장	김빛마로 2339
선임행정원	이현영 2132	특수전문직4급	서동연 2215	선임연구원	김유현 2473
전문원	김서영 2134	특수전문직4급	서희진 2276	선임행정원	안상숙 2381
전문원	손유진 2135	연구원	양지영 2278	선임연구원	오지연 2225
조세정책연구실		관세연구팀		재정전망팀	
실장	홍범교 2226	팀장	강동익 2575	팀장	고창수 2370
선임연구위원	전병목 2200	선임연구원	노영예 2335	선임연구원	권미연 2374
		선임연구원	박지우 2292		
		특수전문직3급	이재선 2419		

소속	성명/원내	소속	성명/원내	소속	성명/원내
선임연구원	백가영 2454	선임연구원	강민채 2458	선임연구원	김인애 2327
선임연구원	오소연 2205	선임연구원	구윤모 2452	선임연구원	김평강 2329
선임연구원	오수정 2307	선임연구원	김은숙 2453	선임연구원	김현숙 2277
연구원	정상기 2287	선임연구원	김정은 2235	선임연구원	박창우 2344
연구원	주남균 2497	선임연구원	박신아 2253	선임연구원	우지은 2351
세수추계팀		선임연구원	박지혜 2244	선임연구원	장민혜 2382
팀장	정다운 2243	선임연구원	이정은 2475	선임연구원	조은빛 2416
부연구위원	권성준 2360	선임연구원	이정인 2478	선임연구원	최윤미 2449
선임연구원	김신정 2291	선임연구원	한혜란 2463	연구원	심태완 2461
선임연구원	김은정 2303	선임연구원	황보경 2367	**정부투자분석센터**	
연구원	김영직 2318	연구원	염보라 2271	센터장	김하영 2368
연구원	오은혜 2302	연구원	이재원 2352	선임연구위원	박한준 2353
연구원	임연빈 2413	**재정성과평가센터**		부연구위원	김평식 2218
재정정책연구실		소장	장우현 2286	부연구위원	박정흠 2420
실장	김현아 2214	선임연구위원	박노욱 2267	부연구위원	송경호 2247
선임연구위원	박노욱 2267	연구위원	강희우 2224	초빙연구위원	이주현 2296
선임연구위원	원종학 2234	부연구위원	조희평 2455	선임연구원	박유미 2442
선임연구위원	최성은 2288	선임연구원	변이슬 2294	선임행정원	윤혜순 2264
선임연구위원	최준욱 2221	선임행정원	윤혜순 2264	위촉연구원	안소연 2487
연구위원	김문정 2342	선임연구원	이순향 2105	**분석지원팀**	
부연구위원	고창수 2370	선임연구원	임소영 2290	팀장	송남영 2240
부연구위원	김정환 2328	선임연구원	전예원 2399	선임연구원	박은정 2378
부연구위원	김평식 2218	연구원	이은솔 2434	선임연구원	최미선 2391
부연구위원	박정흠 2420	**국가계약TFT**		연구원	이세미 2483
부연구위원	송경호 2247	팀장	배진수 2440	연구원	주재민 2320
부연구위원	조희평 2455	연구원	이아름 2270	위촉연구원	조연주 2317
선임연구원	박선영 2251	연구원	이형석 2407	**인프라사업조사팀**	
선임연구원	신동준 2364	**평가제도팀**		팀장	김종혁 2393
선임행정원	안상숙 2381	팀장	이환웅 2219	연구원	김정현 2481
선임연구원	이수연 2336	선임연구원	김경훈 2447	연구원	최시원 2424
선임연구원	임현정 2275	선임연구원	안새롬 2293	**민투사업조사TFT**	
선임연구원	정보름 2332	선임연구원	이보화 2245	팀장	이남주 2565
선임연구원	현하영 2499	선임연구원	장낙원 2456	특수전문직3급	김다랑 2331
연구원	박진우 2406	선임연구원	장문석 2448	**아태재정협력센터**	
연구원	이강연 2257	위촉연구원	김준혁 2210	센터장	허경선 2241
연구원	이재국 2410	**경제성과관리팀**		선임연구원	김윤옥 2385
재정지출분석센터		팀장	장운정 2365	선임연구원	김윤지 2395
센터장	오종현 2289	책임연구원	봉재연 2323	선임연구원	이재영 2384
선임연구원	김선미 2477	선임연구원	민경석 2204	선임행정원	최미영 2265
선임연구원	김인유 2280	선임연구원	백종선 2333	선임연구원	최승훈 2340
선임연구원	김진아 2343	선임연구원	이홍범 2232	연구원	김의주 2389
선임행정원	안상숙 2381	선임연구원	하에스더 2326	연구원	박도현 2392
거시경제분석팀		선임연구원	한경진 2330	연구원	이영미 2297
팀장	오종현 2289	선임연구원	허미혜 2316	**공공기관연구센터**	
선임연구원	장준희 2474	연구원	강경민 2444	소장	라영재 2550
연구원	서동규 2496	연구원	심백교 2438	선임연구위원	허경선 2241
위촉연구원	변주하 2281	연구원	이응준 2441	초빙연구위원	송현진 2432
재정제도분석팀		**사회문화성과관리팀**		초빙연구위원	유은지 2338
				초빙연구위원	윤성욱
팀장	송경호 2247	팀장	김창민 2350	비상임초빙연구위원	조봉환 2476

소속	성명/원내
책임행정원	조종읍 2561
선임행정원	강민주 2191
공공정책부	
부소장	하세정 2091
공공정책1팀	
팀장	한동숙 2312
선임연구원	김준성 2573
선임연구원	이강신 2459
선임연구원	임미화 2272
연구원	남지현 2574
연구원	소병욱 2282
특수전문직4급	안윤선 2498
위촉연구원	이주연 2279
위촉연구원	최슬기 2254
공공정책2팀	
팀장	배진수 2440
선임연구원	박화영 2357
선임연구원	정예슬 2358
연구원	강선희 2443
연구원	김달유 2427
연구원	서은혜 2433
연구원	윤다솜 2298
위촉연구원	박민주 2207
위촉연구원	성민주 2423
위촉연구원	안대현 2188
정책사업팀	
팀장	변민정 2306
선임연구원	송경호 2348
선임연구원	오윤미 2377
선임연구원	유승현 2457
선임연구원	이슬 2366
연구원	김정은 2435
경영평가부	
부소장	문창오 2305
평가연구팀	
팀장	임홍래 2375
초빙연구위원	이경영 2341
초빙연구위원	최근호 2495
선임연구원	강석훈 2356
선임연구원	나진희 2460
선임연구원	봉우리 2355
선임연구원	유효정 2363
선임연구원	임희영 2208
선임연구원	홍윤진 2361
연구원	곽원욱 2223
계량평가·검증팀	
팀장	임형수 2209
특수전문직3급	강초롱 2337
특수전문직3급	남승오 2551

소속	성명/원내
특수전문직3급	이진관 2559
특수전문직3급	현지용 2572
특수전문직4급	김윤미 2319
특수전문직4급	김재민 2345
위촉연구원	이서현 2490
위촉연구원	이준호
평가지원팀	
팀장	심재경 2543
선임연구원	서영빈 2542
선임연구원	장정윤 2544
선임연구원	정혜진 2587
연구원	강혜진 2546
연구원	고승희 2545
위촉연구원	진가람 2587
경영컨설팅팀	
팀장	이주경 2266
선임연구원	김종원 2362
선임연구원	서니나 2396
연구원	양다연 2401
연구원	허민영 2479
국가회계재정통계센터	
소장	박성진 2560
부소장	문창오 2305
초빙연구위원	윤영훈 2445
선임행정원	최미영 2265
국가회계팀	
팀장	진태호 2552
특수전문직3급	오예정 2563
특수전문직3급	임정혁 2553
특수전문직3급	한소영 2554
특수전문직3급	안지현 2426
특수전문직4급	진태호 2552
특수전문직4급	이은경 2437
특수전문직4급	장윤지 2518
결산교육팀	
팀장	윤성호 2562
특수전문직3급	오가영 2567
특수전문직3급	이명인 2555
특수전문직3급	임종권 2581
특수전문직3급	한은미 2556
특수전문직4급	정유경 2258
행정원	정현석 2462
위촉연구원	윤여진 2304
재정통계팀	
팀장	박윤진 2569
특수전문직3급	유귀운 2566
특수전문직3급	장지원 2557
특수전문직3급	최금주 2558
특수전문직3급	최중갑 2582

소속	성명/원내
특수전문직3급	최지영 2577
연구원	왕승현 2398
특수전문직4급	정지윤 2537
국가회계연구TFT	
팀장	윤영훈 2445
초빙연구위원	양은주 2373
선임연구원	이정미 2259
연구원	임지윤 2403
연구원	장아론 2402
경영지원실	
실장	성주석 2160
재무회계팀	
팀장	최영란 2180
선임행정원	이지혜 2183
선임행정원	임상미 2187
행정원	강성훈 2186
위촉연구원	안대현 2188
총무팀	
팀장	박현옥 2170
선임행정원	강신중 2173
선임행정원	손동준 2177
선임행정원	신수미 2171
선임행정원	윤여진 2176
행정원	한용균 2174
행정원	한유미 2175
전산·학술정보팀	
팀장	김성동 2150
선임전문원	권정애 2142
선임전문원	심수희 2140
선임전문원	이창호 2153
전문원	김민영 2151
전문원	김인아 2154
전문원	최유림 2141
전문원	홍서진 2155
시설구매팀	
팀장	노걸현 2190
선임연구원	강문정 2191
행정원	김범수 2192
행정원	박정훈 2193
인사혁신팀	
팀장	이태우 2161
선임행정원	문지영 2168
선임행정원	박소연 2166
선임행정원	전승진 2162
선임행정원	정찬영 2164
행정원	공요환 2165
행정원	김태은 2163
행정원	유준오 2167

전 국 세 무 관 서 주 소 록

세무서	주 소	우편번호	전화번호	팩스번호	코드	계좌
국세청	세종 국세청로 8-14 국세청 (정부세종2청사 국세청동)	30128	044-204-2200	02-732-0908	100	011769
서울청	서울 종로구 종로5길 86 (수송동)	03151	02-2114-2200	02-722-0528	100	011895
강남	서울 강남구 학동로 425 (청담동 45)	06068	02-519-4200	02-512-3917	211	180616
강동	서울 강동구 천호대로 1139 (길동 459-3)	05355	02-2224-0200	02-2224-0267	212	180629
강서	서울 강서구 마곡서1로 60 (마곡동 745-1)	07799	02-2630-4200	02-2679-8777	109	012027
관악	서울 관악구 문성로 187 (신림동)	08773	02-2173-4200	02-2173-4269	145	024675
구로	서울 영등포구 경인로 778 (문래동1가)	07363	02-2630-7200	02-2631-8958	113	011756
금천	서울 금천구 시흥대로152길 11-21 (독산동)	08536	02-850-4200	02-861-1475	119	014371
남대문	서울 중구 삼일대로 340 (저동1가)	04551	02-2260-0200	02-755-7114	104	011785
노원	서울 도봉구 노해로69길 14 (창동)	01415	02-3499-0200	02-992-1485	217	001562
도봉	서울 강북구 도봉로 117 (미아동)	01177	02-944-0200	02-984-2580	210	011811
동대문	서울 동대문구 약령시길 159 (청량리동)	02489	02-958-0200	02-958-0159	204	011824
동작	서울 영등포구 대방천로 259 (신길동)	07432	02-840-9200	02-831-4137	108	000181
마포	서울 마포구 독막로 234 (신수동)	04090	02-705-7200	02-717-7255	105	011840
반포	서울 서초구 방배로 163 (방배동)	06573	02-590-4200	02-591-1311	114	180645
삼성	서울 강남구 테헤란로 114 (역삼동)	06233	02-3011-7200	02-564-1129	120	181149
서대문	서울 서대문구 세무서길 11 (홍제동 251)	03629	02-2287-4200	02-379-0552	110	011879
서초	서울 강남구 테헤란로 114 (역삼동)	06233	02-3011-6200	02-563-8030	214	180658
성동	서울 성동구 광나루로 297 (송정동)	04802	02-460-4200	02-468-0016	206	011905
성북	서울 성북구 삼선교로 16길 13	02863	02-760-8200	02-744-6160	209	011918
송파	서울 송파구 강동대로 62 (풍납동)	05506	02-2224-9200	02-409-8329	215	180661
양천	서울 양천구 목동동로 165 (신정동)	08013	02-2650-9200	02-2652-0058	117	012878
역삼	서울 강남구 테헤란로 114 (역삼동)	06233	02-3011-8200	02-558-1123	220	181822
영등포	서울 영등포구 선유동 1로 38 (당산동3가)	07261	02-2630-9200	02-2678-4909	107	011934
용산	서울 용산구 서빙고로24길15 (한강로3가)	04388	02-748-8200	02-792-2619	106	011947
은평	서울 은평구 서오릉로7 (응암동84-5)	03460	02-2132-9200	02-2132-9571	147	026165
잠실	서울 송파구 강동대로 62 (풍납2동 388-6)	05506	02-2055-9200	02-475-0881	230	019868
종로	서울 종로구 삼일대로 30길 22	03133	02-760-9200	02-744-4939	101	011976
중랑	서울 중랑구 망우로 176 (상봉동 137-1)	02118	02-2170-0200	02-493-7315	146	025454
중부	서울 중구 퇴계로 170 (남학동 12-3)	04627	02-2260-9200	02-2268-0582	201	011989
중부청	경기 수원시 장안구 경수대로 1110-17 (파장동 216-1)	16206	031-888-4200	031-888-7612	200	000165
강릉	강원 강릉시 수리골길 65 (교동)	25473	033-610-9200	033-641-4186	226	150154
경기광주	경기 광주시 문화로 127	12752	031-880-9200	031-769-0417	233	023744

세무서	주 소	우편번호	전화번호	팩스번호	코드	계좌
구리	경기 구리시 안골로 36 (교문동 736-2)	11934	031-326-7200	031-326-7249	149	027290
기흥	경기 용인시 기흥구 흥덕2로117번길15 (영덕동 974-3)	16953	031-8007-1200	031-895-4902	236	026178
남양주	경기 남양주시 화도읍 경춘로 1807 (묵현리) 쉼터빌딩	12167	031-550-3200	031-566-1808	132	012302
동수원	경기 수원시 영통구 청명남로 13 (영통동)	16704	031-695-4200	031-273-2416	135	131157
동안양	경기 안양시 동안구 관평로202번길 27 (관양동)	14054	031-389-8200	0503-112-9375	138	001591
분당	경기 성남시 분당구 분당로 23 (서현동 277)	13590	031-219-9200	031-781-6852	144	018364
삼척	강원 삼척시 교동로 148	25924	033-570-0200	033-574-5788	222	150167
성남	경기 성남시 수정구 희망로 480 (단대동)	13148	031-730-6200	031-736-1904	129	130349
속초	강원 속초시 수복로 28 (교동)	24855	033-639-9200	033-633-9510	227	150170
수원	경기 수원시 팔달구 매산로 61 (매산로3가 28)	16456	031-250-4200	031-258-9411	124	130352
시흥	경기 시흥시 마유로 368 (정왕동)	15055	031-310-7200	031-314-3973	140	001588
안산	경기 안산시 단원구 화랑로 350 (고잔동 517)	15354	031-412-3200	031-412-3300	134	131076
동안산	경기 안산시 상록구 상록수로 20 (본오동 877-6)	15532	031-937-3200	031-8042-4602	153	027707
안양	경기 안양시 만안구 냉천로 83 (안양동)	14090	031-467-1200	031-467-1300	123	130365
영월	강원 영월군 영월읍 하송안길 49	26235	033-370-0200	033-374-2100	225	150183
용인	경기 용인시 처인구 중부대로1161번길71(삼가동)	17019	031-329-2200	031-321-1625	142	002846
원주	강원 원주 북원로 2325	26411	033-740-9200	033-746-4791	224	100269
이천	경기 이천시 부악로 47 (중리동)	17380	031-644-0200	031-634-2103	126	130378
춘천	강원 춘천시 중앙로 115	24358	033-250-0200	033-252-3589	221	100272
평택	경기 평택시 죽백6로6 (죽백동 796)	17862	031-650-0200	031-658-1116	125	130381
홍천	강원 홍천군 홍천읍 생명과학관길 50 (연봉리)	25142	033-430-1200	033-433-1889	223	100285
동화성	경기 화성시 동탄오산로 86-3 (MK 타워 3,4,9,10,11층)	18478	031-934-6200	031-934-6249	151	027684
화성	경기 화성시 봉담읍 참샘길 27 (와우리 31-16)	18321	031-8019-1200	031-8019-8211	143	018351
인천청	인천 남동구 남동대로 763 (구월동)	21556	032-718-6200	032-718-6021	800	027054
남동	인천 남동구 인하로 548 (구월동 1447-1)	21582	032-460-5200	032-463-5778	131	110424
서인천	인천 서구 청라사파이어로 192	22721	032-560-5200	032-561-5777	137	111025
인천	인천 동구 우각로 75 (창영동)	22564	032-770-0200	032-777-8104	121	110259
계양	인천 계양구 효서로 244	21120	032-459-8200		154	027708
고양	경기 고양시 일산동구 중앙로1275번길 14-43 (장항동 774)	10401	031-900-9200	031-901-9177	128	012014
광명	경기 광명시 철산로 3-12 (철산동 251)	14235	02-2610-8200	02-3666-0611	235	025195
김포	경기 김포시 김포한강1로 22	10087	031-980-3200	031-983-8125	234	023760
동고양	경기 고양시 덕양구 화중로104번길 16 (화정동) 화정아카데미타워 3층 (민원실), 4층, 5층, 9층	10497	031-900-6200	031-963-2372	232	023757
남부천	경기 부천시 경인옛로 115 (괴안동 6-5)	14691	032-459-7200	032-459-7249	152	027685
부천	경기 부천시 계남로227	14535	032-320-5200	032-328-6931	130	110246
부평	인천 부평구 부평대로 147	21366	032-540-6200	032-545-0411	122	110233

518

세무서	주 소	우편번호	전화번호	팩스번호	코드	계좌
연수	인천 연수구 인천타워대로 323 (송도동, 송도센트로드A동 1층~5층)	22007	032-670-9200	032-858-7351	150	027300
의정부	경기 의정부시 의정로 77 (의정부동)	11622	031-870-4200	031-875-2736	127	900142
파주	경기 파주시 금릉역로 62 (금촌동)	10915	031-956-0200	031-957-0315	141	001575
포천	경기 포천시 소흘읍 송우로 75	11177	031-538-7200	031-544-6090	231	019871
대전청	대전 대덕구 계족로 677 (법동)	34383	042-615-2200	042-621-4552	300	080499
공주	충남 공주시 봉황로 87 (반죽동 332)	32550	041-850-3200	041-850-3692	307	080460
논산	충남 논산시 논산대로241번길 6 (강산동)	32959	041-730-8200	041-730-8270	308	080473
대전	대전 중구 보문로 331 (선화 188)	34851	042-229-8200	042-253-4990	305	080486
동청주	충북 청주시 청원구 1순환로 44 (율량동)	28322	043-229-4200	043-229-4601	317	002859
보령	충북 보령시 옥마로 56	33482	041-930-9200	041-936-7289	313	930154
북대전	대전 유성구 유성대로 935번길7 (죽동)	34127	042-603-8200	042-823-9662	318	023773
서대전	대전 서구 둔산서로 70 (둔산동)	35239	042-480-8200	042-486-8067	314	081197
서산	충남 서산시 덕지천로 145-6	32003	041-660-9200	041-660-9259	316	000602
세종	세종 시청대로 126 (보람동 724)		044-850-8200	044-850-8431	320	025467
아산	충남 아산시 배방읍 배방로 57-29 토마토빌딩	31486	041-536-7200	041-533-1351	319	024688
영동	충북 영동군 영동읍 계산로2길 10 (계산리 681-4)	29145	043-740-6200	043-740-6250	302	090311
예산	충남 예산군 오가면 윤봉길로 1883	32425	041-330-5200	041-330-5305	311	930167
제천	충북 제천시 복합타운1길 78	27157	043-649-2200	043-648-3586	304	090324
천안	충남 천안시 동남구 청수14로 80	31198	041-559-8200	041-559-8250	312	935188
청주	충북 청주시 흥덕구 죽천로 151 (복대동 262-1)	28583	043-230-9200	043-235-5417	301	090337
충주	충북 충주시 충원대로 724 (금릉동)	27338	043-841-6200	043-845-3320	303	090340
홍성	충남 홍성군 홍성읍 홍덕서로 32	32216	041-630-4200	041-630-4249	310	930170
광주청	광주 북구 첨단과기로208번길 43 (오룡동)	61011	062-236-7200	062-716-7215	400	060707
광주	광주 동구 중앙로 154(호남동)	61484	062-605-0200	062-225-4701	408	060639
광산	광주 광산구 하남대로 83 (하남동 1276)	62232	062-970-2200	062-970-2209	419	027313
군산	전북 군산시 미장13길 49(미장동)	54096	063-470-3200	063-470-3249	401	070399
나주	전남 나주시 재신길 33	58262	061-330-0200	061-332-8583	412	060642
남원	전북 남원시 동림로 91-1 (향교동 232-31)	55741	063-630-2200	063-632-7302	407	070412
목포	전남 목포시 호남로58번길 19 (대안동)	58723	061-241-1200	061-244-5915	411	050144
북광주	광주 북구 경양로 170 (중흥동 712-3)	61238	062-520-9200	062-716-7280	409	060671
북전주	전북 전주시 덕진구 벚꽃로 33	54937	063-249-1200	063-249-1555	418	002862
서광주	광주 서구 상무민주로 6번길 31 (쌍촌동)	61969	062-380-5200	062-716-7260	410	060655
순천	전남 순천시 연향번영길 64 (연향동)	57980	061-720-0200	061-723-6677	416	920300
여수	전남 여수시 좌수영로 948-5(봉계동)	59631	061-688-0200	061-682-1649	417	920313
익산	전북 익산시 선화로425(영등동 191-3)	54619	063-840-0200	063-851-0305	403	070425
전주	전북 전주시 완산구 서곡로 95 (효자동3가 1406)	54956	063-250-0200	063-277-7708	402	070438
정읍	전북 정읍시 중앙1길 93(수성동)	56163	063-530-1200	063-533-9101	404	070441

세무서	주 소	우편번호	전화번호	팩스번호	코드	계좌
해남	전남 해남군 해남읍 중앙1로 18	59027	061-530-6200	061-536-6249	415	050157
대구청	대구 달서구 화암로 301(대곡동)	42768	053-661-7200	053-661-7052	500	040756
경산	경북 경산시 박물관로 3 (사동 633-2)	38583	053-819-3200	053-802-8300	515	042330
경주	경북 경주시 원화로 335(성동동)	38138	054-779-1200	054-743-4408	505	170176
구미	경북 구미시 수출대로 179 (공단동)	39269	054-468-4200	054-464-0537	513	905244
김천	경북 김천시 평화길 128 (평화동)	39610	054-420-3200	054-430-6605	510	905257
남대구	대구 남구 대명로 55(대명동)	42479	053-659-0200	053-627-0157	514	040730
동대구	대구 동구 국채보상로 895(신천동)	41253	053-749-0200	053-756-8837	502	040769
북대구	대구 북구 원대로 118(침산동)	41590	053-350-4200	053-354-4190	504	040772
상주	경북 상주시 경상대로 3173-11(만산동)	37161	054-530-0200	054-534-9026	511	905260
서대구	대구 달서구 당산로 38길 33	42645	053-659-1200	053-627-6121	503	040798
수성	대구 수성구 달구벌대로 2362 (수성동3가5-1)	42115	053-749-6200	053-749-6602	516	026181
안동	경북 안동시 서동문로 208	36702	054-851-0200	054-859-6177	508	910365
영덕	경북 영덕군 영덕읍 영덕로 35-11(남산리61-1)	36441	054-730-2200	054-730-2504	507	170189
영주	경북 영주시 중앙로 15(가흥동)	36099	054-639-5200	054-633-0954	512	910378
포항	경북 포항시 북구 중앙로 346(덕수동)	37727	054-245-2200	054-248-4040	506	170192
부산청	부산 연제구 연제로 12 (연산2동 1557)	47605	051-750-7200	051-759-8400	600	030517
거창	경남 거창군 거창읍 상동2길 14 (상림리)	50132	055-940-0200	055-942-3616	611	950419
금정	부산 금정구 중앙대로 1636 (부곡동)	46272	051-580-6200	051-516-8272	621	031794
김해	경남 김해시 호계로 440 (부원동)	50922	055-320-6200	055-335-2250	615	000178
동래	부산 연제구 거제천로269번길 16 (거제동 1463-4)	47517	051-860-2200	051-866-6252	607	030481
동울산	울산 북구 사청2길 7 (화봉동)	44239	052-219-9200	052-289-8365	620	001601
마산	경남 창원시 마산합포구 3.15대로 211	51265	055-240-0200	055-223-6881	608	140672
부산진	부산 동구 진성로 23 (수정동)	48781	051-461-9200	051-464-9552	605	030520
부산강서	부산 강서구 명지국제7로 44 (퍼스트월드브라이튼 3~6층)	46726	051-740-9200		625	027709
북부산	부산 사상구 학감대로 263(감전동)	46984	051-310-6200	051-711-6389	606	030533
서부산	부산 서구 대영로 10 (서대신동2가 288-2)	49228	051-250-6200	051-241-7004	603	030546
수영	부산 수영구 남천동로 19번길 28 (남천동)	48306	051-620-9200	051-621-2593	617	030478
양산	경남 양산시 물금읍 증산역로135, 9층, 10층(가촌리1296-1)	50653	055-389-6200	055-389-6602	624	026194
울산	울산 남구 갈밭로 49	44715	052-259-0200	052-266-2135	610	160021
제주	제주 제주시 청사로 59(도남동)	63219	064-720-5200	064-724-1107	616	120171
중부산	부산 중구 흑교로 64 (보수동1가)	48962	051-240-0200	051-241-6009	602	030562
진주	경남 진주시 진주대로908번길 15 (칠암동)	52724	055-751-0200	055-753-9009	613	950435
창원	경남 창원시 성산구 중앙대로105 STX 오션타워	51515	055-239-0200	055-287-1394	609	140669
통영	경남 통영시 무전5길 20-9 (무전동)	53036	055-640-7200	055-644-1814	612	140708
해운대	부산 해운대구 좌동순환로 17(좌동) 해운대세무서	48084	051-660-9200	051-660-9610	623	025470

색인

ㄱ

이름	소속	페이지
가성원	인천청	289
가순봉	기재부	89
가완순	남대문서	181
가윤선	아산서	348
가재윤	북대전서	334
가주희	동수원서	240
가준섭	인천청	288
가혜미	공주서	338
감경탁	부산청	449
감동윤	구로서	175
감민준	영등포서	208
감지윤	북부산서	458
강가빈	해운대서	466
강가윤	송파서	202
강갑영	인천지방	34
강건희	마포서	188
강경관	지방재정	512
강경구	부산청	447
강경근	안산서	255
강경덕	남부천서	310
강경래	평택서	265
강경묵	대전청	330
강경미	종로서	217
강경미	경주서	424
강경민	북부산서	458
강경민	조세재정	515
강경보	부산청	447
강경보	대현회계	14
강경수	용산서	210
강경수	순천서	387
강경숙	동래서	453
강경식	중부청	233
강경애	지방재정	512
강경영	국세청	129
강경옥	진주서	480
강경완	광산서	374
강경인	의정부서	318
강경임	중부산서	464
강경진	순천서	387
강경태	울산서	471
강경표	기재부	78
강경하	국세주류	134
강경호	인천서	298
강경화	국세청	127
강경화	광주청	371
강고운	경산서	422
강곡지	창원서	483
강관호	국세청	127
강구남	순천서	386
강귀희	잠실서	214
강규철	관악서	173
강근영	이천서	263
강금여	관악서	173
강기룡	기재부	77
강기룡	기재부	78
강기모	부산청	444
강기석	영등포서	209
강기순	충주서	364
강기영	원주서	279
강기원	국세주류	134
강기진	동청주서	356
강기헌	파주서	320
강기호	서광주서	380
강기훈	경기광주	253
강길란	국세주류	134
강길순	부산청	446
강길원	삼정회계	21
강길주	정릉서	403
강나루	남대문서	178
강나영	동안양서	242
강나영	서광주서	380
강남영	삼성서	193
강남호	북부산서	458
강다애	남대문서	180
강다연	연수서	317
강다영	금천서	176
강다영	용산서	211
강다은	국세청	133
강다현	기흥서	236
강다희	동대문서	184
강대규	포천서	322
강대선	남부천서	311
강대식	국세청	119
강대일	예일회계	24
강대일	수성서	421
강대현	창원서	483
강대호	남대구서	412
강덕근	동청주서	357
강덕성	국세청	116
강덕수	경기광주	253
강덕영	수영서	462
강덕주	수성서	420
강덕훈	상주서	430
강도영	기재부	87
강도현	동울산서	468
강동균	제주서	486
강동석	삼성서	193
강동수	국세교육	138
강동수	진주서	480
강동완	천안서	352
강동우	중부서	220
강동원	고시회	30
강동원	도봉서	182
강동익	조세재정	514
강동익	조세재정	514
강동인	광명서	304
강동진	서울청	151
강동효	강동서	168
강동훈	국세청	128
강동훈	원주서	278
강동휘	세종서	346
강동휘	마포서	189
강동희	부산청	448
강동희	부산청	448
강두석	부산강서	456
강래윤	동울산서	468
강률인	남대구서	412
강말순	지방재정	511
강명부	용산서	211
강명선	서대전서	336
강명수	상공회의	109
강명수	상공회의	109
강명수	동수원서	240
강명수	성북서	201
강명준	도봉서	183
강명호	경기광주	252
강명호	홍천서	282
강문석	중부서	221
강문성	동화성서	266
강문승	광주청	373
강문이	기리서	234
강문자	구로서	174
강문자	중부서	233
강문정	서울청	160
강문정	조세재정	516
강문현	서울청	146
강미경	국세청	194
강미나	서울청	142
강미선	성남서	246
강미성	동작서	186
강미수	남대문서	180
강미순	강동서	169
강미애	동안산서	256
강미영	서울청	160
강미영	중부청	231
강미영	천안서	352
강미정	중부청	232
강미정	조세재정	514
강미진	강서서	170
강미화	광주서	377
강민경	북대구서	416
강민구	시흥서	251
강민국	국회정무	68
강민규	서광주서	381
강민규	부산청	447
강민규	진주서	481
강민균	남대문서	181
강민기	기재부	79
강민기	안양서	258
강민서	기재부	80
강민석	반포서	191
강민석	대전청	327
강민석	인천세관	499
강민성	국세청	123
강민수	서울청	141
강민수	서울청	142
강민수	관악서	173
강민수	도봉서	183
강민수	지방재정	511
강민아	고양서	303
강민영	서대문서	195
강민영	김해서	474
강민완	남대문서	181
강민재	상공회의	109
강민재	화성서	268
강민정	강남서	167
강민정	구로서	174
강민정	이천서	262
강민정	계양서	300
강민정	대전서	333
강민정	금정서	450
강민주	서울청	150
강민주	강동서	168
강민주	동안양서	243
강민주	조세재정	516
강민지	기재부	83
강민지	경기광주	252
강민지	의정부서	318
강민지	남대구서	412
강민채	대전청	329
강민채	대전청	330
강민채	조세재정	515
강민하	서현이현	7
강민형	역삼서	207
강민호	서울청	162
강민호	통영서	484
강방숙	구로서	174
강백근	동화성서	266
강범준	역삼서	206
강병관	광주청	369
강병구	기재부	74
강병구	성남서	247
강병극	평택서	264
강병로	인천세관	497
강병로	인천세관	500
강병문	양산서	478
강병수	평택서	265
강병수	순천서	386
강병수	양산서	478
강병순	용산서	211
강병원	국회정무	68
강병조	대전서	333
강병중	기재부	79
강병진	해운대서	466
강병철	해운대서	466
강병희	지방재정	512
강보경	국세청	130
강보경	동래서	452
강보경	창원서	483
강보길	금정서	450
강보라	경기광주	252
강보미	국세청	118
강보미	제주서	486
강보아	종로서	217
강보원	관세청	491
강보형	기재부	80
강보화	동일산서	468
강복희	국세상담	136
강봉구	인천세관	500
강부덕	중부청	231
강삼원	국세청	125
강상길	국세상담	136
강상모	용산서	211
강상식	대구청	405
강상식	대구청	409
강상식	대구청	410
강상우	서울청	149
강상원	진주서	480
강상임	제주서	486
강상주	구미서	426
강상준	동안양서	243
강상현	서울청	157
강상협	기재부	84
강상희	평택서	265
강새롬	서대문서	195
강서윤	분당서	245
강석	전주서	400
강석관	서울청	151
강석구	상공회의	108
강석구	서울청	160
강석구	통영서	384
강석규	태평양	60
강석민	금융위	93
강석순	남대문서	180
강석원	경기광주	253
강석윤	부평서	315
강석제	목포서	385
강석종	역삼서	207
강석훈	기재부	76
강석훈	인천서	286
강석훈	조세재정	516
강선규	논산서	340
강선대	순천서	387
강선미	남양주서	239
강선미	김해서	475
강선실	부산강서	457
강선영	남원서	395
강선영	안양서	258
강선영	인천서	299
강선이	남양주서	238
강선홍	대전청	328
강선희	양천서	205
강선희	구리서	234
강선희	안양서	259
강선희	조세재정	516
강설화	광산서	375
강성구	구리서	235
강성권	서초서	197
강성기	광주서	368
강성대	북대전서	334
강성룡	해운대서	466
강성률	은평서	212
강성모	종로서	217
강성문	서부산서	460
강성민	인천청	291
강성민	순천서	387
강성민	부산청	447
강성빈	기재부	88
강성실	남양주서	379
강성실	경기광주	253
강성우	홍천서	282
강성원	순천서	386
강성원	서현이현	6
강성은	서울청	151
강성은	영등포서	209
강성준	기재부	78
강성준	광주청	372
강성철	상주서	430
강성철	부산세관	501
강성철	부산세관	503
강성태	통영서	484
강성팔	부산청	441
강성팔	부산청	448
강성팔	부산청	449
강성필	중부청	228
강성헌	동울산서	469
강성현	동안양서	242
강성현	광주청	371
강성호	창원서	483
강성화	국세청	129
강성훈	분당서	245
강성훈	동고양서	308
강성훈	조세재정	516
강성훈	익산서	399
강세정	인천청	290
강세희	서울청	150
강소라	성동서	199
강소라	인천청	287
강소라	인천청	287
강소여	인천서	299
강소연	국세청	118
강소영	구리서	235
강소영	천안서	352
강소정	서광주서	380
강송현	도봉서	182
강수경	삼성서	193
강수련	포항서	438
강수림	분당서	245
강수미	동화성서	267
강수민	국세청	124
강수빈	관악서	172
강수빈	안산서	254
강수성	전주서	400
강수연	동울산서	469
강수원	강남서	167
강수원	통영서	484
강수정	송파서	202
강수지	영등포서	208
강수지	세종서	346
강수진	기재부	84
강수현	홍천서	283
강순자	평택서	264
강순택	중부청	231
강슬기	동대문서	184
강슬기	성남서	247
강슬아	해운대서	467
강승구	서울청	154
강승구	거창서	473
강승구	통영서	481
강승남	대구세관	506
강승룡	파주서	321
강승록	서대구서	419
강승묵	북부산서	458
강승우	북부산서	458
강승원	감사원	71
강승조	성남서	246
강승지	북대구서	416
강승현	삼성서	193
강승현	인천세관	498
강승호	성남서	246
강승훈	수영서	463
강승희	종로서	217
강신걸	동화성서	266
강신국	분당서	245
강신성	서울지방	32
강신웅	국세청	125
강신준	계양서	301
강신중	조세재정	516
강신태	포천서	322
강신태	진주서	481
강신혁	서산서	344
강아라	순천서	387
강아름	구로서	174
강안나	대전청	330
강양구	서울청	160
강양동	울산서	471
강양우	춘천서	280
강양욱	동울산서	468
강여울	순천서	386
강여정	중부청	233
강연성	도봉서	183
강연태	부산청	448
강연호	관세청	490
강영구	분당서	245
강영규	남부천서	310
강영규	기재부	87
강영기	영동서	359
강영묵	용산서	210
강영미	북부산서	459
강영수	금융위	94
강영식	제주서	487
강영자	대전청	328
강영종	신대동	53
강영주	시흥서	250
강영중	대원세무	163
강영중	대원세무	167
강영진	국세청	130
강영화	춘천서	280
강영희	북부산서	458
강예손	해남서	391
강예진	서울청	149
강오라	부평서	314
강오호	국세교육	138
강옥향	계양서	300
강옥희	서울청	147
강외숙	북부산서	458
강용	연수서	317
강용구	남원서	395
강용규	지방재정	513
강용명	북광주서	378

이름	소속	쪽	이름	소속	쪽	이름	소속	쪽	이름	소속	쪽	이름	소속	쪽
강용석	삼성서	193	강정모	서울청	146	강찬종	분당서	245	강혜연	시흥서	250	고규진	제주서	487
강용수	분당서	245	강정목	금천서	176	강찬호	서울청	151	강혜원	북대전서	334	고균석	나주서	383
강용철	서대구서	418	강정미	구리서	234	강창규	세원세무	48	강혜윤	부산진서	455	고근수	국세청	119
강용한	홈앤아웃	45	강정민	남양주서	238	강창기	기재부	77	강혜은	서초서	196	고근희	국세상담	136
강우진	기재부	80	강정민	춘천서	280	강창식	부천서	313	강혜은	김해서	475	고기석	김해서	474
강우진	수원서	249	강정석	포항서	439	강창호	서울청	151	강혜인	진주서	481	고기훈	은평서	212
강욱중	진주서	481	강정선	중부청	229	강창희	제주서	486	강혜정	반포서	191	고길현	여수서	388
강원	전주서	400	강정호	마산서	477	강채임	여수서	389	강혜정	순천서	386	고남우	포항서	438
강원	정진세림	27	강정수	관악서	172	강천순	북대전서	334	강혜지	서울청	152	고당훈	국세청	122
강원경	국세청	115	강정수	광주세관	507	강철구	진주서	481	강혜지	성북서	200	고대권	딜로이트	15
강원식	기재부	87	강정수	광주세관	508	강체윤	송파서	202	강혜진	수원서	249	고대근	연수서	317
강원일	법무지평	59	강정숙	대전청	327	강초롱	조세재정	516	강혜진	인천청	287	고대영	목포서	385
강원혁	서부산서	460	강정연	금정서	451	강초희	순천서	386	강혜진	서인천서	297	고대현	기재부	75
강유나	국세청	120	강정인	제주서	486	강춘구	서광주서	381	강혜진	조세재정	516	고대홍	동안양서	243
강유미	구로서	175	강정일	성남서	246	강탁수	반포서	191	강호영	국세상담	137	고대훈	국세청	117
강유미	분당서	245	강정필	서현이현	7	강태경	용산서	210	강호인	부산진서	455	고덕환	은평서	213
강유신	기재부	83	강정현	서대전서	337	강태곤	예산서	350	강호종	서울청	144	고도경	기흥서	236
강유신	서부산서	460	강정호	서초서	248	강태규	동래서	452	강호창	김해서	475	고돈흠	동작서	186
강유정	영월서	277	강정호	대구청	411	강태길	성남서	247	강호현	국세청	128	고동갑	감사원	71
강유정	남부천서	310	강정호	영덕서	434	강태민	순천서	386	강화동	국세상담	136	고동현	포천서	322
강유정	해운대서	467	강정화	영등포서	208	강태병	대전서	328	강화리	안산서	255	고동환	부산청	449
강유진	마포서	188	강정화	서대구서	419	강태양	광주서	376	강화수	삼성서	193	고만수	서울청	160
강유진	시흥서	250	강정환	울산서	471	강태욱	국세청	118	강화영	부산청	449	고명수	국세청	123
강유진	연수서	316	강정호	기재부	85	강태욱	고시회	30	강효경	마산서	477	고명순	마산서	476
강윤경	중부청	227	강정호	서울청	165	강태윤	구미서	426	강효석	기재부	76	고명현	연수서	317
강윤성	광주청	371	강정희	정읍서	402	강태진	원주서	278	강효정	동고양서	309	고명현	지방재정	511
강윤숙	동화성서	267	강종근	부산청	449	강태진	전주서	400	강훈	대전청	331	고명균	기재부	76
강윤영	양천서	205	강종만	광주청	369	강태호	은평서	212	강휘	화성서	268	고미경	동고양서	309
강윤정	기재부	80	강종석	기재부	90	강태환	의정부서	318	강흥수	구로서	175	고미량	양천서	205
강윤정	충무서	364	강종호	동대문서	185	강태훈	목포서	384	강흥수	부평서	314	고미숙	동작서	186
강윤정	지방재정	511	강종훈	대전청	325	강택훈	국세교육	138	강흥일	서대구서	418	고민경	용인서	260
강윤지	성남서	247	강종훈	대전청	327	강표	경기광주	252	강희경	서울청	150	고민경	계양서	300
강윤지	순천서	387	강종훈	대전청	328	강필구	지방재정	513	강희경	부산청	444	고민경	지방재정	510
강윤형	이천서	262	강주선	목포서	384	강필원	보령서	342	강희근	목포서	384	고민석	잠실서	214
강윤화	서대전서	336	강주연	중부청	229	강하규	강릉서	270	강희민	기재부	90	고민수	남동서	294
강은경	서초서	196	강주영	중랑서	219	강하영	송파서	202	강희석	대전서	333	고민지	금천서	177
강은비	남대구서	412	강주수	강동서	168	강한나	강서서	170	강희수	안산서	348	고민철	대전청	331
강은빈	제주서	486	강주현	경기광주	252	강한솔	부산강서	457	강희언	제주서	486	고민하	제주서	486
강은선	동래서	452	강준	용인서	261	강한수	경기광주	252	강희연	진주서	481	고배영	인천청	287
강은숙	용산서	211	강준구	북부산서	458	강한얼	연수서	316	강희우	조세재정	515	고병덕	중부청	228
강은순	북부산서	459	강준모	기재부	80	강해영	국세상담	136	강희웅	서초서	197	고병렬	진주서	481
강은실	서울청	146	강준오	해운대서	466	강현	수원서	249	강희윤	삼성서	192	고병석	용산서	210
강은실	구로서	174	강준혼	서울청	151	강현구	북대구서	416	강희정	고양서	302	고병열	북대구서	416
강은실	예산서	350	강준이	기재부	75	강현규	동화성서	266	강희정	동고양서	308	고병재	영주서	436
강은아	진주서	481	강준현	국회재정	64	강현삼	고시회	30	강희정	포천서	323	고병준	서대전서	337
강은영	기재부	79	강준희	기재부	91	강현성	서초서	196	강희정	광주청	369	고병찬	양천서	204
강은영	마포서	189	강중희	광주청	372	강현수	고시회	30	강희주	분당서	244	고보해	서초서	197
강은영	경기광주	252	강지만	나주서	383	강현순	기재부	91	강희진	기재부	82	고복님	광주청	371
강은진	구미서	427	강지선	서울청	155	강현아	광산서	375	강희천	서인천서	297	고복남	지방재정	511
강은혜	평택서	265	강지선	광주청	369	강현애	영동서	358	강희찬	동수원서	241	고봉국	제주서	486
강은호	마포서	189	강지선	중부산서	465	강현연	강동서	169	경교수	서울지방	32	고봉균	광명서	305
강은희	수원서	249	강지성	국세청	132	강현열	동청주서	356	경기영	성동서	199	고부경	나주서	383
강이	딜로이트	15	강지수	강동서	169	강현우	삼성서	193	경수현	부산청	446	고빛나	동안양서	243
강이근	광주청	369	강지수	고양서	303	강현우	포천서	323	경유림	북대전서	334	고상권	파주서	321
강이슬	평택서	265	강지안	성남서	246	강현웅	양천서	205	경재찬	성남서	247	고상근	국회정무	67
강이은	서울청	144	강지연	성남서	302	강현정	기재부	78	경준호	세무사회	29	고상기	경주서	425
강인근	홍성서	354	강지영	중부청	232	강현정	남대문서	180	경지민	남동서	294	고상덕	기재부	80
강인석	군산서	392	강지용	대구청	408	강현정	논산서	340	경지수	포천서	323	고상범	금융위	94
강인성	예산서	350	강지원	서울청	249	강현주	서울청	160	경지은	기재부	189	고상석	중부서	220
강인소	서대문서	195	강지원	예산서	350	강현주	강동서	169	경진	국세상담	136	고상용	파주서	321
강인숙	부산진서	454	강지윤	용인서	260	강현주	도봉서	182	계구봉	서울청	164	고상원	홈앤아웃	45
강인순	남대구서	412	강지은	서울청	142	강현주	성북서	201	계봉성	삼정회계	22	고상현	기재부	83
강인옥	중부청	228	강지은	중랑서	218	강현주	인천청	290	계준범	서울청	148	고상현	서울청	152
강인주	기재부	88	강지은	동화성서	267	강현주	예산서	350	계현희	계양서	300	고상희	김해서	475
강인태	강서서	171	강지은	동청주서	357	강현창	남동서	295	고강민	서초서	197	고서연	정읍서	402
강인한	광명서	305	강지인	동작서	187	강현철	잠실서	214	고경만	서대문서	194	고석봉	강서서	170
강인행	서인천서	297	강지현	강서서	171	강형철	국세청	121	고경미	강동서	168	고석중	전주서	400
강인혜	서울청	162	강지현	남대문서	181	강형덕	중기회	110	고경미	마포서	189	고석규	부산세관	501
강인혜	구로서	174	강지현	도봉서	182	강형미	서울청	147	고경수	남대문서	178	고석진	부산세관	502
강임현	국세청	126	강지현	화성서	269	강형석	역삼서	207	고경일	국세교육	138	고석철	부평서	314
강장욱	중랑서	218	강지현	상주서	430	강형수	제주서	486	고경진	종로서	216	고석춘	서울청	155
강장환	종로서	217	강지현	통영서	484	강형탁	서광주서	380	고경태	EY한영	13	고석희	홍성서	354
강재구	감사원	71	강지현	법무광장	56	강혜경	역삼서	206	고경희	광교세무	36	고선미	서광주서	380
강재근	서대전서	336	강지혜	동안산서	256	강혜란	지방재정	513	고계명	제주서	487	고선주	군산서	393
강재신	영등포서	208	강지훈	서울청	145	강혜련	인천서	298	고광규	인천세관	500	고선주	북전주서	396
강재원	서울청	156	강지훈	동청주서	356	강혜령	부산강서	456	고광남	기재부	88	고선혜	인천서	287
강재원	서울청	162	강지훈	수영서	463	강혜린	북전주서	397	고광남	예일세무	49	고설민	남동서	295
강재은	기재부	81	강진	광주청	370	강혜미	광산서	374	고광덕	서울청	154	고성결	동대구서	414
강재형	서울청	152	강진명	기재부	85	강혜빈	대전청	328	고광민	기재부	82	고성순	남대문서	181
강재희	중부산서	465	강진선	분당서	245	강혜성	성동서	198	고광철	수영서	463	고성헌	서울청	158
강전일	서대구서	419	강진성	국세상담	136	강혜송	광주서	376	고광진	구미서	426	고성호	동대문서	184
강정구	강서서	171	강진아	기재부	83	강혜수	남양주서	239	고광환	수성서	421	고성희	국세청	125
강정남	해남서	391	강진아	국세상담	136	강혜숙	기재부	78	고광효	기재부	75	고세훈	법무지평	59
강정대	수영서	462	강진영	김천서	428	강혜연	중부서	221	고광효	기재부	76	고수영	세종서	347
			강찬식	동고양서	308				고광효	기재부	77	고수영	목포서	384

이름	소속	번호
고승욱	서울청	161
고승현	공주서	338
고승희	조세재정	516
고아라	강동서	169
고아영	서울청	144
고양숙	중부청	227
고연우	김포서	307
고영경	세종서	347
고영남	제주서	487
고영동	고시회	30
고영록	기재부	89
고영배	국세상담	137
고영상	서울청	151
고영수	강남서	166
고영숙	강서서	171
고영욱	기재부	85
고영욱	중부청	233
고영일	서울청	128
고영조	부산강서	457
고영주	인천청	290
고영준	울산서	471
고영지	서초서	196
고영집	금감원	102
고영철	국세청	133
고영춘	대전서	332
고영필	중부청	224
고영호	금융위	94
고영환	동고양서	309
고영훈	동대문서	185
고예나	제주서	486
고예지	강남서	166
고완구	영등포서	208
고완병	삼성서	193
고용진	평택서	64
고우성	동안양서	242
고운이	용인서	260
고운지	이천서	263
고유경	국세청	129
고유경	남동서	295
고유나	구로서	174
고유나	부천서	313
고유영	성북서	200
고유정	기재부	84
고유석	안산서	254
고윤정	분당서	244
고윤하	공주서	339
고윤학	울산서	470
고윤형	평택서	265
고은	해운대서	466
고은경	세무사회	29
고은미	중부청	232
고은별	국세청	114
고은비	국세청	130
고은비	서인천서	296
고은선	중부청	225
고은정	서울청	353
고은정	북전주서	396
고은주	종로서	216
고은지	강동서	168
고은혜	중부청	232
고은희	국세상담	136
고은희	인천청	290
고의환	군산서	393
고인식	창원서	482
고인영	국세청	122
고일명	대전청	329
고임형	삼성서	193
고장우	광주세관	508
고재국	중부청	226
고재근	서대구서	418
고재민	서울청	157
고재봉	남대구서	412
고재성	광주서	376
고재신	기재부	89
고재우	제천서	360
고재윤	경기광주	252
고재화	세무하나	47
고재환	목포서	384
고정근	포천서	322
고정란	동작서	187
고정삼	기재부	74
고정선	강서서	170
고정수	도봉서	183
고정연	천안서	352
고정예	북부산서	459
고정은	국세청	120
고정주	인천청	290
고정진	삼성서	193
고정환	천안서	352
고종관	남부천서	311
고종섭	중기회	110
고종철	천안서	352
고주석	서울서	143
고주연	성동서	199
고주환	양산서	479
고준석	부산청	447
고지연	기재부	79
고지원	금정서	450
고지현	평택서	265
고지현	조세재정	514
고지환	마포서	188
고진구	부천서	313
고진수	군산서	393
고진수	거창서	473
고진숙	평택서	264
고진영	지방재정	510
고진효	평택서	264
고창보	법무율촌	58
고창수	조세재정	514
고창수	조세재정	515
고창우	제주서	486
고채영	서울청	377
고철호	천안서	352
고태영	강남서	167
고태일	영등포서	209
고태혁	국세청	122
고택수	제주서	487
고필경	북전주서	397
고한일	평택서	265
고혁준	서울청	153
고현	국세청	132
고현숙	양천서	204
고현숙	경기광주	253
고현웅	동대문서	184
고현일	구로서	174
고현재	군산서	392
고현주	구로서	174
고현주	영등포서	208
고현주	중부청	227
고현주	북부산서	458
고현주	서울청	152
고현태	기재부	90
고현호	서울청	161
고형관	서울서	187
고혜진	동대문서	184
고혜진	대전청	330
고혜진	북광주서	379
고호경	안산서	256
고호석	국세청	129
고희주	제주서	486
공기성	서울청	352
공다인	북광주서	378
공대귀	남원서	394
공덕현	서울서	143
공동준	기재부	76
공명호	김해서	475
공미경	울산서	471
공미영	해운대서	466
공미자	전주서	401
공민석	김해서	475
공민지	인천청	286
공병국	해남서	390
공병규	종로서	216
공석룡	인천청	285
공석룡	인천청	287
공석용	인천청	288
공석환	중부청	225
공선미	경기광주	253
공성용	대구서	406
공성원	양산서	374
공성회	인천세관	498
공숙영	기재부	78
공순권	인천지방	34
공신혜	화성서	268
공영철	용인서	261
공영칠	서현이현	7
공요환	조세재정	516
공용성	인천청	291
공원재	인천청	286
공원택	국세교육	139
공윤선	은평서	212
공유상	북부산서	459
공익성	세원세무	48
공인호	북대구서	416
공자빈	잠실서	214
공정민	시흥서	251
공주희	국세청	117
공지훈	지방재정	510
공진배	서울청	149
공채원	동수원서	240
공태운	은평서	213
공태웅	파주서	320
공현주	서울청	160
공효정	금천서	176
공휘람	동래서	453
공휘현	부평서	314
곽건우	부산서	454
곽경미	동수원서	240
곽경훈	인천세관	500
곽귀명	마산서	477
곽기복	광주세관	508
곽길영	동안서	257
곽노일	동청주서	356
곽동대	서울청	142
곽동윤	구로서	174
곽동훈	부천서	312
곽동훈	법무광장	56
곽명환	광주서	369
곽문희	논산서	341
곽미경	반포서	190
곽미경	대구청	408
곽미나	서울청	145
곽미선	광주청	371
곽미라	안산서	255
곽미숙	금정서	450
곽민경	순천서	387
곽민경	대구청	407
곽민석	동울산서	468
곽민성	양천서	204
곽민정	기재부	76
곽민정	서울청	164
곽민정	남대문서	178
곽민지	대전서	332
곽민혜	세종서	347
곽민호	남원서	394
곽민환	딜로이트	15
곽명길	성동서	198
곽병철	중부청	226
곽보경	춘천서	281
곽봉섭	종로서	217
곽봉화	동대구서	414
곽상민	지방재정	512
곽상현	기재부	87
곽새미	북광주서	379
곽성용	남대문서	180
곽성준	동안양서	243
곽세욱	동화성서	267
곽세웅	삼성서	192
곽소라	부산진서	455
곽소희	기재부	85
곽수정	경기광주	253
곽승만	부산세관	502
곽승현	잠실서	215
곽승훈	인천청	287
곽시명	태평양	60
곽영경	국세청	125
곽영국	태평양	60
곽영근	동울산서	468
곽영미	서대문서	195
곽용석	중랑서	218
곽용석	창원서	483
곽용은	국세교육	138
곽용재	여수서	388
곽우정	영주서	436
곽원욱	조세재정	516
곽원일	동래서	452
곽유진	남부천서	310
곽유영	마산서	476
곽윤정	안산서	255
곽윤희	금천서	177
곽은미	창원서	483
곽은선	화성서	268
곽은정	양천서	204
곽은희	경기광주	252
곽인수	기재부	79
곽인혜	중부서	221
곽장운	김앤장	55
곽재승	중부청	231
곽재웅	광주청	368
곽재형	인천청	292
곽정수	용인서	261
곽정은	서울서	149
곽정은	반포서	190
곽정환	기재부	78
곽종욱	서울서	146
곽종훈	역삼서	206
곽주권	국세청	128
곽지수	이천서	262
곽지은	국세청	128
곽지혜	기재부	84
곽지훈	서울청	153
곽지훈	북대전서	334
곽진섭	연수서	316
곽진영	순천서	386
곽진우	서울청	298
곽진우	진주서	481
곽진후	동대문서	185
곽진희	남대구서	412
곽철규	지방재정	512
곽철훈	법무율촌	58
곽한민	예산서	351
곽한식	양산서	479
곽한울	동화성서	267
곽현숙	부산진서	454
곽현승	서초서	196
곽현주	국세정무	67
곽형신	국세청	127
곽혜원	서울청	152
곽혜정	중부청	226
곽효완	원주서	279
곽훈	포천서	323
곽희경	서초서	197
교육운	감사원	70
교육운	감사원	70
교육지	감사원	70
구경식	마산서	477
구경임	부산진서	455
구경택	진주서	480
구광모	서대구서	418
구교은	기재부	76
구규완	평택서	264
구근랑	서울청	411
구기성	법무율촌	58
구대중	순천서	386
구동욱	서대문서	194
구동원	기재부	89
구명옥	서울청	155
구명옥	북대전서	335
구명희	안양서	259
구문주	국세청	121
구미선	양천서	204
구미숙	남대서	452
구민	감사원	71
구민성	서울청	156
구병모	서대구서	418
구본균	기재부	77
구본균	경기광주	252
구본기	서울청	159
구본녕	기재부	79
구본섭	중부청	225
구본수	속초서	274
구본옥	기재부	77
구본윤	광교세무	38
구본하	서대구서	194
구상수	법무지평	59
구상은	부산진서	455
구석연	창원서	483
구선영	서초서	197
구선영	영등포서	209
구선희	서부산서	460
구섭본	관세사회	51
구성민	동안양서	242
구성민	김포서	306
구성민	광주서	376
구성진	서울청	162
구세윤	국세청	118
구세진	서초서	197
구소림	북대구서	416
구소미	홍성서	354
구수목	동대구서	414
구수연	부산청	446
구수정	부평서	315
구순옥	국세청	132
구순옥	서울청	148
구슬이	국회정무	67
구승민	정진세림	27
구승민	국세청	131
구승완	대전청	329
구승원	남양주서	238
구승회	삼성회계	20
구신영	안동서	432
구아림	서대문서	195
구아현	중부청	232
구양훈	서현이현	7
구영대	구로서	175
구영민	잠실서	215
구영범	통영서	484
구영진	성북서	200
구옥선	서울청	146
구용모	잠실서	214
구우형	서대문서	195
구윤모	조세재정	515
구윤희	광산서	374
구은숙	보령서	342
구은정	논산서	340
구용수	화성서	268
구인선	동작서	186
구자영	김해서	474
구자영	기재부	82
구자옥	잠실서	214
구자율	서울청	147
구자은	국세청	123
구자헌	동화성서	266
구자호	시흥서	251
구재효	관악서	172
구재홍	동대문서	185
구정대	기재부	79
구정서	남대문서	179
구정석	지방재정	511
구정숙	경주서	425
구정형	서인천서	297
구지은	고양서	302
구진선	안산서	254
구진아	용산서	211
구진영	성북서	201
구태경	반포서	191
구태민	부산세관	502
구태환	중부청	228
구태효	해운대서	467
구태훈	상주서	430
구태휴	서광주서	380
구판서	군산서	392
구표수	인천청	291
구한석	용인서	261
구현근	인천지방	34
구현모	딜로이트	15
구현영	동안양서	242
구현정	삼성서	192
구현지	영등포서	209
구현친	마산서	476
구현철	삼성서	193
구혜정	양산서	478
구혜란	동안산서	256
구혜미	수성서	420
구혜숙	해남서	391
구혜영	천안서	352
구홍림	중부청	229
구화란	북부산서	458
구화진	청주서	362
구훈모	삼성서	193
국경호	중부청	229
국명래	해남서	391
국봉균	인천서	299
국승미	서광주서	381
국승원	마포서	189
국승훈	세무삼륭	44
국예름	구로서	174
국윤미	북대전서	334
국주헌	제천서	360
국태선	세종서	346
권경란	서울청	158
권경미	동청주서	357
권경범	송파서	203

이름	관서	번호
권경숙	북대전서	334
권경해	송파서	202
권경환	국세청	122
권경훈	경기광주	253
권관수	은평서	212
권교범	중랑서	218
권구성	안산서	254
권규원	반포서	191
권규종	역삼서	207
권기성	포천서	323
권기수	남대문서	180
권기연	부천서	313
권기완	인천청	291
권기정	중부청	228
권기주	성남서	247
권기중	기재부	77
권기창	은평서	213
권기태	기재부	74
권기태	딜로이트	15
권기현	서울청	143
권기홍	은평서	212
권기환	기재부	89
권나영	동울산서	469
권나예	용산서	210
권나율	울산서	470
권나현	도봉서	182
권달오	광교세무	38
권달후	국세교육	138
권대근	대전청	331
권대명	북대구서	416
권대식	남대문서	178
권대영	금융위	92
권대영	국세청	120
권대웅	동화성서	267
권대호	경주서	424
권대호	인천세관	498
권대훈	대구청	407
권덕환	구로서	174
권도균	신대동	53
권도영	북전주서	397
권도진	김포서	307
권도현	서인천서	296
권동민	수영서	463
권동원	논산서	340
권동철	부산청	447
권두홍	의정부서	319
권명윤	대전청	330
권묘향	서울청	147
권문연	기재부	85
권미경	기재부	84
권미경	남대문서	180
권미경	평택서	265
권미라	기재부	75
권미애	분당서	245
권미연	조세재정	514
권미정	안동서	433
권미자	전주서	400
권미정	동울산서	468
권미희	중부청	231
권민경	안산서	254
권민규	대구청	407
권민상	기재부	78
권민선	동작서	186
권민선	용인서	260
권민수	서울청	146
권민수	서초서	197
권민정	기재부	77
권민정	서초서	197
권민정	순천서	387
권민정	북대구서	416
권민지	송파서	203
권민철	국세교육	138
권민형	대전청	329
권범준	서울청	163
권병묵	인천청	291
권병수	울산서	471
권병일	구미서	427
권병준	지방재정	512
권보란	창원서	482
권보성	관악서	173
권부환	역삼서	206
권상빈	영주서	437
권상수	부산청	446
권상원	원주서	279
권상일	여수서	389
권상혁	세무다솔	41
권서영	경기광주	253
권석용	북대전서	334
권석주	마포서	189
권석진	국세상담	136
권석현	서울청	145
권선정	조세재정	514
권선주	김해서	474
권선화	화성서	268
권설진	중부청	228
권성구	영덕서	435
권성대	서초서	197
권성미	인천청	287
권성오	조세재정	514
권성우	남대구서	412
권성은	EY한영	13
권성일	지방재정	511
권성주	북부산서	458
권성준	창원서	483
권성준	조세재정	514
권성준	조세재정	514
권성철	기재부	78
권성표	진주서	481
권성호	김해서	452
권성훈	영등포서	209
권세혁	도봉서	182
권소연	대구청	409
권소현	중부청	233
권수연	종로서	217
권수중	안산서	351
권수현	수영서	462
권순근	구미서	426
권순락	중부청	224
권순모	대구청	407
권순미	영등포서	208
권순배	기재부	77
권순식	강서서	424
권순엽	구로서	175
권순영	기재부	88
권순영	서산서	345
권순영	울산서	470
권순오	조세재정	514
권순일	양천서	478
권순재	서울청	148
권순주	성남서	246
권순찬	서초서	187
권순태	지방재정	510
권순한	부산진서	454
권순현	지방재정	510
권순형	대구청	406
권순호	강서서	171
권순훈	예일세무	49
권순희	북대구서	416
권승민	부산청	443
권승소	춘천서	280
권승욱	양산서	204
권신희	대구세관	506
권안석	미래회계	16
권영규	인천서	298
권영대	북대구서	416
권영대	법무광장	57
권영록	부산청	449
권영민	기재부	76
권영민	부산강서	456
권영빈	동안산서	256
권영서	천안서	353
권영선	북대전서	334
권영숙	포항서	439
권영승	서울청	164
권영신	김앤장	55
권영은	동수원서	240
권영조	북대전서	334
권영주	서울청	150
권영진	기재부	91
권영진	기재부	91
권영진	도봉서	183
권영진	중부청	230
권영진	안양서	259
권영철	창원서	483
권영철	안동서	189
권영한	안동서	432
권영현	기재부	82
권영호	안산서	254
권영훈	남원서	394
권영희	서울청	144
권예리	청주서	363
권예림	이천서	262
권예원	강동서	168
권예신	연수서	316
권예준	마산서	476
권예지	남대문서	181
권오광	동작서	186
권오광	강릉서	271
권오교	이천서	262
권오규	안동서	432
권오방	부천서	313
권오복	감사원	71
권오봉	서울청	154
권오빈	기재부	82
권오상	서울청	142
권오석	서울청	146
권오성	삼성서	192
권오성	충주서	364
권오성	서울세관	493
권오성	조세재정	495
권오수	지방재정	511
권오승	영등포서	209
권오식	동래서	452
권오영	남동서	295
권오영	지방재정	510
권오윤	상공회의	109
권오정	양천서	204
권오직	동안산서	256
권오빈	중부청	227
권오찬	의정부서	319
권오찬	충주서	364
권오철	예일세무	49
권오평	국세청	116
권오평	마포서	189
권오항	인천지방	34
권오현	법무광장	57
권오현	동작서	187
권오현	잠실서	214
권오현	지방재정	512
권오형	영주서	436
권옥기	국세청	133
권용덕	대구청	407
권용상	동대문서	184
권용승	수영서	462
권용언	중부지방	33
권용익	성북서	201
권용준	기재부	83
권용탁	지방재정	511
권용학	중부서	220
권용현	관세사회	51
권용훈	국세청	131
권용희	수영서	462
권우건	마포서	189
권우철	서현이현	7
권우태	국세청	119
권우택	도봉서	183
권우현	대구청	409
권유나	예일세무	49
권유림	기재부	87
권유미	강남서	166
권유미	북대전서	334
권유화	동래서	452
권윤구	서대전서	337
권윤섭	용산서	211
권윤호	울산서	470
권윤회	영등포서	209
권윤희	반포서	191
권은경	국세청	127
권은경	남동서	295
권은경	창원서	482
권은민	김앤장	55
권은숙	금천서	176
권은숙	북전주서	397
권은순	영주서	436
권은순	기재부	82
권은영	동작서	186
권은정	서대문서	239
권은지	서대문서	195
권은진	대구청	407
권은호	동작서	186
권이혁	분당서	244
권익근	금정서	450
권익성	동화성서	267
권익현	금정서	451
권인석	남대구서	412
권인숙	국회법제	66
권인오	광주서	376
권자인	부천서	312
권재관	기재부	88
권재효	동수원서	241
권정교	조세재정	514
권정기	김천서	177
권정석	경기광주	252
권정석	남대구서	412
권정숙	인천청	288
권정순	서울청	147
권정애	조세재정	516
권정우	영등포서	208
권정운	강서서	210
권정환	북전주서	396
권정훈	삼성서	193
권정희	대전청	189
권종인	김해서	475
권주희	서울청	143
권준경	대전청	329
권준수	기재부	87
권준엽	서현이현	7
권준용	성남서	390
권준혁	영덕서	434
권준혁	중부산서	465
권중욱	국세청	203
권중훈	시흥서	251
권지숙	포항서	438
권지용	동화성서	266
권지원	고양서	302
권지원	딜로이트	15
권지은	동작서	186
권지은	부산청	445
권지혜	울산서	471
권진록	서울청	165
권진솔	경기광주	252
권진아	부산청	446
권진영	동청주서	356
권진웅	감사원	71
권진혁	국세청	116
권진혁	서대문서	195
권창위	시흥서	251
권창현	춘천서	281
권창호	국세상담	137
권채윤	광산서	210
권철균	평택서	264
권충구	종로서	216
권칠성	국회법제	66
권태민	북대전서	334
권태영	법무광장	57
권태림	남원서	395
권태윤	서울청	156
권태인	마포서	188
권태혁	대구청	407
권태훈	마산서	477
권태희	원주서	278
권택경	중부청	225
권택만	속초서	275
권해영	남대문서	180
권혁	국세청	158
권혁규	안동서	433
권혁기	딜로이트	15
권혁노	안성서	171
권혁도	상공회의	109
권혁도	북대구서	416
권혁만	서울청	146
권혁빈	도봉서	182
권혁성	국세청	121
권혁수	세종서	346
권혁순	기재부	79
권혁순	양천서	205
권혁용	강릉서	271
권혁일	남원서	390
권혁주	경기광주	252
권혁준	성동서	198
권혁준	김해서	217
권혁준	동고양서	309
권혁진	서초서	197
권혁찬	기재부	77
권혁찬	종로서	216
권혁찬	강릉서	270
권혁희	대전서	333
권현목	상주서	430
권현서	서울청	149
권현식	송파서	203
권현신	양천서	204
권현옥	국세청	118
권현정	수원서	248
권현주	수성서	421
권현택	서인천서	296
권현희	삼성서	207
권혜련	계양서	300
권혜수	통영서	484
권혜영	국세청	118
권혜영	삼성서	193
권혜원	천안서	352
권혜정	마포서	189
권혜지	구로서	175
권혜지	대전청	326
권혜화	인천서	298
권호경	북대구서	416
권효정	남동서	295
권효준	강동서	168
권효일	구리서	234
권희갑	충주서	364
권희숙	이천서	262
권희정	김천서	429
권희진	서초서	196
금가비	공주서	338
금기준	대전서	336
금기태	영주서	437
금대호	동안산서	256
금도미	동안산서	256
금도후	서대문서	195
금민진	부산청	442
금병호	성북서	200
금봉요	잠실서	214
금승수	강남서	167
금승훈	대전청	330
금영송	전주서	400
금윤순	해운대서	467
금인숙	북대전서	334
금종희	광산서	210
금진희	삼일회계	18
금창훈	서울청	164
금현정	해남서	390
금남구	나주서	382
기노선	부산청	447
기대원	광산서	374
기도형	기재부	79
기동민	국회법제	66
기민아	광산서	375
기상도	김앤장	55
기술지	국세청	117
기승호	광산서	374
기승호	구로서	174
기연희	나주서	383
기영준	남동서	294
기은지	북광주서	378
기은진	영등포서	208
기재희	서울청	163
기중춘	강서서	171
기태경	기재부	75
기회훈	천안서	352
길남호	서울청	148
길미정	동안양서	242
길미정	의정부서	318
길민석	서산서	195
길민석	조세재정	514
길민재	기흥서	236
길성구	경산서	422
길수정	남동서	294
길영은	의정부서	318
길요한	중부청	225
길웅섭	논산서	340
길은영	부평서	314
길익찬	반포서	190
길혜선	강남서	167
길혜연	광교세무	36
김가람	기재부	83
김가람	인천청	290
김가람	북광주서	379
김가령	해운대서	466
김가림	중부서	220
김가민	수원서	248
김가연	남대문서	180
김가연	송파서	203
김가연	동화성서	266

이름	소속	번호
김가연	고양서	302
김가영	인천서	298
김가영	고양서	302
김가영	보령서	342
김가웅	부산세관	502
김가원	동청주서	357
김가원	중부산서	464
김가은	마산서	476
김가은	창원서	482
김가이	서울청	160
김가인	중부청	224
김가현	동안양서	242
김가희	성동서	198
김감채	파주서	321
김갑수	서울청	151
김갑수	중부지방	33
김갑이	양산서	479
김강	경기광주	252
김강록	화성서	269
김강미	안양서	258
김강산	동안양서	243
김강산	법무지평	59
김강수	순천서	387
김강주	중부청	229
김강진	순천서	387
김강현	성동서	199
김강훈	강서서	170
김강훈	기흥서	236
김강훈	경산서	422
김건식	마포서	189
김건영	인천청	290
김건우	국세청	118
김건우	마포서	189
김건우	중부청	230
김건우	해운대서	466
김건웅	강동서	168
김건웅	동고양서	308
김건유	감사원	70
김건중	동래서	452
김건형	남동서	294
김건호	강서서	171
김건호	화성서	268
김겸순	세무사회	29
김경국	기재부	79
김경국	삼성서	192
김경난	기재부	80
김경난	서대구서	418
김경남	김천서	428
김경대	김해서	474
김경덕	서울청	147
김경돈	창원서	482
김경동	구미서	426
김경두	남대문서	178
김경라	포천서	323
김경란	안양서	258
김경란	원주서	278
김경래	기재부	81
김경량	구리서	235
김경례	광주청	370
김경록	기재부	81
김경록	영등포서	209
김경록	속초서	274
김경린	성남서	246
김경림	경산서	423
김경만	국세청	116
김경만	공주서	338
김경모	마포서	189
김경모	수원서	248
김경무	부산청	446
김경미	서울청	163
김경미	마포서	189
김경미	인천청	287
김경미	대전청	326
김경미	양산서	478
김경미	진주서	480
김경미	삼정회계	22
김경민	국세청	116
김경민	국세청	117
김경민	국세청	127
김경민	남대문서	179
김경민	잠실서	214
김경민	동수원서	241
김경민	이천서	262
김경민	평택서	265
김경민	여수서	389
김경민	중부산서	465
김경민	통영서	484
김경복	남대문서	179
김경빈	서대전서	337
김경석	동대구서	414
김경선	국세청	118
김경선	성동서	198
김경선	대전청	328
김경수	기재부	76
김경수	대구청	406
김경숙	서울청	152
김경숙	관악서	172
김경숙	용인서	261
김경숙	이천서	262
김경숙	원주서	278
김경숙	인천청	291
김경숙	아산서	348
김경숙	제천서	360
김경숙	통영서	485
김경승	창원서	483
김경식	서울청	159
김경식	홍천서	282
김경식	서대구서	419
김경아	국세청	116
김경아	서대문서	194
김경아	성동서	199
김경아	중부서	221
김경아	동안산서	257
김경아	포천서	323
김경아	기재부	83
김경애	부천서	313
김경애	북대전서	334
김경업	반포서	190
김경연	기재부	85
김경연	평택서	265
김경오	아산서	349
김경옥	분당서	245
김경옥	부산강서	456
김경옥	지방재정	510
김경옥	김해서	475
김경우	서부산서	461
김경우	양산서	479
김경우	서대문서	195
김경원	성동서	199
김경원	안양서	258
김경은	역삼서	207
김경은	전주서	400
김경은	거창서	473
김경이	중부산서	465
김경인	진주서	480
김경일	중부청	230
김경임	광주청	370
김경자	성동서	198
김경자	북대구서	416
김경조	딜로이트	15
김경주	중부청	368
김경진	양천서	204
김경진	원주서	279
김경진	인천청	292
김경진	부산청	446
김경진	북부산서	459
김경철	인천청	331
김경철	울산서	470
김경태	구로서	175
김경태	동안양서	242
김경태	남부천서	311
김경태	동래서	453
김경태	창원서	482
김경태	인천세관	498
김경태	중부지방	33
김경태	법무광장	56
김경태	대현회계	14
김경택	경산서	422
김경필	양산서	146
김경한	대구청	406
김경해	국세청	116
김경향	광명서	304
김경향	반포서	190
김경현	성동서	199
김경현	이천서	262
김경현	순천서	386
김경혜	마포서	189
김경호	국회재정	63
김경호	감사원	69
김경호	서울청	161
김경호	강서서	170
김경호	의정부서	319
김경호	천안서	353
김경호	인천세관	498
김경호	삼일회계	18
김경화	부산청	447
김경화	울산서	470
김경환	국세교육	138
김경환	강서서	171
김경환	북대전서	334
김경환	전주서	400
김경훈	서울청	142
김경훈	중부청	233
김경훈	구리서	235
김경훈	대구청	409
김경훈	조세재정	515
김경희	기재부	85
김경희	금천서	177
김경희	서초서	197
김경희	영등포서	209
김경희	영등포서	209
김경희	중부청	225
김경희	동수원서	240
김경희	성남서	246
김경희	북광주서	378
김경희	전주서	400
김경희	경산서	422
김계영	강동서	168
김계영	창원서	483
김계영	동울산서	469
김계희	국세청	116
김고은	남대문서	178
김고은	잠실서	215
김고은	부산청	448
김고환	종로서	217
김곤휘	지방재정	511
김공해	목포서	384
김관균	세무사회	29
김관영	청주서	362
김관오	북대전서	334
김관용	아산서	349
김관우	인천청	288
김관주	서울세관	494
김관태	포항서	439
김관홍	인천청	289
김광괄	익산서	399
김광대	서울청	156
김광덕	동울산서	468
김광래	국세청	118
김광래	국세청	126
김광래	인천지방	34
김광련	수성서	421
김광록	중랑서	219
김광묵	포천서	322
김광미	동작서	187
김광복	안산서	255
김광석	양천서	205
김광석	서대구서	418
김광섭	충주서	364
김광섭	서광주서	381
김광성	논산서	340
김광성	북광주서	378
김광수	서울청	142
김광수	서울청	143
김광수	용인서	260
김광수	부산서	443
김광수	해운대서	467
김광수	삼일회계	18
김광순	대전청	328
김광식	동화성서	266
김광식	강릉서	271
김광식	삼척서	272
김광연	마포서	189
김광연	북대구서	417
김광영	서울청	144
김광용	송파서	203
김광일	기재부	80
김광일	금융위	94
김광준	중부청	228
김광천	인천청	289
김광태	중부청	225
김광현	서울청	152
김광현	마포서	189
김광현	평택서	265
김광현	광산서	374
김광현	광주서	377
김광현	대구청	408
김광혜	중부청	228
김광호	성동서	198
김광호	순천서	387
김광환	강남서	167
김광휘	지방재정	511
김광희	북전주서	397
김교성	중부청	231
김교태	삼정회계	20
김구름	서울청	143
김구봉	대전청	327
김구오	구리서	235
김구호	세종서	347
김구환	양산서	479
김국만	부산세관	503
김국민	중부청	229
김국진	서울청	164
김국진	동울산서	468
김국현	서울청	141
김국현	서울청	163
김국현	서울청	164
김국현	안양서	259
김국현	청주서	363
김권	남대문서	181
김권하	서부산서	461
김귀범	기재부	81
김귀종	북전주서	396
김귀현	진주서	480
김귀희	남동서	294
김규동	법무율촌	58
김규리	관악서	172
김규리	도봉서	183
김규리	세종서	347
김규리	구미서	426
김규림	파주서	320
김규민	마산서	476
김규미	세무다슬	41
김규석	태평양	60
김규성	강서서	170
김규성	영등포서	208
김규수	기재부	83
김규식	경주서	424
김규연	동작서	186
김규용	감사원	71
김규원	동화성서	266
김규원	포천서	322
김규원	대전서	332
김규진	구미서	427
김규진	진주서	481
김규진	인천세관	499
김규태	목포서	385
김규표	목포서	385
김규한	분당서	245
김규한	김해서	475
김규헌	인천지방	34
김규호	남양주서	239
김규호	남부천서	311
김규환	서울청	164
김규환	반포서	191
김균열	국세청	124
김균태	북대전서	335
김극돈	중부청	130
김근민	화성서	269
김근수	서울청	154
김근수	중부청	227
김근식	국회재정	63
김근아	북대전서	335
김근엄	대전서	307
김근우	광주청	372
김근우	남대구서	412
김근재	법무율촌	58
김근한	북대전서	334
김근한	평택서	265
김근형	서광주서	380
김근형	기재부	89
김근호	중기회	110
김근화	서울청	148
김근호	대전청	330
김금비	기재부	81
김금순	중부산서	464
김금영	여수서	389
김금주	금정서	450
김금태	금감원	98
김기남	강서서	171
김기대	천안서	352
김기덕	반포서	191
김기덕	동안양서	243
김기동	기재부	80
김기동	아산서	349
김기동	익산서	398
김기동	관세청	490
김기락	법무광장	57
김기만	종로서	216
김기목	법무바른	1
김기문	기재부	87
김기문	중기회	110
김기미	용산서	304
김기미	동청주서	356
김기민	구리서	234
김기배	시흥서	251
김기범	동울산서	468
김기범	세무하나	47
김기복	서대전서	335
김기복	법무바른	1
김기쁨	남대문서	180
김기석	관악서	172
김기석	인천서	299
김기선	동작서	187
김기선	서초서	196
김기선	서초서	197
김기성	서산서	345
김기송	남동서	294
김기수	상공회의	108
김기수	대전서	332
김기숙	서울청	147
김기숙	논산서	340
김기식	중부청	224
김기식	서인천서	297
김기아	정읍서	403
김기업	울산서	470
김기연	은평서	212
김기열	국세청	128
김기영	금감원	95
김기영	국세청	133
김기영	평택서	264
김기옥	정읍서	403
김기완	서울청	154
김기완	춘천서	280
김기웅	마산서	476
김기웅	통영서	484
김기은	영등포서	208
김기은	경기광주	252
김기정	광주청	372
김기중	서울청	157
김기중	동울산서	469
김기진	역삼서	207
김기채	대전서	333
김기천	서울청	154
김기철	강남서	167
김기태	잠실서	214
김기태	제천서	361
김기한	금융위	93
김기현	평택서	264
김기현	부산세관	502
김기형	대구청	407
김기홍	기재부	84
김기홍	서울청	157
김기홍	지방재정	512
김기환	안산서	255
김기환	광명서	304
김기환	대구세관	506
김기훈	국세청	122
김기훈	분당서	245
김기훈	인천청	286
김길수	지방재정	511
김길영	서울청	142
김길용	서울청	143
김길정	대전청	329
김길정	대전청	330
김길희	상주서	431
김나겸	김해서	475
김나경	중부청	230
김나나	강동서	169
김나래	분당서	245
김나래	부산청	447
김나리	서울청	155
김나리아	충주서	364

이름	소속	번호
김나미	파주서	320
김나연	국세청	130
김나연	구로서	174
김나연	성북서	200
김나연	용산서	211
김나영	삼성서	193
김나영	중부청	230
김나영	시흥서	250
김나영	수성서	421
김나영	부산서	446
김나영	동울산서	469
김나영	김해서	474
김나영	마산서	477
김나영	홈앤아웃	45
김나예	이천서	262
김나원	국회재정	64
김나윤	기재부	84
김나은	남원서	394
김나은	수영서	462
김나현	기재부	87
김나현	국세주류	134
김나현	마포서	188
김나현	동안양서	242
김나현	울산서	470
김나혜	세무다슬	41
김나희	논산서	340
김낙영	서초서	196
김낙회	법무율촌	58
김난경	역삼서	206
김난미	서울청	143
김난영	중부청	225
김난영	진주서	480
김난형	강남서	167
김난희	부산청	449
김남교	서울청	160
김남구	국세청	125
김남국	국회법제	66
김남국	서현이현	7
김남균	동작서	187
김남덕	군산서	393
김남배	통영서	484
김남섭	서울세관	495
김남수	정읍서	402
김남숙	부산진서	454
김남연	북대구서	417
김남영	기재부	90
김남영	중부청	226
김남영	부산청	442
김남영	예일세무	49
김남용	국세청	118
김남이	동안양서	242
김남이	정읍서	402
김남정	서울청	199
김남주	마포서	189
김남주	안양서	258
김남주	홍천서	283
김남준	국세상담	137
김남중	계양서	301
김남중	청주서	363
김남철	의정부서	318
김남헌	지방재정	510
김남현	동울산서	468
김남호	경기광주	252
김남훈	국세청	115
김남훈	대전청	329
김남희	서대문서	195
김남희	김천서	428
김남희	부산청	442
김남희	제주서	486
김내리	서울청	164
김년성	창원서	482
김년호	서대전서	336
김노섭	서울청	161
김녹영	상공회의	109
김녹영	상공회의	109
김누리	이천서	262
김다람	중부청	224
김다랑	조세재정	515
김다미	분당서	245
김다민	서울청	157
김다빈	중부산서	464
김다솔	동화성서	267
김다솔	포천서	322
김다솜	역삼서	207
김다솜	대전서	332
김다연	동작서	186
김다연	대전청	329
김다영	강서서	171
김다영	삼성서	193
김다영	중부청	226
김다영	동안양서	243
김다영	수원서	248
김다예	북광주서	378
김다운	동울산서	469
김다운	중부청	225
김다운	창원서	482
김다원	동작서	186
김다은	반포서	191
김다은	평택서	264
김다은	인천청	292
김다이	중부청	226
김다현	기재부	85
김다현	삼성서	193
김다현	중랑서	218
김다현	대전청	326
김다형	남동서	295
김다혜	서광주서	380
김다혜	제주서	487
김다희	지방재정	510
김다희	중부청	231
김다희	부산강서	456
김단	산성서	374
김단비	평택서	264
김단비	목포서	384
김단아	금천서	177
김달님	원주서	279
김달유	조세재정	516
김대관	김포서	307
김대규	아산서	348
김대길	도봉서	182
김대길	서울세관	494
김대범	서인천서	297
김대범	인천서	298
김대석	기재부	89
김대석	정읍서	402
김대성	수원서	249
김대성	북대구서	416
김대식	동청주서	357
김대식	세무토은	39
김대연	기재부	76
김대연	구리서	235
김대연	동화성서	266
김대연	고양서	303
김대엽	부산진서	455
김대엽	서인산서	460
김대영	동작서	187
김대영	남대구서	412
김대옥	북전주서	397
김대욱	부산청	445
김대용	은평서	213
김대용	대전청	330
김대우	서울청	150
김대우	서울청	152
김대우	계양서	300
김대운	세종서	346
김대원	기재부	77
김대원	강남서	167
김대원	중부청	223
김대원	중부청	227
김대원	중부청	228
김대원	중부청	232
김대원	북전주서	396
김대원	북부산서	458
김대원	북부산서	459
김대윤	중부서	220
김대일	국세청	115
김대일	서인천서	296
김대일	광주청	368
김대준	서울청	159
김대중	국세청	130
김대중	서울청	154
김대중	경산서	423
김대진	반포서	191
김대진	아산서	348
김대진	세무삼륭	44
김대철	서울청	159
김대철	부산강서	457
김대학	광주청	370
김대혁	동안양서	242
김대현	국세청	120
김대현	서울청	162
김대현	의정부서	318
김대현	광주서	376
김대현	마산서	477
김대호	서울청	160
김대호	광산서	375
김대환	국세청	120
김대환	종로서	216
김대환	동안양서	243
김대훈	기재부	75
김대훈	마포서	189
김대훈	대구청	406
김대훈	제주서	487
김대훈	광교세무	36
김대희	양천서	205
김대희	부산청	443
김대희	부산강서	456
김대교	고양서	309
김덕규	세종서	346
김덕기	양천서	204
김덕년	남대구서	412
김덕봉	북부산서	458
김덕성	부산진서	454
김덕식	서울지방	32
김덕영	북대전서	334
김덕원	금정서	450
김덕은	반포서	142
김덕종	광주세관	507
김덕종	광주세관	508
김덕진	서울청	149
김덕진	전주서	400
김덕현	상주서	431
김덕호	광주서	377
김도경	기재부	83
김도경	용산서	210
김도경	동화성서	266
김도곤	해운대서	467
김도광	경산서	422
김도균	국세청	124
김도균	양산서	204
김도균	의정부서	318
김도년	부산진서	454
김도민	경산서	422
김도숙	서대구서	419
김도암	양산서	479
김도애	의정부서	318
김도연	기재부	88
김도연	서울청	144
김도연	강동서	168
김도연	강서서	171
김도연	중부청	230
김도연	수원서	248
김도연	동청주서	356
김도연	광주서	376
김도연	부산청	448
김도연	동래서	453
김도연	제주서	487
김도엽	삼성서	192
김도연	역삼서	175
김도영	송파서	202
김도영	안산서	255
김도영	부산청	448
김도영	홈앤아웃	45
김도원	동수원서	241
김도유	구미서	427
김도윤	송파서	202
김도윤	북부산서	458
김도은	강남서	167
김도읍	국회법제	65
김도읍	국회법제	66
김도헌	동화성서	266
김도헌	원주서	278
김도헌	수영서	462
김도헌	마산서	477
김도현	국세청	133
김도현	기흥서	236
김도협	인천청	290
김도형	서울청	185
김도형	동작서	186
김도형	삼성서	193
김도형	의정부서	318
김도형	포항서	438
김도형	금정서	450
김도화	송파서	202
김도희	기재부	86
김도훈	국세청	119
김도훈	경기광주	252
김도훈	나주서	383
김도훈	북대구서	416
김도훈	영주서	436
김도희	국세청	114
김도희	서대문서	195
김도희	경기광주	252
김동건	부산진서	455
김동겸	서부산서	460
김동구	동안양서	242
김동구	북광주서	378
김동근	중기회	110
김동근	서울청	149
김동근	의정부서	318
김동근	부산청	445
김동길	김해서	475
김동률	삼호회계	17
김동만	중랑서	219
김동민	용산서	210
김동민	기흥서	237
김동민	부산청	448
김동범	성북서	200
김동범	북대구서	417
김동빈	반포서	191
김동석	기재부	86
김동석	국세교육	138
김동석	삼척서	272
김동선	여수서	389
김동성	EY한영	13
김동소	김앤장	55
김동수	서울청	152
김동수	강동서	168
김동수	동수원서	240
김동수	김포서	306
김동수	동래서	453
김동수	법무율촌	58
김동식	금정서	450
김동식	고양서	303
김동신	광주서	377
김동신	부산청	442
김동업	부산청	449
김동연	기재부	82
김동열	동화성서	266
김동엽	인천청	289
김동엽	김포서	306
김동영	영등포서	208
김동영	부산청	444
김동영	지방재정	511
김동완	영등포서	209
김동우	관악서	172
김동우	성남서	247
김동우	인천청	289
김동우	김포서	306
김동우	부산청	446
김동욱	기재부	84
김동욱	기재부	89
김동욱	국세청	130
김동욱	서울청	148
김동욱	서울청	150
김동욱	서울청	151
김동욱	역삼서	207
김동욱	은평서	212
김동욱	잠실서	214
김동욱	동안산서	257
김동욱	대구서	406
김동욱	부산청	442
김동욱	양산서	478
김동원	동작서	187
김동원	양천서	204
김동원	부산청	442
김동원	북부산서	459
김동원	지방재정	512
김동원	국세청	117
김동윤	안양서	258
김동윤	속초서	275
김동이	구로서	175
김동이	서울세관	493
김동이	서울세관	495
김동일	기재부	79
김동일	국세청	124
김동일	국세청	125
김동일	영동서	358
김동일	부산청	444
김동조	중부청	229
김동준	중부서	230
김동준	광명서	304
김동준	영주서	437
김동직	국세청	117
김동진	마포서	189
김동진	경기광주	252
김동진	서인천서	297
김동진	부산청	448
김동찬	강남서	166
김동찬	안동서	432
김동철	성동서	198
김동춘	경주서	424
김동하	구로서	174
김동한	동래서	452
김동한	북부산서	458
김동혁	기재부	81
김동혁	대전청	327
김동현	국세청	119
김동현	서울청	155
김동현	관악서	172
김동현	마포서	189
김동현	삼성서	193
김동현	송파서	203
김동현	중부청	230
김동현	인천청	291
김동현	인천청	292
김동현	부천서	312
김동현	북대전서	335
김동현	충주서	365
김동현	동대구서	415
김동현	상주서	430
김동현	금정서	451
김동현	부산강서	457
김동현	해운대서	467
김동현	마산서	476
김동현	태평양	60
김동현	세무다슬	41
김동형	인천청	287
김동호	국세교육	139
김동호	경기광주	253
김동호	진주서	480
김동환	기재부	81
김동환	금융위	93
김동환	서울청	146
김동환	서울청	162
김동환	북대구서	416
김동환	금정서	450
김동훈	기재부	80
김동훈	국세청	115
김동훈	서울청	142
김동훈	서초서	196
김동훈	북대구서	416
김동휘	삼정회계	21
김동휘	부평서	315
김동희	국세청	128
김동희	구리서	234
김두곤	상주서	430
김두리	이천서	262
김두섭	대전청	330
김두섭	지방재정	513
김두성	남대문서	179
김두수	서울청	144
김두수	구리서	234
김두수	춘천서	281
김두식	지방재정	511
김두식	부산청	448
김두연	서울청	152
김두연	동청주서	357
김두영	영월서	276
김두영	서대구서	418
김두정	경기광주	253
김두헌	경주서	424
김두현	경주서	424
김두현	인천세관	500
김두현	중부서	221
김두환	청주서	362
김득수	광주청	369
김득수	대구청	409
김득중	서초서	196

이름	소속	번호
김득화	남부천서	311
김라영	마포서	189
김라은	동울산서	468
김락향	분당서	244
김란	서울청	142
김란주	안양서	259
김령도	영등포서	209
김령아	기재부	82
김령우	울산서	471
김로환	북대전서	335
김록수	해운대서	467
김리영	서울청	164
김리완	통영서	484
김리하	화성서	268
김린	동고양서	309
김마리아	중부산서	465
김만기	기재부	76
김만덕	서초서	307
김만성	광주청	373
김만수	기재부	77
김만숙	남대문서	181
김만식	경기광주	252
김명경	인천서	290
김명경	대구청	410
김명국	강서서	428
김명규	서울청	143
김명규	인천청	286
김명규	서대구서	418
김명규	딜로이트	15
김명대	평택서	265
김명도	국세청	121
김명돌	광교세무	38
김명렬	동래서	453
김명미	금정서	450
김명선	기재부	83
김명선	강서서	170
김명선	성남서	247
김명선	남동서	294
김명선	광주서	376
김명선	포항서	438
김명선	양산서	479
김명섭	김해서	474
김명섭	서울세관	494
김명섭	광교세무	36
김명수	강동서	168
김명수	울산서	470
김명수	김해서	474
김명숙	성동서	198
김명숙	중부청	228
김명숙	광주서	376
김명숙	북전주서	397
김명순	잠실서	214
김명순	대전서	328
김명신	반포서	190
김명열	서울청	152
김명엽	순천서	387
김명옥	기재부	79
김명원	서울청	144
김명윤	부산서	446
김명자	마포서	188
김명자	정읍서	402
김명제	국세청	126
김명주	삼성서	192
김명준	인천서	289
김명중	순천서	386
김명지	금정서	451
김명진	서울청	162
김명진	반포서	191
김명진	인천청	290
김명진	아산서	349
김명진	충주서	365
김명진	인천지방	34
김명철	금감원	106
김명철	수영서	462
김명호	강남서	166
김명호	안산서	255
김명호	충주서	364
김명환	기재부	75
김명환	서울청	147
김명환	기흥서	237
김명훈	부산청	447
김명희	김천서	176
김명희	남대문서	179
김명희	서초서	196
김명희	용산서	211
김명희	광주청	369
김명희	통영서	485
김뭉경	충주서	364
김묘성	서울청	153
김묘연	부산청	442
김묘정	안양서	258
김무남	고양서	303
김무열	진주서	480
김무영	제천서	361
김문건	기재부	75
김문경	역삼서	206
김문경	잠실서	214
김문균	영등포서	209
김문기	서울청	144
김문길	삼성서	192
김문성	국세청	119
김문수	기재부	82
김문수	서산서	344
김문수	통영서	485
김문수	지방재정	512
김문숙	성북서	201
김문영	양천서	204
김문자	김포서	306
김문재	통영서	484
김문정	국세청	123
김문정	제주서	487
김문정	조세재정	515
김문철	충주서	364
김문학	중부지방	33
김문형	평택서	264
김문호	지방재정	510
김문환	송파서	202
김문환	안양서	259
김문환	홈앤아웃	45
김문희	안양서	258
김문희	안양서	259
김문희	여수서	388
김미	포항서	438
김미경	국세청	118
김미경	금천서	176
김미경	금천서	177
김미경	도봉서	182
김미경	마포서	188
김미경	삼성서	193
김미경	종로서	217
김미경	종로서	217
김미경	보령서	342
김미경	광주청	370
김미경	대구청	408
김미경	울산서	470
김미경	김해서	474
김미나	반포서	191
김미나	중랑서	219
김미나	중부청	228
김미나	용인서	260
김미나	고양서	302
김미나	부천서	313
김미나	예산서	350
김미덕	강남서	166
김미라	기재부	74
김미란	서대문서	194
김미란	양천서	205
김미란	역삼서	206
김미란	중부서	220
김미란	동화성서	266
김미량	대구청	408
김미례	서울청	159
김미리	서광주서	381
김미림	삼성서	153
김미림	강서서	170
김미선	기재부	91
김미선	국세청	116
김미선	남대문서	180
김미선	남양주서	238
김미선	남동서	295
김미선	서인천서	297
김미선	영동서	359
김미선	광주서	376
김미성	서대문서	194
김미소	삼성서	192
김미소	동고양서	309
김미소	창원서	482
김미솔	서대전서	336
김미송	금정서	450
김미숙	관악서	173
김미숙	삼성서	192
김미숙	부산서	448
김미숙	김해서	475
김미순	관악서	173
김미순	인천서	298
김미아	부산청	443
김미애	서울청	159
김미애	남대문서	178
김미애	안양서	258
김미애	대전청	328
김미애	세종서	346
김미애	서광주서	380
김미애	대구청	410
김미야	서부산서	460
김미연	국세청	118
김미연	관악서	172
김미연	동대문서	184
김미연	동작서	186
김미연	서초서	197
김미연	부평서	315
김미영	금감원	95
김미영	금감원	104
김미영	국세청	125
김미영	서울청	144
김미영	서울청	147
김미영	삼성서	192
김미영	용인서	261
김미영	서인천서	297
김미영	광산서	374
김미영	순천서	386
김미영	부산강서	456
김미영	해운대서	466
김미영	지방재정	511
김미옥	분당서	244
김미옥	고양서	303
김미옥	동울산서	469
김미옥	동울산서	471
김미원	양천서	205
김미정	서울청	152
김미정	강동서	169
김미정	남대문서	178
김미정	반포서	190
김미정	삼성서	192
김미정	성북서	201
김미정	동안양서	242
김미정	남동서	294
김미정	부천서	312
김미정	연수서	316
김미정	김해서	474
김미정	서울세관	494
김미정	조세재정	514
김미정	홈앤아웃	45
김미정	세원세무	48
김미주	서울청	154
김미지	동래서	452
김미지	기재부	82
김미진	기재부	91
김미진	남대문서	179
김미진	역삼서	206
김미진	중부서	220
김미진	광주청	369
김미해	광주청	368
김미향	수원서	248
김미현	대구청	411
김미현	수성서	421
김미현	중부산서	464
김미혜	파주서	320
김미희	역삼서	206
김미희	동안산서	256
김미희	천안서	352
김미희	중부산서	464
김민	국세청	122
김민	동안산서	256
김민	인천서	292
김민	지방재정	511
김민건	제주서	487
김민경	국세청	118
김민경	강서서	171
김민경	마포서	189
김민경	성북서	200
김민경	성북서	200
김민경	영등포서	209
김민경	중부청	232
김민경	동수원서	240
김민경	광명서	305
김민경	광주청	368
김민경	부산청	449
김민경	지방재정	510
김민경	조세재정	514
김민관	익산서	398
김민관	지방재정	511
김민광	서초서	197
김민교	안산서	254
김민규	기재부	77
김민규	동화성서	266
김민규	동청주서	357
김민규	금정서	451
김민규	통영서	484
김민규	제주서	487
김민기	서울청	160
김민기	중부청	231
김민래	송파서	202
김민비	춘천서	281
김민상	은평서	213
김민상	김포서	307
김민상	창원서	482
김민석	기재부	80
김민석	국세청	120
김민석	서울청	155
김민석	용산서	211
김민석	파주서	320
김민석	서대전서	336
김민석	나주서	383
김민석	수성서	420
김민석	구미서	426
김민석	금정서	450
김민선	강남서	166
김민선	중부청	228
김민선	삼척서	272
김민선	김포서	307
김민선	파주서	321
김민선	동청주서	356
김민섭	중랑서	218
김민성	강남서	166
김민성	구리서	235
김민성	동안산서	256
김민세	부산세관	502
김민수	국세청	124
김민수	국세청	128
김민수	서초서	196
김민수	서초서	197
김민수	시흥서	250
김민수	인천청	286
김민수	부평서	315
김민수	세종서	347
김민수	목포서	384
김민수	북대구서	417
김민수	부산청	445
김민수	해운대서	466
김민숙	동작서	186
김민숙	부산강서	456
김민승	서광주서	381
김민식	중부청	228
김민식	포항서	439
김민아	서울청	156
김민아	남대문서	179
김민아	고양서	302
김민애	인천서	298
김민애	수성서	420
김민양	성남서	247
김민연	서대구서	419
김민연	국세청	118
김민영	국세청	123
김민영	관악서	172
김민영	성북서	201
김민영	양천서	204
김민영	은평서	212
김민영	천안서	353
김민영	수영서	462
김민영	조세재정	516
김민옥	국회정무	67
김민완	김포서	307
김민우	서울청	151
김민우	구로서	174
김민욱	고양서	302
김민욱	익산서	399
김민재	북광주서	379
김민재	동울산서	469
김민재	김해서	474
김민정	국세청	120
김민정	서울청	152
김민정	강남서	166
김민정	강서서	171
김민정	도봉서	182
김민정	마포서	189
김민정	삼성서	193
김민정	성동서	199
김민정	중부청	229
김민정	중부청	232
김민정	수원서	249
김민정	안양서	258
김민정	용인서	260
김민정	이천서	263
김민정	원주서	278
김민정	인천서	299
김민정	부평서	314
김민정	부평서	315
김민정	포천서	322
김민정	대전청	327
김민정	대전서	332
김민정	대전서	332
김민정	북대전서	334
김민정	청주서	362
김민정	광주서	369
김민정	북광주서	379
김민정	동대구서	414
김민정	구미서	426
김민정	부산서	442
김민정	금정서	450
김민정	동래서	453
김민정	북부산서	458
김민정	수영서	462
김민정	해운대서	467
김민정	동울산서	469
김민정	거창서	473
김민정	진주서	480
김민정	진주서	480
김민제	국세청	129
김민제	성남서	246
김민조	인천청	287
김민조	기재부	80
김민주	기재부	84
김민주	국세청	123
김민주	서울청	148
김민주	서울청	150
김민주	금천서	176
김민주	남대문서	179
김민주	동작서	187
김민주	성동서	198
김민주	잠실서	214
김민주	종로서	217
김민주	경기광주	253
김민주	원주서	279
김민주	서인천서	297
김민주	동고양서	308
김민주	익산서	398
김민주	대구청	406
김민주	서대구서	418
김민주	경산서	422
김민주	김천서	428
김민주	부산진서	455
김민주	통영서	485
김민준	북대전서	334
김민중	기재부	76
김민중	인천서	298
김민지	기재부	89
김민지	강서서	171
김민지	동작서	186
김민지	반포서	191
김민지	삼성서	192
김민지	종로서	217
김민지	전주서	400
김민지	부산청	442
김민지	진주서	480
김민지	미래회계	16
김민진	서울청	143
김민진	강동서	169
김민진	금정서	450
김민진	금정서	450
김민진	수영서	463
김민찬	서현이현	7
김민창	대구청	406
김민채	마산서	477
김민철	구리서	234
김민철	정읍서	403

이름	소속	번호	이름	소속	번호	이름	소속	번호	이름	소속	번호	이름	소속	번호
김민철	상주서	430	김병주	남동서	294	김보연	화성서	269	김상린	천안서	353	김상희	동작서	186
김민태	구리서	235	김병영	전주서	400	김보영	구로서	175	김상만	서인천서	297	김상희	성동서	198
김민표	중부청	233	김병정	양산서	478	김보영	금천서	176	김상목	송파서	202	김상희	경산서	422
김민혁	경주서	424	김병준	금천서	177	김보영	평택서	265	김상무	대구청	407	김상희	구미서	426
김민형	기재부	87	김병진	법무광장	56	김보영	서산서	344	김상문	분당서	244	김상희	부산강서	456
김민형	금천서	176	김병진	강서서	171	김보운	서울청	147	김상민	국세청	118	김새날	기재부	83
김민형	서인천서	296	김병진	남양주서	238	김보원	고양서	303	김상민	중부청	229	김새롬	북전주서	397
김민형	논산서	341	김병찬	인천청	292	김보윤	서울청	148	김상민	동화성서	266	김새미	관악서	173
김민혜	관악서	172	김병찬	동고양서	309	김보은	울산서	470	김상민	포천서	322	김새봄	중부청	227
김민호	기재부	87	김병찬	김해서	475	김보현	기재부	87	김상민	광주청	371	김생분	인천청	291
김민호	중부청	233	김병찬	중부지방	33	김보현	광주청	370	김상민	마산서	476	김서경	분당서	245
김민호	대구청	410	김병창	양산서	478	김보혜	서대전서	337	김상배	국세청	126	김서경	안양서	259
김민호	인천세관	500	김병채	중부지방	33	김보혜	서대전서	337	김상범	기재부	90	김서안	동작서	186
김민후	목포서	384	김병철	기재부	78	김보희	울산서	470	김상범	중부청	225	김서연	서울청	143
김민후	마산서	477	김병철	서울청	152	김복기	전주서	401	김상빈	원주서	279	김서연	잠실서	214
김민후	법무광장	56	김병철	대전서	332	김복래	인천청	289	김상선	관악서	173	김서연	평택서	264
김민희	서울청	144	김병철	청주서	362	김복선	청주서	362	김상숙	대전청	328	김서연	대전청	328
김민희	인천청	290	김병철	영덕서	434	김복선	익산서	399	김상섭	대구청	409	김서영	서대문서	195
김민희	계양서	301	김병철	울산서	471	김복선	창원서	482	김상식	인천세관	498	김서영	포항서	438
김민희	파주서	321	김병철	지방재정	512	김복성	남대구서	412	김상아	시흥서	250	김서영	수영서	462
김민희	동래서	453	김병철	금감원	95	김복임	인천청	288	김상연	서울청	144	김서영	조세재정	514
김반디	안산서	254	김병칠	금감원	97	김복희	서울청	151	김상연	동작서	187	김서영	서현이현	7
김반석	국세교육	138	김병헌	부산세관	503	김봄	기흥서	237	김상엽	기재부	81	김서윤	영등포서	208
김백구	동화성서	267	김병현	송파서	203	김봉규	서울청	150	김상영	수영서	462	김서은	서울청	146
김범구	국세청	115	김병호	의정부서	318	김봉균	금감원	104	김상욱	중부청	225	김서은	중부청	233
김범석	기재부	81	김병호	용인서	260	김봉균	삼일회계	18	김상우	기재부	79	김서이	양천서	205
김범석	기재부	82	김병홍	국세청	114	김봉기	금정서	130	김상우	구리서	234	김서중	기재부	91
김범석	기재부	82	김병환	금정서	451	김봉범	반포서	190	김상우	남대구서	413	김서진	기재부	87
김범석	동고양서	309	김병환	서현이현	7	김봉섭	계양서	301	김상우	경주서	425	김서현	서울청	163
김범석	고시회	30	김병환	서현이현	7	김봉수	구리서	234	김상우	서부산서	460	김서현	정읍서	402
김범수	금감원	104	김병활	수영서	462	김봉수	서대구서	418	김상우	울산서	471	김서현	수성서	421
김범수	조세재정	516	김병훈	대전서	332	김봉수	해운대서	467	김상욱	서울청	155	김서현	부산진서	455
김범재	동안양서	242	김병훈	북대구서	417	김봉철	부산청	411	김상욱	이천서	262	김석규	영등포서	208
김범전	천안서	352	김병훈	경주서	424	김봉완	인천청	291	김상욱	북전주서	396	김석덕	인천지방	34
김범준	금감원	95	김병휘	서울청	160	김봉임	남원서	394	김상욱	북부산서	459	김석모	잠실서	214
김범준	금감원	105	김보경	기재부	82	김봉승	남대구서	120	김상욱	경주서	424	김석민	김해서	474
김범준	마포서	189	김보경	서울청	145	김봉재	국세청	129	김상원	성동서	198	김석우	서울청	151
김범준	안산서	254	김보경	구로서	175	김봉재	광명서	305	김상원	익산서	398	김석일	영월서	276
김범준	인천세관	500	김보경	기흥서	236	김봉재	남원서	391	김상엽	인천청	292	김석제	용산서	210
김범채	강릉서	270	김보경	동화성서	267	김봉조	국세청	119	김상은	영등포서	209	김석주	국세교육	138
김범철	국세청	116	김보경	화성서	268	김봉준	기재부	84	김상이	서울청	157	김석주	용인서	261
김법열	남원서	395	김보경	서인천서	296	김봉준	부산청	446	김상익	국세교육	138	김석준	평택서	264
김별아	중부청	231	김보경	포천서	322	김봉진	예산서	351	김상인	국세청	133	김석진	딜로이트	15
김별진	남대문서	179	김보경	천안서	352	김봉진	부산청	444	김상일	서울청	144	김석찬	국세상담	136
김병국	삼정회계	20	김보경	청주서	362	김봉천	부산청	160	김상조	동대구서	415	김석채	영월서	276
김병국	삼정회계	21	김보경	부산청	443	김봉호	서인천서	297	김상진	인천청	292	김석현	서대전서	336
김병규	인천청	290	김보경	부산청	446	김봉희	동대문서	184	김상진	대전청	328	김석호	서대구서	419
김병기	강남서	167	김보균	국세상담	137	김부곤	금감원	97	김상진	지방재정	513	김석환	울산서	471
김병기	평택서	265	김보균	연수서	316	김부관	부산진서	454	김상진	예일세무	49	김석훈	국세청	131
김병기	서광주서	381	김보나	동수원서	241	김부자	대구청	408	김상천	성동서	198	김선	지방재정	510
김병기	통영서	484	김보나	인천청	291	김부한	영덕서	434	김상천	인천서	299	김선경	강동서	168
김병래	동대문서	184	김보남	광교세무	37	김분숙	부산청	448	김상철	서인천서	296	김선경	전주서	400
김병만	강서서	170	김보라	마포서	189	김분희	중부청	228	김상철	부천서	312	김선경	수성서	421
김병모	남대구서	413	김보라	영등포서	208	김붕호	충주서	364	김상철	경산서	422	김선경	부산청	449
김병삼	전주서	400	김보라	종로서	217	김비주	대구청	166	김상철	세원세무	48	김선광	해운대서	467
김병삼	부산청	449	김보라	춘천서	281	김빛나	대전청	329	김상태	기재부	75	김선국	법무지평	59
김병석	동작서	187	김보람	남동서	295	김빛누리	인천서	299	김상태	남대구서	413	김선규	역삼서	207
김병석	경주서	424	김보람	제천서	361	김빛마로	조세재정	514	김상태	구미서	427	김선균	분당서	245
김병선	구로서	174	김보람	광주청	371	김빛마로	조세재정	514	김상혁	남대문서	180	김선근	중부청	227
김병선	동래서	452	김보람	지방재정	513	김사라	울산서	470	김상혁	남양주서	239	김선기	대전청	331
김병성	서울청	142	김보름	용인서	260	김산	춘천서	281	김상혁	시흥서	250	김선기	해운대서	467
김병성	중기회	110	김보미	국세청	122	김삼규	북대구서	416	김상현	종로서	217	김선길	기재부	88
김병수	동작서	186	김보미	서울청	150	김삼수	보령서	343	김상현	화성서	269	김선덕	역삼서	207
김병수	파주서	320	김보미	강남서	167	김삼원	익산서	399	김상현	대전청	329	김선돌	천안서	352
김병수	포항서	439	김보미	구로서	174	김상걸	남대문서	179	김상현	북전주서	397	김선녹	광교세무	37
김병수	서부산서	460	김보미	성동서	198	김상경	인천서	298	김상현	대구청	405	김선량	종로서	216
김병수	양산서	478	김보미	중부청	225	김상곤	서울청	155	김상현	대구청	410	김선면	국세교육	138
김병수	진주서	481	김보미	중부청	232	김상곤	지방재정	513	김상현	대구청	411	김선명	고시회	30
김병순	세무하나	47	김보미	기흥서	237	김상구	서울청	162	김상현	부산청	446	김선봉	중부지방	33
김병순	정진세림	27	김보미	서인천서	297	김상규	기재부	82	김상현	조세재정	514	김선문	청주서	362
김병식	국세청	118	김보미	남부천서	311	김상규	동고양서	309	김상형	기재부	84	김선미	금천서	177
김병식	대전청	329	김보미	대전서	333	김상균	부천서	312	김상호	구로서	174	김선미	도봉서	182
김병옥	서울청	142	김보미	제천서	360	김상균	동대구서	415	김상호	순천서	386	김선미	반포서	190
김병우	동작서	186	김보미	군산서	393	김상균	북대구서	416	김상훈	국회재정	64	김선미	동안양서	242
김병우	김해서	474	김보미	부산청	448	김상근	중부서	220	김상훈	국세청	123	김선미	대전청	330
김병욱	대구청	409	김보배	구미서	426	김상근	안동서	432	김상훈	안산서	254	김선미	북전주서	396
김병욱	수성서	420	김보석	성북서	200	김상기	포항서	438	김상훈	세종서	347	김선미	서대구서	418
김병욱	수영서	463	김보석	부산청	443	김상길	관악서	172	김상훈	북광주서	379	김선미	진주서	480
김병윤	반포서	190	김보선	인천서	298	김상덕	경기광주	252	김상훈	순천서	386	김선미	조세재정	515
김병윤	동래서	453	김보성	서울청	161	김상덕	금정서	450	김상훈	포항서	438	김선민	북대구서	417
김병인	서부산서	461	김보성	서초서	196	김상돈	홈앤아웃	45	김상훈	동래서	453	김선봉	국세청	116
김병일	분당서	244	김보성	인천세관	500	김상동	성동서	198	김상훈	삼정회계	21	김선수	국세청	117
김병일	북대전서	335	김보송	도봉서	183	김상련	포항서	438	김상훈	법무광장	56	김선순	중부서	220
김병일	삼일회계	19	김보연	서울청	158	김상록	동안양서	242				김선아	기재부	84
김병주	원주서	279	김보연	강서서	171							김선아	강동서	169

이름	소속	쪽	이름	소속	쪽	이름	소속	쪽	이름	소속	쪽	이름	소속	쪽	이름	소속	쪽
김선아	관악서	172	김성길	중부청	226	김성일	남대문서	178	김성희	인천세관	500	김소영	동화성서	266	김수연	화성서	269
김선아	종로서	217	김성길	부평서	314	김성재	인천서	298	김세건	의정부서	318	김소영	화성서	268	김수연	인천서	298
김선아	분당서	244	김성대	서울청	152	김성제	대구청	410	김세곤	광주청	368	김소영	북광주서	378	김수연	인천서	299
김선아	남동서	294	김성덕	삼성서	193	김성종	서대구서	419	김세기	동수원서	240	김소영	군산서	392	김수연	금정서	451
김선애	기재부	91	김성덕	성북서	201	김성주	국회정무	68	김세나	목포서	384	김소영	익산서	398	김수연	김해서	474
김선애	국세청	117	김성도	은평서	212	김성주	삼성서	192	김세동	금감원	106	김소영	부산서	449	김수연	진주서	480
김선애	동화성서	266	김성도	양천서	204	김성주	중부서	221	김세라	국세청	118	김소영	해운대서	467	김수연	제주서	486
김선애	논산서	341	김성동	포천서	323	김성주	익산서	399	김세령	용산서	211	김소윤	삼척서	272	김수연	지방재정	511
김선영	기재부	87	김성동	조세재정	516	김성주	제주서	486	김세령	아산서	349	김소윤	서인천서	297	김수열	국세청	119
김선영	영등포서	209	김성두	동작서	186	김성주	인천지방	34	김세리	기재부	77	김소정	중부서	220	김수영	기재부	89
김선영	종로서	216	김성렬	서산서	345	김성주	인천지방	34	김세린	국세청	117	김소정	중부청	228	김수영	구로서	175
김선영	동안산서	256	김성록	인천청	292	김성준	동대문서	185	김세린	영등포서	208	김소정	의정부서	318	김수영	성동서	199
김선영	인천청	288	김성룡	평택서	264	김성준	파주서	320	김세린	광주서	377	김소정	안동서	432	김수영	성북서	200
김선영	인천청	288	김성면	제주서	486	김성준	세종서	346	김세미	삼성서	192	김소현	성남서	247	김수영	성남서	246
김선영	포천서	322	김성문	남대문서	180	김성준	광주청	371	김세빈	구로서	174	김소현	시흥서	251	김수영	김포서	306
김선영	동청주서	357	김성문	구로서	175	김성준	부산청	446	김세빈	반포서	191	김소현	안동서	432	김수영	대전청	328
김선영	군산서	392	김성문	중부청	230	김성준	해운대서	467	김세식	동안양서	242	김소현	금정서	450			
김선영	북대구서	417	김성미	동작서	187	김성준	제주서	486	김세영	기재부	84	김소현	홈앤아웃	45			
김선영	서대구서	419	김성미	중부청	225	김성중	관세사회	51	김세영	김포서	306	김소희	서울청	164			
김선영	세무다우	42	김성미	안양서	258	김성중	지방재정	510	김세영	창원서	482	김소희	송파서	203			
김선옥	서인천서	297	김성미	동화성서	266	김성중	기재부	87	김세욱	대전서	333	김소희	역삼서	207			
김선우	종로서	216	김성민	국세청	115	김성진	국세청	126	김세운	양산서	479	김소희	은평서	213			
김선우	인천서	298	김성민	국세청	123	김성진	국세청	127	김세운	송파서	202	김소희	종로서	217			
김선웅	구리서	234	김성민	국세청	125	김성진	마포서	188	김세웅	북전주서	396	김솔	중부산서	465			
김선윤	삼성서	193	김성민	속초서	274	김성진	영등포서	208	김세원	목포서	384	김송심	목포서	385			
김선율	성북서	200	김성민	부천서	312	김성진	잠실서	215	김세원	기재부	77	김송연	수성서	421			
김선이	동수원서	240	김성민	포천서	322	김성진	동수원서	241	김세은	서인천서	296	김송원	대구청	411			
김선익	기재부	81	김성민	상주서	430	김성진	의정부서	319	김세은	부산진서	454	김송이	중부청	230			
김선인	국세상담	136	김성민	통영서	485	김성진	의정부서	319	김세은	양산서	479	김송이	기흥서	236			
김선일	서울청	154	김성민	제주서	486	김성진	포천서	323	김세인	조세재정	514	김송정	인천청	288			
김선일	부평서	314	김성민	동안양서	242	김성진	순천서	386	김세일	강서서	171	김송주	중부청	233			
김선임	동작서	186	김성범	부산청	446	김성진	수성서	420	김세종	잠실서	214	김송희	기재부	81			
김선임	서부산서	460	김성범	마산서	476	김성진	부산청	446	김세진	경기광주	253	김수경	금천서	177			
김선자	논산서	341	김성복	서울세관	493	김성진	부산청	446	김세진	부산서	448	김수경	동대문서	184			
김선재	원주서	278	김성복	서울세관	495	김성진	부산세관	503	김세하	서초서	197	김수경	북광주서	378			
김선정	기재부	77	김성봉	관세사회	51	김성찬	양산서	479	김세현	동대문서	184	김수경	북전주서	396			
김선정	국세상담	136	김성수	종로서	216	김성채	기재부	77	김세현	김천서	429	김수경	서대구서	418			
김선정	국세상담	137	김성수	시흥서	250	김성철	파주서	320	김세현	거창서	472	김수경	지방재정	510			
김선정	성북서	200	김성수	해남서	390	김성철	창원서	483	김세환	국세청	129	김수경	서현이현	7			
김선정	조세재정	514	김성수	경산서	422	김성철	광교세무	38	김세환	삼정회계	20	김수명	국세청	118			
김선종	구리서	235	김성수	김해서	475	김성태	서울세관	494	김세훈	국세청	144	김수미	평택서	264			
김선주	기재부	89	김성수	양산서	478	김성택	창원서	482	김세훈	동수원서	241	김수미	속초서	274			
김선주	서울청	156	김성수	인천세관	499	김성표	금천서	176	김세희	서울청	157	김수민	기재부	74			
김선주	구로서	174	김성숙	예일세무	49	김성필	서울청	143	김세희	북대전서	334	김수민	국세교육	138			
김선주	반포서	191	김성순	서초서	196	김성하	영주서	436	김소나	서울청	163	김수민	강동서	168			
김선주	중부청	230	김성식	구미서	426	김성학	기재부	78	김소담	성동서	199	김수민	서초서	196			
김선주	성남서	247	김성실	안양서	258	김성한	국세청	115	김소담	부평서	315	김수민	성남서	246			
김선주	연수서	316	김성실	서울청	164	김성한	서울청	151	김소라	서울청	152	김수민	인천서	299			
김선주	대전서	333	김성연	서인천서	296	김성향	서울청	158	김소라	서초서	196	김수민	부평서	315			
김선주	천안서	352	김성연	금정서	451	김성혁	송파서	203	김소리	송파서	126	김수민	광주서	376			
김선중	중부청	225	김성열	상공회의	109	김성혁	진주서	481	김소리	평택서	265	김수민	서광주서	381			
김선중	구리서	234	김성열	광명서	304	김성현	성동서	198	김소망	여수서	388	김수민	대구청	409			
김선중	딜로이트	15	김성열	수성서	420	김성현	시흥서	250	김소민	청주서	362	김수민	제주서	487			
김선진	순천서	386	김성엽	국세청	133	김성현	이천서	262	김소연	강남서	167	김수복	인천세관	498			
김선태	지방재정	510	김성엽	관래서	453	김성현	삼정회계	22	김소연	남대문서	180	김수빈	서초서	196			
김선하	국세청	128	김성엽	지방재정	513	김성현	서대구서	418	김소연	도봉서	182	김수빈	부천서	313			
김선학	논산서	341	김성영	국세청	115	김성혜	광명서	305	김소연	마포서	188	김수빈	의정부서	319			
김선한	송파서	203	김성영	서대문서	194	김성호	국세청	125	김소연	서대문서	194	김수빈	예산서	351			
김선항	양천서	204	김성영	연수서	317	김성호	서울청	160	김소연	서초서	196	김수상	중부청	225			
김선혁	수영서	462	김성영	삼일회계	18	김성호	중부청	225	김소연	영등포서	208	김수섭	서울청	154			
김선혜	파주서	320	김성오	서대전서	337	김성호	동화성서	267	김소연	영등포서	209	김수아	중부청	230			
김선호	잠실서	214	김성용	제주서	486	김성호	구미서	427	김소연	용산서	211	김수아	연수서	317			
김선화	기재부	76	김성용	기재부	88	김성호	부산서	445	김소연	중랑서	219	김수연	구로서	174			
김선화	동대문서	185	김성용	삼성서	193	김성호	부산청	448	김소연	기흥서	236	김수연	도봉서	182			
김선화	동작서	186	김성용	중부서	220	김성홍	포항서	438	김소연	동수원서	240	김수연	성동서	199			
김선화	중랑서	218	김성용	북전주서	397	김성홍	해운대서	467	김소연	속초서	274	김수연	성동서	199			
김선화	중부청	227	김성우	서울청	151	김성환	역삼서	206	김소연	남동서	295	김수연	용산서	210			
김선화	동안양서	243	김성우	남양주서	238	김성환	영동서	359	김소연	인천서	299	김수연	수원서	248			
김선화	조세재정	514	김성우	남대구서	413	김성환	부산진서	455	김소연	광명서	305	김수연	동화성서	267			
김선희	국세청	118	김성우	상주서	430	김성환	법무광장	56	김소연	세종서	347						
김선희	은평서	213	김성욱	기재부	74	김성훈	기재부	86	김소연	영동서	359						
김선희	북대구서	378	김성욱	기재부	74	김성훈	용산서	211	김소연	익산서	398						
김선희	북부산서	458	김성욱	서울청	155	김성훈	중부청	228	김소연	김천서	428						
김선희	김해서	474	김성욱	서울청	156	김성훈	기흥서	236	김소연	부산청	445						
김성경	속초서	275	김성욱	성동서	199	김성훈	원주서	278	김소연	금융위	92						
김성곤	중부청	228	김성웅	기재부	76	김성훈	부산서	445	김소영	서울청	142						
김성국	세무하나	47	김성율	은평서	213	김성훈	마산서	477	김소영	강남서	166						
김성규	중부지방	33	김성은	서울청	160	김성훈	기재부	83	김소영	관악서	172						
김성균	대구청	409	김성은	종로서	217	김성희	서울청	148	김소영	역삼서	207						
김성근	국세교육	139	김성은	성남서	247	김성희	양천서	205	김소영	역삼서	207						
김성근	중부청	232	김성은	보령서	342	김성희	영등포서	208	김소영	수원서	248						
김성기	서울청	150	김성은	제주서	486	김성희	김포서	307	김소영	수원서	248						
김성기	김포서	307	김성이	부산진서	454	김성희	광주청	373									
김성기	영동서	358	김성일	국세청	118	김성희	경주서	425									
김성기	부산청	442				김성희	수영서	462									

이름	소속	번호	이름	소속	번호	이름	소속	번호	이름	소속	번호	이름	소속	번호
김수영	대전청	328	김수현	서부산서	460	김승현	구미서	426	김양미	광주청	370	김영기	중부청	233
김수영	광산서	375	김수현	서부산서	461	김승현	예일세무	49	김양수	구로서	174	김영기	대전청	327
김수영	김해서	475	김수형	서울청	155	김승혜	잠실서	214	김양수	서초서	197	김영기	포항서	439
김수영	진주서	480	김수호	국세상담	137	김승호	태평양	60	김양수	대전청	329	김영기	서울세관	494
김수옥	논산서	341	김수희	중부청	230	김승화	고양서	302	김양수	수영서	463	김영기	티앤피	40
김수용	국세청	119	김수희	목포서	385	김승환	삼성서	192	김양수	진주서	481	김영기	티앤피	129
김수용	서울청	152	김수희	동대구서	414	김승환	제천서	360	김양수	제주서	486	김영길	중기회	110
김수용	성동서	199	김숙	기재부	89	김승환	수영서	462	김양언	기재부	75	김영길	서산서	344
김수원	서초서	197	김숙	동울산서	468	김승훈	시흥서	251	김양욱	동래서	452	김영남	동대문서	185
김수원	인천서	298	김숙경	동화성서	266	김승훈	청주서	362	김양현	진주서	480	김영남	종로서	216
김수원	예산서	350	김숙기	국세청	121	김승훈	김해서	474	김양희	기재부	84	김영남	중부서	220
김수월	대전청	329	김숙동	감사원	71	김승희	인천청	291	김양희	경기광주	252	김영남	아산서	348
김수인	기흥서	236	김숙례	양산서	478	김승희	김포서	307	김억주	강릉서	270	김영노	인천청	288
김수인	성남서	246	김숙아	서부산서	460	김시곤	국세주류	134	김언선	해운대서	467	김영노	지방재정	513
김수인	용인서	261	김숙영	은평서	212	김시백	국세청	118	김언성	기재부	89	김영달	영월서	277
김수일	서울청	160	김숙자	강남서	167	김시아	서초서	196	김엘리야	광주청	371	김영대	기재부	75
김수재	수영서	463	김숙희	평택서	265	김시연	국세상담	136	김여경	중부청	225	김영덕	동청주서	356
김수정	동작서	187	김숙희	서부산서	460	김시연	북부산서	459	김여경	대구서	412	김영도	삼도회계	17
김수정	영등포서	209	김순구	거창서	472	김시영	남대문서	180	김여진	서대문서	194	김영돈	기재부	90
김수정	종로서	217	김순기	고시회	30	김시영	광산서	375	김여진	중부청	225	김영동	용산서	211
김수정	분당서	244	김순남	안동서	432	김시온	북광주서	379	김여진	광주청	370	김영동	북대구서	417
김수정	수원서	248	김순동	국세교육	138	김시우	동울산서	468	김연광	평택서	265	김영두	충주서	364
김수정	인천청	291	김순복	천안서	352	김시욱	잠실서	214	김연규	양천서	205	김영란	국세청	126
김수정	서인천서	296	김순석	남동서	294	김시원	김감원	106	김연대	기재부	88	김영란	동안산서	256
김수정	포천서	323	김순석	영덕서	434	김시윤	삼척서	273	김연원	남동서	294	김영란	동래서	453
김수정	서대전서	337	김순식	감사원	70	김시윤	통영서	484	김연수	기재부	86	김영래	기재부	83
김수정	청주서	363	김순아	국세상담	136	김시윤	동울산서	468	김연수	국세청	133	김영래	천안서	352
김수정	안동서	432	김순영	서울청	146	김시재	세무토은	39	김연수	동고양서	309	김영례	정읍서	402
김수정	지방재정	511	김순영	중부청	225	김시재	세무토은	130	김연수	공주서	339	김영록	상주서	431
김수정	지방재정	512	김순영	부평서	315	김시정	경기광주	253	김연숙	마산서	476	김영만	안동서	433
김수종	수원서	248	김순모	기재부	76	김시태	서울청	144	김연숙	서울청	147	김영만	성동서	199
김수지	국세청	128	김순옥	서울청	153	김시현	광명서	304	김연숙	대전청	328	김영목	서대전서	336
김수지	서울청	144	김순자	남대구서	413	김시현	남대구서	412	김연숙	대전청	328	김영무	서울청	151
김수지	기흥서	236	김순정	삼성서	193	김시현	제주서	487	김연순	제주서	486	김영문	의정부서	318
김수지	시흥서	250	김순정	북부산서	458	김시형	국세청	119	김연순	제주서	486	김영문	서울청	147
김수지	화성서	269	김순중	남대문서	179	김시홍	동작서	187	김연신	성북서	201	김영미	은평서	213
김수지	계양서	300	김순현	기재부	75	김시훈	삼성서	192	김연실	국세상담	137	김영미	종로서	216
김수지	남대구서	412	김순화	고시회	30	김신규	김천서	428	김연아	용인서	260	김영미	남동서	295
김수진	국세청	114	김스텔라	EY한영	13	김신덕	중부청	231	김연일	동안산서	257	김영미	광주청	370
김수진	국세청	114	김슬기	국세청	115	김신애	서울청	163	김연재	중부서	221	김영미	부산청	445
김수진	서울청	147	김슬기	남대문서	179	김신애	경기광주	252	김연정	동고양서	308	김영미	해운대서	466
김수진	서울청	150	김슬기	서인천서	296	김신애	동화성서	266	김연정	성남서	246	김영미	법무바른	1
김수진	서울청	165	김슬기	포천서	323	김신언	세무사회	29	김연종	동화성서	266	김영민	기재부	77
김수진	강서서	170	김슬기론	김해서	474	김신우	국세청	119	김연산	금천서	177	김영민	기재부	88
김수진	동작서	186	김슬아	동안양서	242	김신우	남대문서	179	김연주	양산서	478	김영민	동작서	187
김수진	마포서	188	김슬이	동래서	452	김신자	구로서	174	김연주	제주서	486	김영민	서초서	197
김수진	반포서	190	김슬지	부산청	444	김신정	조세재정	515	김연지	수원서	248	김영민	용산서	210
김수진	종로서	217	김승구	용산서	210	김신철	지방재정	512	김연지	삼척서	272	김영민	화성서	269
김수진	중부서	220	김승국	국세청	117	김신홍	익산서	398	김연화	삼척서	272	김영민	북전주서	396
김수진	중부청	226	김승국	분당서	244	김신희	춘천서	280	김연화	세종서	347	김영민	진주서	480
김수진	동안산서	257	김승규	동울산서	469	김실근	법무울촌	58	김연희	송파서	203	김영보	광산서	375
김수진	용인서	261	김승년	대구청	406	김아경	중기회	331	김연희	수원서	248	김영빈	국세청	124
김수진	용인서	261	김승대	중기회	110	김아란	북광주서	379	김연희	대구청	406	김영빈	구로서	175
김수진	용인서	261	김승래	이천서	262	김아람	시흥서	250	김연희	대구청	409	김영빈	지방재정	513
김수진	평택서	265	김승로	서초서	196	김아람	공주청	371	김연희	동래서	452	김영삼	이천서	262
김수진	원주서	279	김승모	EY한영	13	김아람	동래서	453	김영	서초서	196	김영삼	충주서	365
김수진	대전청	330	김승미	경기광주	252	김아름	남양주서	239	김영건	국세청	126	김영상	국세청	124
김수진	북대전서	335	김승미	통영서	484	김아름	남동서	294	김영결	천안서	352	김영석	국회정무	67
김수진	정읍서	402	김승민	국세청	130	김아름	대전청	329	김영경	중부청	231	김영석	감사원	71
김수진	구미서	426	김승범	용인서	261	김아름	해운대서	466	김영경	부산청	444	김영석	서울청	154
김수진	울산서	470	김승범	논산서	340	김아름	미래회계	16	김영경	부산강서	457	김영석	양천서	205
김수진	김해서	475	김승범	순천서	387	김아리수	강서서	170	김영경	관세청	491	김영석	중랑서	219
김수진	통영서	484	김승석	서초서	196	김아영	동안양서	242	김영곤	국세교육	138	김영석	중부청	229
김수창	부산청	446	김승수	광주청	368	김아영	춘천서	281	김영곤	동수원서	241	김영석	중부청	230
김수헌	국세청	125	김승연	기재부	75	김아영	예산서	351	김영관	감사원	70	김영석	광산서	374
김수헌	삼성서	192	김승연	부산진서	454	김아영	여수서	389	김영관	군산서	392	김영선	국회재정	64
김수현	국세청●	118	김승용	제주서	486	김아영	경산서	423	김영광	세무삼릉	44	김영선	서대문서	195
김수현	국세청	120	김승욱	동대문서	185	김아영	진주서	480	김영교	대전청	329	김영선	중랑서	218
김수현	서울청	154	김승원	영월서	276	김아현	성동서	198	김영국	김포서	306	김영선	시흥서	250
김수현	강서서	170	김승원	국회법제	66	김안나	도봉서	182	김영규	서울청	151	김영선	대전청	328
김수현	남대문서	178	김승원	평택서	264	김안란	대구청	407	김영규	인천서	298	김영선	영동서	358
김수현	동작서	186	김승일	마포서	189	김안철	북광주서	379	김영규	전주서	401	김영선	광산서	374
김수현	반포서	190	김승조	남동서	294	김애라	서초서	196	김영규	지방재정	511	김영섭	서대구서	418
김수현	종로서	217	김승주	삼척서	273	김애란	부산청	445	김영균	강동서	168	김영성	중부서	221
김수현	중부청	225	김승주	대전청	326	김애령	북전주서	397	김영균	서산서	344	김영세	수원서	249
김수현	중부청	225	김승진	북광주서	379	김애리	기재부	81	김영근	서울청	153	김영수	서울청	147
김수현	경기광주	252	김승철	상공회의	109	김애배	분당서	245	김영근	송파서	203	김영수	서초서	197
김수현	평택서	264	김승철	북부산서	458	김애영	대구청	410	김영근	성남서	247	김영수	인천청	288
김수현	동화성서	267	김승태	기재부	81	김애진	남대구서	412	김영근	화성서	269	김영수	창원서	482
김수현	화성서	268	김승태	파주서	321	김애진	울산서	471	김영근	광교세무	36	김영수	대현회계	14
김수현	북대전서	335	김승태	대전청	330	김악수	동청주서	356	김영기	서울청	143	김영숙	서울청	147
김수현	예산서	351	김승하	기재부	90	김양경	서초서	196	김영기	남대문서	179	김영숙	서울청	156
김수현	해남서	390	김승하	지방재정	512	김양래	대전서	333				김영숙	구로서	174
김수현	대구청	408	김승현	중부청	228	김양미	대전청	328				김영숙	삼성서	193
김수현	북부산서	459	김승현	서대전서	337							김영숙	삼척서	272

530

이름	소속	번호
김영숙	동고양서	308
김영숙	연수서	316
김영숙	정읍서	403
김영숙	남대구서	413
김영숙	중부산서	465
김영숙	창원서	483
김영순	광산서	374
김영순	순천서	387
김영승	국세상담	136
김영식	동안양서	243
김영식	서산서	345
김영신	감사원	69
김영신	도봉서	182
김영신	종로서	217
김영심	잠실서	215
김영심	서광주서	380
김영아	남대문서	180
김영아	인천청	288
김영아	예산서	350
김영아	남대구서	412
김영아	안동서	432
김영애	국세교육	138
김영애	수원서	249
김영엽	영주서	436
김영오	광주청	370
김영옥	기재부	78
김영옥	마포서	188
김영옥	종로서	217
김영옥	울산서	471
김영옥	삼일회계	18
김영욱	기재부	77
김영욱	평택서	265
김영운	마포서	188
김영운	기재부	87
김영웅	구로서	175
김영유	북광주서	378
김영은	종로서	216
김영은	분당서	245
김영은	전주서	400
김영은	북부산서	459
김영은	양산서	478
김영익	의정부서	318
김영인	남대구서	412
김영일	강남서	166
김영일	강서서	170
김영일	제천서	360
김영재	관악서	172
김영재	서인천서	297
김영재	김포서	307
김영정	구로서	174
김영조	부천서	313
김영종	서울청	148
김영주	금감원	95
김영주	금감원	99
김영주	국세청	117
김영주	국세청	126
김영주	국세교육	138
김영주	강남서	166
김영주	양천서	205
김영주	중부서	220
김영주	평택서	265
김영주	동고양서	308
김영주	남대구서	413
김영주	양산서	478
김영주	창원서	483
김영주	삼일회계	18
김영준	동대문서	184
김영준	목포서	385
김영준	인천세관	499
김영중	서산서	344
김영중	서대구서	418
김영지	동대문서	184
김영지	기흥서	236
김영지	논산서	340
김영지	목포서	384
김영직	조세재정	515
김영진	기재부	81
김영진	중부청	232
김영진	인천청	289
김영진	연수서	317
김영진	부산강서	457
김영진	울산서	471
김영찬	서울청	156
김영찬	보령서	342
김영창	부산청	447
김영천	강동서	168
김영철	수원서	248
김영철	대전서	332
김영춘	광교세무	36
김영칠	신대동	53
김영필	중랑서	219
김영필	딜로이트	15
김영하	국세청	122
김영하	서울청	145
김영하	광주서	376
김영하	순천서	387
김영하	경산서	422
김영한	국세청	114
김영한	계양서	301
김영현	천안서	83
김영현	기재부	84
김영현	익산서	398
김영섭	김해서	474
김영혜	창원서	482
김영호	감사원	71
김영호	국세청	118
김영완	국세청	130
김영호	성북서	201
김영호	남양주서	238
김영호	광산서	375
김영호	북광주서	379
김영호	지방재정	510
김영화	성남서	146
김영화	남대구서	412
김영화	창원서	483
김영화	조세재정	514
김영환	서울청	150
김영환	남대문서	181
김영환	성북서	200
김영환	동수원서	240
김영환	수원서	249
김영환	연수서	317
김영환	포천서	323
김영훈	기재부	81
김영훈	중부청	224
김영훈	남동서	294
김영훈	포항서	439
김영훈	진주서	480
김영훈	EY한영	13
김영희	예산서	351
김영희	부산세관	502
김예름	충주서	364
김예리	은평서	212
김예린	서울청	165
김예린	경산서	217
김예림	천안서	353
김예슬	중부서	228
김예숙	지방재정	511
김예슬	안양서	259
김예슬	기재부	85
김예슬	구로서	175
김예슬	남부천서	310
김예슬	세종서	346
김예연	북전주서	396
김예원	분당서	245
김예원	강서서	170
김예원	용인서	260
김예원	부산진서	454
김예원	지방재정	513
김예은	영월서	277
김예인	청주서	473
김예정	마산서	477
김예주	영등포서	209
김예준	광주청	371
김예지	기재부	90
김예지	강서서	170
김예지	종로서	216
김예지	경기광주	252
김예지	동안산서	256
김예지	해운대서	467
김예진	반포서	190
김예진	파주서	320
김예진	광주청	371
김오곤	영등포서	208
김오미	성동서	198
김오순	금정서	450
김오영	중부청	223
김오영	중부청	225
김오영	중부청	226
김오영	중부청	227
김오중	마포서	188
김옥남	경기광주	253
김옥동	기재부	84
김옥분	서울청	147
김옥선	강릉서	270
김옥자	안동서	432
김옥진	역삼서	207
김옥진	부산청	442
김옥선	해남서	391
김옥현	광주서	370
김옥환	송파서	203
김옥희	광주청	370
김온비	지방재정	512
김온유	역삼서	206
김완구	대전청	326
김완범	은평서	212
김완석	김포서	306
김완섭	기재부	78
김완섭	기재부	79
김완섭	기재부	80
김완섭	북대구서	416
김완수	기재부	79
김완수	기재부	88
김완수	역삼서	206
김완수	삼일회계	17
김완일	서울지방	32
김완조	부산세관	501
김완조	서울세관	503
김완종	중부서	225
김완주	서대전서	337
김완주	광주청	373
김완종	제주서	487
김완철	제주서	487
김왕	상공회의	109
김외숙	부산청	445
김요균	기재부	82
김요대	김앤장	55
김요수	삼성서	192
김요암	국세청	120
김요왕	지방재정	510
김요한	기재부	85
김요천	국세청	117
김용	동작서	187
김용곤	중부청	228
김용곤	부산강서	456
김용관	반포서	190
김용관	태평양	60
김용구	지방재정	510
김용국	안양서	259
김용국	서울세관	495
김용국	대구세관	506
김용국	세무하나	47
김용규	고시회	30
김용삼	서현이현	6
김용극	구로서	174
김용기	보령서	342
김용기	김천서	429
김용남	북전주서	396
김용대	기재부	86
김용대	부산강서	456
김용대	조세재정	514
김용례	전주서	400
김용만	용산서	210
김용보	해운대서	466
김용민	서울청	142
김용민	동고양서	309
김용민	경주서	424
김용배	강서서	171
김용백	통영서	485
김용보	대전청	330
김용삼	양천서	205
김용석	남동서	295
김용석	북대전서	334
김용선	안동서	432
김용선	서울청	157
김용섭	북전주서	396
김용수	금천서	177
김용수	익산서	399
김용수	태평양	60
김용식	광주세관	507
김용식	광주세관	508
김용식	중부지방	33
김용연	수원서	248
김용오	광산서	374
김용완	국세청	125
김용우	금천서	176
김용우	서광주서	380
김용웅	광산서	374
김용웅	계양서	301
김용원	서초서	196
김용원	진주서	480
김용익	서울세관	493
김용익	서울세관	494
김용일	이천서	263
김용일	해남서	390
김용재	금융위	92
김용재	국세청	129
김용재	국세상담	137
김용재	삼성서	193
김용재	제주서	486
김용전	영동서	359
김용정	마포서	188
김용정	부산청	444
김용제	포항서	439
김용제	부산진서	455
김용주	천안서	352
김용주	광주청	371
김용주	제주서	486
김용준	기재부	83
김용준	국세주류	134
김용준	서울청	150
김용준	경기광주	253
김용준	제주서	486
김용진	금융위	92
김용진	송파서	202
김용진	중부청	224
김용진	화성서	268
김용진	천안서	353
김용진	부산세관	502
김용진	지방재정	510
김용진	중부지방	33
김용철	성동서	198
김용철	역삼서	206
김용철	이천서	262
김용철	삼척서	272
김용철	북대전서	334
김용철	세무하나	47
김용태	국세청	117
김용태	광주청	373
김용태	서광주서	381
김용학	동고양서	308
김용협	수성서	420
김용현	서울청	162
김용현	충주서	365
김용현	금정서	450
김용호	종로서	217
김용호	남동서	359
김용환	중부청	231
김용환	안양서	259
김용희	김앤장	55
김우경	수원서	248
김우리	남대구서	416
김우석	잠실서	215
김우석	제주서	487
김우성	천안서	221
김우성	세종서	347
김우성	광주청	371
김우승	강서서	171
김우신	광주청	368
김우영	성동서	199
김우정	서울청	158
김우정	남대문서	178
김우정	여수서	389
김우정	동안양서	243
김우주	강릉서	270
김우진	영등포서	208
김우형	고양서	303
김우형	울산서	470
김우호	강동서	168
김우환	남동서	295
김욱배	금감원	96
김욱진	동고양서	309
● 김운규	삼일회계	18
김운기	광주청	370
김운섭	광교세무	37
김운주	천안서	353
김운중	중부청	228
김웅	은평서	212
김웅	동고양서	308
김웅	부천서	312
김웅렬	분당서	245
김웅진	정읍서	402
김원경	중부청	224
김원경	제주서	487
김원규	강서서	170
김원기	예일세무	49
김원덕	홈앤아웃	45
김원덕	대전청	326
김원동	딜로이트	15
김원명	삼척서	272
김원민	지방재정	510
김원석	대구세관	506
김원섭	인천세관	499
김원식	관세청	490
김원식	관세사회	51
김원욱	남동서	294
김원웅	지방재정	510
김원종	용산서	211
김원중	남부천서	310
김원중	삼도회계	17
김원철	삼일회계	18
김원철	감사원	71
김원택	이천서	263
김원필	동대문서	185
김원형	감사원	71
김원형	종로서	216
김원호	금천서	176
김원호	대전서	332
김원화	은평서	212
김원희	거창서	473
김원희	부산세관	502
김월송	인천청	292
김월하	포항서	439
김위정	기재부	88
김유경	기재부	83
김유경	기재부	91
김유경	시흥서	251
김유경	부천서	313
김유경	연수서	316
김유경	동청주서	357
김유군	양천서	205
김유권	남대문서	178
김유나	국세청	132
김유나	동대문서	184
김유나	반포서	191
김유나	동청주서	357
김유나	서울지방	32
김유라	북대전서	334
김유리	국세청	118
김유리	삼성서	192
김유리	성동서	199
김유리	영등포서	208
김유리	동고양서	308
김유리	부산진서	455
김유림	마산서	477
김유림	기재부	86
김유림	반포서	190
김유림	삼성서	192
김유미	서울청	155
김유미	구로서	174
김유미	동작서	187
김유미	영등포서	208
김유미	동수원서	241
김유미	고양서	303
김유빈	기재부	91
김유빈	대전서	333
김유선	국세상담	136
김유선	여수서	388
김유승	반포서	190
김유식	중부서	220
김유식	영동서	359
김유식	국세청	114
김유신	서울청	161
김유신	해운대서	467
김유연	서광주서	380
김유이	김해서	474
김유정	기재부	84
김유정	기재부	89
김유정	서초서	196
김유정	성북서	201
김유정	중부청	226
김유정	서산서	345
김유정	순천서	387
김유정	전주서	400
김유정	구미서	427

이름	관서	번호
김유정	부산강서	457
김유주	구로서	174
김유진	강남서	166
김유진	구로서	174
김유진	마포서	189
김유진	서초서	197
김유진	양천서	204
김유진	종로서	216
김유진	종로서	217
김유진	중부청	228
김유진	남양주서	238
김유진	화성서	269
김유진	인천청	290
김유진	서대전서	337
김유진	정읍서	403
김유진	남대구서	413
김유진	서대구서	418
김유진	동울산서	468
김유진	창원서	482
김유창	평택서	264
김유철	부평서	315
김유철	제주서	487
김유태	보령서	343
김유학	강동서	168
김유현	기재부	78
김유현	시흥서	251
김유현	원주서	279
김유현	조세재정	514
김유혜	마포서	189
김육곤	국세청	118
김육노	고양서	302
김윤	서울청	155
김윤	강동서	169
김윤겸	제천서	360
김윤경	기재부	77
김윤경	기재부	85
김윤경	서울청	147
김윤경	김포서	306
김윤경	경주서	424
김윤경	양산서	478
김윤구	국세교육	138
김윤미	관악서	173
김윤미	영등포서	209
김윤미	종로서	217
김윤미	조세재정	516
김윤상	기재부	75
김윤서	동울산서	468
김윤석	국세상담	136
김윤선	서울청	160
김윤섭	삼일회계	18
김윤성	역삼서	206
김윤수	기재부	89
김윤수	북대구서	416
김윤영	강서서	170
김윤옥	조세재정	515
김윤용	연수서	317
김윤용	청주서	363
김윤우	포항서	438
김윤이	반포서	190
김윤자	금정서	450
김윤정	국세청	118
김윤정	국세청	126
김윤정	서울청	153
김윤정	서울청	160
김윤정	서울청	163
김윤정	강동서	168
김윤정	금천서	177
김윤정	도봉서	182
김윤정	서초서	196
김윤정	기흥서	236
김윤정	순천서	387
김윤종	남대구서	413
김윤주	의정부서	318
김윤주	여수서	388
김윤지	마산서	476
김윤지	조세재정	515
김윤진	논산서	340
김윤찬	기재부	89
김윤한	기흥서	236
김윤혁	동안산서	256
김윤호	마포서	189
김윤호	서대문서	195
김윤호	서광주서	378
김윤환	예산서	350
김윤희	기재부	89

이름	관서	번호
김윤희	잠실서	214
김윤희	성남서	247
김윤희	경기광주	252
김윤희	용인서	261
김윤희	인천서	299
김윤희	김포서	307
김윤희	서산서	345
김윤희	광주청	373
김윤희	광주청	373
김은경	금감원	95
김은경	금감원	104
김은경	국세청	132
김은경	서울청	149
김은경	마포서	189
김은경	성동서	198
김은경	시흥서	250
김은경	이천서	262
김은경	논산서	340
김은경	청주서	363
김은경	목포서	385
김은경	서대구서	418
김은경	부산진서	454
김은규	예산서	350
김은기	국세청	117
김은기	경기광주	252
김은기	청주서	363
김은득	인천세관	499
김은령	강서서	170
김은령	은평구	213
김은령	화성서	268
김은미	서울청	145
김은미	성동서	199
김은미	포천서	323
김은미	광주청	371
김은미	익산서	398
김은비	부산강서	456
김은석	화성서	268
김은석	영등포서	208
김은석	구미서	426
김은선	서울청	160
김은선	삼성서	192
김은선	파주서	320
김은설	동대문서	185
김은성	중부청	229
김은성	지방재정	510
김은솔	광주청	370
김은수	서울청	299
김은수	목포서	384
김은수	부산청	442
김은숙	성동서	154
김은숙	구로서	175
김은숙	남대문서	178
김은숙	종로서	216
김은숙	중부청	233
김은숙	수원서	248
김은숙	목포서	385
김은숙	조세재정	515
김은순	남양주서	238
김은실	국세교육	138
김은실	성동서	199
김은실	송파서	203
김은실	양천서	204
김은실	고지회	30
김은아	서울청	149
김은아	서울청	154
김은아	반포서	191
김은아	군산서	392
김은애	동래서	453
김은애	동래서	453
김은연	김해서	474
김은영	국세상담	136
김은영	서울청	158
김은영	강서서	171
김은영	서대문서	194
김은영	수원서	249
김은영	파주서	321
김은영	제천서	361
김은영	광주청	369
김은영	북전주서	397
김은영	남대구서	412
김은영	상주서	430
김은영	북부산서	458
김은영	서부산서	460
김은영	수영서	462
김은오	인천서	298

이름	관서	번호
김은옥	군산서	392
김은윤	포항서	439
김은이	은평서	212
김은자	송파서	203
김은자	광주청	370
김은정	국세청	128
김은정	서울청	145
김은정	서울청	150
김은정	남대문서	179
김은정	도봉서	183
김은정	반포서	190
김은정	삼성서	192
김은정	서대문서	194
김은정	성동서	198
김은정	구리서	235
김은정	평택서	264
김은정	인천서	287
김은정	광주서	371
김은정	익산서	398
김은정	조세재정	515
김은정	예리세무	49
김은주	서울청	151
김은주	성북서	201
김은주	송파서	202
김은주	중부청	225
김은주	중부청	230
김은주	안양서	258
김은주	인천청	288
김은주	북대전서	334
김은주	천안서	352
김은주	광주서	376
김은주	남대구서	412
김은주	동울산서	468
김은주	진주서	480
김은중	역삼서	207
김은지	기재부	83
김은지	동작서	186
김은지	동작서	187
김은지	남원서	394
김은진	국세청	118
김은진	서울청	145
김은진	서울청	162
김은진	관악서	173
김은진	송파서	202
김은진	영등포서	209
김은진	중부청	227
김은진	안양서	259
김은진	여수서	389
김은진	대구서	408
김은철	대전서	332
김은태	부평서	315
김은하	성동서	198
김은하	남부천서	311
김은하	아산서	348
김은하	서대문서	195
김은향	인천서	288
김은혜	구로서	175
김은혜	금천서	176
김은혜	양천서	204
김은혜	중부청	231
김은혜	중부청	232
김은호	국세상담	136
김은호	서울청	152
김은호	중부청	224
김은호	동울산서	468
김은화	남대문서	180
김은화	도봉서	182
김은희	서울청	155
김은희	금천서	177
김은희	서초서	196
김은희	송파서	203
김은희	원주서	279
김은희	대전청	328
김은희	수성서	420
김은희	수영서	462
김은희	중부산서	464
김은희	지방재정	511
김을영	서초서	197
김응남	서산서	344
김의겸	국회법제	66
김의구	상공회의	108
김의구	상공회의	108
김의연	김포서	306

이름	관서	번호
김의연	서대전서	336
김의영	기재부	89
김의영	동고양서	308
김의영	영주서	436
김의주	조세재정	515
김의중	의정부서	318
김의철	정읍서	402
김의환	김앤장	55
김이경	전주서	400
김이규	경주서	424
김이레	안동서	432
김이섭	인천청	291
김이수	북대전서	334
김이영	북전주서	397
김이원	수성서	420
김이준	평택서	264
김이한	기재부	75
김이현	기재부	80
김이현	동수원서	241
김이현	해운대서	467
김이화	동고양서	309
김이화	부산남서	461
김익상	해운대서	466
김익태	구미서	426
김익덕	서울세관	493
김익헌	서울세관	495
김익환	관악서	172
김인	서울청	142
김인겸	서울청	142
김인겸	지방재정	511
김인경	남대문서	180
김인경	영주서	436
김인기	파주서	320
김인덕	서대구서	418
김인빈	삼성서	193
김인성	부평서	315
김인수	서울청	145
김인수	남부천서	310
김인수	진주서	481
김인숙	서울청	148
김인숙	남대문서	178
김인숙	동화성서	267
김인숙	김해서	474
김인순	인천세관	498
김인아	서울청	146
김인아	조세재정	516
김인애	경기광주	252
김인애	파주서	321
김인애	조세재정	515
김인영	기재부	84
김인옥	김포서	306
김인유	조세재정	515
김인자	서대구서	418
김인정	서인천서	296
김인제	분당서	245
김인중	동울산서	468
김인중	반포서	191
김인중	나주서	382
김인찬	고양서	302
김인찬	국세청	117
김인철	화성서	269
김인혜	대전서	333
김인호	동양서	243
김인호	종로서	217
김인호	천안서	352
김인화	삼성서	193
김인화	세종서	347
김인화	부산진서	455
김인화	서인천서	296
김인희	파주서	321
김일국	국세청	130
김일권	국회재정	63
김일권	부산청	448
김일도	국세청	130
김일동	강남서	166
김일두	서울청	150
김일룡	대구청	408
김일섭	광교세무	37
김일웅	대전청	308
김일우	안동서	432
김일하	남대문서	181
김일한	부산진서	455
김일환	중부청	233
김일희	수영서	463
김임경	관악서	173

이름	관서	번호
김임년	국세청	119
김임순	여수서	388
김자경	북대전서	334
김자림	인천서	299
김자영	국세상담	137
김자헌	대구청	406
김자현	양천서	205
김자회	서광주서	381
김자희	목포서	385
김장근	은평서	213
김장년	국세청	116
김장섭	김해서	474
김장섭	경기광주	253
김장수	포항서	438
김장용	대전청	330
김장환	중부지방	33
김장훈	기재부	79
김재경	남부천서	310
김재경	광주청	368
김재경	광주서	377
김재경	조세재정	514
김재경	양천서	205
김재곤	연수서	316
김재관	성동서	198
김재관	역삼서	207
김재광	부산청	449
김재구	서산서	345
김재구	대구청	411
김재권	부천서	312
김재규	강동서	168
김재규	반포서	190
김재근	대한회계	14
김재년	거창서	472
김재락	대구청	409
김재련	양천서	204
김재만	목포서	384
김재만	북전주서	396
김재민	포항서	438
김재민	중부청	225
김재민	인천서	299
김재민	대전청	327
김재민	경산서	423
김재민	조세재정	516
김재백	서울청	152
김재석	국세청	117
김재석	인천청	290
김재석	계양서	301
김재석	목포서	384
김재석	서울세관	493
김재석	서울세관	495
김재성	서울청	150
김재성	삼성서	192
김재신	기재부	77
김재실	군산서	393
김재연	동대문서	184
김재연	포항서	438
김재열	부산청	448
김재열	기재부	78
김재영	춘천서	280
김재영	충주서	365
김재영	익산서	399
김재완	서울청	158
김재완	세종서	346
김재용	강릉서	270
김재우	용산서	211
김재욱	국세청	118
김재욱	서울청	142
김재욱	서울청	151
김재욱	중부청	230
김재웅	광주청	369
김재웅	중부청	223
김재웅	중부청	229
김재웅	중부청	230
김재웅	법무광장	56
김재원	기재부	85
김재원	남양주서	239
김재원	남동서	294
김재원	광주청	369
김재원	서울청	143
김재윤	인천청	289
김재윤	북대구서	416
김재율	예의회계	24
김재융	대전청	327
김재은	잠실서	215
김재은	광산서	374

이름	소속	번호	이름	소속	번호	이름	소속	번호	이름	소속	번호	이름	소속	번호
김재은	북광주서	378	김정동	동대문서	184	김정은	양천서	204	김정희	여수서	389	김종일	목포서	384
김재이	기재부	82	김정동	남동서	294	김정은	기흥서	236	김제랑	광명서	304	김종일	기재부	87
김재일	기재부	79	김정란	기재부	89	김정은	동안산서	256	김제민	세무하나	126	김종재	세무하나	47
김재일	성남서	247	김정란	삼성서	192	김정은	화성서	268	김제봉	의정부서	319	김종주	서울청	155
김재일	동안산서	257	김정래	화성서	269	김정은	속초서	274	김제석	국세청	121	김종진	은평서	213
김재일	인천세관	497	김정렬	금감원	99	김정은	북광주서	379	김제성	서울청	142	김종진	부산강서	456
김재일	인천세관	498	김정륜	서울청	150	김정은	순천서	386	김제성	구로서	175	김종진	마산서	476
김재준	홍천서	283	김정림	수원서	249	김정은	전주서	400	김제우	역삼서	207	김종철	순천서	386
김재준	북전주서	396	김정면	통영서	485	김정은	포항서	438	김제은	동작서	187	김종철	수영서	462
김재준	수영서	463	김정명	금융위	93	김정은	동울산서	468	김제헌	인천청	292	김종철	거창서	473
김재준	진주서	481	김정미	서울청	163	김정은	마산서	476	김종각	국세청	129	김종철	서울세관	494
김재중	중부청	229	김정미	강서서	170	김정은	조세재정	515	김종갑	지방재정	510	김종철	상공회의	109
김재중	인천청	292	김정미	남대문서	178	김정은	조세재정	516	김종곤	서울청	159	김종태	안양서	258
김재중	부산청	446	김정미	동대문서	184	김정은	삼정회계	21	김종국	강남서	166	김종태	서인천서	297
김재진	중기회	110	김정미	성동서	198	김정이	인천청	288	김종국	마포서	189	김종택	영주서	436
김재진	서울청	154	김정미	고양서	302	김정이	중부산서	465	김종규	국회정무	67	김종택	지방재정	510
김재진	조세재정	514	김정미	김포서	306	김정인	중랑서	219	김종근	경주서	424	김종학	동화성서	267
김재집	기재부	83	김정미	부평서	314	김정인	광명서	304	김종길	부산청	448	김종학	대구서	415
김재찬	여수서	388	김정미	대구청	411	김정인	중부산서	464	김종덕	기재부	74	김종헌	반포서	191
김재천	국세청	127	김정미	서부산서	460	김정일	홍성서	354	김종덕	인천세관	497	김종헌	부산청	446
김재천	구로서	175	김정민	국세청	114	김정임	제천서	360	김종덕	인천세관	498	김종헌	영주서	437
김재철	인천청	291	김정민	강서서	171	김정임	남원서	395	김종두	강서서	171	김종헌	조세재정	515
김재철	대전청	326	김정민	원주서	279	김정주	기재부	77	김종만	반포서	190	김종현	서울청	145
김재철	북부산서	458	김정민	진주서	480	김정주	분당서	244	김종만	서초서	197	김종현	의정부서	319
김재철	진주서	480	김정배	잠실서	214	김정주	제주서	487	김종만	이천서	263	김종현	청주서	362
김재철	서울세관	494	김정범	종로서	217	김정준	동안산서	257	김종명	김해서	474	김종현	경산서	423
김재춘	해남서	390	김정범	성남서	246	김정준	법무바른	1	김종문	반포서	191	김종현	삼도회계	17
김재한	서울청	142	김정범	공주서	338	김정진	서울청	77	김종문	아산서	348	김종협	홀앤아웃	45
김재현	기재부	89	김정복	세무하나	47	김정진	서광주서	380	김종민	국회정무	68	김종협	성북서	201
김재현	국세청	118	김정분	통영서	485	김정진	순천서	387	김종민	영등포서	208	김종호	국세주류	134
김재현	서울청	143	김정석	정읍서	402	김정철	대구청	408	김종민	중부청	230	김종호	시흥서	250
김재현	서울청	155	김정석	대구청	410	김정태	금감원	95	김종민	대구청	410	김종호	북전주서	396
김재현	서울청	162	김정선	국세청	116	김정태	금감원	101	김종범	지방재정	511	김종호	동래서	453
김재현	서대문서	194	김정선	마포서	189	김정태	서울청	158	김종봉	더택스	43	김종화	파주서	320
김재현	양천서	204	김정섭	역삼서	207	김정하	평택서	265	김종빈	수원서	248	김종화	전주서	400
김재현	동화성서	267	김정섭	경기광주	252	김정학	국세청	114	김종삼	삼성서	192	김종화	세원세무	48
김재현	경주서	424	김정섭	고양서	302	김정헌	서울청	149	김종석	파주서	320	김종후	고시회	30
김재형	금천서	177	김정섭	제천서	360	김정한	경산서	422	김종석	기재부	76	김종훈	금융위	94
김재형	용산서	210	김정섭	동대구서	414	김정한	경산서	422	김종석	서울청	144	김종훈	중부청	224
김재형	중부청	232	김정수	기재부	79	김정현	남대문서	180	김종석	대구청	407	김종훈	중부청	225
김재형	속초서	275	김정수	기재부	89	김정현	중부청	233	김종석	상주서	430	김종훈	인천청	287
김재형	북대구서	416	김정수	국세청	130	김정현	제천서	361	김종석	상주서	431	김종훈	상주서	430
김재형	중부산서	465	김정수	대전서	327	김정현	여수서	389	김종선	시흥서	250	김좌만	남대구서	413
김재호	서울청	143	김정수	북대전서	334	김정현	부산청	449	김종선	동울산서	469	김주강	서울청	148
김재호	이천서	262	김정수	서대전서	337	김정현	마산서	477	김종성	기재부	86	김주덕	삼일회계	18
김재호	남부천서	311	김정수	김천서	428	김정현	조세재정	514	김종성	대전청	325	김주란	중부청	228
김재호	남부천서	311	김정수	북부산서	464	김정현	조세재정	515	김종성	대전청	331	김주만	용산서	210
김재홍	용인서	260	김정숙	기재부	74	김정협	구미서	426	김종수	국세청	120	김주만	청주서	363
김재홍	대구청	409	김정숙	서울청	143	김정혜	안양서	259	김종수	남대문서	181	김주민	기재부	82
김재홍	인천세관	500	김정숙	인천서	176	김정호	기재부	81	김종수	대구청	408	김주상	춘천서	280
김재환	기재부	81	김정숙	서광주서	380	김정호	국세청	114	김종숙	광산서	374	김주생	마포서	189
김재환	기재부	82	김정숙	북대구서	416	김정호	동작서	186	김종순	기재부	75	김주석	서울청	162
김재환	대전서	332	김정숙	수성서	421	김정호	의정부서	318	김종식	양천서	204	김주섭	연수서	317
김재환	광주청	368	김정숙	김천서	429	김정호	광산서	375	김종식	마산서	477	김주섭	서초서	196
김재환	대구청	407	김정순	국세교육	138	김정호	부산청	448	김종식	신대동	53	김주수	통영서	485
김재환	진주서	480	김정식	이천서	262	김정홍	법무광장	57	김종연	남대문서	180	김주식	국세청	114
김재환	제주서	487	김정식	고양서	303	김정화	서울청	152	김종연	구미서	427	김주아	금천서	176
김재훈	도봉서	182	김정식	진주서	481	김정화	용인서	261	김종오	정진세림	27	김주아	서인천서	297
김재훈	동대구서	185	김정실	국세상담	136	김정화	예산서	351	김종완	창원서	482	김주아	성북서	200
김재훈	중랑서	218	김정아	기재부	80	김정환	광산서	374	김종완	기재부	76	김주언	아산서	348
김재휘	천안서	352	김정아	금천서	176	김정환	기재부	84	김종완	포천서	322	김주연	기재부	75
김재희	중부서	221	김정아	북광주서	378	김정환	대전서	332	김종우	금정서	450	김주연	서울청	150
김재희	동안산서	256	김정아	남원서	394	김정환	대구청	406	김종우	경기광주	253	김주연	중부청	230
김점동	딜로이트	15	김정애	기재부	79	김정환	대구청	407	김종욱	기재부	75	김주연	중부청	230
김점준	수영서	462	김정연	영등포서	209	김정환	부산청	449	김종욱	국세청	114	김주연	남양주서	238
김정	기재부	76	김정연	광산서	374	김정환	조세재정	515	김종욱	수성서	421	김주엽	국세청	120
김정	인천세관	497	김정열	반포서	190	김정효	용인서	261	김종욱	삼일회계	18	김주영	국회재정	64
김정	인천세관	498	김정열	구미서	426	김정효	의정부서	319	김종운	사랑원	70	김주영	강남서	166
김정각	금융위	92	김정엽	국세상담	136	김정훈	기재부	74	김종운	화성서	269	김주영	송파서	203
김정건	동수원서	241	김정엽	서울청	165	김정훈	국세교육	138	김종운	남원서	394	김주영	잠실서	215
김정관	중부청	229	김정영	포항서	438	김정훈	서울청	144	김종웅	부산청	443	김주영	춘천서	280
김정국	북대구서	417	김정오	지방재정	513	김정훈	동안산서	257	김종웅	인천세관	497	김주영	대전청	328
김정국	창원서	482	김정옥	아산서	348	김정훈	포천서	323	김종웅	인천세관	498	김주영	대구청	406
김정규	기흥서	236	김정옥	동대구서	415	김정훈	대전청	326	김종웅	포항서	438	김주영	안동서	432
김정근	서울청	161	김정우	종로서	216	김정훈	경주서	425	김종원	조세재정	516	김주영	부산청	448
김정기	남양주서	238	김정우	평택서	265	김정훈	지방재정	510	김종월	부산청	442	김주영	서부산서	460
김정남	국세청	117	김정우	세무다우	42	김정흠	강남서	167	김종웅	국세청	114	김주영	삼도회계	17
김정남	경기광주	252	김정욱	부산진서	454	김정희	국세청	116	김종윤	지방재정	512	김주영	강남서	167
김정남	부산청	445	김정욱	부산세관	502	김정희	서울청	151	김종율	인천서	299	김주옥	삼성서	192
김정남	진주서	480	김정운	광주청	373	김정희	송파서	203	김종율	여수서	389	김주옥	시흥서	250
김정담	역삼서	206	김정원	서인천서	296	김정희	양천서	204	김종은	국세청	125	김주옥	화성서	269
김정대	인천청	290	김정원	익산서	398	김정희	종로서	217	김종인	익산서	398	김주완	경주서	424
김정대	북부산서	459	김정윤	서울청	155	김정희	강릉서	271	김종일	국세청	119	김주완	부산청	445
김정도	기재부	80	김정윤	역삼서	206	김정희	원주서	279	김종일	대전청	330	김주원	기재부	91
김정도	수영서	462	김정윤	고시회	30	김정희	인천청	288				김주원	서울청	150

이름	소속	번호	이름	소속	번호	이름	소속	번호	이름	소속	번호	이름	소속	번호
김주원	동작서	187	김준호	양산서	479	김지영	이천서	263	김지혜	강서서	171	김진수	마포서	188
김주원	중부청	228	김준호	진주서	480	김지영	화성서	268	김지혜	양천서	205	김진수	수원서	248
김주원	동화성서	267	김준호	법무바른	1	김지영	서인천서	297	김지혜	은평서	212	김진수	춘천서	280
김주원	대구청	409	김준환	연수서	316	김지영	천안서	352	김지혜	잠실서	215	김진수	부산청	447
김주원	김천서	428	김준희	동안산서	257	김지완	마포서	188	김지혜	중부청	230	김진수	부산진서	454
김주일	순천서	387	김준희	동울산서	468	김지우	동래서	452	김지혜	구리서	234	김진수	마산서	476
김주찬	경기광주	252	김중규	은평서	212	김지우	고양서	302	김지혜	안산서	255	김진수	예일세무	49
김주하	의정부서	318	김중래	대전청	330	김지우	천안서	352	김지혜	동화성서	266	김진숙	중부청	225
김주헌	서울청	144	김중근	중부청	231	김지웅	국세교육	139	김지혜	김포서	306	김진숙	북대구서	416
김주현	금융위	92	김중래	딜로이트	15	김지웅	국세청	120	김지혜	동고양서	308	김진슬	동안양서	242
김주현	금융위	93	김중래	딜로이트	15	김지웅	포항서	439	김지혜	의정부서	319	김진식	종로서	217
김주현	국세상담	136	김중삼	중부청	228	김지원	기재부	76	김지혜	광주청	371	김진식	홍성서	354
김주현	서울청	156	김중석	익산서	399	김지원	은평서	213	김지혜	군산서	392	김진아	기재부	91
김주현	강동서	168	김중영	영덕서	434	김지원	종로서	217	김지혜	부산진서	454	김진아	양천서	204
김주현	금천서	177	김중재	남부천서	311	김지원	시흥서	250	김지혜	중부산서	464	김진아	역삼서	207
김주현	역삼서	207	김중헌	안산서	255	김지원	원주서	278	김지혜	창원서	482	김진아	은평서	212
김주현	계양서	300	김중현	성남서	247	김지원	청주서	362	김지혜	홍앤아웃	45	김진아	경기광주	252
김주현	광주청	371	김중휘	익산서	398	김지원	북부산서	458	김지호	국세상담	136	김진아	안산서	255
김주현	목포서	385	김지동	기흥서	236	김지원	김해서	475	김지호	북대전서	334	김진아	인천서	299
김주현	전주서	400	김지만	국세교육	138	김지원	제주서	486	김지호	광산서	374	김진아	김포서	307
김주형	성남서	246	김지미	서초서	197	김지윤	국세청	122	김지호	전주서	401	김진아	포천서	323
김주혜	서울청	160	김지미	남대문서	180	김지윤	강동서	168	김지홍	익산서	399	김진아	마산서	477
김주홍	서울청	155	김지민	서울청	145	김지윤	도봉서	182	김지훈	국세청	122	김진아	지방재정	510
김주홍	의정부서	319	김지민	반포서	191	김지윤	강남서	194	김지훈	서울청	141	김진아	조세재정	515
김주홍	김해서	474	김지민	은평서	212	김지윤	경기광주	252	김지훈	서울청	153	김진업	포항서	438
김주훈	금정서	451	김지민	강릉서	271	김지윤	제천서	360	김지훈	서울청	154	김진열	제주서	486
김주희	성북서	200	김지민	광주청	369	김지윤	대구청	408	김지훈	서울청	155	김진영	국세청	117
김주희	분당서	244	김지민	북광주서	378	김지윤	영덕서	434	김지훈	파주서	320	김진영	서울청	154
김주희	김포서	306	김지민	대구청	406	김지윤	부산청	442	김지훈	광산서	375	김진영	춘천서	280
김주희	파주서	320	김지민	부산강서	456	김지윤	울산서	470	김지훈	북부산서	458	김진영	서인천서	297
김준	금천서	176	김지범	구로서	175	김지은	기재부	91	김지희	기재부	82	김진영	김포서	306
김준	삼성서	192	김지선	기재부	91	김지은	삼성서	192	김지희	충주서	364	김진영	세종서	346
김준기	국회정무	67	김지선	서울청	162	김지은	성동서	198	김지희	김해서	474	김진영	해남서	390
김준동	서현이현	7	김지선	동작서	186	김지은	성동서	198	김진	기재부	82	김진영	대구청	409
김준범	기재부	74	김지선	동작서	187	김지은	양천서	205	김진	광주청	368	김진영	수영서	462
김준범	평택서	265	김지선	안산서	254	김지은	양천서	205	김진	진주서	481	김진영	김해서	474
김준상	잠실서	214	김지선	파주서	320	김지은	종로서	216	김진갑	동고양서	308	김진도	평택서	264
김준석	광주서	377	김지성	성동서	199	김지은	수원서	249	김진갑	인천세관	499	김진옥	시흥서	250
김준석	전주서	400	김지수	기재부	78	김지은	남동서	294	김진건	포항서	439	김진용	서울세관	494
김준석	기재부	81	김지수	기재부	86	김지은	포천서	322	김진경	강동서	169	김진우	국세청	122
김준성	대전서	332	김지수	기재부	88	김지은	경산서	423	김진경	동래서	452	김진우	중부청	226
김준성	순천서	386	김지수	강남서	166	김지은	울산서	471	김진곤	상공회의	109	김진우	인천서	289
김준성	수영서	462	김지수	인천청	288	김지은	법무바른	1	김진곤	역삼서	207	김진우	인천청	290
김준성	조세재정	516	김지수	김포서	306	김지인	대구청	407	김진관	속초서	275	김진우	순천서	387
김준수	중랑서	218	김지수	아산서	348	김지태	서초서	196	김진광	성남서	246	김진우	구미서	426
김준수	창원서	483	김지수	나주서	382	김지향	중부서	226	김진광	서광주서	380	김진우	김해서	474
김준식	구미서	427	김지수	익산서	398	김지향	대구청	407	김진구	관악서	172	김진웅	예산서	351
김준연	남대문서	181	김지수	대구청	406	김지혁	고양서	302	김진국	김포서	306	김진원	김포서	306
김준연	남대문서	181	김지수	광교세무	36	김지현	감사원	71	김진규	서울청	163	김진재	순천서	386
김준연	북전주서	397	김지숙	부천서	312	김지현	국세청	127	김진규	동대구서	414	김진주	서울청	154
김준연	경주서	424	김지아	부평서	315	김지현	강서서	170	김진기	김포서	306	김진주	도봉서	183
김준연	금정서	451	김지아	청주서	362	김지현	서대문서	195	김진기	대전청	327	김진주	경기광주	252
김준영	서울청	144	김지암	중부청	224	김지현	성동서	199	김진달래	잠실서	214	김진주	대전청	329
김준영	중부청	229	김지애	인천청	291	김지현	성북서	200	김진덕	중부청	225	김진철	군산서	393
김준영	대전서	332	김지언	동안산서	256	김지현	영등포서	209	김진도	연수서	317	김진태	서현이현	7
김준영	김해서	475	김지언	동래서	452	김지현	잠실서	211	김진도	서대구서	419	김진태	서현이현	7
김준영	진주서	481	김지연	국세청	126	김지현	잠실서	215	김진도	경산서	423	김진혁	광교세무	37
김준오	이천서	262	김지연	국세청	127	김지현	종로서	216	김진동	창원서	482	김진현	중부청	223
김준용	국세상담	137	김지연	서울청	143	김지현	중랑서	219	김진만	삼척서	273	김진현	중부청	224
김준우	국세청	120	김지연	서울청	147	김지현	남양주서	238	김진만	정읍서	402	김진현	삼정회계	20
김준우	서울청	159	김지연	서울청	153	김지현	동안양서	242	김진명	기재부	84	김진형	동안산서	257
김준우	남대문서	179	김지연	서대문서	195	김지현	분당서	245	김진모	안동서	432	김진형	남부천서	310
김준우	남대구서	412	김지연	성동서	199	김지현	성남서	246	김진몽	은평서	212	김진호	강서서	171
김준이	용인서	261	김지연	용산서	210	김지현	삼척서	272	김진문	천안서	353	김진호	삼성서	192
김준익	보령서	343	김지연	은평서	212	김지현	서인천서	297	김진미	서울청	155	김진호	목포서	385
김준철	기재부	78	김지연	종로서	217	김지현	인천서	299	김진배	동청주서	357	김진호	제주서	487
김준철	마포서	188	김지연	안산서	255	김지현	파주서	321	김진범	서울청	145	김진홍	국세청	120
김준철	부천서	312	김지연	안산서	255	김지현	대전청	329	김진산	구리서	234	김진홍	서부산서	461
김준태	시흥서	250	김지연	평택서	265	김지현	안산서	344	김진삼	부산강서	457	김진화	강릉서	270
김준평	부산청	443	김지연	공주서	338	김지현	충주서	365	김진상	동래서	452	김진화	서산서	345
김준하	기재부	75	김지연	홍성서	354	김지현	순천서	386	김진석	국세청	123	김진환	강남서	167
김준하	삼성서	192	김지연	경주서	424	김지현	여수서	388	김진석	남대문서	179	김진환	성남서	246
김준하	서대전서	337	김지연	서부산서	460	김지현	부산청	443	김진석	동래서	453	김진환	용인서	260
김준헌	국회정무	68	김지엽	인천청	286	김지현	부산청	444	김진석	창원서	482	김진환	천안서	353
김준혁	원주서	278	김지영	기재부	83	김지현	북부산서	459	김진섭	포천서	323	김진환	익산서	398
김준혁	조세재정	515	김지영	기재부	84	김지현	해운대서	467	김진성	성북서	201	김진환	남대구서	412
김준현	양산서	479	김지영	국세청	120	김지현	울산서	471	김진성	창원청	282	김진희	국세청	130
김준형	남대문서	178	김지영	서울청	151	김지현	울산서	471	김진세	고시회	30	김진희	서울청	149
김준호	기재부	78	김지영	동작서	187	김지현	김해서	474	김진솔	강서서	170	김진희	서울청	163
김준호	국세청	127	김지영	마포서	189	김지현	양산서	478	김진수	기재부	79	김진희	강동서	169
김준호	국세청	128	김지영	서초서	197	김지현	양산서	478	김진수	기재부	80	김진희	관악서	172
김준호	중부청	224	김지영	역삼서	206	김지현	관세청	490	김진수	기재부	86	김진희	동작서	186
김준호	안산서	255	김지영	역삼서	207	김지현	딜로이트	15	김진수	국세청	118	김진희	서초서	196
김준호	남동서	294	김지영	중부서	220	김지혜	서울청	142	김진수	도봉서	182	김진희	동화성서	267
김준호	연수서	317				김지혜	강남서	166				김진희	강릉서	270

이름	소속	번호
김진희	인천청	288
김진희	서대전서	337
김진희	여수서	388
김진희	북대구서	416
김진희	광교세무	37
김진희	세무하나	47
김차남	강남서	166
김찬	안산서	255
김찬	남부천서	310
김찬규	예산서	351
김찬규	삼일회계	18
김찬기	수원서	249
김찬미	동안양서	242
김찬섭	중부청	230
김찬수	감사원	70
김찬수	안양서	258
김찬옥	마포서	189
김찬웅	동대문서	185
김찬일	남대문서	181
김찬일	금정서	450
김찬주	송파서	203
김찬주	광명서	305
김찬중	부산강서	456
김찬희	삼성서	193
김찬희	해운대서	467
김찬희	제주서	486
김창구	동대구서	415
김창권	관악서	172
김창근	국세청	114
김창기	국세청	113
김창기	국세청	114
김창명	남대문서	179
김창미	서울청	146
김창민	천안서	353
김창민	고양서	303
김창민	조세재정	515
김창범	삼성서	192
김창석	창원서	483
김창섭	강남서	167
김창섭	예일세무	49
김창수	금천서	176
김창수	울산서	471
김창순	영동서	359
김창신	북대구서	417
김창연	군산서	393
김창열	중부지방	33
김창영	부산청	442
김창영	관세청	490
김창오	동안양서	243
김창옥	서울세관	495
김창우	분당서	245
김창윤	경기광주	252
김창윤	창원서	483
김창일	양산서	479
김창진	세림세무	177
김창현	중랑서	295
김창현	광주청	371
김창현	진주서	480
김창호	용산서	211
김창호	남동서	295
김창호	인천서	299
김창환	상주서	431
김창훈	해남서	390
김창희	국세청	126
김창희	국세청	128
김채린	동화성서	266
김채아	용인서	261
김채원	중랑서	219
김채윤	중랑서	218
김채은	서대구서	418
김채현	동작서	187
김천섭	원주서	278
김천수	동수원서	241
김천수	삼도회계	17
김철	금천서	176
김철	수영서	462
김철	딜로이트	15
김철권	관악서	172
김철민	서울청	152
김철민	서초서	197
김철수	상주서	394
김철연	상주서	430
김철우	중기회	110
김철웅	국세청	116
김철준	북광주서	378
김철태	부산강서	457
김철현	기재부	75
김철현	동작서	186
김철호	시흥서	251
김철호	의정부서	318
김철호	광주청	372
김철호	나주서	383
김철호	예일세무	49
김철홍	기재부	84
김철홍	동작서	186
김청일	서울청	142
김청희	인천청	286
김초롱	분당서	245
김초아	종로서	217
김초원	광주주서	378
김초원	목포서	384
김초이	해운대서	466
김초현	광주서	381
김초혜	논산서	341
김춘경	송파서	202
김춘경	잠실서	214
김춘광	남원서	395
김춘기	논산서	340
김춘동	동고양서	309
김춘란	진주서	480
김춘례	강동서	168
김춘배	북전주서	396
김충국	신승회계	23
김충만	서울청	161
김충모	이천서	262
김충배	이천서	262
김충상	용산서	210
김충식	인천세관	499
김충일	거창서	473
김충진	금감원	97
김충현	관악서	172
김치키	마포서	189
김치호	국세청	130
김치호	인천청	291
김태건	대전청	327
김태경	기재부	77
김태경	기재부	81
김태경	역삼서	207
김태경	삼척서	273
김태경	서광주서	380
김태경	통영서	485
김태경	법무광장	57
김태경	딜로이트	15
김태곤	기재부	78
김태광	지방재정	511
김태규	청주서	362
김태균	성동서	199
김태균	충주서	365
김태균	창원서	482
김태균	태평양	60
김태균	부산강서	457
김태남	정읍서	402
김태남	분당서	244
김태년	국회재정	64
김태두	김포서	306
김태랑	송파서	202
김태량	남대구서	412
김태린	남동서	295
김태문	동청주서	356
김태민	마포서	188
김태민	삼척서	272
김태민	북대구서	416
김태민	양산서	478
김태범	수원서	248
김태범	원주서	279
김태범	지방재정	510
김태서	성남서	246
김태서	대전청	327
김태석	감사원	71
김태석	서울청	145
김태석	영등포서	209
김태선	영등포서	208
김태섭	남대문서	179
김태성	국세청	131
김태성	은평서	212
김태성	진주서	480
김태수	춘천서	280
김태수	창원서	483
김태숙	창원서	482
김태순	기재부	81
김태순	대전청	328
김태승	해운대서	467
김태승	부평서	314
김태식	강서서	170
김태언	서울청	159
김태연	강남서	166
김태연	잠실서	214
김태연	수원서	249
김태연	속초서	275
김태열	광주청	367
김태열	광주청	369
김태열	광주청	370
김태영	역삼서	207
김태영	기흥서	236
김태영	분당서	245
김태영	광명서	304
김태영	파주서	321
김태영	해운대서	466
김태영	인천세관	497
김태영	인천세관	499
김태엽	기재부	75
김태완	중기회	110
김태완	국세청	117
김태완	서인천서	297
김태완	대구청	408
김태완	동울산서	468
김태용	중부청	225
김태용	부평서	314
김태우	감사원	69
김태우	감사원	70
김태우	강동서	169
김태우	중부청	225
김태우	서대구서	419
김태우	양산서	478
김태욱	서울청	154
김태욱	대현회계	14
김태웅	국세청	114
김태웅	계양서	300
김태웅	국세청	118
김태원	인천청	291
김태원	광주청	369
김태원	여수서	388
김태원	영덕서	434
김태원	부산진서	455
김태윤	관악서	173
김태윤	예일세무	49
김태은	국세상담	137
김태은	강동서	168
김태은	도봉서	182
김태은	잠실서	215
김태은	이천서	262
김태은	평택서	264
김태은	평택서	265
김태은	천안서	352
김태은	조세재정	516
김태이	기재부	89
김태익	감사원	71
김태익	지방재정	511
김태인	서울청	161
김태정	기재부	76
김태정	김해서	474
김태주	삼정회계	21
김태준	서울청	165
김태준	광주서	368
김태준	삼정회계	21
김태중	기재부	84
김태진	기재부	87
김태진	부천서	223
김태진	남양주서	238
김태진	원주서	279
김태진	광명서	305
김태진	순천서	387
김태헌	북대전서	334
김태헌	해운대서	466
김태현	기재부	82
김태현	서울청	146
김태현	강동서	169
김태현	삼성서	193
김태현	삼성서	193
김태현	동안산서	256
김태형	국세청	117
김태형	국세청	128
김태형	서울청	143
김태형	삼성서	193
김태형	화성서	269
김태형	김포서	306
김태형	동대구서	414
김태형	안동서	432
김태형	법무지평	59
김태호	기재부	83
김태호	국세청	113
김태호	국세상담	136
김태호	서울청	142
김태호	남대문서	181
김태호	구미서	427
김태호	양산서	479
김태호	창원서	483
김태환	파주서	320
김태환	대전청	326
김태환	북대구서	416
김태환	진주서	480
김태환	제주서	486
김태효	중부청	228
김태훈	국세청	117
김태훈	국세청	124
김태훈	삼성서	193
김태훈	서대문서	194
김태훈	서초서	197
김태훈	금산서	210
김태훈	삼척서	272
김태훈	인천서	298
김태훈	광명서	305
김태훈	대전청	326
김태훈	아산서	348
김태훈	영주서	436
김태훈	부산청	448
김태훈	김해서	475
김태훈	삼일회계	18
김태희	반포서	190
김태희	역삼서	206
김태희	남동서	294
김태희	남동서	294
김태희	연수서	317
김태희	경주서	424
김태희	상주서	430
김태희	금정서	451
김택근	안산서	254
김택우	부평서	314
김택우	제주서	486
김택원	시흥서	251
김택창	서산서	344
김판신	부산청	443
김판준	국세청	114
김평강	조세재정	515
김평석	홈앤아웃	45
김평섭	중부서	221
김평섭	부산청	448
김평식	조세재정	515
김평식	조세재정	515
김평호	금천서	177
김평화	목포서	385
김평화	제주서	487
김푸른	국세청	117
김푸름	서울청	150
김풍겸	김해서	474
김필곤	해운대서	467
김필선	삼척서	272
김필선	광주서	376
김필순	대전청	328
김필식	부산청	448
김필종	서대문서	195
김필한	지방재정	512
김하강	수원서	248
김하경	수원서	248
김하나	서인천서	296
김하늘	서울청	144
김하니	구리서	234
김하린	기재부	84
김하림	서울청	164
김하성	연수서	317
김하성	경산서	423
김하양	인천서	298
김하연	국세청	118
김하연	마포서	189
김하연	반포서	190
김하연	서현이현	7
김하영	서대구서	418
김하영	지방재정	510
김하영	조세재정	515
김하영	예일세무	49
김하원	광명서	305
김하은	춘천서	281
김하중	서울청	159
김학규	부천서	313
김학민	광주서	372
김학선	국세청	132
김학송	중부청	226
김학수	북전주서	396
김학수	서현이현	6
김학욱	동래서	452
김학주	삼정회계	20
김학주	김앤장	55
김학진	동안산서	257
김학진	서대전서	336
김학효	조세재정	514
김한결	서울청	152
김한경	지방재정	510
김한규	국회정무	68
김한규	동작서	187
김한근	국세청	125
김한기	속초서	275
김한나	딜로이트	15
김한나	인천청	286
김한림	순천서	387
김한범	인천청	286
김한별	부천서	313
김한상	남양주서	239
김한석	중부산서	464
김한석	화성서	269
김한성	반포서	190
김한성	영등포서	209
김한솔	계양서	301
김한솔	계양서	301
김한솔	북전주서	397
김한솔	서부산서	461
김한수	인천지방	34
김한솔	영등포서	209
김한신	부산진서	454
김한얼	관악서	173
김한얼	김포서	306
김한일	파주서	320
김한일	용산서	210
김한준	기재부	78
김한준	법무광장	56
김한진	수원서	248
김한진	인천청	286
김한진	관세청	490
김한필	강서서	171
김한필	기재부	82
김황년	기재부	89
김황로	서울청	148
김황범	부산청	445
김황중	연수서	316
김회주	전주서	401
김해리	인천청	298
김해림	송파서	203
김해마중	김앤장	55
김해성	국세청	128
김해영	서울청	156
김해영	북부산서	458
김해옥	국세청	120
김해운	은평서	212
김해은	부산진서	454
김해은	서울청	150
김해진	양천서	205
김해진	중부청	233
김해철	법무광장	57
김햇님	중부청	226
김햇살	원주서	278
김행곤	순천서	386
김행복	중부서	220
김행순	잠실서	214
김행안	통영서	484
김향미	중부청	225
김향숙	서울청	153
김향숙	인천서	298
김향수	연수서	317
김향일	잠실서	215
김향주	인천청	289
김헌국	강동서	168
김헌규	부산청	448
김헌규	김포서	306
김헌우	성남서	246

이름	소속	쪽	이름	소속	쪽	이름	소속	쪽	이름	소속	쪽	이름	소속	쪽
김혁	영등포서	208	김현열	진주서	480	김현철	진주서	481	김혜경	부산강서	456	김혜진	역삼서	206
김혁	인천세관	497	김현옥	서초서	197	김현태	관악서	172	김혜란	영등포서	208	김혜진	경기광주	252
김혁	인천세관	499	김현옥	남원서	395	김현태	대전청	327	김혜란	광주청	371	김혜진	동안산서	257
김혁동	경주서	425	김현우	서울청	160	김현태	서산서	344	김혜랑	송파서	203	김혜진	이천서	262
김혁일	기재부	90	김현우	서울청	162	김현하	국세청	117	김혜련	기재부	81	김혜진	강릉서	271
김혁준	지방재정	512	김현우	남대문서	178	김현호	서울청	142	김혜련	중부청	224	김혜진	남동서	294
김혁희	관악서	172	김현우	종로서	217	김현호	중부청	229	김혜령	중부청	231	김혜진	계양서	301
김현	용산서	211	김현욱	안동서	432	김현호	상주서	431	김혜령	남부천서	310	김혜진	대구청	407
김현	익산서	399	김현웅	국세청	131	김현후	기재부	84	김혜령	기재부	90	김혜진	서대구서	418
김현경	국세청	114	김현웅	대전청	326	김현희	국세상담	136	김혜리	서울청	151	김혜진	부산서	444
김현경	삼성서	192	김현일	중부청	229	김현희	송파서	202	김혜리	부산강서	456	김혜진	동래서	453
김현경	송파서	202	김현일	예일회계	24	김현희	은평서	212	김혜린	기재부	91	김혜진	수영서	462
김현경	중부청	232	김현자	목포서	385	김현희	북대구서	416	김혜린	남동서	294	김혜현	중랑서	218
김현경	평택서	264	김현재	서울청	151	김형걸	동울산서	468	김혜린	마산서	477	김호	성동서	199
김현경	남동서	294	김현정	광주청	381	김형곤	삼정회계	20	김혜린	강남서	167	김호	서인천서	296
김현경	지방재정	511	김현정	국회재정	63	김형국	서광주서	380	김혜림	대구청	411	김호	부산세관	442
김현곤	기재부	87	김현정	서울청	144	김형국	포항서	439	김혜림	영주서	437	김호	김해서	474
김현곤	서초서	196	김현정	서울청	160	김형규	경기광주	252	김혜림	제주서	486	김호겸	홍성서	354
김현구	관세청	491	김현정	강동서	168	김형기	동작서	187	김혜미	서울청	159	김호근	북대구서	417
김현구	부산세관	502	김현정	강서서	171	김형기	예산서	350	김혜미	역삼서	207	김호국	남양주서	239
김현근	반포서	190	김현정	구로서	174	김형두	서현이현	7	김혜미	청주서	362	김호근	국세교육	138
김현기	평택서	264	김현정	구로서	175	김형두	부산강서	457	김혜미	지방재정	510	김호석	마포서	189
김현기	남부천서	310	김현정	남대문서	179	김형래	서울청	143	김혜민	용산서	210	김호석	상공회의	108
김현기	울산서	471	김현정	남대문서	181	김형래	잠실서	215	김혜민	북광주서	378	김호승	수성서	420
김현도	부산청	447	김현정	동대문서	185	김형래	부산서	442	김혜빈	기재부	75	김호승	부산청	444
김현두	대구청	407	김현정	성동서	198	김형만	익산서	399	김혜빈	남대문서	180	김호업	세무하나	47
김현두	해운대서	467	김현정	동안양서	242	김형모	상공회의	109	김혜빈	송파서	203	김호영	서울청	149
김현만	삼정회계	21	김현정	수원서	249	김형묵	성동서	199	김혜빈	종로서	217	김호영	구리서	234
김현목	부산진서	455	김현정	시흥서	250	김형미	대전청	328	김혜빈	남동서	294	김호일	지방재정	511
김현미	중부청	229	김현정	강릉서	270	김형민	은평서	213	김혜빈	창원서	483	김호준	은평서	213
김현미	안산서	254	김현정	강릉서	270	김형민	화성서	269	김혜성	성동서	199	김호중	기재부	90
김현미	화성서	269	김현정	김포서	306	김형민	김해서	475	김혜성	인천청	289	김호진	송파서	203
김현미	동래서	453	김현정	나주서	383	김형배	법무율촌	58	김혜수	의정부서	319	김호진	부산진서	455
김현미	상공회의	109	김현정	순천서	386	김형병	광명서	305	김혜수	서울청	145	김호찬	남동서	295
김현민	서울청	153	김현정	대구청	411	김형석	서울청	158	김혜숙	도봉서	182	김호현	동래서	452
김현민	강동서	169	김현정	북대구서	417	김형석	강서서	171	김혜숙	동작서	187	김홍경	동대구서	414
김현민	성동서	199	김현정	북부산서	458	김형선	기재부	81	김혜숙	서부산서	460	김홍경	중부청	224
김현민	동안양서	242	김현정	서부산서	460	김형섭	국회재정	63	김혜식	잠실서	214	김홍겸	대전청	327
김현민	남동서	294	김현정	마산서	477	김형섭	서울청	163	김혜연	은평서	213	김홍기	대전청	328
김현배	성남서	246	김현정	마산서	477	김형섭	부산서	448	김혜연	인천청	290	김홍기	창원서	483
김현배	서부산서	460	김현정	관세청	490	김형섭	김해서	475	김혜연	부천서	312	김홍란	대전청	328
김현배	고시회	30	김현종	국세청	131	김형수	서울청	162	김혜영	서울청	164	김홍래	잠실서	214
김현범	중부산서	464	김현종	논산서	340	김형수	원주서	279	김혜영	강서서	171	김홍렬	반포서	191
김현보	역삼서	206	김현주	기재부	86	김형수	부산청	446	김혜영	남대문서	178	김홍석	부산청	448
김현서	동안양서	243	김현주	강동서	168	김형숙	북광주서	378	김혜영	서대문서	195	김홍수	양산서	478
김현서	동고양서	309	김현주	도봉서	182	김형식	동안양서	243	김혜영	성북서	200	김홍식	인천청	290
김현석	국세청	125	김현주	성동서	198	김형완	광산서	374	김혜영	은평서	212	김홍용	국세청	133
김현석	성남서	246	김현주	역삼서	207	김형완	종로서	217	김혜영	구리서	235	김홍주	예일세무	49
김현석	부산세관	501	김현주	대전청	331	김형우	강남서	166	김혜영	광주청	370	김홍철	감사원	70
김현석	부산세관	502	김현주	대전청	371	김형우	법무지평	59	김혜영	서대구서	412	김홍겸	삼일회계	18
김현석	법무바른	1	김현주	순천서	386	김형욱	기재부	73	김혜영	서대구서	419	김도한	성동서	198
김현선	서울청	142	김현주	전주서	400	김형욱	중부청	225	김혜영	영덕서	434	김화비	평택서	264
김현선	관악서	172	김현주	북대구서	416	김형욱	남대구서	413	김혜영	부산서	445	김화선	김해서	474
김현선	역삼서	206	김현주	부산청	444	김형운	홈앤아웃	45	김혜영	부산진서	454	김화숙	서울청	142
김현섭	국세청	126	김현주	진주서	480	김형익	제주서	487	김혜영	통영서	485	김화숙	역삼서	207
김현성	이천서	262	김현주	창원서	482	김형일	강서서	171	김혜영	성동서	198	김화영	광주청	369
김현성	삼척서	272	김현준	영등포서	209	김형정	서울청	142	김혜원	송파서	202	김화영	광주청	371
김현성	광주청	368	김현준	종로서	216	김형종	김해서	475	김혜원	양천서	205	김화영	진주서	481
김현성	북광주서	379	김현준	화성서	268	김형종	중부서	221	김혜원	중부청	225	김화연	영월서	276
김현성	부산청	442	김현준	동고양서	309	김형주	안양서	258	김혜원	영동서	359	김화은	서초서	196
김현수	기재부	76	김현준	북부산서	458	김형주	광주청	372	김혜원	순천서	387	김화정	인천청	287
김현수	상공회의	108	김현준	김해서	475	김형준	기재부	77	김혜원	부산서	448	김화진	서울청	160
김현수	성동서	199	김현중	아산서	349	김형준	서울청	162	김혜윤	인천청	288	김화진	수영서	462
김현수	서대구서	419	김현지	국세청	123	김형준	중부청	229	김혜은	계양서	300	김환	동안양서	243
김현수	거창서	473	김현지	국세청	126	김형준	남양주서	238	김혜은	군산서	393	김환	광주청	368
김현수	예일회계	24	김현지	국세청	132	김형준	원주서	278	김혜은	해운대서	466	김환국	남광주서	379
김현수	세원세무	48	김현지	국세청	133	김형준	포항서	439	김혜인	관악서	172	김환규	반포서	190
김현숙	서울청	144	김현지	안산서	254	김형진	서울청	150	김혜인	인천서	299	김환욱	군산서	393
김현숙	삼성서	192	김현진	서울청	153	김형진	구로서	175	김혜인	북전주서	397	김환중	진주서	480
김현숙	중부서	221	김현진	남대문서	181	김형진	부산서	442	김혜정	국세청	115	김환진	분당서	244
김현숙	대전청	327	김현진	중부청	228	김형천	부산진서	454	김혜정	서울청	156	김황응	거창서	473
김현숙	북대전서	334	김현진	인천서	299	김형철	안산서	254	김혜정	강서서	170	김황진	천안서	352
김현숙	광산서	374	김현진	광주청	368	김형태	국세청	124	김혜정	마포서	188	김황식	광주서	376
김현숙	남대구서	413	김현진	광산서	375	김형태	서울청	147	김혜정	마포서	189	김회광	북전주서	396
김현숙	포항서	439	김현진	나주서	382	김형태	서대문서	195	김혜정	서초서	196	김회연	천안서	352
김현숙	부산진서	455	김현진	여수서	388	김형태	고시회	30	김혜정	성동서	199	김회정	창원서	483
김현숙	조세재정	515	김현진	북대구서	416	김형후	서울청	162	김혜정	남동서	294	김효경	기재부	83
김현순	기재부	80	김현진	부산청	444	김형훈	기재부	86	김혜정	광산서	374	김효경	국세교육	139
김현승	국세청	115	김현진	홈앤아웃	45	김형훈	부산서	446	김혜정	서광주서	380	김효근	대구청	407
김현승	이천서	262	김현철	감사원	70	김혜경	서울청	146	김혜정	서대구서	418	김효근	아산서	349
김현아	용산서	210	김현철	서울청	144	김혜경	기흥서	236	김혜정	경주서	424	김효근	남원서	395
김현아	은평서	212	김현철	서울청	375	김혜경	평택서	265	김혜진	기재부	79	김효남	금천서	177
김현아	천안서	352	김현철	목포서	385	김혜경	대전청	329	김혜진	국세청	118	김효남	지방재정	513
김현아	울산서	470	김현철	금정서	450	김혜경	순천서	386	김혜진	남대문서	180	김효동	중부서	221
김현아	조세재정	515	김현철	부산진서	454	김혜경	북대구서	417	김혜진	양천서	205	김효련	경주서	424

이름	소속	페이지
김효림	성북서	200
김효림	조세재정	514
김효미	삼성서	192
김효민	울산서	471
김효삼	대구청	407
김효상	성북서	200
김효상	송파서	202
김효상	구리서	234
김효선	충주서	364
김효섭	역삼서	206
김효수	북광주서	379
김효숙	여수서	388
김효숙	부산청	443
김효영	동안산서	257
김효원	종로서	217
김효윤	서인천서	296
김효은	부평서	315
김효일	남대구서	412
김효일	안양서	259
김효정	기재부	85
김효정	구로서	174
김효정	구로서	175
김효정	금천서	177
김효정	반포서	191
김효정	반포서	191
김효정	성북서	200
김효정	역삼서	206
김효정	강릉서	271
김효정	남부천서	311
김효정	여수서	389
김효정	울산서	471
김효주	지방재정	510
김효주	지방재정	510
김효중	대전청	326
김효진	국세청	117
김효진	서울청	144
김효진	서초서	196
김효진	성북서	201
김효진	양천서	204
김효진	중부서	229
김효진	인천청	290
김효진	전주서	401
김효진	부산청	443
김효진	중부산서	465
김효희	해남서	390
김후영	부산진서	454
김후희	삼척서	312
김훈	삼척서	272
김훈	부천서	313
김훈	광주청	368
김훈	북대구서	416
김훈	부산세관	502
김훈구	중부서	216
김훈기	중부청	226
김훈민	속초서	275
김훈수	대구청	342
김훈중	예일세무	49
김훈태	분당서	244
김휘민	구미서	426
김휘영	영등포서	208
김흥곤	강남서	166
김흥기	은평서	213
김흥주	서울세관	495
김희겸	국세청	130
김희경	서울청	158
김희경	반포서	191
김희경	부산청	445
김희곤	국회정무	68
김희관	서광주서	380
김희권	대구세관	506
김희규	인천지방	34
김희대	서울청	160
김희란	대전청	327
김희련	북부산서	458
김희리	관세청	490
김희명	포천서	323
김희문	마산서	476
김희범	북부산서	459
김희봉	광주청	373
김희석	북광주서	379
김희선	은평서	213
김희선	중랑서	218
김희선	중부청	228
김희선	부산청	447
김희수	부천서	312
김희숙	서울청	143
김희숙	중부청	224
김희숙	광주청	370
김희숙	익산서	399
김희애	서울청	150
김희애	울산서	470
김희연	성동서	199
김희연	양천서	205
김희연	남대구서	413
김희영	동고양서	308
김희영	포천서	322
김희영	대전청	329
김희원	천안서	352
김희윤	역삼서	207
김희재	세종서	346
김희재	기재부	81
김희재	강릉서	271
김희재	강릉서	271
김희재	대전청	328
김희정	국세청	116
김희정	국세교육	138
김희정	강남서	166
김희정	도봉서	182
김희정	반포서	190
김희정	송파서	202
김희정	구리서	234
김희정	파주서	320
김희정	북광주서	379
김희정	대구청	407
김희정	양산서	479
김희준	의정부서	
김희준	기재부	82
김희준	마산서	476
김희중	기재부	78
김희중	중기회	110
김희중	서울청	142
김희진	서울청	162
김희진	서대문서	195
김희진	인천청	287
김희진	고양서	302
김희진	광주서	377
김희창	인천서	298
김희창	충주서	364
김희창	순천서	387
김희철	고시회	30
김희철	김앤장	55
김희태	북대전서	335
김희태	익산서	398
김희택	기재부	80
김희화	중부청	226

ㄴ

이름	소속	페이지
나경미	세종서	346
나경아	양천서	204
나경영	서울청	146
나경태	안양서	259
나경훈	의정부서	318
나기석	동화성서	266
나기홍	지방재정	510
나길제	연수서	316
나단비	해운대서	466
나덕욱	서울청	154
나동일	중부청	233
나동일	국세청	128
나두영	부산세관	501
나두영	부산세관	503
나명균	세종서	120
나명수	광교세무	38
나명호	서울청	159
나미선	익산서	375
나민수	의정부서	319
나민지	광명서	304
나상곤	기재부	81
나상률	기재부	88
나상일	경주서	425
나상진	평택서	265
나석환	삼정회계	20
나선영	광주서	376
나선일	의정부서	319
나선회	김포서	306
나성빈	관악서	172
나소영	목포서	384
나송현	동수원서	240
나수정	강서서	170
나승도	삼일회계	18
나승순	국세청	118
나승운	국세청	126
나승창	광주청	368
나영	부평서	314
나영	조세재정	514
나영미	중부서	220
나영주	동작서	186
나영희	정읍서	402
나예영	삼성서	192
나용선	국세상담	137
나용호	청주서	363
나우영	강동서	168
나원정	경주서	424
나유림	고양서	303
나유민	광산서	375
나유선	나주서	382
나유숙	대전청	327
나유진	청주서	363
나윤미	북광주서	379
나윤수	중부청	232
나윤정	기재부	83
나은경	강동서	168
나은주	청주서	362
나인애	반포서	191
나인엽	광주청	371
나정영	중랑서	219
나정현	제천서	360
나정희	서대전서	336
나종선	광주청	367
나종선	광주청	373
나종엽	조세재정	514
나종태	관세청	490
나종혁	지방재정	510
나종현	동작서	187
나진순	반포서	191
나진우	북전주서	396
나진희	서울청	142
나진희	남원서	394
나진희	조세재정	516
나찬영	남대문서	184
나찬주	남동서	294
나채용	광주청	373
나철호	재정회계	26
나태운	부평서	315
나한결	관악서	173
나한태	서광주서	380
나향미	광주서	376
나현숙	삼일회계	18
나현숙	수성서	420
나형배	순천서	386
나형욱	안산서	254
나형채	순천서	387
나혜경	광산서	375
나혜영	안산서	255
나혜정	익산서	399
나환영	구리서	235
나환웅	강서서	171
나희선	중부청	229
나희영	용산서	210
남가영	감사원	71
남경	지방재정	510
남경	북대전서	335
남경민	구로서	175
남경아	충주서	365
남경일	종로서	216
남경자	양천서	205
남경호	동울산서	469
남경희	중부청	226
남경희	동화성서	267
남관길	부산청	448
남관덕	남동서	294
남광우	대전서	332
남광민	마포서	189
남궁서정	삼척서	272
남궁재옥	종로서	216
남궁준	안양서	258
남궁효순	정읍서	403
남근	강서서	170
남기범	기재부	79
남기범	천안서	352
남기선	성남서	246
남기연	강서서	170
남기은	인천서	299
남기은	남부천서	310
남기인	기재부	78
남기인	인천청	286
남기정	목포서	384
남기태	동청주서	356
남기현	중부청	228
남기형	강서서	171
남기홍	영월서	277
남기홍	동고양서	308
남기훈	서울청	153
남기훈	서울청	162
남꽃별	반포서	191
남다영	울산서	471
남다영	대전청	328
남덕희	평택서	264
남도경	인천청	288
남도욱	북광주서	378
남동균	천안서	352
남동수	인천세관	498
남동오	기재부	79
남동완	포천서	323
남동우	대구청	406
남동현	기재부	78
남동현	마산서	476
남동훈	삼성서	193
남만우	잠실서	214
남명규	포천서	323
남명기	중부청	226
남무정	천안서	352
남미숙	남대구서	412
남민기	대구청	127
남보라	청주서	362
남보영	동고양서	308
남봉근	국세청	116
남봉근	삼성서	166
남상균	국세청	130
남상웅	안산서	255
남상준	중부청	229
남상진	순천서	387
남상헌	대구청	409
남상호	수성서	420
남상훈	여수서	388
남석주	고양서	302
남선애	남선애	236
남성운	마포서	189
남성훈	서울세관	493
남성훈	서울세관	494
남세라	국세청	118
남소연	광주세관	507
남송이	서울청	164
남송이	마산서	476
남수경	기재부	77
남수빈	동울산서	469
남수주	도봉서	182
남수진	강동서	168
남수진	화성서	269
남숙경	동울산서	256
남승규	양천서	205
남승오	조세재정	516
남승원	인천서	383
남승호	서대문서	195
남아주	목포서	385
남애숙	삼척서	272
남연경	김해서	475
남연주	지방재정	513
남영안	대구청	405
남영우	대구청	408
남영우	대구청	228
남영준	고양서	302
남영철	중랑서	218
남영탁	인천서	298
남영호	남대구서	413
남예나	부산진서	454
남예원	남동서	294
남예진	구리서	234
남옥희	포항서	438
남왕주	서광주서	380
남용우	강서서	230
남용훈	EY한영	13
남용휘	동고양서	308
남용희	남대문서	181
남우석	삼일회계	18
남우창	국세청	117
남왕우	기재부	75
남유승	이천서	262
남유진	국세청	126
남유현	속초서	275
남윤석	부산청	449
남윤수	서울청	161
남윤정	강서서	171
남윤중	영등포서	209
남윤현	이천서	262
남윤현	남동서	295
남은빈	인천청	288
남은숙	논산서	341
남은영	인천청	287
남은정	인천청	290
남일현	인천청	291
남자세	광주청	368
남장우	강동서	168
남장현	홈앤아웃	45
남전구	영등포서	208
남정근	영주서	437
남정림	춘천서	281
남정민	구미서	426
남정식	부천서	313
남정태	동대문서	184
남정화	양천서	205
남주희	전주서	401
남중화	국세청	131
남중화	영월서	277
남지원	기재부	78
남지윤	경기광주	252
남지은	동고양서	309
남지현	도봉서	182
남지현	조세재정	516
남창우	기재부	73
남창현	부산청	445
남창현	세무사회	29
남창환	국세청	120
남창훈	부산세관	502
남창훈	상주서	430
남칠현	성동서	198
남태연	김앤장	55
남택원	예산서	350
남택진	미래회계	16
남학진	양산서	478
남한샘	기재부	75
남현두	이천서	262
남현승	서울청	143
남현우	청주서	362
남현정	경기광주	252
남현주	성남서	246
남현주	부천서	312
남현지	천안서	352
남현철	인천청	291
남현철	국세청	119
남형석	삼일회계	18
남형주	고양서	303
남혜윤	국세청	115
남혜진	성북서	200
남호규	춘천서	281
남호성	서울청	159
남호정	종로서	217
남화영	은평서	213
남효정	이천서	262
남효주	안동서	433
남훈현	이천서	263
남희욱	포항서	438
남희천	홍천서	283
노강래	조세재정	516
노길현	마포서	188
노경민	원주서	279
노경수	서울청	156
노경아	중부서	220
노경철	대전청	326
노경환	부산세관	502
노계연	서울청	160
노광래	지방재정	511
노광주	중부청	225
노광환	포천서	323
노근석	동울산서	469
노근홍	인천세관	500
노기란	분당서	244
노기숙	국세상담	136
노기우	아산서	348

이름	소속	쪽
노기원	인천지방	34
노기원	광교세무	36
노기항	도봉서	183
노기훈	의정부서	318
노남규	서울청	160
노도영	익산서	398
노동균	정읍서	402
노동렬	강남서	166
노동섭	대구세관	506
노동승	영등포서	209
노동영	구미서	427
노동율	동울산서	469
노동호	익산서	398
노마로	인천서	298
노명진	전주서	400
노명환	평택서	265
노명희	강남서	166
노미경	광주청	370
노미란	남대문서	178
노미선	성동서	198
노미해	김해서	474
노미향	양산서	478
노미현	양천서	205
노민경	종로서	216
노민경	목포서	385
노민욱	동울산서	469
노민정	서대문서	195
노병현	금천서	176
노상우	인천청	289
노석봉	삼성서	192
노성민	통영서	484
노성수	기재부	77
노성은	광주청	368
노세영	연수서	316
노세현	금정서	450
노소영	성북서	200
노수경	영등포서	209
노수경	조세재정	514
노수연	서울청	162
노수정	서울청	154
노수지	동화성서	266
노수진	경기광주	252
노수창	시흥서	250
노수현	중랑서	218
노순정	순천서	386
노승규	순천서	387
노승미	구리서	235
노승옥	동안양서	243
노승진	수원서	248
노승현	홈앤아웃	45
노승환	종로서	217
노시교	인천세관	497
노시교	인천세관	500
노시열	순천서	387
노신남	국세청	133
노아영	강남서	167
노아영	관악서	211
노연섭	관악서	172
노연숙	인천서	298
노영래	기재부	80
노영명	서광주서	381
노영배	서울청	150
노영석	삼일회계	18
노영실	홍성서	354
노영예	조세재정	514
노영인	영동서	358
노영일	부산청	442
노영하	영동서	359
노영훈	남부천서	310
노예순	기재부	76
노용래	대전청	329
노용승	중부청	225
노우성	예산서	351
노우정	국세청	119
노운성	양산서	478
노원준	분당서	245
노원철	국세청	132
노윤주	동래서	453
노윤희	금정서	450
노은실	기재부	78
노은아	대전청	329
노은영	의정부서	319
노은주	광주청	370
노은지	국세상담	136
노은호	종로서	216
노익환	부천서	312
노익환	광교세무	37
노인선	은평서	212
노인섭	제주서	486
노일호	잠실서	214
노재윤	남대문서	180
노재진	창원서	482
노재호	관악서	173
노재훈	남동서	295
노재희	국세청	125
노정민	국세상담	137
노정민	춘천서	280
노정애	서울청	147
노정연	용산서	211
노정윤	해남서	390
노정윤	중부청	225
노정택	서울청	151
노정화	동래서	452
노정환	성남서	207
노정환	충주서	364
노종근	서부산서	460
노종대	인천서	298
노종영	서울청	162
노종옥	반포서	190
노주아	기흥서	114
노주연	기흥서	237
노주호	경기광주	253
노준호	공주서	338
노중권	중부청	233
노중현	기재부	86
노지영	조세재정	514
노지원	마산서	477
노지원	지방재정	511
노지은	용산서	210
노지현	관악서	172
노지혜	서초서	197
노진명	금정서	451
노진철	구미서	427
노충모	동고양서	309
노충환	서울청	152
노태경	동안양서	242
노태송	예산서	350
노태순	영등포서	209
노태식	분당서	244
노학종	아산서	349
노학준	해운대서	466
노한가람	경산서	422
노현민	용인서	260
노현선	중부청	227
노현성	성동서	199
노현우	국세교육	138
노현정	서울청	144
노현정	목포서	385
노현주	안동서	433
노현주	이천서	263
노현주	서인천서	296
노현탁	남동서	384
노형근	세무다우	42
노혜련	성동서	198
노혜리	남대문서	210
노혜선	남대문서	181
노혜원	대전서	332
노혜정	남대문서	247
노혜정	세종서	347
노화정	북전주서	396
노희옥	북부산서	458
ㄷ		
당만기	삼성서	193
도경민	잠실서	215
도기봉	서울세관	494
도기원	구로서	174
도림동	동작서	186
도명선	북대구서	416
도명준	종로서	216
도미선	천안서	352
도미영	잠실서	215
도민지	대구청	406
도상옥	서울청	164
도수정	관악서	172
도승호	연수서	316
도영만	부평서	315
도영수	국세청	126
도예린	국세청	123
도우형	세종서	346
도유정	역삼서	207
도인현	구미서	426
도정미	서울청	144
도종호	평택서	264
도주연	김해서	474
도주현	은평서	212
도주희	중부청	233
도준혁	창원서	483
도지회	남대구서	412
도진주	부산진서	455
도창현	서울청	142
도하정	남원서	394
도해구	예산서	350
도현종	동래서	453
도형우	성북서	200
도남일	강남서	166
동소연	국세청	125
동철호	인천서	298
동혜순	서대문서	195
두영배	거창서	473
두용균	중부지방	33
두준철	남대문서	179
두진국	아산서	348
두채린	동작서	187
ㄹ		
라기정	대전서	332
라영재	조세재정	515
라영채	중부청	226
라용기	전주서	400
라원선	국세청	118
라유성	대전청	328
라지영	역삼서	211
류가연	부천서	312
류경아	광명서	305
류경옥	지방재정	510
류경탁	부산세관	502
류경탁	잠실서	214
류관선	대구청	210
류광오	북대구서	416
류광현	서울청	162
류기수	관악서	173
류기수	성동서	198
류기현	남대문서	180
류기환	북대구서	417
류남옥	기재부	89
류다현	대전청	329
류대훈	남대문서	179
류동민	서울청	143
류동현	중랑서	218
류두형	용인서	261
류득현	예일세무	49
류명옥	예일세무	196
류명기	잠실서	215
류문환	북대구서	416
류미순	국세청	119
류민경	안산서	254
류민하	남부천서	311
류민하	남부천서	260
류병하	지방재정	510
류병호	광교세무	37
류병호	서울청	205
류상효	대구청	409
류선아	서대문서	194
류선아	국세청	475
류선주	남대문서	179
류성걸	국회재정	64
류성권	김해서	354
류성돈	대전청	329
류성무	삼일회계	18
류성백	순천서	387
류성열	기재부	81
류성주	순천서	386
류성태	대구서	414
류성현	법무광장	57
류세경	부산강서	456
류세현	대전서	332
류소윤	기재부	82
류송	부평서	315
류수연	중부청	228
류수현	용산서	210
류수현	인천청	288
류숙현	송파서	386
류순영	송파서	203
류순남	성동서	199
류승우	국세청	126
류승우	포항서	438
류승윤	안양서	258
류승중	국세청	122
류승진	의정부서	319
류승현	마포서	189
류승혜	동화성서	266
류승화	강릉서	270
류시철	통영서	484
류신우	강서서	171
류아영	북전주서	396
류양훈	지방재정	512
류여경	부천서	312
류영기	세무토소	39
류영길	여수서	388
류영리	김포서	306
류영상	국세청	131
류영선	부산강서	457
류예림	용인서	261
류오진	성동서	199
류옥희	서울청	154
류용운	부산청	444
류용현	삼정회계	20
류원석	아산서	349
류유선	동대문서	185
류은미	순천서	387
류은선	기재부	86
류은영	대전청	328
류인철	용산서	210
류인철	동작서	186
류임정	부산진서	455
류자영	포천서	323
류장곤	역삼서	206
류장식	울산서	470
류장훈	정읍서	403
류재리	대구서	414
류재성	대구청	409
류재성	삼척서	272
류재영	김앤장	55
류재현	기재부	78
류재희	중부청	229
류정란	서초서	196
류정우	국세청	115
류정우	진주서	481
류정희	북부산서	459
류제성	국세청	124
류제현	서산서	345
류제형	광주서	376
류종규	군산서	392
류종수	평택서	264
류중성	중부서	221
류중화	기재부	86
류지용	서울청	148
류지용	서울청	149
류지용	광주서	377
류지은	영등포서	209
류지현	서울청	144
류지혜	남원서	159
류지호	국세청	125
류지호	잠실서	215
류지화	홈앤아웃	45
류지혁	목포서	384
류진	국세청	127
류진규	광주청	370
류진수	서울청	155
류진수	부산진서	455
류진열	울산서	471
류천호	남원서	395
류천호	시흥서	250
류춘식	대구청	409
류충선	국세청	116
류치선	종로서	217
류태경	진주서	481
류태순	북부산서	460
류풍년	딜로이트	15
류필수	익산서	399
류하선	인천세관	500
류한상	삼성서	193
류한솔	기재부	82
류현수	서울청	153
류현준	서울청	151
류현철	부산강서	456
류혜경	인천세관	500
류혜미	부산청	447
류호균	국세청	122
류호림	동래서	453
류호민	삼성서	192
류호정	구리서	235
류호진	광산서	374
류훈민	강동서	169
류희식	충주서	364
류희열	수성서	420
류희정	남대문서	180
ㅁ		
마경진	잠실서	215
마동운	용인서	261
마명희	대구서	412
마민화	송파서	202
마삼호	서대전서	337
마선희	잠실서	214
마성혜	대구청	408
마숙룡	서현이현	7
마숙룡	서현이현	7
마숙연	천안서	353
마순옥	금정서	451
마승진	세종서	346
마옥현	법무광장	56
마용재	기재부	75
마일명	구미서	426
마재정	김포서	307
마준호	국세상담	136
마진우	해남서	391
마창훈	정진세림	27
마현주	나주서	383
마혜진	부산청	446
맹선영	양천서	204
맹수업	김해서	474
맹지윤	남대문서	179
맹창호	북대전서	334
맹종호	양천서	204
맹환준	중부청	232
명거동	서울청	142
명경자	중부청	229
명경철	포천서	322
명국빈	순천서	386
명기룡	대구청	406
명심수	지방재정	510
명상희	부산강서	457
명승철	송파서	203
명영빈	마산서	477
명영준	세무다솔	41
명인범	서울청	163
명재호	신대동	53
명지현	세무다솔	41
명혜숙	마포서	189
명혜란	제천서	360
모규인	진주서	481
모두열	서울청	163
모상용	강서서	171
모성하	목포서	384
모옥순	남원서	394
모재완	지방재정	512
모충서	의정부서	318
모혜연	시흥서	251
모희산	강남서	166
목명균	중부지방	33
목영주	서광주서	380
목완수	서울청	143
목연우	군산서	393
문가나	전주서	401
문가영	용인서	260
문가은	기재부	79
문강기	수영서	462
문강민	북대전서	335
문강우	감사원	71
문강희	동수원서	240
문경	상주서	431

이름	소속	번호
문경덕	동래서	452
문경록	정진세림	27
문경아	동작서	187
문경애	해남서	391
문경은	동작서	186
문경준	서광주서	381
문경호	기재부	82
문경희	부산진서	454
문관덕	국세청	130
문교병	종로서	216
문교문	전주서	400
문교현	서울청	161
문권선	부산진서	454
문권주	의정부서	319
문규환	중부서	226
문극필	구로서	174
문근기	기재부	78
문근나	서울서	153
문금식	관악서	173
문기조	정읍서	403
문다영	남대문서	181
문다희	예일세무	49
문도형	중부청	231
문동배	대전서	327
문동호	나주서	383
문두열	창원서	483
문라형	통영서	485
문명선	기재부	82
문명식	김해서	474
문명진	잠실서	214
문묘연	이천서	262
문미경	관악서	172
문미나	북전주서	397
문미라	강남서	166
문미란	공주서	339
문미선	여수서	389
문미영	동청주서	356
문미진	동작서	186
문미호	인천세관	499
문미희	대전청	327
문민규	계양서	300
문민숙	성북서	200
문민지	부산진서	454
문민호	성남서	246
문민희	삼성서	193
문병갑	기흥서	237
문병국	국세청	130
문병남	동안양서	243
문병우	미래회계	16
문병엽	진주서	480
문병찬	창원서	482
문보라	동청주서	357
문보나	광산서	374
문삼식	고양서	303
문삼여	국세교육	138
문상균	대전청	331
문상묵	지방재정	512
문상영	김해서	474
문상은	기재부	86
문상철	서울청	161
문상철	예일회계	24
문상혁	마포서	188
문상호	기재부	91
문서림	대전서	332
문서연	부산청	443
문서영	수영서	462
문서윤	파주서	320
문석빈	도봉서	182
문석준	국세청	130
문선미	부천서	312
문선우	서초서	196
문선우	시흥서	251
문선택	군산서	392
문선희	시흥서	250
문선희	마산서	477
문성배	북부산서	458
문성연	경주서	425
문성운	평택서	264
문성원	양천서	204
문성은	구로서	175
문성진	포천서	322
문성철	서울청	142
문성철	동래서	453
문성호	기재부	79
문성호	국세청	130
문성환	인천세관	498
문성훈	지방재정	510
문성희	기재부	87
문성희	인천청	289
문소웅	서울청	149
문소원	금정서	451
문소진	영등포서	209
문소현	광주서	376
문수이	창원서	483
문숙미	국세청	118
문숙자	서울청	146
문숙현	의정부서	319
문순철	부산서	445
문승구	광교세무	38
문승덕	중부청	231
문승민	서울청	155
문승준	부산강서	456
문승진	서울청	144
문승현	동작서	187
문시현	성남서	247
문식	광주청	369
문아연	강서서	170
문안전	김해서	474
문여리	남대문서	178
문영권	안양서	259
문영권	금융위	93
문영권	정읍서	403
문영수	인천서	299
문영순	제주서	487
문영은	제주서	486
문영임	강남서	167
문영준	대전청	328
문영준	군산서	393
문영한	국세청	126
문영희	기재부	88
문예서	성동서	199
문예지	울산서	471
문용심	관악서	173
문용원	김포서	306
문원수	부산진서	454
문윤선	국세청	466
문윤정	도봉서	182
문윤진	광주청	372
문은호	강동서	169
문은수	광주서	376
문은성	광주청	373
문은수	익산서	398
문은진	국회재정	63
문은진	용산서	210
문은하	중부청	233
문은희	군산서	392
문을열	서울세관	494
문인섭	서인천서	297
문재창	국세교육	139
문재희	서울청	148
문전안	구리서	234
문정기	대전청	326
문정민	익산서	398
문정식	성남서	246
문정오	중랑서	218
문정우	서울청	155
문정우	지방재정	512
문정현	수성서	420
문정희	금정서	451
문정희	역삼서	206
문정희	동수원서	240
문종구	남부천서	310
문종빈	서울청	161
문주경	국세상담	136
문주란	잠실서	214
문주연	광주청	369
문주희	원주서	279
문주희	동고양서	309
문준검	서대문서	194
문준규	남원서	394
문준영	법무율촌	58
문준웅	국세주류	134
문지만	국세청	114
문지선	중부청	228
문지선	안양서	258
문지성	기재부	90
문지연	기재부	74
문지영	파주서	321
문지영	북대전서	334
문지영	조세재정	516
문지원	충주서	364
문지원	나주서	383
문지혁	영등포서	209
문지현	마포서	188
문지현	영주서	436
문지혜	국세청	122
문지홍	북전주서	396
문진선	부산강서	457
문진영	북대전서	335
문진혁	대구청	408
문진희	김포서	306
문진희	파주서	320
문진영	북전주서	396
문찬우	국세청	118
문찬웅	인천청	286
문창규	동대구서	415
문창수	동안양서	243
문창오	조세재정	516
문창오	조세재정	516
문창전	동수원서	241
문창환	평택서	265
문채은	청주서	362
문철홍	중기재외	110
문타범	동안산서	257
문태정	종로서	217
문태선	정진세림	27
문태홍	남대문서	180
문하윤	부산청	446
문한별	중부청	229
문한선	북대구서	416
문한솔	순천서	387
문해나	남원서	395
문행용	부산세관	501
문행용	부산세관	502
문행완	기재부	87
문헌	인천청	288
문현경	구리서	235
문현경	시흥서	251
문현국	제주서	486
문형민	서울청	145
문형민	서울청	164
문형영	광주청	372
문형빈	은평서	212
문형식	서대전서	337
문형영	목포서	384
문형진	국세청	129
문혜경	중부청	227
문혜령	대구서	417
문혜리	북부산서	459
문혜림	국세청	115
문혜림	반포서	191
문혜미	안양서	259
문혜원	영등포서	208
문호순	동안양서	243
문호승	강동서	168
문호영	대전서	332
문호영	구미서	426
문홍규	서울청	164
문홍배	광주청	373
문홍섭	해운대서	467
문홍상	대구청	406
문희	인천세관	499
문희원	익산서	398
문희제	화성서	269
문희준	양산서	478
문갑승	대구청	410
민경민	수영서	462
민경상	남대문서	179
민경서	김앤장	55
민경석	중부청	232
민경석	조세재정	515
민경설	기재부	74
민경옥	여수서	389
민경원	계양서	300
민경은	반포서	190
민경준	남부천서	310
민경진	부산청	249
민경찬	법무바른	1
민경화	중부서	221
민경훈	익산서	399
민경희	양천서	205
민규원	용인서	261
민규홍	이천서	263
민근혜	서울청	154
민기원	강동서	168
민다연	기재부	76
민덕기	화성서	268
민동준	광주청	371
민백기	의정부서	318
민병덕	국회정무	68
민병웅	종로서	217
민병조	인천세관	498
민병현	울산서	470
민봉기	금감원	101
민상원	서초서	196
민샘	서초서	196
민선희	부산청	447
민성기	부천서	312
민성림	역삼서	206
민성원	평택서	265
민소윤	인천청	292
민수지	강동서	168
민수진	동고양서	308
민수호	홍성서	354
민순기	순천서	387
민승기	잠실서	214
민승기	북부산서	459
민승환	국회정무	67
민양기	대전청	331
민연배	수영서	462
민영신	금정서	451
민예지	인천서	299
민옥자	천안서	353
민옥정	중부청	232
민우기	삼정회계	21
민우기	삼정회계	21
민우빈	국세청	130
민윤기	딜로이트	15
민윤선	마포서	189
민윤식	서대문서	194
민은규	역삼서	207
민은연	대구청	411
민재영	동화성서	267
민재영	서대구서	418
민정	부산진서	455
민정기	의정부서	319
민정기	서울세관	495
민정기	부산세관	502
민정대	서울청	147
민정은	삼성서	177
민정은	시흥서	251
민종권	남동서	295
민종인	부천서	286
민주영	기재부	83
민주원	인천청	285
민주현	인천청	286
민준기	광주청	369
민지현	동작서	186
민지혜	구로서	175
민지홍	광주청	369
민진기	송파서	203
민찬근	보령서	342
민천일	중부청	226
민철기	기재부	78
민철기	삼성서	193
민태규	구미서	426
민택기	김천서	429
민현석	중부청	224
민현순	부산청	143
민혜련	홈앤아웃	45
민혜민	광주청	373
민혜선	계양서	167
민혜수	기재부	91
민호성	남원서	394
민호정	서울청	142
민효정	세종서	347
민훈기	익산서	399
민희	관세청	491
민희망	서울청	160

ㅂ

이름	소속	번호
박가람	동대구서	414
박가영	기재부	81
박가영	익산서	398
박가영	부산진서	445
박가은	구로서	175
박가을	잠실서	215
박가향	동청주서	357
박강수	동작서	186
박건	부산청	447
박건규	남부천서	310
박건대	동래서	453
박건영	부산진서	449
박건우	중부청	229
박건웅	강남서	167
박건준	중부청	231
박건태	중부산서	465
박건학	김해서	474
박건혜	북광주서	378
박경균	서대전서	337
박경근	서울청	161
박경단	광주서	377
박경란	광산서	374
박경련	대구청	408
박경렬	마포서	188
박경록	국세청	127
박경림	잠실서	214
박경미	춘천서	281
박경진	대전청	328
박경민	구리서	234
박경민	부산강서	457
박경민	울산서	470
박경빈	성동서	198
박경석	부산진서	455
박경수	잠실서	215
박경수	중부청	232
박경수	나주서	382
박경수	양산서	479
박경수	기재부	90
박경숙	연수서	316
박경숙	지방재정	510
박경애	용산서	210
박경연	홈앤아웃	45
박경엽	예일세무	49
박경오	성동서	198
박경옥	중부청	232
박경완	인천서	298
박경원	제주서	487
박경원	삼도회계	17
박경윤	세무토은	39
박경은	서울청	148
박경은	서인천서	297
박경은	남부천서	310
박경일	강동서	169
박경일	시흥서	250
박경주	동래서	453
박경진	화성서	269
박경준	동대구서	415
박경태	국세상담	136
박경태	국세교육	138
박경태	김천서	428
박경호	북광주서	378
박경호	포항서	438
박경화	강서서	171
박경화	보령서	342
박경화	수영서	462
박경환	서대전서	337
박경훈	기재부	78
박경휘	시흥서	251
박경희	국회정무	67
박경희	반포서	191
박경희	부산진서	455
박계희	반포서	190
박관석	포항서	438
박관준	안산서	255
박관중	평택서	265
박광덕	서울청	142
박광룡	통영서	484
박광석	중부서	230
박광수	서산서	344
박광수	삼도회계	17
박광식	중부청	224
박광웅	강서서	171
박광욱	남동서	294
박광전	논산서	340
박광종	서울청	143

이름	관서	쪽
박광천	여수서	389
박광춘	금천서	177
박광태	시흥서	251
박구슬	마산서	477
박구영	삼성서	193
박국진	인천청	285
박국진	인천청	289
박권조	서울청	144
박권진	광주서	376
박귀숙	여수서	389
박귀영	포항서	438
박귀자	광주청	370
박귀화	역삼서	207
박규동	대구청	406
박규미	서울청	151
박규빈	서울청	151
박규서	예산서	350
박규선	지방재정	511
박규송	서울청	160
박규진	영주서	436
박규철	동대구서	415
박규하	평택서	264
박균득	서울청	156
박근식	양천서	204
박근애	의정부서	318
박근열	안동서	432
박근엽	인천청	292
박근영	영등포서	209
박근영	수성서	420
박근용	분당서	244
박근우	삼정회계	20
박근재	국세청	129
박근형	기재부	80
박근호	김포서	307
박금배	이천서	262
박금세	국세청	126
박금숙	동대문서	185
박금숙	아산서	348
박금아	서광주서	380
박금옥	서울청	151
박금옥	광산서	374
박금지	성동서	199
박금찬	송파서	202
박금철	기재부	79
박금희	안산서	255
박금희	포항서	438
박기룡	김포서	306
박기민	홍성서	354
박기백	평택서	264
박기범	양천서	204
박기식	부산진서	455
박기영	경주서	424
박기우	중부청	232
박기운	삼일회계	18
박기정	도봉서	182
박기정	춘천서	326
박기탁	구미서	426
박기태	영등포서	209
박기태	춘천서	281
박기택	동안양서	243
박기학	기재부	83
박기혁	북광주서	379
박기현	남동서	294
박기형	EY한영	13
박기호	광주청	373
박기호	수성서	420
박기홍	광주서	376
박기환	서초서	197
박길대	분당서	244
박길우	국세주류	134
박길원	서대전서	337
박길훈	제주서	486
박나리	영등포서	208
박나혜	영월서	277
박남규	강서서	171
박남규	서대구서	419
박남숙	화성서	268
박남주	광주청	371
박남중	서광주서	381
박남진	동대구서	414
박내천	세무공감	214
박노성	안산서	474
박노승	고양서	303
박노욱	대전청	329
박노욱	조세재정	515
박노욱	조세재정	515
박노준	남대문서	180
박노진	포항서	439
박노헌	관악서	173
박노훈	국세청	120
박누리	여수서	388
박다겸	남대구서	412
박다빈	중부청	229
박다슴	대전서	336
박다슬	남대문서	179
박다영	서인천서	296
박다인	경기광주	252
박다인	계양서	300
박다정	서부산서	461
박다현	관악서	380
박달영	서울청	145
박대경	국세청	124
박대목	EY한영	13
박대순	안산서	255
박대영	서울청	144
박대윤	은평서	212
박대은	국세청	129
박대출	국회재정	64
박대현	서울청	157
박대현	대전서	332
박대협	남부천서	310
박도영	순천서	386
박도슨	대전서	207
박도은	종로서	216
박도현	김해서	475
박도현	조세재정	515
박도훈	경기광주	253
박동국	고시회	30
박동국	서울지방	32
박동규	금천서	176
박동규	대전서	332
박동균	경기광주	252
박동균	속초서	275
박동기	서부산서	461
박동기	관세사회	51
박동민	상공회의	108
박동민	상공회의	109
박동범	분당서	245
박동수	서울청	149
박동수	성북서	200
박동오	EY한영	13
박동완	속초서	274
박동우	기재부	75
박동일	분당서	244
박동일	순천서	353
박동진	익산서	399
박동진	서부산서	461
박동찬	서울청	142
박동현	동안양서	243
박동호	수성서	420
박동흥	마산서	477
박두순	강동서	169
박두용	예산서	351
박두원	서인천서	297
박두제	부산청	442
박득하	감사원	71
박득연	서광주서	380
박라영	경기광주	252
박란수	용산서	210
박란희	광주청	368
박란희	원주서	278
박래용	속초서	274
박마래	삼성서	192
박마래	동대문서	184
박만기	중부서	227
박만성	법무율촌	58
박만용	남대구서	412
박만욱	종로서	216
박매라	아산서	349
박명삼	중부지방	33
박명수	시흥서	250
박명수	목포서	384
박명식	해남서	391
박명열	역삼서	207
박명우	남대구서	413
박명진	성동서	198
박명철	북광주서	378
박명하	송파서	203
박명화	분당서	244
박명훈	강서서	171
박명희	강동서	169
박모린	부천서	312
박모영	서부산서	461
박모우	남동서	295
박무수	나주서	383
박문규	양천서	204
박문상	광주서	376
박문수	구로서	175
박문수	금천서	177
박문수	청주서	362
박문수	영덕서	435
박문숙	영등포서	209
박문영	국세청	118
박문주	김해서	474
박문철	용산서	210
박문호	부산진서	454
박미경	기재부	88
박미경	기재부	88
박미경	중부청	228
박미경	의정부서	318
박미경	대전청	328
박미경	북대전서	334
박미경	천안서	352
박미나	동화성서	267
박미나	부평서	315
박미라	시흥서	250
박미란	인천서	298
박미란	서대전서	336
박미래	인천청	290
박미래	인천서	298
박미리	구리서	234
박미리	북대전서	334
박미선	서울청	162
박미선	중부청	232
박미선	용인서	260
박미선	인천서	299
박미선	광주청	369
박미선	남원서	395
박미선	남대구서	412
박미선	금정서	451
박미소	인천청	291
박미숙	국세청	116
박미숙	중부청	227
박미숙	의정부서	318
박미숙	동청주서	356
박미숙	마산서	476
박미애	해남서	390
박미연	서울청	157
박미연	김포서	307
박미연	김해서	474
박미영	역삼서	206
박미영	중부서	221
박미영	경기광주	252
박미영	남동서	294
박미영	인천서	299
박미영	포천서	322
박미영	부산청	444
박미영	서부산서	461
박미영	서부산서	461
박미영	울산서	470
박미영	서울청	164
박미정	성동서	199
박미정	영등포서	209
박미정	삼척서	273
박미정	청주서	362
박미정	충주서	365
박미정	구미서	426
박미정	지방재정	510
박미주	강서서	170
박미진	국세청	117
박미진	강남서	167
박미진	인천청	292
박미진	고양서	303
박미진	북대전서	334
박미진	아산서	349
박미진	북전주서	396
박미현	중부청	229
박미현	천안서	353
박미혜	중부청	229
박미혜	거창서	472
박미화	서부산서	461
박미회	부산청	447
박미희	송파서	203
박미희	포항서	438
박민국	광주서	376
박민규	서초서	197
박민규	중부청	225
박민규	김포서	306
박민구	파주서	321
박민근	청주서	363
박민기	통영서	485
박민서	남대문서	179
박민선	서초서	196
박민선	안양서	258
박민수	잠실서	214
박민수	청주서	363
박민아	영등포서	209
박민아	천안서	353
박민영	금정서	451
박민영	부산강서	456
박민우	동대문서	184
박민우	종로서	217
박민우	서산서	344
박민우	금정서	450
박민욱	평택서	264
박민원	서울청	155
박민원	목포서	385
박민재	잠실서	214
박민정	성동서	199
박민정	수원서	248
박민주	관악서	172
박민주	북대전서	334
박민주	광주청	371
박민주	남원서	394
박민주	대구청	411
박민주	동울산서	468
박민주	조세재정	516
박민준	고양서	302
박민중	도봉서	182
박민지	반포서	191
박민호	천안서	353
박민후	중부서	220
박민희	기재부	75
박민희	양천서	204
박민희	남동서	295
박배년	서초서	196
박배열	종로서	216
박범계	국회법제	66
박범규	마포서	188
박범석	서울청	154
박범석	기흥서	236
박범석	천안서	353
박범수	익산서	398
박범우	영등포서	209
박범진	국세청	125
박범진	삼성서	193
박범진	순천서	386
박병곤	인천서	299
박병관	평택서	265
박병관	부산청	449
박병규	진주서	480
박병남	중부청	232
박병문	청주서	362
박병민	광명서	305
박병선	기재부	75
박병선	안산서	254
박병수	동청주서	356
박병옥	동대문서	185
박병옥	인천세관	499
박병일	상공회의	108
박병일	광산서	374
박병주	국세청	133
박병주	평택서	265
박병주	금정서	451
박병철	양산서	479
박병철	대구세관	506
박병태	남부천서	310
박병태	부산진서	454
박병헌	분당서	245
박병화	공주서	339
박병환	인천청	285
박병환	인천청	290
박병환	인천청	291
박병환	서광주서	380
박병훈	중부청	226
박보경	국세청	124
박보경	서울청	157
박보경	남대문서	180
박보경	남양주서	239
박보경	성남서	247
박보민	포천서	322
박보영	시흥서	250
박보영	평택서	265
박보중	창원서	483
박보화	송파서	203
박복심	북광주서	378
박복자	은평서	212
박복자	동울산서	468
박봉근	익산서	398
박봉선	북광주서	378
박봉순	원주서	278
박봉주	북광주서	379
박봉철	수원서	249
박봉현	북광주서	378
박부열	서울세관	494
박삼용	나주서	383
박상곤	홍성서	354
박상구	부산청	445
박상규	포항서	438
박상국	지방재정	511
박상규	서인천서	296
박상기	국세청	115
박상기	국세청	123
박상기	잠실서	215
박상길	송파서	203
박상길	부산진서	455
박상도	거창서	473
박상혁	서울청	143
박상돈	삼성서	193
박상미	김해서	474
박상민	국세청	130
박상민	천안서	352
박상민	정읍서	402
박상배	국세주류	134
박상범	광주청	369
박상별	서초서	197
박상봉	서울청	152
박상범	춘천서	280
박상선	계양서	300
박상순	감사원	70
박상욱	인천청	291
박상억	서초서	197
박상언	강릉서	270
박상억	홈앤아웃	45
박상영	남대구서	413
박상영	기재부	76
박상영	인천청	292
박상옥	대전청	327
박상용	국세상담	136
박상용	중부산서	465
박상우	중부청	228
박상우	안양서	259
박상우	이천서	262
박상우	마산서	476
박상욱	대전청	330
박상원	북대구서	416
박상원	금감원	95
박상원	금감원	96
박상원	마포서	188
박상원	인천세관	499
박상율	동고양서	308
박상은	해남서	391
박상을	해남서	390
박상인	금천서	176
박상일	동안산서	257
박상일	목포서	384
박상정	김포서	307
박상종	전주서	400
박상혁	기흥서	236
박상준	기재부	82
박상준	서울청	163
박상준	동작서	186
박상준	서초서	197
박상준	부산강서	456
박상준	울산서	471
박상준	광주세관	508
박상태	강릉서	270
박상혁	대구청	410
박상혁	홈앤아웃	45
박상현	기재부	77
박상현	기재부	84
박상현	서울청	151
박상현	순천서	386

이름	소속	쪽	이름	소속	쪽	이름	소속	쪽	이름	소속	쪽	이름	소속	쪽
박상현	수성서	420	박선화	화성서	269	박성현	창원서	482	박소현	동수원서	241	박숙정	국세청	128
박상호	홈앤아웃	45	박선희	국세청	125	박성혜	송파서	203	박소희	광주청	368	박숙희	강릉서	168
박상훈	서울청	162	박선희	중부서	221	박성호	중부서	220	박소현	남원서	394	박숙희	광주청	370
박상훈	마포서	188	박선희	시흥서	250	박성호	인천청	286	박소현	부산강서	457	박순남	서산서	345
박상훈	경기광주	253	박선희	의정부서	318	박성호	법무바른	1	박소철	제주서	486	박순남	분당서	244
박상훈	삼정회계	21	박선희	북대구서	416	박성환	금정서	450	박소혜	계양서	300	박순득	인천서	298
박상훈	고시회	30	박선희	동울산서	469	박성환	통영서	485	박소희	서대문서	194	박순애	서울청	150
박상흠	용인서	261	박설화	순천서	387	박성훈	기재부	83	박소희	종로서	216	박순옥	진주서	480
박상희	국세청	119	박설희	광주청	369	박성훈	기재부	87	박소희	서인천서	296	박순용	기재부	74
박상희	마포서	189	박성곤	기재부	81	박성훈	중랑서	218	박소희	군산서	393	박순우	중부청	224
박상희	북대전서	335	박성구	구미서	426	박성훈	동래서	452	박송복	남대문서	180	박순주	서울청	155
박상희	영덕서	434	박성규	기재부	82	박성훈	조세재정	514	박송이	시흥서	250	박순주	북대구서	416
박새별	구리서	235	박성규	진주서	481	박성희	국세상담	136	박수경	의정부서	318	박순준	중부청	231
박새봄	서광주서	380	박성근	성동서	199	박성희	동청주서	356	박수경	아산서	348	박순진	영등포서	208
박새얀	광산서	375	박성기	서울청	148	박성희	창원서	482	박수경	수영서	463	박순찬	부산강서	457
박샛별	역삼서	207	박성대	감사원	70	박세국	예산서	350	박수경	해운대서	466	박순천	영월서	276
박서규	서대구서	419	박성대	익산서	398	박세라	중부청	227	박수경	동울산서	468	박순철	화성서	269
박서빈	서울청	160	박성룡	대전청	329	박세리	마산서	477	박수미	부평서	315	박순출	대구청	411
박서연	기재부	74	박성만	감사원	71	박세림	역삼서	207	박수민	기재부	83	박순희	강서서	170
박서연	서울청	150	박성무	기흥서	236	박세민	서울청	143	박수민	진주서	481	박순희	광주서	377
박서연	반포서	191	박성미	국세청	116	박세민	중부청	232	박수범	남대구서	417	박슬기	남대문서	180
박서연	용산서	210	박성민	관악서	173	박세연	동화성서	266	박수복	중부청	223	박슬기	종로서	216
박서연	수원서	249	박성민	영등포서	209	박세영	연수서	317	박수복	중부청	232	박슬기	인천서	298
박서연	동화성서	266	박성민	인천서	298	박세웅	경기광주	252	박수복	중부청	233	박슬기	광주청	371
박서연	부산진서	454	박성민	부산청	443	박세웅	기재부	90	박수빈	송파서	202	박슬기	포항서	439
박서연	해운대서	466	박성민	울산서	470	박세웅	송파서	203	박수빈	수성서	421	박승권	대전청	329
박서정	서울청	152	박성배	청주서	253	박세웅	통영서	485	박수빈	부산진서	455	박승권	충주서	364
박서진	서울청	160	박성수	동대문서	184	박세원	시흥서	250	박수빈	고시회	30	박승규	국세청	131
박서현	국세청	133	박성수	반포서	190	박세윤	연수서	316	박수선	북대구서	416	박승문	성북서	200
박서형	수성서	421	박성수	전주서	400	박세란	서울세관	494	박수성	김해서	475	박승연	기재부	82
박서희	서초서	197	박성신	성북서	201	박세인	강동서	168	박수아	동청주서	357	박승연	광산서	374
박서희	서대전서	336	박성애	서울청	164	박세인	잠실서	214	박수안	중부청	227	박승용	북대구서	416
박석규	마산서	476	박성열	해남서	390	박세인	북광주서	379	박수연	강서서	170	박승욱	중부청	228
박석민	지방재정	513	박성용	수원서	249	박세일	서울청	143	박수연	강서서	170	박승원	금천서	177
박석현	영월서	276	박성용	남원서	394	박세일	김천서	429	박수연	동작서	187	박승원	천안서	352
박석환	광주청	372	박성용	예일회계	24	박세종	예일세무	49	박수연	잠실서	215	박승연	순천서	386
박석훈	거창서	473	박성우	기재부	81	박세종	서울청	163	박수연	충주서	365	박승재	국세청	129
박석흠	수성서	420	박성우	국세청	131	박세진	서대전서	336	박수연	부산청	446	박승정	삼일회계	18
박선경	기재부	83	박성우	남대구서	412	박세창	국세청	116	박수연	삼일회계	18	박승종	중부산서	465
박선규	서울청	145	박성욱	금정서	451	박세하	서울청	145	박수열	안양서	258	박승주	춘천서	280
박선남	부산진서	454	박성욱	안동서	432	박세현	중부서	220	박수영	기재부	86	박승찬	수영서	463
박선례	반포서	191	박성원	남양주서	238	박세현	서초서	196	박수영	도봉서	183	박승철	시흥서	251
박선미	인천청	291	박성원	대전청	332	박세환	대전청	327	박수영	수영서	462	박승필	영등포서	208
박선미	북광주서	378	박성윤	전주서	400	박세훈	법무율촌	58	박수영	서울세관	494	박승현	대전청	327
박선민	구로서	174	박성은	국세청	117	박세희	국세청	128	박수용	기흥서	236	박승혜	국세청	123
박선범	중부청	233	박성은	국세청	118	박세희	용산서	211	박수용	안양서	258	박승호	서울청	144
박선수	고양서	303	박성은	중부청	227	박세희	북대전서	334	박수인	광주청	371	박승호	강남서	166
박선아	서울청	146	박성은	성남서	247	박소미	강서서	170	박수인	창원서	483	박승호	포항서	438
박선아	부산서	445	박성일	남대문서	180	박소미	송파서	203	박수정	서울청	150	박승환	기재부	73
박선애	서부산서	460	박성일	서대전서	337	박소미	이천서	263	박수정	파주서	320	박승효	서울청	153
박선양	안산서	254	박성자	강릉서	270	박소미	순천서	387	박수정	익산서	399	박승훈	원주서	278
박선열	부산진서	454	박성재	서부산서	460	박소미	마포서	189	박수정	대구서	408	박승훈	익산서	398
박선열	중부청	225	박성정	광주청	368	박소연	국세청	118	박수지	서울청	159	박승희	서울청	147
박선영	기재부	80	박성정	군산서	392	박소연	강서서	171	박수지	성동서	199	박승희	부산청	449
박선영	기재부	86	박성주	기재부	88	박소연	강서서	171	박수지	수원서	249	박승희	수영서	463
박선영	국세청	116	박성주	정읍서	403	박소연	남대문서	178	박수지	고양서	302	박시연	나주서	382
박선영	서울청	162	박성주	서울세관	494	박소연	도봉서	183	박수지	부천서	312	박시연	연수서	317
박선영	구로서	175	박성준	국회정무	68	박소연	동수원서	241	박수지	기재부	87	박시온	강남서	167
박선영	남대문서	178	박성준	강서서	171	박소연	동안양서	243	박수진	기재부	88	박시원	북광주서	378
박선영	동대문서	184	박성준	역삼서	207	박소연	김포서	307	박수진	서울청	163	박시준	성북서	200
박선영	양천서	205	박성준	중부청	227	박소연	부평서	314	박수진	안산서	255	박시현	분당서	245
박선영	용산서	211	박성준	창원서	483	박소연	대전서	332	박수진	동안산서	256	박시현	남부천서	310
박선영	은평서	212	박성준	통영서	485	박소연	세종서	346	박수진	인천청	290	박시현	대구청	407
박선영	중랑서	218	박성준	대한회계	14	박소연	조세재정	516	박수진	의정부서	318	박시현	김천서	429
박선영	남양주서	238	박성진	광주청	371	박소영	서울청	156	박수진	의정부서	318	박시현	해운대서	466
박선영	경기광주	252	박성진	북부산서	459	박소영	영등포서	209	박수진	논산서	341	박시형	동청주서	357
박선영	용인서	260	박성진	강서서	482	박소영	중부서	221	박수진	청주서	362	박시후	동화성서	266
박선영	대전서	332	박성진	조세재정	516	박소영	성남서	247	박수진	창원서	483	박신아	광주서	376
박선영	청주서	363	박성찬	강서서	171	박소영	동고양서	308	박수진	제주서	486	박신아	조세재정	515
박선영	광주청	369	박성찬	삼성서	192	박소영	대전서	333	박수진	조세재정	514	박신영	서울청	163
박선영	나주서	383	박성찬	남동서	295	박소영	광산서	374	박수철	남대구서	413	박신영	군산서	392
박선영	군산서	392	박성철	법무지평	59	박소영	광주서	376	박수춘	남양주서	238	박신우	김포서	306
박선영	부산청	449	박성탄	남부천서	311	박소영	남대구서	412	박수태	이천서	263	박신정	남대문서	179
박선영	서부산서	460	박성하	역삼서	206	박소영	김해서	475	박수한	기재부	78	박신진	북대전서	334
박선영	조세재정	515	박성학	경산서	423	박소영	제주서	486	박수현	기재부	78	박신해	서울청	142
박선옥	김천서	428	박성한	관악서	172	박소윤	경기광주	253	박수현	도봉서	183	박신혁	지방재정	511
박선용	남대문서	181	박성한	법무광장	56	박소은	구로서	175	박수현	서초서	196	박아름	기재부	75
박선은	강동서	169	박성한	딜로이트	15	박소정	강남서	166	박수현	동수원서	241	박아름	마포서	188
박선임	지방재정	512	박성혁	은평서	212	박소정	중부서	224	박수현	충주서	364	박아연	서울청	145
박선임	지방재정	513	박성현	기재부	74	박소정	서인천서	296	박수현	익산서	399	박안나	강동서	169
박선임	지방재정	513	박성현	도봉서	182	박소정	대구서	410	박수현	대구청	406	박안제라	서울청	144
박선재	지방재정	511	박성현	동수원서	241	박소정	울산서	470	박수혜	지방재정	513	박애경	서울청	147
박선주	반포서	191				박소현	기재부	83	박수홍	시흥서	251	박애란	남대문서	180
박선하	동래서	453				박소현	강동서	169	박숙영	서울청	142	박애리	영월서	277
박선혜	상주서	431				박소현	중랑서	218	박숙정	국세청	118	박애슬	서울청	147

이름	소속	번호
박애자	서울청	164
박애자	중부서	220
박양규	기재부	86
박양규	동대구서	415
박양숙	구리서	234
박양운	서울청	148
박양희	국세상담	136
박언종	부산세관	502
박언준	포항서	438
박여준	해남서	390
박연	광주청	368
박연근	세무사회	29
박연기	중부지방	33
박연미	동화성서	267
박연서	여수서	389
박연선	동대문서	184
박연수	춘천서	281
박연우	이천서	262
박연주	국세교육	138
박연주	성동서	199
박연주	제주서	486
박연진	남부천서	310
박영곤	부산청	449
박영규	용인서	261
박영규	금정서	451
박영기	법무광장	57
박영길	김천서	428
박영도	상공회의	109
박영도	상공회의	109
박영란	남대문서	180
박영래	양천서	205
박영민	남부천서	310
박영민	전주서	400
박영민	해운대서	467
박영민	창원서	482
박영선	서대문서	337
박영성	태평양	60
박영수	인천서	298
박영수	광주서	376
박영수	순천서	387
박영숙	금천서	177
박영순	울산서	470
박영식	기재부	74
박영식	서울청	149
박영실	중부서	228
박영애	구로서	175
박영애	종로서	216
박영언	남대구서	413
박영용	고양서	302
박영우	기재부	81
박영욱	법무광장	56
박영웅	중부청	225
박영웅	분당서	244
박영은	경기광주	252
박영인	시흥서	251
박영일	서대전서	337
박영임	마포서	188
박영임	충무서	364
박영주	영등포서	209
박영주	대전청	331
박영주	남대구서	413
박영주	지방재정	510
박영주	법무지평	59
박영준	서울청	160
박영진	국세청	128
박영진	북대구서	416
박영진	북부산서	458
박영진	수영서	462
박영철	해운대서	467
박영호	인천청	292
박영환	수원서	249
박영훈	중기회	110
박영훈	부산청	442
박예규	충주서	365
박예나	기재부	74
박예람	인천청	287
박예림	서초서	196
박예은	마포서	189
박예진	광산서	374
박예진	북대구서	417
박옥길	대전청	329
박옥련	동안양서	242
박옥연	서대구서	418
박옥임	홍천서	282
박옥주	마포서	188
박옥진	남대문서	181
박옥희	마포서	188
박완식	경기광주	252
박요나	대전서	148
박요안나	대전서	333
박요철	평택서	265
박용	국세청	132
박용관	서울청	131
박용규	수영서	462
박용남	금정서	451
박용문	중기회	110
박용만	순천서	386
박용범	강릉서	271
박용병	서울청	117
박용석	동대문서	185
박용선	동청주서	356
박용선	진주서	480
박용섭	김해서	475
박용업	성동서	199
박용우	강남주서	379
박용우	포항서	439
박용주	파주서	320
박용준	감사원	70
박용진	국회정무	68
박용진	국세청	123
박용진	서울청	156
박용진	해운대서	466
박용태	서울청	147
박용태	강동서	169
박용택	기재부	79
박용현	분당서	245
박용호	서인천서	296
박용훈	기흥서	237
박용훈	북부산서	459
박용희	해남서	390
박용희	진주서	481
박우성	은평서	212
박우순	대전청	326
박우영	남해서	294
박우정	국세청	118
박우현	금천서	177
박욱상	서울청	483
박욱현	부산청	445
박운영	국세청	127
박웅	반포서	191
박웅종	부산청	446
박원경	수원서	248
박원경	용인서	260
박원균	안양서	258
박원규	이천서	262
박원균	서울청	165
박원기	지방재정	511
박원돈	대구청	406
박원석	광주청	370
박원열	포항서	438
박원영	강서서	170
박원준	국세상담	137
박원준	감사원	144
박원준	강릉서	271
박원진	기재부	74
박원진	예산서	351
박원회	동울산서	468
박원희	은평서	212
박월례	성남서	246
박유광	송파서	203
박유나	서광주서	380
박유나	수영서	462
박유라	목포서	384
박유리	금천서	176
박유리	계양서	300
박유리	고시회	30
박유리	강서서	171
박유미	마포서	188
박유미	북광주서	379
박유미	조세재정	515
박유민	경주서	425
박유열	남대구서	412
박유정	청주서	363
박유자	삼성서	192
박유정	동수원서	241
박유진	순천서	387
박유진	부산진서	454
박유천	평택서	264
박윤경	동고양서	308
박윤경	김해서	475
박윤규	북전주서	397
박윤배	화성서	269
박윤석	남양주서	238
박윤수	서울청	158
박윤수	음인서	260
박윤우	기재부	74
박윤이	성남서	246
박윤정	강남서	167
박윤정	동작서	187
박윤정	진주서	480
박윤주	서울청	154
박윤주	청주서	362
박윤지	고양서	303
박윤지	아산서	348
박윤진	영등포서	208
박윤진	조세재정	516
박윤형	대구청	406
박윤환	관악서	173
박으뜸	영등포서	208
박은결	기재부	74
박은결	기재부	90
박은경	서울청	146
박은경	창원서	482
박은미	기재부	74
박은미	남대문서	181
박은미	동화성서	267
박은미	김포서	306
박은미	남부천서	311
박은비	중부청	232
박은빈	분당서	245
박은서	도봉서	182
박은선	서울청	164
박은숙	중부청	227
박은숙	동래서	452
박은실	동청주서	356
박은심	기재부	81
박은아	중부청	226
박은영	기재부	77
박은영	서대문서	194
박은영	광주청	371
박은영	북광주서	379
박은영	서광주서	380
박은영	대구청	406
박은영	동울산서	469
박은영	광주청	368
박은정	기재부	84
박은정	강남서	167
박은정	강동서	168
박은정	도봉서	182
박은정	성북서	200
박은정	중부청	232
박은정	동안양서	243
박은정	화성서	268
박은정	세종서	347
박은정	천안서	353
박은정	북대구서	417
박은정	조세재정	515
박은주	동대문서	184
박은주	양천서	204
박은주	기흥서	236
박은주	남동서	295
박은주	부산청	443
박은주	통영서	484
박은지	성남서	198
박은지	송파서	203
박은지	경기광주	252
박은지	경기광주	253
박은지	동고양서	309
박은지	의정부서	319
박은지	서광주서	380
박은지	관세청	489
박은진	성남서	247
박은혜	동대문서	185
박은혜	용산서	210
박은화	서울청	143
박은화	순천서	387
박은희	국세교육	138
박은희	서울청	156
박은희	마포서	188
박은희	동화성서	267
박은희	부평서	314
박은희	지방재정	510
박을기	강릉서	270
박이진	광주서	377
박익상	제천서	360
박익성	기재부	75
박인	전주서	401
박인국	구리서	234
박인국	북대전서	334
박인규	구로서	174
박인규	성북서	201
박인대	삼일회계	18
박인배	포천서	323
박인선	부평서	314
박인선	동청주서	356
박인수	전주서	286
박인수	서광주서	381
박인숙	익산서	399
박인숙	전주서	400
박인애	창원서	483
박인원	기재부	77
박인정	인천청	291
박인철	안양서	259
박인혁	부산강서	456
박인혜	지방재정	513
박인호	국세청	126
박인홍	용산서	211
박인홍	통영서	484
박인환	광산서	374
박인환	군산서	393
박인희	중랑서	219
박인희	원주서	278
박일규	은평서	212
박일동	울산서	471
박일범	서울세관	124
박일보	서울세관	494
박일수	인천청	291
박일수	동고양서	309
박일주	평택서	265
박일찬	속초서	275
박일호	인천청	291
박일호	김해서	475
박일환	이천서	262
박임성	인천청	287
박자영	용산서	211
박자윤	경산서	422
박자임	송파서	202
박자임	남대구서	412
박장기	국세주류	134
박장수	국세청	127
박장수	인천서	298
박장훈	진주서	481
박재갑	상주서	431
박재곤	충주서	364
박재광	서울청	153
박재군	수영서	462
박재나	대구청	407
박재균	미래회계	16
박재근	상공회의	108
박재근	상공회의	109
박재근	대전서	328
박재근	대현회계	14
박재석	기재부	77
박재석	김앤장	55
박재성	인천세관	498
박재성	서울청	144
박재성	서울청	145
박재성	양천서	205
박재성	포항서	439
박재숙	창원서	482
박재신	국세청	128
박재억	세무하나	47
박재열	서울세관	494
박재영	서울청	156
박재영	강동서	168
박재영	태평양	60
박재완	서부산서	460
박재용	감사원	71
박재우	중부청	230
박재우	북대전서	334
박재우	부산청	443
박재욱	국세청	123
박재욱	공주서	338
박재원	서울청	159
박재원	서대구서	418
박재윤	동수원서	241
박재윤	기재부	84
박재진	기재부	81
박재진	북대구서	416
박재찬	경산서	422
박재찬	김앤장	55
박재철	국세청	122
박재춘	양천서	205
박재혁	해운대서	466
박재혁	세종서	346
박재현	기재부	84
박재현	성동서	199
박재현	역삼서	206
박재현	춘천서	280
박재형	기재부	80
박재형	국세청	128
박재형	국세청	129
박재형	남대문서	181
박재형	남양주서	238
박재형	경주서	424
박재형	중부산서	465
박재호	국회정무	68
박재호	국세청	125
박재홍	기재부	82
박재홍	서초서	196
박재홍	중부청	232
박재홍	파주서	321
박재홍	대전서	332
박재홍	마산서	477
박재홍	김앤장	55
박재환	광주청	373
박재훈	금융위	94
박재훈	안산서	254
박재희	서울청	147
박재희	양산서	479
박점숙	포항서	438
박정건	서울청	143
박정곤	도봉서	183
박정국	북광주서	378
박정권	남대구서	179
박정기	서초서	196
박정길	대구청	410
박정길	수성서	420
박정남	국세청	117
박정님	서울청	157
박정란	국세상담	136
박정례	서울청	158
박정린	의정부서	319
박정미	국세청	131
박정미	강남서	167
박정미	기재부	80
박정민	관악서	173
박정민	반포서	191
박정민	용산서	210
박정민	중부청	224
박정민	성남서	246
박정민	수원서	248
박정민	시흥서	251
박정민	지방재정	513
박정민	삼정회계	22
박정배	포천서	322
박정배	북광주서	378
박정상	기재부	86
박정섭	강동서	169
박정성	수성서	420
박정수	속초서	275
박정수	대전서	332
박정수	북대구서	416
박정수	부산청	445
박정숙	서초서	196
박정숙	중랑서	219
박정숙	전주서	400
박정숙	안동서	433
박정순	강서서	170
박정순	영등포서	208
박정순	해남서	390
박정식	광산서	374
박정신	서부산서	460
박정아	강동서	169
박정애	북광주서	378
박정연	역삼서	207
박정연	동작서	186
박정연	청주서	362
박정연	울산서	471
박정열	대전서	325
박정열	대전청	329
박정열	대전청	330
박정오	마산서	476
박정용	수원서	249

이름	소속	쪽
박정용	북대구서	417
박정우	국세교육	139
박정우	종로서	217
박정우	관세청	491
박정욱	동화성서	266
박정욱	북양주서	379
박정운	중부산서	464
박정윤	예일세무	49
박정은	기재부	77
박정은	강동서	169
박정은	마포서	188
박정은	송파서	202
박정은	인천청	291
박정은	울산서	470
박정은	부산청	471
박정의	부산청	444
박정이	동래서	452
박정인	부산진서	455
박정일	광주청	368
박정일	김앤장	55
박정임	양천서	205
박정재	북전주서	397
박정주	기재부	81
박정준	인천서	299
박정진	연수서	316
박정태	서부산서	461
박정하	부산청	442
박정한	동작서	187
박정현	기재부	85
박정현	서울청	162
박정현	서대문서	194
박정현	성동서	199
박정현	구리서	235
박정현	김포서	306
박정현	중부산서	464
박정현	울산서	470
박정현	중부지방	33
박정혜	중랑서	218
박정호	송파서	203
박정호	남부천서	311
박정호	금정서	450
박정화	서울청	157
박정화	성동서	199
박정화	대구청	410
박정화	금정서	451
박정화	북부산서	458
박정환	기재부	84
박정환	나주서	383
박정환	여수서	389
박정환	북대구서	416
박정환	창원서	482
박정훈	금융위	93
박정훈	금융위	93
박정훈	동화성서	267
박정훈	조세재정	516
박정흠	조세재정	515
박정흠	조세재정	515
박정희	중랑서	218
박정희	북양주서	379
박제린	춘천서	280
박제상	화성서	269
박제영	동청주서	356
박제웅	중부청	232
박제효	중부청	232
박조소	수원서	249
박종경	춘천서	280
박종국	기흥서	236
박종국	포항서	439
박종군	부산청	448
박종근	광주청	368
박종근	목포서	384
박종렬	강남서	166
박종렬	인천지방	34
박종렬	인천지방	34
박종률	고양서	302
박종무	동작서	187
박종무	동울산서	468
박종민	서울청	156
박종민	부산강서	457
박종민	수영서	462
박종민	서현이현	7
박종빈	북대전서	334
박종석	기재부	74
박종석	서울청	149
박종석	시흥서	251
박종석	인천청	290
박종성	금융위	92
박종성	인천서	299
박종성	광교세무	36
박종수	기재부	77
박종수	대전청	328
박종수	울산서	471
박종옥	거창서	472
박종옥	지방재정	511
박종우	삼일회계	18
박종우	딜로이트	15
박종욱	포항서	438
박종욱	김해서	474
박종운	기재부	86
박종욱	김포서	307
박종원	북전주서	397
박종원	대구청	411
박종인	국세청	196
박종인	국세청	130
박종일	강서서	170
박종주	성동서	199
박종주	의정부서	318
박종진	파주서	321
박종헌	서울청	145
박종현	부산청	443
박종현	기재부	75
박종현	동대문서	184
박종현	남양주서	238
박종현	광산서	374
박종현	부산강서	457
박종현	김앤장	55
박종형	관악서	172
박종호	송남서	202
박종호	안양서	258
박종호	대전청	330
박종호	홍성서	355
박종호	익산서	399
박종화	성동서	199
박종화	중부청	225
박종환	남양주서	239
박종훈	기재부	75
박종훈	북대전서	334
박종희	서울청	141
박종희	서울청	145
박종희	서울청	146
박종희	서울청	147
박좌준	인천청	291
박주담	서울청	160
박주리	중부청	225
박주민	국회법제	66
박주범	금정서	450
박주성	기재부	79
박주성	영주서	437
박주안	울산서	470
박주언	포항서	439
박주연	종로서	217
박주연	동화성서	266
박주열	경기광주	253
박주열	광명서	305
박주영	상공회의	109
박주영	남대문서	181
박주영	성동서	198
박주영	남부천서	310
박주영	대전청	328
박주영	거창서	473
박주오	대전청	330
박주원	중부청	226
박주일	서현이현	7
박주철	용산서	211
박주하	진주서	481
박주항	논산서	340
박주현	기재부	89
박주현	서울청	147
박주현	서울청	148
박주현	연수서	317
박주현	북대구서	416
박주현	경주서	424
박주현	김해서	475
박주현	김해서	475
박주현	삼일회계	18
박주형	북전주서	396
박주혜	송파서	202
박주호	강서서	170
박주환	국세청	117
박주효	중부청	232
박주희	서울청	153
박주희	인천청	286
박주희	울산서	470
박주희	울산서	471
박주희	마산서	477
박주희	조세재정	514
박주희	삼일회계	18
박준	상공회의	109
박준규	역삼서	206
박준규	용인서	261
박준규	대전청	329
박준규	서대전서	336
박준규	광주서	377
박준명	도봉서	183
박준배	국세청	121
박준백	기재부	83
박준범	국세교육	139
박준범	남양주서	238
박준서	도봉서	182
박준서	삼성서	193
박준석	기재부	85
박준석	성동서	199
박준석	국세청	130
박준선	순천서	386
박준성	서울청	149
박준성	충주서	365
박준성	울산서	471
박준수	기재부	85
박준식	강동서	169
박준영	기재부	74
박준영	서울청	162
박준영	중부청	224
박준영	서인천서	296
박준영	서인천서	297
박준영	나주서	382
박준영	포항서	438
박준영	울산서	471
박준용	서울청	151
박준용	남대문서	181
박준용	해운대서	466
박준용	딜로이트	15
박준우	성북서	201
박준우	영주서	436
박준원	서초서	197
박준원	이천서	262
박준원	부산진서	455
박준하	기재부	89
박준현	용인서	260
박준형	대전청	327
박준호	기재부	74
박준호	강남서	166
박준호	감사원	70
박준홍	서울청	150
박준홍	삼성서	193
박준후	목포서	384
박준희	동대문서	185
박준희	안산서	254
박준희	연수서	316
박준희	해운대서	466
박준희	서울세관	495
박중근	국세교육	138
박중근	국세교육	138
박중민	기재부	89
박중국	관세사회	51
박중수	금감원	106
박중억	영주서	437
박지명	전주서	401
박지민	광명서	304
박지민	대전청	328
박지민	수영서	462
박지선	화성서	268
박지선	인천청	287
박지선	광산서	375
박지성	동작서	187
박지성	동화성서	267
박지수	동작서	187
박지수	영등포서	209
박지수	동안양서	243
박지수	김포서	306
박지수	북대전서	335
박지숙	서울청	164
박지숙	서울청	165
박지숙	부산청	449
박지암	인천청	288
박지애	동안양서	242
박지양	강서서	171
박지언	광주청	369
박지연	영등포서	208
박지연	북양주서	379
박지연	서광주서	380
박지연	대구청	406
박지연	동대구서	414
박지연	기재부	76
박지영	국세청	114
박지영	서울청	153
박지영	강남서	166
박지영	성북서	201
박지영	역삼서	207
박지영	성남서	247
박지영	부산청	447
박지영	부산청	448
박지영	동울산서	469
박지영	창원서	483
박지영	김앤장	55
박지우	경기광주	253
박지우	분당서	244
박지우	이천서	262
박지우	부산청	442
박지우	조세재정	514
박지웅	법무율촌	58
박지웅	서초서	196
박지원	용산서	210
박지원	중부청	230
박지원	익산서	398
박지원	김해서	475
박지윤	동안양서	242
박지은	기재부	85
박지은	마포서	188
박지은	용산서	210
박지은	중부청	224
박지은	성남서	246
박지은	이천서	262
박지은	인천청	289
박지은	부평서	314
박지은	청주서	362
박지은	충주서	364
박지은	광주청	371
박지은	김해서	474
박지은	창원서	483
박지은	조세재정	514
박지인	동안산서	256
박지해	영등포서	209
박지헌	기재부	86
박지현	서울청	144
박지현	서울청	164
박지현	삼성서	193
박지현	구리서	234
박지현	남양주서	239
박지현	화성서	269
박지현	북광주서	379
박지현	목포서	385
박지현	전주서	400
박지현	부산진서	455
박지현	김해서	474
박지혜	기재부	74
박지혜	기재부	75
박지혜	강서서	171
박지혜	강서서	171
박지혜	남대문서	180
박지혜	기흥서	236
박지혜	동수원서	241
박지혜	동화성서	267
박지혜	서인천서	296
박지혜	대전청	326
박지혜	세종서	346
박지혜	북양주서	378
박지혜	서부산서	460
박지혜	진주서	480
박지혜	지방재정	513
박지혜	조세재정	515
박지호	남원서	395
박지호	제주서	487
박지화	관악서	172
박지환	동작서	187
박지환	기재부	76
박지훈	기재부	89
박지훈	중부서	220
박지희	강서서	171
박지희	서초서	196
박지희	종로서	217
박진	국회재정	64
박진갑	순천서	387
박진관	울산서	471
박진규	중부청	225
박진규	정읍서	402
박진미	도봉서	182
박진석	인천서	299
박진석	삼성서	192
박진석	남부천서	311
박진성	서울청	146
박진성	반포서	190
박진수	국세청	126
박진수	성남서	247
박진수	포천서	322
박진수	동울산서	469
박진숙	기재부	81
박진숙	대전청	328
박진숙	홍성서	355
박진숙	지방재정	511
박진습	서울청	163
박진실	서인천서	297
박진아	인천청	287
박진아	남부천서	311
박진영	기재부	74
박진영	기재부	86
박진영	서울청	153
박진영	역삼서	206
박진영	분당서	244
박진영	용인서	260
박진영	수성서	421
박진영	부산진서	454
박진영	통영서	484
박진영	예일세무	49
박진용	동래서	452
박진우	국세청	117
박진우	서울청	143
박진우	영등포서	209
박진우	부산청	442
박진우	지방재정	511
박진우	조세재정	515
박진웅	서광주서	381
박진원	감사원	70
박진원	광명서	305
박진찬	광주청	373
박진하	서울청	154
박진하	김해서	475
박진혁	국세청	115
박진혁	동작서	187
박진혁	연수서	316
박진현	성북서	201
박진호	제주서	486
박진호	경기광주	252
박진호	광주청	376
박진호	부산청	442
박진홍	제주서	487
박진훈	기재부	81
박진홍	남양주서	239
박진희	국세교육	138
박진희	서울교육	165
박진희	남대문서	180
박진희	동대문서	184
박진희	마포서	188
박진희	대구청	409
박진희	부산청	443
박진희	서울세관	493
박진희	서울세관	495
박찬경	서울청	147
박찬규	성동서	199
박찬녕	구미서	426
박찬녕	서대구서	419
박찬만	서초서	197
박찬만	해운대서	466
박찬민	영등포서	209
박찬민	시흥서	250
박찬순	국세주류	134
박찬승	중부청	232
박찬열	북광주서	379
박찬영	춘천서	281
박찬용	동고양서	308
박찬용	서인천서	296
박찬욱	상공회의	108
박찬욱	송파서	203
박찬욱	조세재정	514
박찬웅	국세청	115

이름	소속	번호
박찬웅	서울청	164
박찬웅	속초서	275
박찬익	동울산서	469
박찬정	동대문서	185
박찬택	김포서	306
박찬혁	지방재정	511
박찬호	기재부	74
박찬호	서울청	154
박찬호	평택서	264
박찬희	동안양서	242
박찬희	대전청	326
박창길	남부천서	310
박창선	동안산서	256
박창수	남동서	295
박창수	중부산서	464
박창언	관세사회	51
박창열	국세청	119
박창오	국세청	117
박창용	동화성서	266
박창용	나주서	382
박창우	포천서	323
박창우	지방재정	511
박창우	조세재정	515
박창원	세무다우	42
박창현	반포서	190
박창현	의정부서	319
박창화	대현회계	14
박창환	서인천서	297
박채린	영동서	359
박채연	광산서	374
박채영	예산서	350
박채원	남동서	295
박천수	지방재정	513
박천정	관세청	490
박천주	순천서	386
박천호	지방재정	512
박철규	서초서	196
박철민	서울청	143
박철성	북광주서	378
박철수	국세청	123
박철순	안동서	433
박철완	서울청	157
박철우	강남서	166
박철우	목포서	385
박철한	동대문서	185
박철호	기재부	91
박철희	기재부	88
박청진	북대구서	417
박초롱	기재부	77
박초은	홈앤아웃	45
박추옥	동청주서	356
박춘목	기재부	76
박춘성	안산서	254
박춘자	공주서	338
박춘호	지방재정	512
박충열	안양서	258
박충원	세무사회	29
박치현	강서서	171
박치현	은평서	213
박치호	부산청	448
박칠군	기재부	77
박태구	남양주서	239
박태구	대전서	332
박태성	거창서	472
박태신	북전주서	396
박태완	남동서	295
박태완	북전주서	397
박태원	기재부	78
박태원	서부산서	461
박태윤	동수원서	241
박태의	지방재정	512
박태정	대전청	329
박태준	목포서	385
박태준	김해서	474
박태진	영월서	276
박태진	삼일회계	18
박태호	강남서	166
박태훈	국세청	120
박태훈	인천청	291
박태훈	나주서	382
박태훈	북부산서	459
박판기	중부산서	464
박판식	동대구서	414
박평식	은평서	213
박푸른	송파서	203
박풍우	고시회	30
박필근	부산진서	455
박필종	김앤장	55
박하나	기재부	83
박하나	부산청	443
박하늬	중부청	230
박하니	남대문서	181
박하니	서부산서	460
박하란	은평서	212
박하송	성동서	198
박하안	조세재정	514
박하영	익산서	399
박하영	북부산서	458
박하윤	남동서	147
박하홍	동안양서	242
박학일	공주서	339
박한나	강남서	167
박한빛	남대문서	180
박한상	성북서	201
박한석	대전청	326
박한수	서산서	345
박한승	관악서	172
박한열	부천서	312
박한준	조세재정	515
박한중	서인천서	296
박해경	김해서	474
박해근	용산서	210
박해근	지방재정	510
박해란	동안산서	257
박해리	인천서	298
박해리	서광주서	381
박해영	국세청	119
박해영	국세청	120
박해영	경산서	422
박해용	기재부	77
박해원	강동서	168
박해정	남대구서	413
박해준	부산세관	502
박행옥	부산청	446
박행진	북광주서	378
박향기	국세청	116
박향미	서울청	155
박향엽	서광주서	381
박헌	관세청	490
박헌구	부천서	312
박헌욱	양산서	478
박헌욱	서울세관	494
박혁	여수서	388
박현경	의정부서	319
박현경	북대구서	416
박현경	마산서	476
박현경	성동서	198
박현규	중부지방	33
박현배	보령서	343
박현진	삼성서	192
박현석	기재부	90
박현선	성북서	200
박현수	국세청	128
박현수	서울청	156
박현수	중부청	228
박현수	안양서	259
박현수	의정부서	319
박현수	전주서	401
박현숙	성북서	200
박현숙	대전청	328
박현순	동울산서	468
박현아	영등포서	208
박현아	서대전서	337
박현아	익산서	398
박현애	기재부	76
박현영	서울청	149
박현옥	안산서	254
박현옥	조세재정	516
박현엽	기재부	74
박현우	중부청	225
박현우	서인천서	297
박현우	지방재정	511
박현자	구로서	174
박현정	서울청	143
박현정	강남서	166
박현정	중부청	226
박현정	동수원서	240
박현정	남부천서	310
박현정	홍성서	354
박현정	충주서	365
박현정	수성서	420
박현정	금정서	450
박현정	지방재정	510
박현종	수원서	248
박현주	국세청	118
박현주	국세청	118
박현주	서울청	153
박현주	서초서	420
박현주	북부산서	459
박현주	동울산서	469
박현주	서초서	196
박현준	중부청	231
박현준	나주서	382
박현진	서부산서	461
박현진	중부서	221
박현진	전주서	401
박현철	서대문서	194
박현하	대구청	408
박현혜	구로서	175
박현화	광주서	377
박현희	제천서	360
박형규	시흥서	250
박형기	중부청	232
박형민	기재부	91
박형민	서울청	165
박형민	인천청	291
박형민	광주청	369
박형배	서울청	163
박형선	송파서	202
박형섭	서울지방	32
박형수	국회법제	66
박형우	경산서	423
박형우	중부청	226
박형주	원주서	279
박형준	금감원	106
박형준	인천서	298
박형준	고양서	303
박형지	북광주서	379
박형진	포천서	323
박형호	남대문서	178
박형호	동울산서	468
박형희	서광주서	381
박혜경	성북서	200
박혜경	시흥서	250
박혜경	평택서	264
박혜경	서초서	420
박혜경	부산청	445
박혜근	용산서	210
박혜림	아산서	349
박혜림	순천서	386
박혜미	종로서	216
박혜미	서울청	199
박혜선	국세상담	137
박혜선	인천청	288
박혜선	통영서	484
박혜성	삼성서	192
박혜숙	양천서	205
박혜숙	아산서	348
박혜신	양천서	205
박혜영	평택서	265
박혜옥	동대문서	185
박혜원	서부산서	460
박혜원	고시회	30
박혜원	남양주서	238
박혜정	역삼서	207
박혜정	종로서	216
박혜정	울산서	470
박혜진	서울청	162
박혜진	관악서	172
박혜진	서울청	199
박혜진	성북서	201
박혜진	동화성서	266
박혜진	제천서	275
박혜진	세종서	346
박혜현	광주청	368
박호갑	창원서	483
박호빈	서인천서	296
박호용	거창서	473
박호일	영등포서	209
박홍규	송파서	265
박홍균	송파서	203
박홍균	해남서	391
박홍기	기재부	74
박홍기	대전청	329
박홍립	국세교육	138
박홍범	해남서	391
박홍일	북광주서	379
박홍자	동안양서	243
박홍제	동래서	452
박홍희	기재부	82
박화경	서부산서	461
박화선	중기회	110
박화영	조세재정	516
박환	광주청	368
박환택	서현이현	7
박환협	수성서	421
박회경	포천서	322
박효선	용인서	261
박효선	포천서	322
박효숙	성남서	246
박효은	남동서	294
박효정	북전주서	396
박효준	동작서	186
박효진	관악서	173
박효진	익산서	398
박효진	동래서	452
박후진	순천서	387
박훈	동화성서	267
박훈수	안산서	254
박흥수	창원서	482
박흥현	대전청	330
박희경	강남서	167
박희경	중부청	228
박희경	경기광주	252
박희근	역삼서	206
박희달	서울청	142
박희도	서울청	146
박희령	김해서	475
박희상	강서서	170
박희성	기재부	79
박희수	서울청	165
박희수	지방재정	513
박희숙	강릉서	270
박희술	해운대서	466
박희선	동안양서	242
박희영	중부청	228
박희자	국세청	125
박희정	서울청	148
박희정	세종서	347
박희정	천안서	352
박희정	홍성서	355
박희종	동래서	452
박희주	지방재정	510
박희진	서현이현	7
박희진	영등포서	209
박희진	통영서	484
박희창	원주서	278
반병권	제천서	361
반승민	경기광주	252
반장윤	군산서	393
반재욱	계양서	300
반재현	대구세관	506
반재훈	국세청	122
반정문	남동서	295
반종복	부천서	312
반홍천	분당서	245
방경선	북대전서	334
방경섭	구리서	235
방귀섭	북전주서	397
방금자	울산서	470
방기선	기재부	74
방기선	관세청	490
방대성	관세청	490
방문용	성동서	199
방미경	양천서	205
방미숙	중부청	226
방미호	북대구서	417
방민식	남양주서	239
방민주	이천서	263
방서주	남부천서	310
방선아	국세청	125
방선우	동작서	186
방성자	인천청	286
방솔비	은평서	213
방수민	천안서	352
방아현	천안서	352
방양석	광산서	374
방여진	구리서	234
방영화	광주서	377
방예진	동안산서	256
방용익	춘천서	281
방원석	마포서	189
방유미	종로서	217
방유진	부산청	446
방윤희	인천청	289
방은미	화성서	269
방은정	종로서	216
방은혜	해운대서	466
방재필	제천서	360
방정기	남양주서	239
방정원	전주서	401
방종호	서울청	153
방준석	충주서	365
방지선	충주서	365
방찬식	삼도회계	17
방준식	기재부	78
방치권	중부청	231
방해준	북광주서	378
방현정	서광주서	380
방형석	삼성서	193
방혜경	용산서	210
방혜선	고양서	303
배건한	대구청	411
배경순	서대구서	418
배경은	기재부	75
배경은	인천청	288
배경직	서울청	162
배경화	기재부	86
배경환	도봉서	183
배경희	대전청	327
배광한	통영서	485
배국호	인천세관	499
배기득	김해서	475
배기연	군산서	392
배기윤	김해서	474
배기헌	계양서	300
배달환	부산청	445
배대근	북대구서	416
배덕렬	서초서	196
배동노	안동서	433
배동혁	남대문서	180
배동희	인천청	291
배두진	반포서	190
배명선	의정부서	318
배명우	국세청	114
배명한	김해서	474
배문경	서울청	147
배문선	서대전서	336
배문수	보령서	343
배미경	서울청	144
배미애	부산청	445
배미영	창원서	482
배미영	고시회	30
배미일	서울청	159
배미현	기재부	79
배민경	구미서	427
배민예	광주청	369
배민우	기재부	81
배민우	도봉서	182
배민정	남대문서	180
배민정	서대구서	418
배병관	기재부	75
배병석	구리서	234
배병솔	지방재정	513
배삼동	목포서	385
배상록	국세청	116
배상용	고양서	303
배상원	성남서	247
배상용	서울청	151
배상진	광교세무	37
배상철	강서서	171
배상철	용산서	210
배서연	울산서	471
배석	국세청	114
배석관	영주서	436
배석준	남대문서	179
배선경	마산서	476
배선미	부산진서	455
배선미	김해서	475
배설희	춘천서	280
배성관	광산서	374
배성수	인천청	290
배성심	인천청	286

이름	소속	번호
배성연	서울청	147
배성원	창원서	482
배성윤	군산서	392
배성진	서울청	155
배성한	남대문서	179
배성현	기재부	84
배성혜	인천청	291
배성호	양천서	204
배성효	인천지방	34
배세령	구미서	427
배세영	용산서	210
배소연	통영서	485
배소영	대구청	408
배소희	김해서	474
배수영	동안양서	243
배수진	구로서	174
배수진	남대구서	413
배수진	서부산서	460
배숙희	여수서	388
배순출	서울청	148
배승현	진주서	481
배시현	경산서	422
배영섭	국세청	125
배영애	울산서	471
배영옥	대구청	406
배영은	진주서	480
배영진	역삼서	207
배영태	전주서	400
배영태	동래서	453
배영호	부산청	445
배영환	남대구서	412
배옥현	금천서	176
배용현	수영서	462
배욱환	포천서	322
배웅준	안동서	432
배원만	삼성서	193
배원준	영월서	276
배유리	대구청	410
배유진	국세청	130
배윤정	인천청	287
배은경	대전청	330
배은상	인천청	289
배은선	광주청	369
배은아	서울청	153
배은율	강서서	171
배은정	순천서	386
배은주	중랑서	218
배은지	평택서	264
배은호	남대문서	180
배을주	용산서	210
배이화	마포서	188
배익준	상주서	431
배인수	송파서	202
배인수	인천청	291
배인수	법무광장	57
배인순	국세청	117
배인애	파주서	321
배인희	이천서	263
배일규	서울청	150
배장완	은평서	213
배재연	부산청	443
배재일	감사원	71
배재학	평택서	265
배재호	연수서	316
배재호	포항서	438
배재호	포항서	438
배재홍	삼성서	193
배재홍	대구청	406
배정민	안산서	255
배정숙	구리서	234
배정우	익산서	399
배정원	중부청	228
배정주	해남서	390
배정현	용산서	211
배정현	남양주서	239
배정화	국세상담	136
배정환	진주서	480
배정훈	기재부	75
배정훈	군산서	392
배제섭	광산서	375
배종섭	서울청	142
배종일	여수서	389
배종진	익산서	398
배종호	세종서	346
배주섭	잠실서	214
배주애	나주서	382
배주원	수영서	463
배주현	관악서	173
배주환	서울청	152
배준	서산서	344
배준영	국회재정	64
배준영	남부천서	310
배준용	부천서	312
배준철	진주서	480
배준혜	기재부	81
배준호	여수서	388
배준환	감사원	70
배지민	동고양서	309
배지연	동안양서	242
배지영	의정부서	319
배지은	서인천서	296
배지철	기재부	88
배지현	양산서	478
배지현	창원서	483
배지호	조세재정	514
배지홍	마산서	476
배진	중부청	233
배진근	서울청	153
배진령	경기광주	253
배진만	부산청	449
배진수	조세재정	515
배진수	조세재정	516
배진우	순천서	387
배진우	대구청	407
배진호	광주서	376
배진호	수원서	248
배진희	금천서	176
배창경	북대구서	416
배철숙	서울청	160
배태호	안동서	432
배택호	중부지방	33
배현경	부산청	446
배현숙	수성서	420
배현옥	강동서	168
배현옥	광주서	376
배현우	관악서	172
배현정	남대문서	180
배현두	송파서	202
배현중	기재부	76
배형기	서대전서	336
배형수	경주서	424
배형수	마포서	189
배형철	수영서	462
배혜원	종로서	217
배혜윤	북대구서	416
배혜진	동대구서	414
배호기	서현이현	7
배홍기	인천청	286
배효정	서대전서	336
배효경	광명서	304
배희경	기재부	77
배희정	서대구서	194
배가연	조세재정	515
배경령	서산서	344
배경미	서울청	160
배경엽	경주서	424
배경원	기재부	75
배경은	동대구서	414
배경혁	서울청	152
배계민	정읍서	402
배고은	동청주서	356
배광민	동래서	452
배광호	광주서	376
배광환	관세청	491
배귀숙	속초서	274
배귀순	논산서	341
배규현	동안양서	243
배근민	수성서	420
배근허	광주청	370
배기량	도봉서	183
배길현	홍앤아웃	45
배남중	순천서	386
배남석	평택서	264
배다정	광명서	304
배도선	서울세관	493
배도선	서울세관	494
배동욱	서울청	158
배두산	남양주서	239
백두열	성남서	247
백만리	남대문서	181
백미순	북대전서	334
백미연	원주서	278
백민영	김해서	475
백민웅	동수원서	241
백민정	아산서	348
백보민	반포서	190
백상순	부산진서	455
백상엽	역삼서	207
백상인	양산서	478
백상현	통영서	485
백상훈	서부산서	461
백선기	북부산서	459
백선미	동울산서	468
백선애	인천청	292
백선우	통영서	485
백선자	국세청	350
백선주	구리서	234
백선주	서대전서	336
백선희	지방재정	510
백설희	남대문서	180
백성경	마산서	477
백성희	서대문서	194
백성종	영천서	143
백성철	김천서	428
백성태	잠실서	215
백성현	잠실서	214
백소이	수원서	249
백소희	동화영서	267
백송희	서울청	165
백수경	중부서	221
백수빈	중부청	229
백수아	대전청	328
백수의	울산서	470
백수지	수영서	462
백수지	양천서	204
백순복	서울청	145
백순종	북부산서	458
백승권	이천서	262
백승렬	삼정회계	21
백승민	예산서	350
백승범	서초서	196
백승분	대전청	326
백승연	울산서	470
백승옥	수영서	462
백승우	중부청	228
백승우	중부산서	464
백승원	강남서	166
백승필	금감원	96
백승학	서울청	154
백승한	중부서	220
백승현	전주서	400
백승현	동대문서	185
백승현	삼정회계	22
백승혜	서울청	148
백승호	서울청	159
백승화	안산서	254
백승훈	금정서	450
백승희	국세청	130
백신기	국세청	127
백아름	부산진서	454
백아영	은평서	212
백애숙	원주서	278
백연비	전주서	400
백연예	서울청	153
백연하	국세청	122
백연희	성동서	198
백영경	강서서	473
백영상	수영서	463
백영선	성북서	201
백영선	아산서	349
백영일	서울청	162
백오숙	서대전서	336
백우현	수성서	144
백우현	김앤장	55
백운기	창원서	482
백원길	김앤장	55
백원길	익산서	398
백원일	강서서	170
백원철	전주서	401
백우리	구미서	426
백유림	국세청	118
백유정	서울청	150
백유진	역삼서	207
백유진	안산서	254
백윤용	영월서	277
백윤정	기재부	91
백은경	서울청	142
백은경	강남서	166
백은경	역삼서	206
백은실	종로서	216
백은주	부산진서	455
백은혜	국세청	115
백은혜	동안산서	257
백인억	대전청	329
백인정	대전청	326
백인혜	부산청	442
백인희	분당서	245
백일홍	중부청	230
백장미	인천청	288
백재홍	서대문서	195
백정희	북부산서	459
백정하	계양서	301
백정화	중부청	226
백정호	송파서	203
백제흠	울산서	471
백종갑	중부지방	33
백종덕	법무바른	1
백종민	국세청	124
백종복	부산진서	455
백종선	조세재정	515
백종욱	김해서	474
백종찬	경주서	424
백종현	군산서	392
백주현	서울청	165
백주현	부산청	442
백지연	경기광주	252
백지영	경주서	425
백지원	역삼서	206
백지원	광주청	368
백지원	동울산서	468
백지은	세종서	347
백지은	나주서	382
백지은	진주서	480
백지현	부평서	314
백지혜	대구서	406
백지혜	국세청	133
백지훈	부산청	443
백진걸	지방재정	510
백진결	동래서	453
백진이	파주서	320
백진주	잠실서	214
백진주	춘천서	280
백진현	평택서	264
백진화	고양서	302
백찬수	인천청	302
백창현	관세사회	51
백철주	광주청	369
백철렬	서울세관	495
백태훈	송파서	203
백하나	안양서	259
백하나	고양서	302
백현기	강서서	170
백현심	천안서	352
백현자	삼성서	170
백혜련	국회정무	67
백혜련	국회정무	68
백혜진	강동서	168
백혜진	충주서	365
백홍교	순천서	387
백효정	동대구서	415
백효진	대구청	406
백희태	구미서	426
범서희	광산서	374
범수만	국세청	211
범정원	송파서	203
범지호	서인천서	297
범진완	국세청	117
법인분	국세청	117
변가람	용산서	211
변경숙	조세재정	514
변경숙	조세재정	514
변경옥	국세상담	136
변관우	제주서	486
변광률	창원서	482
변광호	안산서	255
변금수	남대문서	180
변다연	대전서	332
변명미	구로서	175
변명미	영덕서	435
변문건	대전청	326
변민석	부산서	442
변민영	예산서	350
변민정	제주서	487
변민돈	조세재정	516
변병돈	강서서	170
변상권	논산서	340
변상미	강남서	167
변상미	예산서	351
변석영	지방재정	511
변선정	반포서	190
변성경	인천청	287
변성구	서초서	197
변성만	기재부	90
변성민	구로서	175
변성용	동화영서	266
변성욱	서울청	145
변성엽	예일세무	49
변성희	고양서	302
변수민	송파서	203
변숙자	부산진서	454
변성철	창원서	483
변시철	제주서	428
변애정	양천서	204
변연주	김천서	428
변영선	삼일회계	18
변영시	서울청	151
변영철	남대구서	413
변영희	국세청	121
변우성	국세교육	138
변우환	잠실서	215
변유경	금천서	176
변유솔	동대문서	184
변유호	기재부	82
변은지	익산서	398
변은진	기재부	89
변은희	국세상담	137
변은희	창원서	482
변이슬	조세재정	515
변인영	안양서	258
변재만	기재부	82
변재만	광주청	373
변재서	신대동	53
변재완	경주서	425
변정	동작서	186
변정기	동대문서	184
변정희	천안서	352
변정안	구미서	427
변정연	연수서	317
변정호	서울지방	32
변제호	금융위	94
변종철	아산서	348
변종희	평택서	264
변주섭	김해서	474
변지수	광주서	376
변지야	서초서	196
변지현	서울청	152
변지흥	대구청	408
변진영	기재부	88
변진형	파주서	321
변철용	안양서	258
변철민	남양주서	238
변한준	이천서	262
변해일	동고양서	308
변행열	삼성서	192
변현영	종로서	216
변혜림	삼성서	193
변혜정	국세청	120
변혜정	국세청	121
변혜정	서울청	156
변혜정	동울산서	468
변호춘	안동서	433
변환철	부산진서	454
변효정	인천청	299
보조금	지방재정	511
복경아	안양서	258
복권일	중부서	220
복소정	구미서	427
복용근	인천서	298
복은주	도봉서	182
복지현	인천서	299

이름	소속	쪽
복현경	경주서	425
봉선영	파주서	321
봉수현	서울청	162
봉우리	조세재정	516
봉재연	조세재정	515
봉지영	부산청	444
봉진숙	기재부	85
봉현준	광명서	305
봉희진	안양서	259
부강석	양산서	478
부나리	춘천서	280
부명현	동대문서	185
부상석	제주서	487
부성진	관악서	173
부윤신	역삼서	206
부종철	제주서	486
부혜숙	서울청	161
빈수진	강동서	169
빈효준	서울청	145

人

이름	소속	쪽
사명환	마포서	189
사혜원	구로서	174
서가은	마산서	477
서가현	경기광주	252
서강현	양천서	205
서경덕	남동서	294
서경무	서광주서	380
서경석	인천청	286
서경심	중부산서	464
서경영	구미서	426
서경원	중부서	220
서경자	안산서	254
서경철	도봉서	183
서경하	세종서	347
서경희	관악서	173
서계영	수영서	462
서계주	대구청	408
서광기	순천서	386
서광렬	의정부서	319
서광원	양천서	204
서국환	세무삼륭	44
서귀자	북부산서	458
서귀환	서울청	143
서규호	천안서	353
서근석	서광주서	380
서금석	중랑서	218
서금주	부산진서	455
서기석	동울산서	468
서기열	파주서	321
서기열	포천서	323
서기영	화성서	268
서기원	국세청	133
서기원	김해서	475
서기정	창원서	482
서남이	동작서	187
서나나	조세재정	516
서대성	세종서	346
서대영	서대구서	418
서덕성	시흥서	250
서덕수	울산서	470
서돈영	국세상담	136
서동경	성남서	247
서동규	조세재정	515
서동근	북대전서	334
서동민	국세청	114
서동선	역삼서	261
서동연	조세재정	514
서동옥	포천서	322
서동우	송파서	202
서동욱	광명서	304
서동욱	속초서	274
서동원	대구청	411
서동정	순천서	387
서동진	북전주서	396
서동철	포천서	322
서동화	서대전서	336
서두환	시흥서	250
서래훈	포천서	322
서명국	인천청	291
서명권	익산서	398
서명옥	아산서	349
서명자	지방재정	510
서명준	수영서	462
서명진	서울청	155
서명진	부산청	445
서문경	인천서	298
서문교	종로서	217
서문영	인천청	290
서문지영	서울청	153
서미	동대문서	184
서미경	동수원서	240
서미네	국세청	123
서미래	반포서	191
서미리	서울청	146
서미선	서초서	197
서미선	동래서	452
서미순	여수서	388
서미애	동고양서	308
서미연	영등포서	209
서미영	강서서	171
서미영	잠실서	214
서미영	부산청	443
서미영	북부산서	458
서미정	화성서	414
서민	금감원	96
서민경	송파서	202
서민경	동청주서	357
서민덕	논산서	341
서민성	여수서	389
서민수	서울청	150
서민수	대구청	410
서민수	딜로이트	15
서민아	기재부	83
서민우	강남서	167
서민자	서울청	156
서민재	진주서	480
서민정	포천서	322
서민지	인천서	299
서민철	강서서	171
서민하	광주서	376
서백영	삼일회계	18
서범석	국세청	128
서범석	광주서	376
서범수	아산서	349
서병관	기재부	86
서병희	해남서	391
서보경	익산서	398
서보림	국세청	130
서보미	관악서	173
서봉규	김앤장	55
서봉수	예일세무	49
서봉우	송파서	202
서빛나	서울청	143
서삼미	광주서	376
서상범	대구청	409
서상율	동울산서	469
서상호	광주서	376
서석재	기재부	75
서석준	EY한영	13
서석현	남동서	294
서성덕	통영서	484
서성철	동안양서	242
서성현	국세청	118
서세형	서인천서	296
서소담	대구서	408
서솔지	거창서	473
서수아	이천서	262
서수정	통영서	484
서수현	남대문서	178
서수현	부산청	444
서순기	해남서	391
서순연	해운대서	467
서승원	서울청	164
서승원	고양서	303
서승원	태평양	60
서승의	동청주서	356
서승현	송파서	202
서승현	서울세관	495
서승혜	강서서	170
서승은	안양서	259
서승희	부산청	448
서신자	기재부	81
서아름	포천서	323
서여진	동작서	186
서연정	삼일회계	18
서연주	대전서	330
서연지	수원서	249
서연진	국세주류	134
서영교	국회재정	64
서영미	서울청	142
서영민	조세재정	516
서영삼	국세청	117
서영상	잠실서	215
서영수	기재부	78
서영순	강남서	166
서영우	광주청	372
서영일	부천서	313
서영조	광주서	376
서영정	국세청	130
서영지	대구청	408
서영준	동안산서	256
서예림	국세청	144
서예원	원주서	278
서예주	서부산서	460
서예진	관악서	172
서옥기	여수서	388
서옥배	보령서	342
서왕장	지방재정	511
서용범	삼일회계	19
서용석	원주서	279
서용오	통영서	485
서용준	영등포서	209
서용준	김천서	429
서용택	인천세관	498
서용하	대전청	331
서용현	은평서	213
서용훈	안양서	259
서우형	영덕서	434
서운용	동작서	187
서원상	시흥서	250
서원식	서울청	158
서원주	국세청	126
서원희	공주서	338
서위숙	부평서	315
서유리	해운대서	467
서유미	광명서	304
서유빈	국세청	129
서유식	국세청	268
서유진	인천청	289
서유진	창원서	482
서유진	삼정회계	21
서유진	삼정회계	21
서유희	양산서	478
서유경	통영서	485
서윤석	경기광주	252
서윤식	은평서	213
서윤정	기재부	76
서윤주	도봉서	182
서윤희	동안양서	242
서은영	광산서	247
서은영	영월서	277
서은영	동청주서	356
서은우	포항서	439
서은원	서울청	162
서은정	동작서	186
서은주	은평서	213
서은주	지방재정	513
서은지	인천서	298
서은지	해남서	391
서은철	서울청	143
서은파	반포서	190
서은혜	기재부	76
서은혜	서울청	447
서은혜	조세재정	516
서은호	수성서	421
서의성	강릉서	270
서이현	구미서	426
서익준	서울청	148
서인기	중랑서	219
서인숙	도봉서	183
서인창	경기광주	252
서인현	남대구서	412
서자영	부산진서	454
서자원	북부산서	459
서장호	대구서	406
서재균	금정서	451
서재기	역삼서	206
서재영	삼도회계	17
서재용	관세청	490
서재우	아산서	348
서재운	성동서	199
서재윤	중기회	110
서재은	금정서	451
서재익	예일세무	49
서재필	영등포서	209
서재필	마산서	476
서재훈	김앤장	55
서정곤	국세청	115
서정규	부산청	447
서정균	수영서	462
서정미	삼성서	192
서정숙	광산서	375
서정애	해남서	390
서정우	강동서	168
서정우	서울청	156
서정우	구리서	235
서정우	구미서	427
서정운	진주서	481
서정원	세종서	346
서정원	충주서	365
서정은	구로서	175
서정은	대전청	327
서정이	반포서	190
서정철	광교세무	37
서정학	거창서	472
서정헌	중기회	110
서정훈	시흥서	251
서정훈	지방재정	510
서정희	동래서	453
서주아	남대문서	181
서주영	김해서	475
서주영	조세재정	514
서주원	기재부	76
서주현	인천서	298
서주희	북부산서	459
서주희	북부산서	459
서준	평택서	264
서준석	국세청	116
서준영	부산강서	457
서준영	김해서	475
서지나	대구청	410
서지민	남양주서	239
서지민	용인서	260
서지상	강릉서	270
서지연	기재부	80
서지연	남양주서	238
서지영	국세청	118
서지영	서울청	145
서지용	지방재정	513
서지원	서울청	150
서지원	서부산서	460
서지원	예일세무	49
서지은	반포서	190
서지은	성남서	246
서지은	기재부	81
서지현	수성서	421
서지형	인천서	298
서지훈	동울산서	469
서지희	인천청	288
서진	연수서	316
서진혜	기재부	75
서진호	영등포서	209
서창완	인천청	287
서창우	홍성서	355
서창호	김앤장	55
서철호	국세청	131
서철홍	상공회의	109
서충석	부산청	444
서태웅	시흥서	250
서학근	마산서	477
서한슬	마포서	188
서해나	구로서	174
서혁준	중부서	220
서혁진	성북서	201
서현진	제주서	486
서현영	순천서	387
서현준	중부청	230
서현지	성동서	198
서현지	서대구서	418
서현희	남부천서	311
서형렬	국세청	131
서형민	중부청	227
서형선	진주서	481
서형숙	통영서	484
서혜경	기재부	79
서혜경	동대구서	415
서혜란	서울청	164
서혜수	평택서	264
서혜숙	충주서	364
서혜영	기재부	82
서호성	부산청	443
서호성	지방재정	511
서효송	이천서	263
서효영	동래서	453
서효영	경기광주	253
서효우	이천서	262
서효진	구로서	174
서효진	부산청	449
서홍용	계양서	301
서희진	구미서	427
석대겸	서부산서	460
석미아	서대구서	418
석민구	국세상담	136
석상훈	기재부	86
석수현	수성서	421
석승운	성북서	201
석영일	동청주서	356
석용길	서대구서	419
석용춘	중부청	225
석원영	대전청	329
석이선	부산청	445
석장수	중부청	225
석종국	영주서	436
석종훈	남양주서	239
석준기	부산진서	455
석준원	금감원	106
석지영	서울청	160
석지명	기재부	81
석지윤	송파서	203
석진배	부산진서	454
석진안	아산서	348
석진영	국세청	124
석진호	화성서	268
석창휴	인천세관	498
석한결	송파서	202
석혜수	천안서	353
석혜연	제주서	486
석혜원	수원서	248
석혜조	서울청	165
석호정	남대문서	181
석희정	지방재정	510
선경미	광주청	368
선경숙	서광주서	380
선경식	김포서	307
선규성	서광주서	380
선기영	성남서	247
선명우	대전청	327
선민준	중부청	228
선병오	삼일회계	18
선병우	북부산서	458
선봉관	강동서	168
선봉래	인천청	287
선승규	광주세관	508
선승민	이천서	263
선양기	광산서	374
선연자	부평서	314
선우영진	용인서	261
선은미	서부산서	461
선종국	김포서	307
선종문	세무다우	42
선지혜	강동서	169
선창규	인천청	289
선현우	고양서	302
선형렬	분당서	245
선형영	용인서	261
선희	역삼서	206
선희숙	나주서	383
설경양	광주청	372
설관수	국세주류	134
설도연	부산청	445
설미숙	양천서	204
설미현	서울청	164
설영열	서울청	381
설영태	목포서	385
설인수	김앤장	55
설재혁	북대구서	417

성명	소속	쪽
설재형	강남서	167
설전	부산청	444
설종훈	국세상담	137
설진	익산서	399
설진우	경주서	424
설진원	전주서	400
설창환	지방재정	511
섭지수	인천청	288
성가현	영등포서	209
성경욱	금천서	176
성경진	서초서	197
성고운	지방재정	511
성광모	대전청	326
성광민	화성서	269
성기동	중기회	110
성기동	남대문서	180
성기영	마포서	189
성기오	홍성서	355
성기웅	기재부	79
성기원	남양주서	238
성기일	동래서	453
성기창	중기회	110
성낙진	남대구서	412
성다진	김포서	307
성대경	은평서	213
성대경	동래서	453
성동연	광주서	376
성명은	강남서	166
성명재	광주청	372
성문성	해운대서	466
성미경	북전주서	397
성미로	통영서	485
성미숙	파주서	320
성민규	은평서	212
성민수	안양서	259
성민영	법무율촌	58
성민주	통영서	485
성민지	서대구서	419
성백경	동청주서	356
성병규	부산청	448
성병모	중부청	229
성보경	금융위	94
성보경	청주서	362
성봉준	강동서	168
성봉준	북부산서	459
성봉진	의정부서	318
성상진	서부산서	461
성상현	남부천서	311
성수미	동수원서	240
성수연	강남서	167
성승민	진주서	480
성승용	인천청	288
성시우	금천서	176
성시준	삼일회계	18
성시현	예일세무	49
성아영	국세청	123
성연주	조세재정	516
성영순	구미서	426
성완유	대전서	333
성용욱	관세청	490
성우진	서울청	157
성원용	대구청	410
성유미	평택서	265
성유빈	경기광주	253
성유진	국세청	114
성은경	수원서	248
성은숙	동청주서	357
성이택	국세청	127
성인섭	국세교육	139
성인영	기재부	79
성인용	기재부	78
성재경	이천서	262
성재영	인천청	291
성정민	익산서	398
성정은	김포서	307
성정현	진주서	481
성종만	인천청	289
성주경	국세청	116
성주석	조세재정	516
성주호	남대문서	178
성주희	수성서	420
성준범	국세청	124
성준희	역삼서	207
성지연	성동서	198
성지은	동화성서	266
성지현	기재부	81
성지혜	마산서	476
성지혜	서산서	344
성진규	기재부	81
성진혁	청주서	363
성창경	북대전서	334
성창석	삼일회계	18
성창임	서울청	154
성창화	시흥서	251
성창훈	기재부	82
성한기	대구청	407
성해리	부천서	313
성행제	서울세관	494
성현성	서대구서	418
성현대	중기회	467
성현일	지방재정	512
성현진	국세청	122
성혜원	포항서	438
성혜원	포항서	439
성혜전	남대문서	181
성혜정	서울청	147
성혜진	서울청	151
성호승	지방재정	512
성환석	동울산서	469
성효경	정진세리밀	27
성희찬	창원서	483
소규철	시흥서	250
소기형	동화성서	267
소득지	대전청	327
소미현	화성서	269
소민	삼성서	193
소병욱	조세재정	516
소병철	국회정무	68
소병훈	기재부	91
소서희	인천서	298
소선희	수원서	248
소섭	서울청	155
소수정	안산서	255
소수현	국세상담	137
소수혜	군산서	392
소영석	영등포서	208
소윤섭	군산서	392
소윤지	은평서	213
소재성	세종서	346
소재준	도봉서	182
소정선	부산강서	456
소종태	국세교육	138
소주현	삼일회계	18
소진수	법무율촌	58
소진영	금정서	314
소찬희	서광주서	380
소충섭	대구청	407
소태섭	익산서	398
소현아	금정서	450
소현철	대구청	409
손가영	용인서	260
손가희	북대구서	417
손경근	동작서	187
손경미	목포서	385
손경선	평택서	264
손경수	강서서	170
손경수	남대구서	413
손경아	서대전서	336
손경아	북대전서	334
손경진	서울청	150
손광민	목포서	385
손광섭	동대문서	185
손국	용산서	210
손권호	충주서	365
손규리	충주서	364
손금주	분당서	244
손기만	국세청	115
손기봉	서대문서	194
손기혜	강남서	166
손길진	안양서	212
손다솜	광명서	304
손다희	포천서	322
손동민	대구청	408
손동우	국세청	114
손동주	부산진서	454
손동주	지방재정	510
손동은	조세재정	516
손동칠	고양서	302
손명	의정부서	319
손명숙	부산청	445
손명주	수성서	421
손명희	수성서	386
손미견	구로서	175
손미량	영등포서	209
손미숙	국세청	128
손미숙	부산진서	455
손민	남부천서	311
손민석	기흥서	236
손민선	강동서	168
손민영	천안서	352
손민영	동울산서	469
손민자	관악서	172
손민정	서울청	143
손민정	북부산서	459
손민정	울산서	471
손민호	김해서	474
손민호	기재부	77
손병석	강남서	167
손병수	중부서	220
손병양	국세교육	139
손병열	울산서	471
손병준	법무광장	56
손병중	강릉서	270
손병하	지방재정	510
손병훈	부산청	447
손보경	부산청	442
손보예	수영서	462
손봉균	이천서	262
손삼락	법무바른	1
손삼석	나주서	382
손상영	양천서	205
손상익	영등포서	209
손상필	광산서	374
손상혜	국세교육	138
손새봄	천안서	352
손석민	부산청	442
손석임	국세청	117
손석주	부산서	447
손석호	이천서	263
손석호	서인천서	297
손선미	중랑서	218
손선미	남원서	394
손선수	원주서	279
손선영	안양서	258
손선화	송파서	203
손선희	부산진서	454
손성국	영등포서	209
손성규	동래서	452
손성락	금정서	450
손성수	의정부서	318
손성수	관세청	490
손성웅	부산진서	454
손성임	삼성서	193
손성자	부산청	442
손성주	마산서	477
손성탁	국세청	128
손성학	순천서	386
손세규	대구청	410
손세영	여수서	388
손세종	군산서	393
손세종	용인서	261
손소희	동대구서	414
손수아	김포서	306
손수아	순천서	387
손수정	관악서	172
손수연	전주서	400
손송모	영등포서	208
손송재	광산서	375
손승五	서울청	160
손승희	중랑서	219
손승희	의정부서	318
손신혜	대전청	329
손아름	기재부	77
손아현	도봉서	183
손안상	북전주서	397
손연숙	수영서	462
손영대	국세청	130
손영미	서울청	152
손영란	구로서	175
손영미	경기광주	252
손영미	창원서	482
손영이	송파서	202
손영주	구리서	234
손영주	세종서	346
손영준	예일세무	49
손영진	충주서	365
손영화	지방재정	510
손영환	부산세관	501
손영환	부산세관	503
손예린	울산서	471
손예정	서대구서	418
손오석	광주청	371
손옥주	서울청	148
손완수	부산진서	455
손요나	인천세관	499
손우성	기재부	78
손우승	지방재정	510
손우현	진주서	480
손웅기	기재부	84
손원우	서울청	156
손유승	홍성서	354
손유진	성북서	200
손유진	조세재정	514
손윤섭	국세교육	138
손윤숙	대전청	328
손윤정	시흥서	251
손은경	김천서	177
손은경	진주서	481
손은경	지방재정	510
손은수	대구청	407
손은채	예산서	351
손은태	서대문서	194
손은하	분당서	245
손은희	국세청	132
손의철	서인천서	296
손재락	성북서	114
손재명	광주서	376
손재원	연수서	317
손재하	양천서	205
손정갑	국회재정	64
손정빈	서울청	154
손정아	서울청	150
손정욱	서초서	197
손정인	북광주서	378
손정혁	기재부	81
손정화	동청주서	357
손정화	금정서	451
손정훈	대구청	411
손정훈	성남서	247
손종대	연수서	317
손종육	서울청	163
손종현	광주청	369
손주연	기재부	86
손주영	경기광주	252
손주영	파주서	321
손주희	양천서	204
손주희	동울산서	469
손준성	마포서	188
손준표	남대구서	412
손준혁	국세청	132
손증렬	영주서	437
손지선	송파서	203
손지아	중부청	226
손지혜	동울산서	469
손진락	통영서	485
손진욱	서울청	161
손진현	수영재정	63
손진호	수영서	462
손찬희	해운대서	467
손창수	남부천서	311
손창열	남양주서	238
손창호	국세청	121
손창환	태평양	60
손채령	국세청	123
손채원	파주서	320
손채은	양산서	478
손충식	양주청	368
손충희	관세청	489
손타영	창원서	483
손태빈	국세청	125
손태영	인천서	298
손태욱	동작서	186
손태욱	포항서	439
손태희	북대전서	334
손택영	안양서	259
손한준	국세청	124
손해수	부산청	448
손해진	진주서	480
손현경	의정부서	318
손현숙	관악서	172
손현정	서대전서	336
손현정	부산강서	457
손현주	북전주서	396
손현지	부평서	314
손현진	서인천서	296
손현태	남원서	395
손형주	전주서	401
손혜림	국세청	123
손혜민	기재부	77
손혜은	해남서	390
손혜자	구리서	234
손혜정	삼성서	192
손혜진	평택서	264
손호익	중부산서	464
손홍필	종로서	216
손화승	천안서	353
손효빈	포항서	438
손효정	국세상담	137
손효현	국세청	118
손효현	국세청	126
손희경	부산청	449
손희영	부산청	446
손희정	중부청	228
송강	성동서	198
송경덕	안산서	255
송경경	파주서	320
송경아	금천서	176
송경원	성동서	198
송경정	동청주서	357
송경학	세무다솔	41
송경호	조세재정	515
송경호	조세재정	515
송경호	조세재정	515
송경호	조세재정	516
송경희	정읍서	402
송고운	성동서	198
송광선	서울청	142
송권호	국세교육	138
송규호	국세교육	138
송기봉	세무다우	42
송기봉	세무다우	144
송기봉	세무다우	226
송기봉	세무다우	369
송기삼	구미서	427
송기선	기재부	80
송기선	파주서	320
송기순	동화성서	266
송기영	지방재정	512
송기원	평택서	265
송기원	부천서	313
송기익	북대구서	417
송기화	서울청	142
송길웅	인천서	298
송나연	포천서	322
송나영	서인천서	296
송남영	조세재정	515
송노성	연수서	317
송다성	김해서	475
송다영	광산서	374
송다연	국세청	131
송대근	국세상담	137
송대섭	동대문서	185
송대섭	창원서	482
송도관	서초서	196
송도영	성동서	198
송동규	인천청	288
송동복	광교세무	36
송만수	광산서	374
송명림	잠실서	214
송명숙	중부청	231
송명철	상주서	430
송문주	세종서	346
송미나	예산서	350
송미소	익산서	398
송미연	수원서	249
송미연	마산서	476
송미정	부산서	445
송미화	삼성서	192
송민경	국회정무	67
송민규	동안산서	257
송민국	부산청	442
송민석	경기광주	252
송민섭	경기광주	253

이름	소속	번호
송민수	마포서	189
송민숙	중부청	233
송민익	기재부	78
송민정	동래서	453
송민준	경산서	423
송민지	동울산서	468
송민철	중부청	230
송바우	국세청	115
송바우	국세청	116
송방의	광주청	368
송병섭	영등포서	209
송병호	서울청	165
송병희	성동서	198
송보경	동래서	453
송보라	부평서	315
송보섭	시흥서	251
송보화	동대문서	184
송봉근	부산진서	455
송봉선	남원서	394
송상목	기재부	83
송상민	안산서	254
송상우	동안산서	257
송상우	법무율촌	58
송상율	동화성서	266
송석범	부산세관	501
송석범	부산세관	503
송석준	국회정무	68
송석중	대전서	333
송석철	계양서	300
송석하	김해서	474
송선영	경기광주	253
송선영	의정부서	319
송선용	양천서	204
송선주	김포서	307
송선태	서울청	159
송선화	관세청	489
송설희	도봉서	182
송성권	딜로이트	15
송성근	북대구서	417
송성욱	부산청	446
송성일	기재부	75
송성철	양천서	204
송성호	국세청	116
송성희	용인서	260
송세미	김해서	474
송송이	북전주서	396
송수인	동청주서	356
송수자	동작서	187
송수현	잠실서	215
송수희	남양주서	239
송순례	중부산서	464
송숭	인천청	288
송승리	마산서	476
송승언	대구세관	506
송승용	부평서	314
송승원	마포서	188
송승윤	논산서	340
송승재	용인서	260
송승철	반포서	191
송승한	시흥서	251
송승한	의정부서	319
송승혁	상공회의	109
송승호	충주서	365
송시운	대구청	410
송아란	기재부	85
송연석	국회재정	64
송연서	북대전서	335
송연주	성동서	199
송연지	김해서	474
송연호	제천서	361
송영관	서울지방	32
송영기	계양서	300
송영덕	중부지방	33
송영민	미래회계	16
송영석	강남서	167
송영석	중부청	230
송영석	서현이현	7
송영아	부산청	445
송영우	부평서	315
송영욱	김포서	307
송영윤	광명서	305
송영주	청주서	362
송영지	포천서	322
송영진	평택서	265
송영찬	동청주서	357
송영채	부천서	313
송영철	중부청	227
송영태	서울청	156
송영화	세종서	347
송예린	중부서	220
송예은	통영서	484
송예지	수원서	248
송예체	강서서	170
송오은	동안양서	242
송옥연	서울청	146
송용기	나주서	382
송우경	화성서	268
송우람	중부청	226
송우용	거창서	473
송우진	광교세무	36
송우철	태평양	60
송웅호	주세관	508
송원기	용인서	261
송원호	국세청	119
송원호	광주청	373
송유나	서산서	344
송유민	기재부	80
송유진	도봉서	183
송유정	서울청	160
송유진	국세청	117
송윤선	여수서	389
송윤식	동대문서	184
송윤정	동안양서	242
송윤정	포천서	322
송윤주	기재부	89
송윤태	대전서	332
송은화	예일회계	24
송은별	북부산서	458
송은선	서울청	163
송은영	남원서	394
송은영	동화성서	266
송은영	목포서	384
송은주	북부산서	458
송은주	강동서	168
송은주	국세청	129
송은주	서광주서	380
송은지	조세재정	514
송은지	서울청	143
송은호	경산서	422
송은희	중부청	232
송의미	안양서	259
송의진	마포서	188
송익범	익산서	398
송인경	대전서	333
송인광	청주서	362
송인규	예산서	351
송인범	인천청	287
송인범	용산서	210
송인숙	동울산서	469
송인숙	마산서	476
송인숙	서부산서	460
송인숙	부산세관	503
송인용	영덕서	434
송인용	서울청	150
송인우	대전청	330
송인우	용인서	261
송인우	서산서	344
송인춘	수성서	420
송인출	서울청	143
송인형	양산서	479
송인형	천안서	353
송인희	역삼서	206
송일호	대전청	328
송자연	고양서	302
송재경	마포서	189
송재경	기재부	86
송재경	김해서	474
송재봉	시흥서	251
송재열	인천청	287
송재열	기재부	82
송재영	동대문서	184
송재원	인천지방	34
송재윤	천안서	353
송재은	광주청	370
송재은	안산서	254
송재익	관세사회	51
송재준	대구청	408
송재중	광주청	371
송재천	강동서	168
송재철	의정부서	319
송재현	천안서	352
송재현	대현회계	14
송재현	대현회계	14
송재호	서대전서	336
송정금	포천서	322
송정민	제주서	486
송정복	광교세무	38
송정숙	용인서	260
송정아	관악서	172
송정오	구리서	235
송정현	남대문서	178
송정화	서울청	142
송정회	대문서	179
송종민	성남서	246
송종범	삼성서	192
송종호	영등포서	209
송종호	서울청	142
송종훈	서울청	153
송주민	김포서	307
송주민	반포서	190
송주영	제주서	487
송주은	동래서	452
송주현	국세청	128
송주현	서울청	163
송주형	북대구서	416
송주형	서울청	296
송준승	서울청	161
송준식	기재부	78
송준오	국세상담	136
송준현	부평서	314
송준호	안산서	255
송지미	서울청	143
송지선	강동서	169
송지선	남대문서	181
송지아	성동서	198
송지연	서울청	149
송지예	강남서	166
송지우	동수원서	240
송지원	국세청	117
송지원	인천청	292
송지원	동청주서	357
송지윤	서울청	165
송지은	서울청	159
송지은	구리서	235
송지은	기흥서	236
송지은	대전청	327
송지은	대전청	328
송지인	평택서	264
송지현	서울청	165
송지혜	중부서	221
송지혜	고양서	303
송지훈	분당서	244
송지훈	부평서	314
송진미	서울청	163
송진민	조세재정	514
송진수	중부서	220
송진영	서초서	196
송진용	동안산서	256
송진욱	부산청	444
송진호	국세청	114
송진호	송파서	202
송진희	서울청	163
송찬규	국세청	115
송찬미	삼성서	192
송찬빈	남부천서	310
송찬주	중부청	226
송창녕	성남서	162
송창민	기재부	90
송창식	잠실서	215
송창용	수원서	248
송창호	순천서	387
송창호	동안양서	243
송창훈	부산청	445
송창희	부산청	447
송채성	논산서	341
송채민	김천서	428
송채영	인천청	290
송채원	잠실서	214
송채원	북전주서	396
송청자	서울청	161
송춘희	삼성서	193
송충종	부천서	312
송충호	인천청	286
송치호	수영서	463
송칠선	대전청	329
송태정	대전청	330
송태준	국세청	122
송평근	서울청	162
송필섭	마포서	189
송하연	제주서	486
송하준	전주서	400
송해영	강남서	167
송향기	서부산서	460
송향희	국세청	118
송현수	삼성서	193
송현아	대전청	326
송현선	기재부	88
송현정	기재부	88
송현종	기흥서	236
송현주	성남서	153
송현주	원주서	279
송현주	부산진서	454
송현진	북광주서	378
송현진	조세재정	515
송현철	경기광주	253
송현탁	지방재정	513
송현호	역삼서	207
송현화	용산서	210
송현희	북대전서	334
송형승	삼성서	183
송형우	삼정회계	21
송형희	대전청	327
송혜리	성남서	247
송혜림	지방재정	512
송혜연	이천서	262
송혜원	성남서	154
송혜원	광주서	377
송혜인	영등포서	209
송혜인	동화성서	266
송혜정	수성서	420
송혜정	부산진서	454
송호필	서울청	172
송홍준	북대구서	416
송화영	서울청	153
송환용	서울청	150
송효선	파주서	320
송효주	공주서	338
송효진	창원서	482
송휘종	서울청	225
송흥철	중부청	229
송희성	송파서	202
송희정	역삼서	279
송희진	광주청	372
송희진	중부산서	464
시종원	서울청	157
시진기	구미서	426
시현기	서초서	196
시현민	속초서	275
신각성	부산세관	502
신갑수	송파서	203
신강민	서울세관	493
신강민	서울세관	495
신거련	인천청	286
신건련	상주서	431
신경섭	인천서	298
신경수	국세상담	136
신경수	마포서	189
신경식	국세상담	136
신경아	기재부	79
신경아	서인천서	297
신경희	남대구서	413
신경희	예산서	350
신계희	대전서	332
신고현	평택서	314
신관호	부산청	446
신광수	국회재정	63
신광재	보령서	342
신광철	대전청	330
신교준	안산서	254
신구호	파주서	203
신규명	광교세무	37
신규승	강릉서	271
신규호	정읍서	402
신근모	서울청	152
신기력	딜로이트	15
신기선	법무율촌	58
신기섭	김포서	306
신기용	반포서	190
신기주	인천청	290
신기준	부산강서	457
신기철	충주서	365
신기한	진주서	480
신기환	기재부	87
신나리	부천서	312
신나영	동안양서	243
신나영	북광주서	378
신나현	서초서	196
신남숙	잠실서	214
신디해	종로서	217
신담호	제주서	486
신대수	대전서	332
신대해	대현회계	14
신대원	기재부	87
신대환	북대구서	417
신덕수	군산서	393
신도현	서부산서	460
신동규	서울청	151
신동균	기재부	74
신동근	국회재정	64
신동근	창원서	482
신동민	서대문서	194
신동배	동작서	187
신동복	서현이현	6
신동석	관세청	491
신동식	동대구서	414
신동연	국세청	126
신동영	동고양서	308
신동용	광산서	302
신동우	동청주서	357
신동윤	인천세관	499
신동일	서부산서	460
신동주	용산서	210
신동주	평택서	264
신동준	고양서	302
신동준	조세재정	515
신동진	구로서	174
신동진	남부천서	311
신동표	정진세림	27
신동혁	관악서	173
신동현	기재부	81
신동현	광주세관	507
신동현	광주세관	508
신동호	기재부	79
신동호	서울청	144
신동호	마포서	189
신동호	서인천서	296
신동화	지방재정	302
신동훈	국세교육	139
신동훈	서울청	159
신동훈	파주서	321
신동훈	동울산서	468
신동희	강동서	169
신만호	관악서	173
신명관	삼성서	192
신명도	도봉서	183
신명섭	파주서	320
신명수	동작서	187
신명숙	기재부	84
신명숙	마포서	188
신명식	대전청	329
신명진	삼척서	272
신명희	나주서	382
신무성	양천서	205
신문정	동화성서	267
신문정	경주서	424
신미경	마포서	188
신미경	중부산서	465
신미덕	마포서	189
신미라	국세청	123
신미리	중부청	232
신미리	의정부서	318
신미선	남대문서	179
신미숙	광주청	370
신미순	서울청	148
신미식	시흥서	251
신미애	남대문서	180
신미영	서대전서	337
신미옥	수영서	462
신미정	부산진서	454
신민규	안산서	254
신민기	울산서	470
신민서	광명서	304

이름	소속	쪽
신민섭	서울청	160
신민수	김해서	474
신민아	안산서	255
신민정	대전청	329
신민정	창원서	483
신민지	영등포서	209
신민채	국세청	124
신민철	광명서	304
신민철	연수서	317
신민혜	부산청	448
신민호	삼척서	273
신민화	서대전서	336
신방인	대전청	329
신범하	안양서	259
신병준	동울산서	469
신보경	수원서	248
신보경	아산서	348
신보미	중랑서	219
신보민	부산청	445
신복희	서울청	160
신봉식	남대문서	178
신상덕	순천서	387
신상례	대전청	328
신상록	금융위	93
신상모	서울청	159
신상민	동작서	186
신상수	북대전서	334
신상수	동울산서	468
신상우	서대구서	418
신상욱	강동서	169
신상은	부천서	313
신상일	서대문서	195
신상홍	중기회	110
신상훈	감사원	70
신상훈	금융위	94
신상훈	성남서	246
신상훈	대전청	331
신상희	강릉서	271
신새미	기재부	84
신새벽	송파서	202
신서연	서울청	151
신석균	서울청	157
신석주	서대구서	418
신선	중랑서	218
신선미	중부산서	464
신선아	인천세관	497
신선주	고양서	302
신선혜	남대구서	413
신선희	대전청	328
신성규	연수서	316
신성근	서울청	145
신성만	수영서	462
신성봉	양천서	205
신성용	대구청	410
신성용	김해서	475
신성용	마산서	477
신성일	부산강서	457
신성철	강동서	168
신성환	동고양서	309
신성희	전주서	400
신세연	광주서	376
신세용	서울청	155
신소영	금정서	450
신소은	지방재정	511
신소희	동수원서	241
신솔지	정읍서	402
신수경	수원서	240
신수령	중부청	227
신수미	창원서	483
신수미	조세재정	516
신수민	동작서	186
신수범	파주서	320
신수빈	도봉서	182
신수빈	안산서	254
신수영	서대구서	194
신수용	기재부	88
신수인	영동서	358
신수정	여수서	389
신수창	서울청	142
신숙경	서울세관	494
신숙희	강서서	170
신숙희	대전청	331
신순영	아산서	348
신순호	중부서	220
신승수	속초서	274
신승수	남동서	294
신승애	성동서	198
신원경	양산서	206
신승우	국회정무	67
신승우	서인천서	296
신승일	청주서	363
신승일	삼일회계	19
신승진	동고양서	309
신승태	아산서	349
신승학	법무광장	57
신승헌	기재부	84
신승현	중랑서	219
신승호	인천세관	499
신승환	동래서	452
신승정	시흥서	250
신승훈	화성서	268
신승훈	광산서	375
신시영	세종서	346
신아름	화성서	269
신아영	동작서	187
신언수	통영서	485
신언순	중랑서	357
신여경	시흥서	250
신연숙	대구청	409
신연순	부평서	314
신연정	김해서	475
신연주	국세청	126
신연주	연수서	317
신연주	논산서	340
신연준	수원서	249
신열석	제천서	360
신영남	광주청	373
신영남	지방재정	512
신영남	지방재정	512
신영남	지방재정	513
신영남	수원서	248
신영림	안서서	254
신영민	용인서	261
신영섭	은평서	213
신영승	시흥서	251
신영순	마포서	188
신영승	강릉서	271
신영아	북부산서	459
신영아	목포서	384
신영웅	의정부서	319
신영일	감사원	71
신영재	구미서	426
신영주	국세교육	138
신영주	남양주서	378
신영준	서울청	155
신영준	구미서	427
신영진	남대문서	181
신영철	진주서	480
신영철	조세재정	514
신영호	용인서	260
신영화	포천서	323
신영희	은평서	213
신예람	북대구서	416
신예린	남대문서	180
신예슬	동화성서	266
신예원	계양서	301
신예정	서울청	388
신예진	부산청	442
신예진	조세재정	514
신옥미	남대문서	210
신옥희	수성서	421
신요한	중부청	225
신용대	진주서	480
신용도	울산서	471
신용문	국세교육	138
신용범	서울청	153
신용석	서울청	144
신용석	구미서	427
신용순	기재부	75
신용식	천안서	353
신용욱	의정부서	318
신용하	양산서	479
신용현	중부산서	465
신용호	전주서	400
신우교	남대문서	180
신우열	서울청	352
신우영	목포서	384
신우용	원주서	278
신웅기	진주서	480
신웅식	홈앤아웃	45
신웅식	홈앤아웃	247
신원섭	동작서	187
신원식	강릉서	270
신원영	북대전서	334
신원정	청주서	279
신유경	반포서	191
신유나	남동서	294
신유농	영등포서	208
신유라	동수원서	241
신유림	강서서	170
신유림	북대구서	416
신유미	중부서	232
신유미	기흥서	236
신유정	서대구서	419
신유진	역삼서	207
신유진	상주서	430
신유진	창원서	483
신유하	동안산서	257
신유환	영주서	436
신유환	영주서	437
신유희	수원서	249
신윤경	강남서	166
신윤섭	삼일회계	18
신윤숙	서울청	412
신윤철	예일세무	49
신은경	서울청	142
신은송	남양주서	378
신은숙	동작서	186
신은숙	양산서	478
신은정	시흥서	251
신은정	동대구서	415
신은주	서인천서	296
신은주	제주서	486
신은지	청주서	362
신은혜	서울청	156
신은화	북포서	385
신이길	잠실서	215
신익철	영주서	436
신인섭	지방재정	510
신인식	기재부	87
신장규	EY한영	13
신장수	금융위	94
신재봉	서울청	150
신재원	기재부	88
신재원	진주서	480
신재은	대구청	407
신재형	관세청	491
신재화	춘천서	281
신정곤	동울산서	468
신정미	춘천서	280
신정민	지방재정	512
신정빈	수성서	420
신정수	동고양서	308
신정숙	잠실서	215
신정아	도봉서	183
신정아	해운대서	467
신정아	제주서	487
신정연	동대구서	414
신정엽	국세교육	138
신정용	광주청	372
신정원	기재부	84
신정원	파주서	320
신정현	반포서	191
신정화	예일세무	49
신정화	동대문서	184
신정환	시흥서	251
신정훈	남대문서	179
신정정	중부청	229
신정희	삼일회계	18
신종무	동안산서	257
신종범	광교세무	38
신종식	목포서	385
신종웅	서초서	196
신종훈	국세청	122
신주령	역삼서	206
신주영	대전청	328
신주영	대구청	408
신주현	동대문서	184
신주현	구리서	234
신준규	남양주서	238
신준기	김해서	475
신준기	진주서	481
신준철	강남서	167
신준호	기재부	85
신준호	남부천서	310
신중범	기재부	73
신중현	국세청	122
신중훈	김포서	306
신지명	북대전서	334
신지선	평택서	264
신지성	잠실서	215
신지수	북전주서	397
신지애	북대구서	417
신지연	관악서	172
신지연	구로서	174
신지연	역삼서	206
신지연	용인서	260
신지연	영덕서	435
신지영	국세청	120
신지우	서울청	153
신지원	조세재정	514
신지은	부천서	313
신지현	청주서	362
신지혜	강남서	167
신지혜	삼성서	193
신지혜	시흥서	251
신지혜	금정서	451
신지호	기재부	78
신지한	남부천서	310
신지훈	시흥서	250
신지훈	서현이현	7
신지희	지방재정	510
신진규	중부청	228
신진섭	속초서	275
신진아	천안서	352
신진우	충주서	365
신진우	대구청	409
신진욱	기재부	75
신진일	부산세관	501
신진일	부산세관	503
신진주	지방재정	510
신진호	순천서	386
신찬호	인천청	292
신창영	인천청	15
신창환	딜로이트	15
신창환	딜로이트	15
신창훈	국세청	115
신채영	강서서	170
신채영	남동서	295
신채용	기재부	87
신철원	국세청	131
신초일	나주서	383
신치원	인천청	288
신태섭	기재부	81
신평화	북광주서	378
신하나금	북부산서	458
신학순	세원세무	48
신한철	대현회계	14
신해규	동고양서	309
신향식	서울청	165
신혁	충주서	365
신현경	종로서	217
신현구	기재부	75
신현국	국세교육	138
신현국	마산서	477
신현삼	반포서	191
신현석	예산서	350
신현석	서울청	153
신현우	부산진서	454
신현원	서인천서	297
신현일	중부청	230
신현선	충주서	365
신현중	국세청	128
신현중	대현회계	14
신현선	인천서	298
신현창	삼일회계	18
신현철	구리서	235
신현호	강동서	168
신형원	동청주서	357
신형진	기재부	84
신혜란	인천서	299
신혜민	서울청	260
신혜선	국세청	120
신혜숙	서울청	158
신혜인	춘천서	339
신혜정	화성서	269
신혜주	동고양서	308
신혜진	김해서	475
신혜철	기재부	84
신호균	화성서	269
신호석	서현이현	7
신호석	서현이현	7
신호철	북부산서	459
신홍영	서울청	154
신효경	국세청	118
신효경	성남서	246
신효상	인천세관	497
신효상	인천세관	500
신희라	연수서	317
신희명	인천청	286
신희웅	서울청	164
신희철	국세청	116
신희철	국세청	117
신희철	국세청	118
신희철	국세청	119
심가섭	지방재정	511
심경섭	은평서	212
심경연	도봉서	183
심경자	기재부	84
심경정	기재부	88
심경희	부천서	313
심광식	계양서	300
심규미	동대구서	415
심규민	성동서	199
심규진	기재부	83
심규연	태평양	60
심규현	지방재정	511
심기보	연수서	316
심단비	남양주서	239
심란주	국세상담	136
심명진	광산서	374
심미경	기재부	74
심미선	전주서	401
심미현	이천서	263
심민경	중부서	221
심민기	국세청	116
심민정	동작서	186
심민정	수원서	249
심민준	북부산서	458
심민준	기재부	82
심백교	조세재정	515
심별	남양주서	239
심상길	거창서	473
심상동	전주서	400
심상미	서울청	165
심상수	서울세관	495
심상우	성북서	201
심상운	중기회	110
심상원	구미서	426
심상원	목포서	384
심상원	송파서	203
심새별	의정부서	318
심서현	금정서	451
심석인	EY한영	13
심선미	국세교육	139
심선화	분당서	245
심성연	북광주서	378
심성환	순천서	386
심소영	파주서	320
심수경	감사원	70
심수경	동화성서	267
심수민	영등포서	209
심수빈	용산서	211
심수연	구로서	174
심수진	구리서	234
심수진	김포서	306
심수한	서울청	161
심수현	기재부	76
심수현	영월서	276
심수희	조세재정	516
심순보	창원서	482
심승미	기재부	81
심아미	국세청	130
심연수	강서서	171
심연택	마산서	477
심영일	강남서	167
심영원	이천서	263
심영진	부산진서	454
심영창	춘천서	280
심예진	화성서	268
심완수	기흥서	236
심용훈	용인서	260

이름	소속	쪽
심우돈	강동서	169
심우용	부산청	447
심우진	서현이현	74
심우택	이천서	263
심우홍	원주서	278
심욱기	서울청	141
심유정	기재부	75
심윤미	금천서	177
심윤상	김앤장	55
심윤성	국세청	128
심윤정	역삼서	206
심은경	해운대서	466
심은정	북부산서	459
심은진	서울청	163
심자민	김포서	307
심재걸	강남서	167
심재경	조세재정	516
심재광	금천서	177
심재도	서울서	142
심재옥	북전주서	396
심재용	순천서	387
심재용	고시회	30
심재운	광주서	377
심재은	계양서	301
심재인	세종서	347
심재일	파주서	320
심재진	대전청	329
심재진	법무광장	57
심재현	남양주서	239
심재현	대구세관	505
심재현	대구세관	506
심재호	남양주서	238
심재훈	국세청	128
심재희	서울청	142
심정규	국세청	127
심정미	부산청	443
심정민	기재부	81
심정보	서울청	150
심정보	울산서	471
심정식	서울청	151
심정연	용산서	211
심정은	서울청	148
심종기	홍천서	283
심종숙	양천서	204
심주영	국세청	116
심주용	인천청	286
심주호	동작서	186
심준보	국세청	115
심지섭	서울청	143
심지숙	서울청	153
심지애	기재부	83
심지영	동안양서	242
심지은	성동서	199
심지은	중부서	220
심지현	구리서	235
심진영	청주서	362
심진용	금천서	176
심진홍	지방재정	511
심창수	지방재정	510
심창현	서울청	163
심창훈	수영서	462
심철구	지방재정	510
심층분	국세청	117
심태섭	광산서	374
심태완	조세재정	515
심평식	인천세관	498
심한보	인천청	292
심현	구로서	174
심현석	광주청	369
심현우	기재부	83
심현이	논산서	340
심현정	남대문서	179
심현주	남부천서	310
심형섭	서인천서	296
심혜경	국세상담	136
심혜원	충주서	364
심혜정	충주서	365
심혜진	전주서	401
심홍근	국세교육	138
심홍채	남동서	294
심효선	지방재정	510
심희선	강서서	170
심희열	구로서	174
심희정	부평서	314
심희정	부산세관	501
심희준	중부청	229

ㅇ

이름	소속	쪽
아향섭	경기광주	252
안가혜	성동서	199
안건희	기재부	82
안경민	국세청	126
안경우	기재부	86
안경우	부천서	312
안경호	부산청	449
안경화	성북서	201
안광선	기재부	78
안광원	서울청	142
안광인	성북서	201
안광혁	원주서	278
안구임	광주서	376
안국찬	고양서	302
안규민	수성서	420
안규상	성동서	198
안근옥	기재부	85
안기렬	기재부	89
안기웅	익산서	399
안기호	충주서	364
안기희	중부서	230
안다경	서대구서	173
안대근	서대구서	418
안대엽	용산서	211
안대엽	기재부	230
안대철	창원서	482
안대현	조세재정	516
안대현	조세재정	516
안덕수	서울청	141
안덕수	서울청	148
안도연	서울청	149
안도형	국세청	118
안동섭	반포서	190
안동섭	서초서	197
안동숙	서울청	157
안동후	서울청	486
안래본	국세청	117
안만식	서현이현	7
안명환	지방재정	510
안무혁	은평서	212
안문철	구리서	234
안미경	남부천서	311
안미영	동대구서	414
안미나	동작서	187
안미라	성동서	199
안미선	영등포서	209
안미영	삼성서	193
안미영	고양서	308
안미진	동작서	186
안미희	은평서	213
안미환	성남서	247
안민규	국세청	127
안민숙	국세청	389
안민지	국세청	114
안병만	부산진서	455
안병윤	대구청	408
안병옥	도봉서	183
안병용	평택서	265
안병윤	딜로이트	15
안병일	서대문서	502
안병태	서대문서	194
안병현	서울청	155
안복수	성동서	154
안부환	부산서	199
안상기	서울지방	449
안상숙	조세재정	32
안상숙	조세재정	514
안상숙	조세재정	515
안상순	반포서	515
안상언	북부산서	190
안상연	강릉서	459
안상영	부평서	80
안상욱	부평서	271
안상욱	광주세관	314
안상재	김해서	475
안상진	국세청	123
안상춘	서현이현	7
안상현	구로서	175
안새롬	조세재정	515
안서우	포항서	438
안서진	아산서	348
안선미	김포서	307
안선일	대전청	327
안선표	정읍서	403
안선희	구로서	175
안성경	인천청	287
안성국	광명서	304
안성덕	구미서	427
안성민	강서서	170
안성민	군산서	392
안성빈	강남서	166
안성선	안양서	259
안성엽	대구청	408
안성은	서대문서	194
안성준	강남서	167
안성진	강서서	171
안성진	구로서	175
안성태	김해서	474
안성엽	지방재정	510
안성호	서울청	143
안성호	평택서	265
안성호	반포서	191
안성희	고시회	30
안성희	서울지방	32
안세연	연수서	317
안세영	아산서	349
안세은	연수서	316
안세희	부산서	448
안소라	강남서	167
안소연	삼성서	192
안소연	김포서	307
안소연	광산서	375
안소연	조세재정	515
안소영	용산서	211
안소영	중랑서	218
안소진	서울청	144
안소현	기재부	84
안소현	영덕서	434
안수경	안동서	432
안수림	국세청	117
안수만	부산서	444
안수민	기재부	91
안수민	평택서	264
안수민	남동서	294
안수빈	파주서	320
안수아	국세청	130
안수안	북대전서	334
안수연	국세청	123
안수용	충주서	364
안수정	삼성서	193
안수정	동작서	187
안수정	법무율촌	58
안수지	파주서	321
안수지	마산서	476
안수현	동화성서	267
안순주	수원서	248
안순천	기재부	80
안순호	삼성서	192
안승연	천안서	352
안승우	국세청	118
안승진	서초서	196
안승현	기재부	78
안승현	남대문서	181
안승현	강릉서	271
안승현	창원서	483
안승화	영동서	359
안승훈	마산서	477
안승희	영동서	359
안신영	서울청	158
안애선	동안양서	243
안양순	홍천서	283
안양후	해운대서	466
안연형	김해서	475
안연숙	삼성서	192
안연찬	김포서	307
안영길	서대구서	419
안영백	금감원	106
안영서	창원서	482
안영선	영등포서	208
안영순	안양서	258
안영신	기재부	83
안영준	양천서	204
안영준	수영서	463
안영채	서울청	153
안영환	기재부	86
안영훈	기재부	80
안영희	북대전서	334
안예지	구미서	426
안예지	상주서	430
안옥자	세무토은	39
안용	강릉서	270
안용환	영동서	359
안원기	진주서	480
안유라	서대전서	254
안유정	광주서	376
안유진	이천서	262
안유진	김천서	428
안유현	서울청	144
안유희	서울청	147
안윤미	고양서	302
안윤선	조세재정	516
안윤섭	북전주서	396
안윤정	기재부	78
안윤혜	강릉서	270
안은경	대전서	332
안은경	서대전서	336
안은미	울산서	471
안은정	마포서	189
안은정	인천청	292
안은주	울산서	470
안은지	서대전서	336
안은향	대전청	328
안응석	춘천서	281
안이슬	광주청	372
안인기	용인서	261
안인엽	영등포서	209
안일근	국세청	118
안일근	국세청	126
안자영	북광주서	379
안장열	분당서	244
안재영	기재부	80
안재욱	북대전서	334
안재진	충주서	364
안재필	북부산서	459
안재학	고양서	302
안재혁	김앤장	55
안재현	성북서	201
안재현	경기광주	252
안재현	연수서	317
안재현	북대전서	483
안재형	광주청	373
안재홍	파주서	320
안재훈	영주서	436
안재희	서울청	152
안정미	성동서	198
안정민	용인서	260
안정민	남부천서	311
안정민	금정서	450
안정섭	강동서	169
안정성	남대문서	194
안정은	성동서	198
안정진	홈앤아웃	45
안정화	남광주서	239
안정환	남대구서	412
안정희	부산강서	457
안정희	서부산서	460
안제은	나주서	382
안종규	마산서	477
안종근	부평서	315
안종근	춘천서	280
안종호	동작서	187
안주영	관악서	173
안주영	마포서	189
안주환	기재부	84
안주훈	청주서	362
안주희	고양서	303
안준	계양서	301
안준	서울세관	493
안준	서울세관	495
안준건	부산청	446
안준석	기재부	77
안준수	역삼서	206
안준식	김해서	475
안준연	중기회	110
안준영	기재부	79
안준현	서대구서	419
안중관	지방재정	513
안중현	동안양서	243
안중훈	서울청	152
안지민	영동서	358
안지민	영덕서	434
안지선	파주서	321
안지섭	광주청	373
안지섭	대전청	328
안지연	대구청	411
안지연	수영서	462
안지연	국세청	120
안지영	성동서	198
안지영	남양주서	239
안지영	고양서	302
안지영	대전청	327
안지영	수영서	462
안지윤	의정부서	318
안지은	동대문서	184
안지은	중부청	224
안지은	구리서	234
안지은	경기광주	253
안지은	김포서	306
안지은	포천서	323
안지현	삼성서	193
안지현	수원서	248
안지현	양산서	479
안지현	조세재정	516
안지혜	강서서	171
안지혜	북천서	312
안지훈	중부청	232
안진경	서울청	161
안진경	원주서	278
안진모	송파서	202
안진수	삼성서	192
안진수	국세청	130
안진숙	충주서	364
안진아	서울청	145
안진영	남대문서	181
안진영	천안서	353
안진영	광주서	377
안진용	구미서	427
안진우	창원서	78
안진환	동안양서	243
안진희	남대구서	412
안찬종	여수서	388
안창국	금융위	93
안창남	잠실서	215
안창호	기재부	78
안창현	부산청	444
안초희	서울청	160
안춘자	전주서	400
안태균	경기광주	253
안태균	연수서	316
안태동	파주서	321
안태명	국세청	116
안태명	창원서	483
안태수	송파서	202
안태연	서부산서	461
안태유	예산서	350
안태일	서울청	144
안태훈	마포서	189
안해송	남대문서	181
안해준	삼척서	273
안해찬	대구서	408
안현수	구리서	235
안현아	북광주서	379
안현차	중부청	229
안현정	서대전서	337
안현준	국세상담	136
안현창	광산서	374
안형민	서울청	148
안형선	인천서	298
안형식	군산서	392
안형우	대전서	332
안형원	지방재정	511
안형주	기재부	88
안형준	세무하나	47
안형진	서울청	152
안형태	부산진서	454
안혜령	마산서	477

성명	소속	쪽
안혜빈	서초서	196
안혜숙	남대문서	180
안혜영	양천서	205
안혜영	부산청	443
안혜원	고양서	302
안혜은	서대전서	336
안혜정	국세청	124
안혜정	강남서	166
안혜정	해남서	391
안혜진	서인천서	297
안혜진	동고양서	309
안호정	광주청	368
안호진	아산서	348
안홍갑	남양주서	238
안홍석	상주서	430
안효진	용산서	211
안희석	송파서	203
안희성	성동서	199
안희준	기재부	73
양가은	강릉서	271
양강진	고양서	303
양경렬	서인천서	296
양경숙	국회재정	64
양경애	부천서	312
양경영	양천서	205
양고운	기재부	77
양광식	서대전서	337
양광준	안양서	302
양구철	중부청	232
양국현	서울청	165
양규복	중부산서	464
양규원	김앤장	55
양근성	역삼서	206
양금영	화성서	269
양기대	국회재정	64
양기석	EY한영	13
양기인	인천지방	34
양기정	성동서	198
양기태	춘천서	281
양기혁	금정서	450
양기현	서울청	151
양기화	금정서	451
양길호	광산서	374
양나연	강동서	168
양다연	조세재정	516
양다은	남원서	395
양다희	서울청	165
양다희	경기광주	252
양대식	서산서	344
양덕열	성남서	247
양동구	국세교육	138
양동구	안양서	259
양동규	서울청	162
양동규	성남서	247
양동범	성북서	200
양동석	관악서	173
양동욱	대전청	329
양동원	강남서	166
양동준	성동서	198
양동혁	송파서	202
양동혁	광산서	375
양동현	예산서	350
양동훈	국세청	125
양동훈	국세청	126
양동희	국세상담	136
양두열	서울세관	494
양명수	삼도회계	17
양명숙	송파서	202
양명지	서대문서	195
양명호	천안서	353
양명희	북광주서	379
양문석	해운대서	466
양문욱	포천서	322
양미경	영등포서	208
양미덕	서울청	150
양미례	대구청	406
양미선	국세청	126
양미선	관악서	173
양미숙	성동서	199
양미영	남대문서	178
양민영	역삼서	206
양민정	중랑서	218
양병구	감사원	71
양병문	서산서	345
양병수	법무율촌	58
양병열	경산서	423
양복희	국세교육	138
양봉규	역삼서	452
양삼동	국회법제	66
양상민	반포서	190
양상원	역삼서	207
양상원	세종서	347
양서안	동대구서	414
양서영	기재부	76
양서용	김해서	474
양서용	화성서	269
양서진	인서	260
양석모	지방재정	511
양석범	제주서	487
양석재	서울청	152
양석재	제주서	486
양선미	안양서	258
양선미	대전청	327
양선미	부산진서	454
양선숙	아산서	348
양선욱	서울청	143
양성봉	이천서	262
양성욱	평택서	265
양성철	기재부	86
양성철	서인천서	296
양성철	전주서	400
양성현	태평양	60
양성훈	지방재정	511
양세규	북대구서	417
양세희	홍성서	355
양소라	아산서	348
양소라	부산진서	455
양소영	관악서	173
양소영	삼성서	193
양송이	성동서	199
양수미	성남서	246
양수빈	북전주서	396
양수원	부산청	449
양수원	금정서	451
양수정	잠실서	214
양숙진	인천청	290
양순관	경주서	425
양순애	국세교육	138
양순영	강남서	166
양순임	고양서	302
양순희	송파서	202
양슬	광주세관	508
양승규	수원서	249
양승민	동수원서	240
양승민	해운대서	466
양승용	예일세무	49
양승우	성남서	247
양승준	김앤장	55
양승준	서울세관	494
양승철	금정서	450
양승혁	관세청	490
양시범	중부청	233
양시은	해남서	390
양시준	시흥서	251
양신	도봉서	183
양심영	용산서	211
양아라	서울청	151
양아름	군산서	392
양아열	서울청	149
양연화	안양서	164
양영경	서울청	163
양영규	부천서	312
양영동	은평서	212
양영진	국세청	130
양영진	동안양서	243
양영진	대전청	326
양영철	중랑서	218
양영혁	제주서	486
양영훈	북전주서	397
양영호	삼성서	192
양예주	경주서	424
양예진	마산서	477
양옥	서울청	186
양옥석	중기회	110
양옥석	서대문서	194
양옥선	대전청	329
양옥석	제주서	487
양용선	중부청	232
양용환	남원서	394
양용희	광주청	372
양웅	남대문서	180
양웅비	영등포서	208
양원봉	법무율촌	58
양원석	삼성서	193
양원혁	제주서	486
양유미	서대전서	336
양유진	용산서	210
양윤모	반포서	191
양윤성	목포서	385
양윤숙	고양서	303
양윤정	삼일회계	18
양은수	양산서	479
양은영	강동서	168
양은정	북광주서	379
양은주	수영서	462
양은주	조세재정	516
양은지	양산서	478
양은진	양산서	375
양을수	광주세관	507
양을수	광주세관	508
양이지	동고양서	239
양이지	남양주서	239
양인경	동대문서	185
양인영	삼일회계	18
양인애	부산강서	457
양인영	서울청	156
양인환	도봉서	182
양일환	동수원서	240
양재림	홈앤아웃	45
양재영	기재부	75
양재영	금천서	176
양재우	수원서	248
양재중	중랑서	219
양재중	의정부서	319
양전옥	아산서	349
양정아	인천서	298
양정숙	국회정무	68
양정숙	북광주서	379
양정숙	나주서	382
양정필	예일세무	49
양정화	서대문서	194
양정화	경주서	424
양정희	광주서	376
양정희	익산서	399
양종렬	평택서	264
양종영	기흥서	236
양종선	관악서	172
양종열	중부서	221
양종훈	중부지방	33
양주원	인천서	299
양주희	대전청	329
양준권	은평서	212
양준모	강릉서	271
양준복	익산서	399
양준석	수원서	248
양준호	북대구서	417
양중구	지방재정	511
양지상	영등포서	209
양지선	부천서	312
양지연	기재부	77
양지연	전주서	401
양지영	조세재정	514
양지원	포천서	322
양지윤	기재부	86
양지현	성남서	246
양지현	대전서	332
양지호	EY한영	13
양지희	기재부	82
양진선	남양주서	239
양진실	청주서	362
양진철	관세청	491
양진태	금감원	106
양진혁	국세교육	138
양진호	해남서	391
양찬우	금천서	176
양찬회	중기회	110
양창헌	북광주서	378
양창호	세종서	347
양철근	동래서	402
양철근	동래서	453
양철승	대구청	406
양철원	남대문서	181
양철호	부산청	441
양철호	부산청	446
양철호	부산청	447
양철호	부산청	448
양태식	서울청	145
양태영	여수서	388
양태용	강릉서	270
양태호	김포서	306
양필수	지방재정	510
양한별	광산서	374
양한철	종로서	217
양해만	제천서	360
양해준	양천서	204
양행훈	나주서	382
양향열	군산서	393
양현	서울세관	494
양현근	김해서	475
양현모	국세청	131
양현모	서울청	156
양현식	인천청	289
양현우	강동서	168
양현철	기재부	81
양현정	창원서	482
양현주	국세교육	138
양현철	경산서	206
양현진	서광주서	381
양현진	지방재정	510
양현황	광주청	369
양혜민	경기광주	252
양혜선	기재부	82
양혜성	북광주서	378
양혜진	김천서	428
양홍철	인천청	289
양회수	홍성서	354
양효진	해운대서	467
양효상	성북서	200
양희리	서울청	165
양희석	홍천서	283
양희승	도봉서	183
양희연	대전청	329
양희윤	동청주서	357
양희재	강남서	166
양희정	경산서	422
양희종	아산서	349
어경윤	서울청	201
어기선	성북서	201
어명진	잠실서	214
어수임	남대문서	179
어영준	수원서	248
어우주	기재부	89
어윤제	분당서	244
어윤필	부산청	446
어이슬	원주서	278
어장규	서초서	196
어재경	영등포서	209
어정아	서대문서	195
어지환	기재부	83
어태룡	서울세관	494
엄경애	대구청	408
엄경화	남동서	294
엄기관	도봉서	183
엄기동	동울산서	469
엄기범	동대구서	415
엄기봉	청주서	363
엄기황	국세청	130
엄남식	동안산서	256
엄명주	서울청	147
엄미라	수영서	463
엄민식	잠실서	247
엄봉준	영월서	277
엄상섭	법무지평	59
엄상우	성동서	198
엄상원	해운대서	467
엄상혁	국세청	132
엄새안	동래서	452
엄석찬	광주서	376
엄선호	용인서	261
엄세라	지방재정	510
엄세영	중기회	437
엄세준	중랑서	218
엄세진	광산서	374
엄소정	홍성서	354
엄송미	부산진서	455
엄수민	영주서	436
엄수빈	홈앤아웃	45
엄순영	잠실서	214
엄슬희	서대구서	419
엄승숙	기재부	78
엄애화	창원서	483
엄연희	인천청	289
엄영석	남양주서	239
엄영숙	서울청	147
엄영진	중랑서	219
엄영희	영등포서	209
엄유섭	영덕서	434
엄유정	보령서	342
엄의성	계양서	301
엄익춘	성동서	198
엄인성	부산청	447
엄인영	평택서	264
엄인찬	남원서	394
엄일선	서울청	142
엄일용	금감원	106
엄일해	인천청	292
엄장원	인천서	298
엄재연	북전주서	396
엄정상	강남서	167
엄정임	국세청	130
엄제현	울산서	471
엄주영	구리서	234
엄준호	동울산서	468
엄준희	서울청	153
엄지명	해운대서	467
엄지원	기재부	86
엄지원	김해서	475
엄지욱	파주서	320
엄지환	부산청	449
엄지희	중부청	229
엄진숙	예산서	350
엄채연	대전청	329
엄태선	천안서	353
엄태상	동화성서	266
엄태자	중부서	220
엄태준	울산서	470
엄태진	대전서	333
엄하연	광산서	374
엄하은	도봉서	182
엄현정	용인서	260
엄형태	서대문서	195
엄희지	창원서	483
엄지규	구로서	174
여경규	남대문서	180
여동준	김앤장	55
여리화	진주서	481
여명철	진주서	480
여미라	대전청	329
여민호	서대문서	194
여세엽	영덕서	434
여수민	금정서	451
여승구	부천서	312
여옥회	인천청	286
여우주	중부청	224
여원모	강남서	167
여원선	안양서	258
여유수	공주서	338
여은수	반포서	190
여의주	인천청	291
여인순	대전청	326
여인훈	서울청	152
여정민	진주서	481
여정재	영등포서	208
여정주	서울청	153
여정현	서대구서	418
여중구	부평서	315
여종엽	송파서	203
여주연	강서서	171
여주희	국세상담	136
여주희	삼일회계	18
여중구	천안서	352
여중협	지방재정	511
여지수	평택서	264
여지은	부산청	448
여지현	수원서	249
여진동	중부청	231
여진임	서울청	165
여진혁	중부청	233
여창숙	동대구서	414
여태승	감사원	71
여태환	서울청	162
여행자	관세청	491

이름	소속	쪽	이름	소속	쪽	이름	소속	쪽	이름	소속	쪽	이름	소속	쪽
여현정	남동서	295	오가은	경주서	424	오민숙	성동서	199	오승상	기재부	86	오재경	국세청	114
여혜진	영등포서	209	오강재	잠실서	215	오민철	포천서	323	오승섭	목포서	385	오재경	인천서	299
여호종	금천서	176	오경미	평택서	265	오백석	서울청	143	오승연	국세상담	137	오재구	서현이현	6
여호철	서울청	157	오경민	중랑서	219	오백진	대전청	327	오승연	서울청	143	오재란	광주서	377
여환준	인천세관	500	오경석	지방재정	510	오병결	경기광주	253	오승준	안산서	254	오재열	동수원서	240
여효정	서울청	162	오경선	동부청	229	오병관	평택서	265	오승준	서울청	145	오재우	기재부	83
여효정	해운대서	467	오경선	인천청	291	오병태	고양서	302	오승준	삼성서	192	오재원	대전청	328
연경태	대전청	330	오경애	동작서	187	오병환	진주서	481	오승진	천안서	352	오재헌	강서서	170
연규천	동화성서	266	오경연	동울산서	468	오보람	서부산서	460	오승찬	분당서	245	오재현	국세청	125
연근영	용인서	260	오경자	양천서	204	오상범	삼정회계	21	오승철	국세청	129	오재홍	제천서	360
연덕현	서울청	164	오경태	광주서	368	오상범	삼정회계	21	오승필	서울청	152	오재환	구미서	426
연명희	평택서	265	오경택	동수원서	241	오상식	기재부	79	오승필	동고양서	308	오점순	춘천서	280
연상훈	동청주서	357	오경택	인천청	286	오상엽	파주서	321	오승현	북부산서	459	오정림	기재부	91
연상훈	서대구서	418	오경환	서초서	196	오상우	기재부	78	오승호	대전청	327	오정미	대전청	326
연성준	구로서	174	오경훈	국세상담	137	오상욱	중부청	228	오승훈	중부청	228	오정미	서울청	154
연수민	대전청	329	오고은	김포서	307	오상원	광주청	368	오승희	국회재정	63	오정민	김해서	474
연영민	기재부	78	오관택	파주서	321	오상은	제천서	360	오승희	대전청	331	오정선	북대전서	335
연정은	기재부	81	오관택	동청주서	357	오상택	수원서	249	오승희	창원서	482	오정식	포천서	322
연정현	부천서	312	오광석	동청주서	356	오상혁	기재부	83	오시원	구로서	175	오정언	역삼서	206
연제관	세원세무	48	오광선	남대문서	180	오상훈	국세청	130	오신형	포천서	322	오정열	지방재정	510
연제민	국세청	115	오광철	부산상서	449	오상훈	광주청	370	오아람	중부청	229	오정욱	잠실서	214
연제석	아산서	348	오광현	중부청	224	오상훈	부산서	441	오아름	송파서	203	오정은	기재부	89
연제열	동화성서	266	오규열	경주서	424	오상훈	부산청	445	오아름	지방재정	510	오정은	부천서	313
연지연	영등포서	208	오규용	국세청	126	오상훈	부산청	446	오애란	중부산서	465	오정의	태평양	60
연태석	청주서	363	오규원	해운대서	467	오상훈	부산세관	501	오연금	삼일회계	18	오정일	연수서	316
연혜정	기재부	86	오규진	국세청	124	오상훈	부산세관	503	오연관	북대전서	334	오정임	제주서	486
염가연	동수원서	241	오근님	중부서	376	오상휴	국세청	120	오연균	기재부	74	오정탁	대전서	332
염경윤	기재부	76	오근선	중부서	221	오서영	관악서	172	오연승	진주서	480	오정현	동안양서	243
염경진	중부서	221	오금선	북광주서	379	오서주	성동서	199	오연정	서울청	143	오정환	강남서	166
염관진	수원서	248	오금탁	북광주서	381	오서진	천안서	353	오연호	부천서	313	오정훈	경산서	423
염귀남	서울청	157	오기남	기재부	87	오선경	동안산서	257	오영	진주서	480	오제르	주천서	486
염길선	경산서	422	오기범	정읍서	402	오선주	북광주서	378	오영권	부산진서	454	오조섭	안동서	433
염나래	청주서	362	오기일	동부청	229	오선지	서울청	143	오영민	수성서	420	오종권	나주서	382
염대성	남원서	394	오기철	김포서	307	오선희	관악서	172	오영석	국세청	132	오종민	국세청	120
염대성	남원서	395	오기형	국회정무	68	오성실	해남서	390	오영석	법무율촌	58	오종민	수영서	463
염래경	광주서	377	오길춘	전주서	400	오성진	기재부	81	오영우	익산서	398	오종수	목포서	385
염문환	국세청	117	오나현	화성서	269	오성철	종로서	217	오영주	남대문서	181	오종재	조세재정	514
염미숙	예산서	350	오남교	삼일회계	18	오성택	기재부	80	오영주	금천서	176	오종현	조세재정	515
염미정	서초서	196	오남임	서초서	196	오성택	안양서	258	오영주	북부산서	458	오종현	조세재정	515
염보규	기재부	89	오나은	기재부	75	오성현	서울청	144	오영주	서현이현	7	오종화	딜로이트	15
염보라	조세재정	515	오다혜	남대문서	179	오성현	진주서	480	오영진	대전청	326	오주경	수성서	421
염보름	전주서	401	오대규	용인서	260	오성호	부산세관	502	오영진	인천세관	498	오주원	송파서	203
염보미	나주서	382	오대근	지방재정	512	오세덕	청주서	363	오영철	수원서	248	오주학	부천서	312
염보희	서울청	151	오대근	지방재정	513	오세두	부산청	444	오예성	서초서	197	오주해	국세청	126
염삼열	여수서	388	오대석	통영서	485	오세민	청주서	362	오예정	조세재정	516	오주희	중랑서	218
염상미	삼성서	192	오대성	삼성서	142	오세민	대구청	409	오용규	예일세무	49	오준석	감사원	71
염선경	분당서	244	오대창	영등포서	209	오세민	지방재정	512	오용락	대전서	332	오준석	삼도회계	17
염성희	서울청	142	오대철	성북서	200	오세영	남양주서	238	오용호	여수서	388	오준섭	남양주서	239
염세영	부산강서	457	오덕희	관악서	172	오세윤	대전청	331	오우진	성북서	200	오준우	경주서	424
염세환	서울청	162	오도열	삼성서	192	오세은	마산서	476	오원균	국세청	114	오준오	제주서	487
염수진	삼척서	272	오도영	기재부	80	오세정	서울청	150	오원정	이천서	262	오지섭	기재부	76
염숭열	광주세관	507	오도영	인천세관	500	오세정	중부청	225	오원화	대전청	326	오지연	김포서	306
염숭열	광주세관	508	오도훈	동작서	186	오세종	양천서	204	오유나	중부청	226	오지연	부산진서	454
염숭화	기재부	87	오동구	의정부서	318	오세준	북대전서	334	오유빈	국세상담	137	오지연	조세재정	514
염시웅	국세교육	138	오동기	광교세무	37	오세찬	서울청	163	오유빈	서울청	150	오지윤	기재부	75
염왕기	중부산서	464	오동문	강동서	169	오세철	동청주서	369	오유석	국세교육	138	오지은	청주서	363
염유섭	성남서	247	오동석	서울청	143	오세혁	남대문서	181	오유진	북전주서	397	오지은	서울청	156
염인균	거창서	473	오동성	분당서	245	오소라	이천서	263	오윤준	경기광주	253	오지은	동청주서	356
염정식	중부청	229	오동현	경기광주	253	오소연	조세재정	515	오윤라	김포서	306	오지철	서울청	142
염정은	고양서	303	오동화	북광주서	378	오소은	포천서	322	오윤미	조세재정	516	오지현	동수원서	241
염정훈	목포서	385	오두환	기재부	91	오소진	충주서	365	오윤섭	감사원	70	오지현	안산서	254
염주선	국세청	117	오두헌	군산서	393	오소희	제주서	487	오윤화	서울청	145	오지현	동래서	453
염준호	국세청	119	오로라	북광주서	378	오쇄행	부산청	443	오은경	국세청	121	오지형	강남서	167
염지영	광주청	369	오로지	연수서	316	오수경	동안양서	243	오은경	도봉서	182	오지혜	금정서	450
염지혜	구미서	426	오만석	부산청	161	오수미	인천청	287	오은경	중부청	224	오지환	삼일회계	18
염지훈	강남서	166	오명식	부산세관	501	오수미	서울청	145	오은미	EY한영	13	오지환	동대문서	185
염진옥	용산서	211	오명식	부산세관	503	오수빈	북대전서	334	오은비	구미서	427	오진명	광주청	371
염철민	기재부	84	오명준	서울청	150	오수연	구로서	174	오은숙	평택서	213	오진석	북대구서	416
염철웅	인천서	299	오명환	김앤장	55	오수연	중부청	227	오은영	전주서	400	오진선	남수원서	241
염태섭	예산서	351	오문수	영동서	359	오수연	인천청	298	오은정	금융위	93	오진성	아산서	349
염현경	EY한영	13	오문탁	국세청	117	오수연	논산서	341	오은주	해남서	391	오진수	부산청	444
염현주	광주청	370	오미경	익산서	399	오수영	동안산서	256	오은진	반포서	191	오진철	중부청	227
염혜윤	국회재정	63	오미숙	서대구서	418	오수정	조세재정	515	오은혜	조세재정	515	오진용	청주서	363
염훈선	동작서	187	오미영	서울청	153	오수지	예일세무	49	오은희	영등포서	209	오진욱	동안양서	243
예동희	포항서	438	오미영	기재부	75	오수진	국세상담	137	오은희	구리서	234	오진택	남부천서	311
예민희	김포서	306	오미영	기재부	76	오수진	남대문서	179	오의식	서울지방	32	오진훈	법무광장	56
예병찬	지방재정	510	오미영	대전서	332	오수진	남부천서	311	오익수	창원서	482	오찬현	남대구서	413
예성미	부산청	445	오미정	인천청	287	오수진	대전서	328	오인석	지방재정	513	오창걸	서현이현	7
예성민	용인서	260	오미진	제주서	486	오수진	대전청	331	오인철	여수서	389	오창곤	제주서	486
예성진	서대구서	418	오미화	기재부	79	오수현	서초서	197	오인화	아산서	348	오창기	서울청	155
예정욱	동대문서	185	오민경	천안서	353	오수현	관악서	317	오임순	국세교육	138	오창주	동작서	187
예종욱	북부산서	459	오민서	예일세무	49	오순학	부산세관	503	오임순	은평서	212	오창주	중랑서	219
예찬순	성동서	198	오민선	중부청	231	오승민	경기광주	253	오자은	순천서	386	오철규	충주서	365
오가영	조세재정	516	오민수	광주서	377	오승민	조세재정	514	오잔디	강남서	167	오철민	관악서	173
오가원	광산서	375				오승배	남양주서	238				오청은	국세청	117

이름	소속	페이지
오초롱	서부산서	461
오준식	포항서	439
오준택	북광주서	379
오중용	세무하나	47
오태진	서울청	142
오태진	인천청	291
오필성	중부지방	33
오하경	서울청	145
오하라	대전서	333
오한솔	광주청	368
오한영	기재부	77
오항우	제주서	487
오해정	은평서	212
오향아	서대구서	418
오혁	법무광장	57
오혁기	금정서	451
오혁기	동울산서	468
오현경	기재부	79
오현미	광산서	375
오현빈	조세재정	514
오현석	도봉서	183
오현석	영동서	359
오현식	서울청	158
오현아	김해서	474
오현정	국세청	127
오현정	서울청	160
오현정	안산서	254
오현주	송파서	203
오현주	은평서	212
오현주	화성서	268
오현준	포천서	322
오현지	김포서	307
오현창	남대구서	413
오형진	정읍서	403
오형진	서울청	144
오형철	인천지방	34
오혜경	북광주서	378
오혜림	지방재정	511
오혜미	화성서	269
오혜선	강남서	167
오혜성	반포서	190
오혜실	영등포서	208
오혜원	제주서	486
오혜정	삼일회계	18
오호석	대구청	407
오호선	국세청	129
오호선	국세청	130
오호선	국세청	131
오홍희	남대문서	180
오화섭	국세청	114
오화세	금융위	94
오흥수	국세청	117
오희정	대전청	329
오희준	서울청	163
옥경훈	양산서	478
옥상하	마산서	476
옥석봉	국세상담	137
옥수빈	통영서	485
옥승오	구미서	426
옥승찬	인천지방	34
옥영주	성동서	198
옥은영	부산진서	454
옥은주	중부산서	464
옥지연	기재부	79
옥지웅	청주서	362
옥진경	북대전서	335
옥창의	서울청	160
옥채순	마산서	477
옥혁규	남대문서	179
옥호근	부산진서	455
온상준	반포서	191
옹주현	세종서	347
왕성국	대전청	327
왕수현	천안서	353
왕승현	조세재정	516
왕윤미	서울청	154
왕윤세	화성서	268
왕지영	청주서	362
왕지은	서울청	165
왕춘근	중부청	231
왕태선	김포서	307
왕한길	서현이현	7
왕현	홈앤아웃	45
왕화	김천서	429
왕훈희	서울청	156
용수화	영등포서	208
용승환	삼성서	193
용진숙	인천청	292
용환희	수원서	249
우가람	마포서	188
우경화	마산서	476
우근영	분당서	245
우근명	청주서	363
우나경	부산청	448
우남준	순천서	386
우덕규	서울청	148
우동욱	지방재정	513
우동윤	북부산서	458
우동훈	진주서	480
우동희	동안산서	256
우명주	경산서	422
우문연	원주서	279
우미라	구로서	175
우미라	부산청	446
우민석	남동서	294
우민지	경기광주	253
우병옥	영덕서	435
우병재	대구청	411
우병섭	강릉서	270
우병호	구미서	426
우보람	중부청	226
우상준	대구청	409
우상훈	구미서	426
우성락	양산서	478
우성식	동화성서	267
우성현	부산청	445
우세진	평택서	265
우세경	동울산서	469
우수경	구미서	427
우수정	파주서	320
우수희	삼척서	272
우승순	EY한영	13
우승엽	중랑서	219
우승하	대구청	407
우승현	예일세무	49
우승형	포항서	439
우신호	세무하나	47
우신애	금천서	176
우연	지방재정	511
우연희	동작서	116
우영만	목포서	385
우영재	대구청	406
우황현	예일세무	49
우왕현	국세교육	138
우운하	안동서	432
우원준	평택서	265
우중중	부산청	449
우은중	홍성서	355
우은혜	인천청	290
우을슬	동래서	453
우인식	동고양서	308
우인영	동울산서	469
우인호	포항서	438
우재경	마산서	476
우재만	안산서	375
우재은	천안서	353
우재진	마산서	476
우정순	경기광주	253
우정은	국세상담	137
우정희	대구서	415
우제국	관세청	489
우제선	국세청	124
우종훈	국세청	127
우주연	성남서	247
우주형	동대구서	415
우지수	서울청	146
우지영	남양주서	238
우지완	기재부	76
우지은	조세재정	515
우지혜	국세청	118
우지희	양산서	478
우진원	영월서	277
우진하	인천청	291
우창수	삼척서	272
우창영	충주서	365
우창완	남대문서	179
우창용	남양주서	238
우창제	서대전서	337
우창화	금정서	451
우철윤	인천청	291
우청자	영월서	276
우태원	상공회의	108
우필구	대현회계	14
우한솔	국세청	121
우해나	중부청	233
우현광	관세사회	51
우현구	마포서	189
우현승	성동서	198
우현지	구미서	426
우현하	창원서	483
우형기	부평서	314
우형래	국세청	122
우형수	동울산서	469
우희영	중부청	224
우희정	중부청	226
우희준	금정서	451
운숙현	김해서	474
원가영	고양서	302
원경희	세무사회	29
원계연	기흥서	236
원광호	대전서	333
원규호	동고양서	308
원대로	서울청	150
원대한	삼성서	193
원대한	대전청	327
원두진	국세청	120
원모세	인천세관	499
원병희	인천서	299
원병철	서울청	143
원봉희	기재부	78
원상상호	성북서	201
원선재	기재부	80
원설희	기흥서	237
원성택	동래서	453
원순영	천안서	352
원시열	중부서	221
원욱	부산강서	457
원유미	중부청	232
원유아	서울청	158
원윤태	상공회의	109
원정윤	성동서	198
원정일	중랑서	218
원정재	이천서	262
원정재	이천서	263
원정희	법무광장	56
원종일	중부청	232
원종일	송파서	203
원종학	조세재정	515
원종혁	기재부	82
원종호	김포서	307
원종화	수성서	420
원종훈	의정부서	319
원지연	세종서	346
원지혜	서울청	157
원진희	원주서	278
원진호	원주서	279
원한규	분당서	244
원현수	서울청	146
원호선	동안양서	243
원효정	경기광주	252
원효주	경산서	423
원희정	금감원	98
원희정	화성서	269
위경진	금천서	176
위경환	서울청	165
위광환	광주서	376
위다현	용산서	211
위민국	국세주류	134
위부일	부산진서	455
위석	여수서	388
위성호	평택서	265
위승희	강서서	170
위용	성동서	199
위은혜	부평서	315
위용복	감사원	71
위정호	천안서	353
위종	강동서	169
위주안	서광주서	146
위지혜	남광주서	379
위지혜	북부산서	459
위진성	송파서	203
위찬필	서울청	162
위태홍	서대전서	337
위희후	안양서	259
위형원	지방재정	510
유가연	대전청	326
유가현	이천서	263
유강훈	강서서	171
유경근	전주서	401
유경란	김앤장	55
유경룡	아산서	349
유경모	북대전서	335
유경민	중랑서	218
유경선	서울청	162
유경선	딜로이트	15
유경숙	기재부	77
유경숙	종로서	217
유경열	대전서	332
유경원	기재부	84
유경원	서울청	150
유경진	남동서	294
유경진	삼척서	272
유경호	역삼서	206
유경화	기재부	83
유경훈	중부청	229
유경희	대전서	332
유계영	국세청	126
유관식	북광주서	378
유관호	북대전서	334
유광근	대전서	311
유광선	홍천서	282
유광열	연수서	316
유광현	서울청	356
유광호	광주서	377
유귀운	조세재정	516
유규라	기재부	87
유극종	도봉서	182
유근만	동작서	186
유근순	익산서	399
유금숙	부평서	314
유기무	관악서	172
유기선	서울청	160
유기연	중부청	232
유길웅	고양서	302
유나연	기흥서	236
유남렬	국세청	114
유다빈	기재부	82
유다영	기재부	74
유다정	동청주서	356
유다형	의정부서	318
유대영	인천청	290
유대현	이천서	263
유더미	마산서	476
유도권	서울지방	32
유동길	서울지방	32
유동민	남대문서	181
유동수	국회재정	64
유동열	춘천서	281
유동원	국세상담	137
유동준	구로서	175
유동준	강서서	170
유동준	동래서	452
유동철	송파서	202
유동훈	기재부	79
유득렬	동화성서	267
유라경	동고양서	308
유래연	김포서	307
유로아	송파서	203
유리나	서울청	74
유명선	국세청	118
유명옥	강남서	166
유명재	서울세관	494
유명한	동안양서	242
유명훈	익산서	398
유문희	동래서	452
유미경	기재부	75
유미경	잠실서	214
유미나	서울청	193
유미라	잠실서	214
유미선	영등포서	209
유미선	평택서	264
유미성	강릉서	271
유미숙	고양서	302
유미숙	서산서	344
유미숙	예산서	350
유미연	광명서	305
유미영	춘천서	280
유미영	대전청	328
유미정	계양서	300
유민경	대전청	328
유민설	이천서	263
유민수	마포서	188
유민자	수영서	462
유민정	서울청	144
유민호	진주서	481
유민희	국세청	126
유민희	반포서	190
유민희	광주서	376
유범상	아산서	348
유병관	광교세무	37
유병길	부산진서	454
유병모	대구청	408
유병민	청주서	362
유병선	중부청	233
유병성	동대구서	415
유병수	용산서	211
유병임	서울청	147
유병임	남대문서	179
유병천	국세청	119
유병희	서울세관	494
유병호	감사원	69
유병호	감사원	71
유병호	충주서	364
유보아	구미서	427
유봉석	홍천서	283
유상범	국회법제	66
유상욱	부산청	449
유상욱	부천서	313
유상영	순천서	387
유상윤	서울청	147
유상호	국세청	130
유상화	중부청	229
유상화	남양주서	239
유상화	법무바른	1
유석모	대전청	330
유석찬	기재부	75
유선아	분당서	245
유선애	마포서	189
유선영	중랑서	219
유선우	제천서	360
유선우	제천서	361
유선정	인천서	299
유선종	역삼서	206
유선화	성북서	200
유선희	기재부	81
유선희	관세청	491
유성두	중랑서	218
유성문	국세청	120
유성안	성동서	199
유성엽	서울청	144
유성영	관악서	172
유성우	서울세관	495
유성욱	부산청	448
유성운	아산서	348
유성은	안양서	259
유성주	수원서	249
유성진	해남서	390
유성준	영주서	435
유성태	세원세무	48
유성훈	인천청	291
유성희	동작서	186
유세곤	청주서	363
유세명	북부산서	459
유세은	김천서	428
유세종	용산서	211
유소열	성동서	199
유소은	기재부	81
유소정	강서서	171
유소정	분당서	244
유소진	관악서	172
유소현	양천서	204
유소희	경기광주	253
유송화	마산서	476
유송희	충주서	365
유수경	서울청	143
유수권	삼성서	192
유수연	지방재정	510
유수재	고양서	303
유수정	삼성서	193
유수정	동청주서	356

유수지	예산서	351	유은지	반포서	190	유지영	남대문서	180	유형래	금천서	177	윤기숙	역삼서	207
유수진	중부지방	33	유은진	조세재정	515	유지유	용산서	211	유형선	기재부	88	윤기순	수원서	248
유수향	대전청	328	유은진	종로서	217	유지유	영등포서	209	유형우	남양주서	238	윤기찬	국세청	118
유수현	서대구서	419	유은희	반포서	190	유지은	서울청	155	유형진	중부청	231	윤기철	국세상담	136
유수호	해남서	390	유의동	국회정무	68	유지향	창원서	482	유형철	기재부	86	윤기현	남대구서	412
유순복	양천서	204	유의상	김포서	307	유지혁	연수서	316	유혜경	국세청	116	윤길남	해남서	391
유순자	군산서	392	유의지	순천서	387	유지현	부산청	444	유혜란	금천서	177	윤길성	동안양서	243
유순희	종로서	216	유이슬	기재부	80	유지현	홈앤아웃	45	유혜리	용인서	261	윤길성	광주청	371
유순희	서인천서	297	유이슬	잠실서	215	유지혜	기재부	75	유혜민	대전청	328	윤나래	기흥서	236
유승갑	대전청	326	유인경	예일세무	49	유지혜	중부산서	465	유혜영	성남서	246	윤나영	시흥서	250
유승규	영등포서	209	유인선	성남서	246	유지호	화성서	269	유혜영	부평서	315	윤난희	서인천서	296
유승명	통영서	484	유인성	서울청	160	유지화	여수서	388	유혜정	분당서	245	윤난희	부평서	314
유승아	청주서	363	유인숙	대전청	326	유지환	분당서	244	유호근	신대동	53	윤남숙	기재부	73
유승연	구로서	175	유인혜	반포서	191	유지희	서울청	153	유호영	서대문서	195	윤남식	동래서	453
유승연	동안양서	243	유인호	홍천서	283	유지희	세종서	347	유흥근	평택서	264	윤노영	해운대서	466
유승우	기재부	80	유일호	상공회의	108	유지희	서울청	149	유흥재	중부청	226	윤다솜	조세재정	516
유승우	중부청	224	유자연	광주서	377	유진	성동서	199	유흥주	부산청	444	윤다은	부천서	312
유승연	대전서	333	유장현	북대전서	334	유진목	서울청	86	유화용	김해서	475	윤다희	대전서	386
유승종	중랑서	218	유장현	세종서	347	유진선	기흥서	236	유화정	서인천서	297	윤단비	남대문서	179
유승주	부산청	448	유재곤	북광주서	379	유진선	전주서	401	유화진	안산서	254	윤달영	동울산서	469
유승철	중부청	233	유재덕	아산서	348	유진아	구로서	174	유환동	평택서	264	유대열	홈앤아웃	45
유승철	해남서	390	유재덕	세무하나	47	유진아	시흥서	251	유환성	파주서	320	윤대호	속초서	274
유승현	중부청	233	유재랑	해운대서	466	유진옥	영등포서	208	유환일	고양서	303	윤덕원	통영서	485
유승현	인천서	299	유재룡	북전주서	397	유진우	화성서	316	유효정	조세재정	516	윤덕원	금감원	106
유승현	조세재정	516	유재민	지방재정	510	유진우	포천서	322	유효진	부산강서	456	윤덕희	김해서	475
유승혜	조세재정	514	유재민	조세재정	514	유진재	강동서	168	유후양	서대문서	194	윤도란	중부청	224
유승환	원주서	278	유재복	중부청	229	유진하	부천서	313	유훈식	국세상담	136	윤도현	김포서	307
유승희	삼성서	193	유재상	경기광주	252	유진혁	금감원	106	유훈주	광산서	374	윤동규	국세청	122
유승희	관세청	491	유재석	삼성서	192	유진호	중기회	110	유후곤	서울청	158	윤동규	춘천서	281
유시은	수원서	249	유재식	남부천서	311	유진호	국세청	119	유희경	광주청	368	윤동규	논산서	340
유신혜	관악서	172	유재연	서울서	153	유진호	창원서	483	유희경	광주청	370	윤동규	인천세관	500
유아랑	지방재정	511	유재웅	동작서	186	유진희	서울청	143	유희근	인천서	299	윤동석	서울청	152
유양희	기재부	86	유재원	서울청	151	유진희	구리서	234	유희민	남대문서	180	윤동수	수영서	462
유연숙	김해서	474	유재원	서울청	251	유진희	포천서	323	유희민	서인천서	297	윤동숙	중부서	220
유연우	서산서	344	유재철	법무광장	56	유진희	울산서	470	유희수	구리서	235	윤동주	관세청	490
유연정	기재부	85	유재학	서부산서	460	유찬영	세원세무	48	유희정	서울청	160	윤동형	기재부	78
유연진	서울청	144	유재훈	경주서	424	유창경	통영서	485	유희정	서울청	153	윤동호	중부청	225
유연찬	예일세무	49	유재훈	금융위	93	유창석	구미서	427	유희주	울산서	470	윤동환	동작서	186
유연혁	관세사회	51	유정곤	딜로이트	15	유창성	서울청	151	유희진	중부청	231	윤만식	강남서	167
유엽	삼일회계	19	유정림	삼성서	193	유창원	기재부	82	유희태	삼척서	273	윤명덕	서울청	142
유영	감사원	70	유정미	기재부	89	유창인	중부청	228	육강일	국회재정	63	윤명로	이천서	262
유영	동수원서	240	유정미	강남서	167	유창현	홈앤아웃	45	육규안	국세청	119	윤명자	북광주서	378
유영근	수원서	248	유정선	기흥서	236	유채원	대전서	332	육동선	동대문서	184	윤명준	송파서	203
유영근	순천서	386	유정식	진주서	480	유철	분당서	245	육동선	서울청	151	윤명한	대전서	333
유영미	인천청	290	유정식	고양서	302	유철형	태평양	60	육송란	경기광주	253	윤명희	반포서	190
유영복	광명서	304	유정아	기재부	88	유춘선	광주청	373	육송이	남대문서	181	윤명희	대전청	328
유영복	동청주서	356	유정아	인천서	299	유치섭	부산진서	454	육영란	서울청	147	윤문구	이안세무	50
유영숙	동고양서	308	유정은	안산서	254	유탁	성동서	199	육영찬	서대전서	336	윤문수	대전서	333
유영옥	기흥서	237	유정은	삼일회계	18	유탁균	중부산서	464	육영희	서산서	344	윤문원	대전서	342
유영조	중부지방	33	유정현	남대문서	181	유태수	관세청	491	육재하	대전청	331	윤문원	강동서	169
유영준	역삼서	207	유정호	삼정회계	20	유태우	반포서	190	육정섭	대전청	331	윤미경	국세청	133
유영준	통영서	484	유정호	법무광장	56	유태응	북대전서	335	육종학	평택서	264	윤미경	강서서	170
유영환	관세청	490	유정화	마포서	189	유태정	정읍서	403	육지원	홍천서	283	윤미경	분당서	244
유영환	서대구서	418	유정환	의정부서	319	유태준	잠실서	214	육현수	기재부	89	윤미경	경기광주	252
유예림	서울청	160	유정환	인천세관	500	유태호	광주청	372	육현수	경기광주	253	윤미경	인천청	299
유예림	기재부	88	유정훈	반포서	190	유판준	금천서	176	육현영	강남서	167	윤미나	종로서	217
유예림	국세청	117	유정훈	연수서	317	유필립	삼성서	193	육간오	창원서	482	윤미라	서인천서	296
유예림	강서서	171	유정훈	EY한영	13	유하선	대전청	326	육강로	서대구서	419	윤미숙	성동서	199
유예진	남동서	295	유정희	서울청	160	유하수	반포서	191	윤건	북대전서	335	윤미영	서울청	162
유예희	국세교육	138	유정희	용인서	261	유학승	강서서	170	윤경주	남원서	394	윤미영	용인서	260
유옥신	거창서	472	유제근	영등포서	209	유한나	포천서	322	윤경	국세청	126	윤미옥	광산서	374
유요덕	전주서	401	유제석	전주서	401	유한수	중랑서	218	윤경림	중부청	228	윤미자	동대문서	185
유용근	성동서	199	유제언	안산서	255	유한진	의정부서	319	윤경선	파주서	320	윤미정	성남서	246
유용환	서대문서	194	유제연	중부청	226	유항수	광주청	369	윤경옥	양천서	205	윤미희	북부산서	459
유원석	삼일회계	19	유종선	광주청	368	유행철	군산서	392	윤경주	인천청	292	윤미희	서울청	165
유원숙	홍천서	283	유종일	서울청	143	유향란	강서서	170	윤경출	부산진서	454	윤민경	분당서	245
유원재	중랑서	218	유종현	국세상담	137	유헌정	경주서	424	윤경현	중부청	226	윤민경	경기광주	252
유원형	성남서	146	유종호	안산서	479	유현	강남서	167	윤경현	진주서	480	윤민수	종로서	217
유윤경	성남서	247	유주만	송파서	202	유현경	동안양서	243	윤경호	광주청	372	윤민아	서울청	142
유은미	남대문서	178	유주민	마포서	189	유현상	화성서	269	윤경호	구리서	234	윤민오	잠실서	215
유은빈	기재부	76	유주상	서대문서	336	유현석	금감원	106	윤경희	서울청	145	윤민정	은평서	213
유은선	김포서	307	유주연	강남서	167	유현석	파주서	320	윤경희	서울청	153	윤민지	국세청	117
유은숙	강남서	166	유주희	용산서	210	유현수	인천청	289	윤경희	강남서	167	윤민희	동울산서	469
유은순	세무사회	29	유주희	중부청	227	유현숙	남대구서	413	윤경희	순천서	386	윤범식	기재부	87
유은애	전주서	400	유준상	김포서	306	유현식	삼성서	192	윤공자	서대문서	194	윤범일	삼성서	192
유은영	대전청	327	유준영	서울청	143	유현아	중부서	221	윤광섭	동화성서	266	윤병준	광주청	369
유은정	성남서	246	유준오	조세재정	516	유현인	고양서	303	윤광현	서울청	151	윤병진	파주서	320
유은주	국세청	116	유준호	송파서	202	유현정	성동서	199	윤국한	은평서	212	윤병현	성남서	246
유은주	서울청	148	유준호	평택서	265	유현정	화성서	269	윤권욱	목포서	384	윤보배	청주서	363
유은주	관악서	173	유준희	이안세무	50	유현정	춘천서	280	윤근모	해운대서	466	윤보영	역삼서	207
유은주	안양서	258	유지민	서울청	150	유현종	부산세관	503	윤근희	지방재정	512	윤봉원	창원서	483
유은주	김포서	306	유지선	동작서	187	유현희	부천서	312	윤기덕	서울청	156	윤상건	서대문서	194
유은주	영동서	358	유지숙	성동서	199	유현희	서인천서	297	윤기섭	잠실서	214	윤상동	국세청	114
			유지연	구미서	427	유형근	목포서	385	윤기성	중랑서	219	윤상동	부산진서	454
						유형대	서울청	151						

이름	소속	번호
윤상목	중부청	225
윤상봉	국세청	124
윤상섭	도봉서	183
윤상용	성동서	198
윤상욱	서울청	144
윤상준	논산서	340
윤상탁	대전청	329
윤상필	수영서	463
윤상현	국회정무	68
윤상호	동청주서	357
윤샛별	안양서	258
윤서울	구로서	174
윤서진	역삼서	206
윤석	서울청	149
윤석규	기재부	87
윤석길	북광주서	379
윤석미	해운대서	467
윤석배	동수원서	241
윤석신	북전주서	396
윤석주	성동서	198
윤석중	서부산서	460
윤석창	대전청	327
윤석천	남대구서	412
윤석태	서울서	145
윤석헌	광주청	373
윤석현	인천서	298
윤석호	기재부	86
윤석환	서울청	164
윤석환	지방재정	513
윤선기	동대문서	184
윤선덕	관세법	491
윤선수	평택서	264
윤선영	서울청	160
윤선영	김포서	306
윤선용	반포서	190
윤선익	잠실서	214
윤선중	딜로이트	15
윤선태	부산청	444
윤선화	강남서	167
윤선희	동작서	187
윤선희	포천서	322
윤설진	구로서	175
윤성경	기재부	80
윤성귀	서대문서	194
윤성기	부산진서	454
윤성두	북광주서	379
윤성미	서울청	119
윤성민	국세청	118
윤성민	남대문서	180
윤성민	북전주서	396
윤성아	경산서	423
윤성양	광명서	304
윤성열	서울청	165
윤성욱	경산서	423
윤성욱	조세재정	515
윤성준	동래서	452
윤성준	강서서	170
윤성중	서울청	161
윤성태	남동서	295
윤성혜	진주서	480
윤성호	조세재정	516
윤성훈	중부산서	465
윤성훈	중랑서	218
윤성훈	양산서	478
윤세영	마산서	477
윤세정	서울청	160
윤세진	종로서	217
윤소미	화성서	268
윤소연	서초서	197
윤소영	기재부	78
윤소영	국세청	117
윤소영	남대문서	180
윤소영	조세재정	514
윤소월	서울청	143
윤소은	강남서	167
윤소윤	영등포서	209
윤소현	시흥서	251
윤소희	서울청	148
윤솔	서울청	157
윤송희	동안산서	256
윤수빈	남대문서	181
윤수연	북광주서	379
윤수열	양천서	204
윤수정	고시회	30
윤수향	은평서	213
윤수현	기재부	78
윤수현	남위상	179
윤수환	대전청	329
윤수훈	영등포서	209
윤숙영	서산서	344
윤숙희	기재부	75
윤순녀	동대문서	184
윤순상	국세청	128
윤순옥	양천서	204
윤슬기	서울청	145
윤슬기	김해서	474
윤승갑	국세청	121
윤승철	순천서	387
윤승출	중부청	225
윤승희	지방재정	513
윤승희	지방재정	513
윤신애	잠실서	215
윤아름	중부청	227
윤애림	인천청	287
윤애심	국회정무	67
윤애진	기재부	75
윤양호	연수서	317
윤여관	광주청	370
윤여룡	세종서	346
윤여준	동고양서	308
윤여진	서초서	197
윤여진	남동서	294
윤여진	조세재정	516
윤여진	조세재정	516
윤여찬	목포서	385
윤연갑	통영서	484
윤연심	아산서	348
윤연원	지방재정	512
윤연주	성남서	246
윤연주	성남서	246
윤영귀	기재부	83
윤영규	구로서	175
윤영근	부산청	446
윤영길	서울청	155
윤영덕	국회정무	68
윤영랑	중랑서	219
윤영민	중랑서	219
윤영복	인천지방	34
윤영상	중부서	232
윤영석	국회재정	63
윤영석	국회재정	64
윤영석	광주청	367
윤영석	광주청	368
윤영선	법무광장	56
윤영섭	김포서	307
윤영섭	연수서	316
윤영수	기재부	89
윤영주	서초서	473
윤영숙	강남서	166
윤영순	서울청	147
윤영순	중부서	225
윤영식	동고양서	309
윤영실	남부천서	310
윤영우	국세청	129
윤영운	시흥서	250
윤영일	남원서	394
윤영일	평택서	264
윤영자	울산서	470
윤영재	천안서	352
윤영준	기재부	85
윤영준	대전서	333
윤영진	중부청	228
윤영진	분당서	245
윤영진	서울세관	493
윤영진	서울세관	495
윤영택	동안양서	242
윤영호	천안서	353
윤영호	서울청	145
윤영호	삼성서	192
윤영훈	조세재정	516
윤영훈	조세재정	516
윤옥진	북대전서	334
윤용	마포서	188
윤용구	남대문서	180
윤용준	삼정회계	21
윤용호	중부서	233
윤용화	대전청	330
윤용훈	국세청	131
윤우찬	서울청	159
윤원정	북대구서	416
윤유라	중기회	110
윤유라	인천서	292
윤유숙	순천서	387
윤윤숙	안산서	254
윤윤식	국세교육	139
윤은	인천서	291
윤은미	송파서	202
윤은미	광주청	373
윤은숙	금정서	451
윤은지	강남서	166
윤은지	국세청	114
윤은지	성동서	199
윤은택	충주서	364
윤의	아산서	348
윤인경	서울청	147
윤인대	기재부	81
윤인미	의정부서	319
윤인자	성남서	246
윤인철	부산세관	502
윤일식	구미서	427
윤일주	동화성서	266
윤일호	용산서	211
윤장원	구로서	174
윤장원	중부청	230
윤장현	중부청	231
윤재갑	구리서	234
윤재길	서울청	155
윤재두	대전청	330
윤재련	마산서	476
윤재복	대구청	406
윤재복	중부청	230
윤재웅	중부청	226
윤재원	인천청	286
윤재원	고양서	303
윤재헌	잠실서	215
윤재현	서인천서	297
윤점희	성북서	200
윤정미	강서서	170
윤정미	창원서	482
윤정민	기재부	86
윤정민	국세청	114
윤정민	서초서	196
윤정민	서초서	197
윤정선	마포서	188
윤정아	김해서	474
윤정욱	부평서	314
윤정원	부산청	442
윤정은	구로서	174
윤정우	광주청	372
윤정인	기재부	75
윤정임	이천서	262
윤정재	성동서	199
윤정주	기재부	78
윤정필	여수서	388
윤정현	연수서	316
윤정현	파주서	321
윤정호	북광주서	379
윤정호	전주서	401
윤정화	금천서	177
윤정환	경기광주	253
윤정호	김해서	475
윤정희	동수원서	240
윤제현	해운대서	466
윤조아	광주청	373
윤종건	국세청	132
윤종건	국세청	133
윤종근	동안양서	243
윤종상	종로서	217
윤종식	서부산서	461
윤종율	중부청	232
윤종혁	계양서	301
윤종현	서울청	159
윤종호	여수서	388
윤종훈	삼성서	193
윤주경	국회정무	68
윤주련	부산강서	457
윤주미	울산서	471
윤주영	구로서	174
윤주영	은평서	213
윤주영	경기광주	252
윤주영	인천청	287
윤주호	국세청	131
윤주휘	동화성서	266
윤준식	서울청	146
윤준영	광주서	377
윤준웅	분당서	245
윤준호	동안산서	226
윤준호	동안산서	257
윤준희	동안양서	243
윤중해	국세청	480
윤중호	남대구서	412
윤지미	성북서	200
윤지수	삼성서	192
윤지수	남양주서	239
윤지연	구미서	427
윤지연	서울청	442
윤지영	서울청	151
윤지영	양천서	204
윤지영	중부청	227
윤지영	동울산서	468
윤지영	통영서	485
윤지원	기재부	79
윤지원	서울청	158
윤지원	금천서	177
윤지원	송파서	203
윤지원	김포서	307
윤지윤	강서서	170
윤지은	안산서	255
윤지현	서울청	160
윤지현	송파서	203
윤지현	평택서	264
윤지현	인천청	291
윤지현	남부천서	310
윤지현	포천서	322
윤지형	국세청	118
윤지혜	서울청	154
윤지혜	반포서	190
윤지혜	중부서	269
윤지환	국세청	132
윤지희	인천서	298
윤지희	천안서	352
윤진	기재부	75
윤진고	중랑서	219
윤진명	창원서	482
윤진우	지방재정	511
윤진우	삼성서	192
윤진주	중부청	228
윤진주	삼성서	202
윤진희	강서서	170
윤찬균	평택서	264
윤찬섭	지방재정	510
윤창	평택서	265
윤창복	서울청	143
윤창용	서울청	144
윤창용	양천서	205
윤창인	국세청	118
윤창조	동울산서	469
윤창현	국회정무	68
윤채린	광산서	375
윤철민	상공회의	109
윤철수	잠실서	214
윤철수	관세사회	51
윤철수	신대동	53
윤철원	홍성서	354
윤청연	용산서	211
윤청운	광주세관	507
윤청운	광주세관	508
윤춘미	대전청	329
윤태경	분당서	245
윤태경	대전청	327
윤태식	관세청	489
윤태식	관세청	490
윤태영	포항서	439
윤태영	마산서	477
윤태영	예일회계	24
윤태연	대전서	332
윤태우	동래서	452
윤태원	국세교육	138
윤태인	대전청	306
윤태준	삼성서	193
윤태현	국세청	117
윤태훈	남대문서	195
윤하영	파주서	321
윤하정	강릉서	271
윤학섭	삼정회계	20
윤한미	인천청	260
윤한슬	서울청	144
윤한철	원주서	279
윤한표	나주서	382
윤한필	창원서	482
윤한홍	국회정무	68
윤해욱	창원서	491
윤해욱	부산세관	503
윤해진	목포서	384
윤혁민	포항서	438
윤현경	동작서	186
윤현경	서대문서	195
윤현경	동화성서	266
윤현곤	기재부	81
윤현구	국세청	118
윤현미	기재부	90
윤현미	반포서	191
윤현미	서초서	197
윤현미	서울청	143
윤현숙	성북서	201
윤현숙	대전청	332
윤현식	국세청	129
윤현식	김천서	429
윤현식	마산서	476
윤현우	부산청	446
윤현웅	광산서	374
윤현자	인천지방	34
윤현정	김포서	306
윤현주	구로서	175
윤현주	부산진서	454
윤현철	금융위	94
윤현화	예일회계	24
윤형길	창원서	482
윤형길	광주청	371
윤형영	강남서	167
윤형식	김포서	306
윤혜경	동래서	453
윤혜미	중부서	221
윤혜미	인천서	299
윤혜민	국세청	126
윤혜민	은평서	213
윤혜순	조세재정	515
윤혜순	조세재정	515
윤혜영	파주서	320
윤혜영	강릉서	270
윤혜정	성남서	246
윤혜정	동래서	453
윤호연	중부청	228
윤호연	부산진서	455
윤호준	수원서	249
윤호현	수성서	421
윤홍규	부산청	446
윤홍기	기재부	79
윤홍철	대전청	327
윤환	기흥서	237
윤휘연	기재부	74
윤희관	남원서	394
윤희경	평택서	264
윤희경	광주청	370
윤희관	남대문서	178
윤희만	남양주서	238
윤희범	지방재정	511
윤희상	서대구서	418
윤희선	이천서	263
윤희선	중부청	229
윤희수	광명서	304
윤희연	감사원	70
윤희영	중부서	220
윤희원	역삼서	207
윤희정	송파서	202
윤희정	중부서	220
윤희창	대전청	330
은경례	대구청	411
은기남	금정서	451
은성도	동안양서	243
은은도	경주서	424
은지현	잠실서	214
은진수	광교세무	36
은진용	송파서	203
은하야	동대문서	185
은행총	금감원	99
은혜민	전주서	401
은희도	순천서	387
은희훈	지방재정	512
음지영	순천서	386
음홍식	종로서	217
이가령	수원서	248
이가연	잠실서	214

이름	소속	번호
이가영	반포서	190
이가영	부산진서	455
이가원	종로서	216
이가원	경기광주	252
이가은	파주서	320
이가희	대전청	329
이갑수	신대동	53
이강경	성동서	199
이강구	관악서	173
이강민	상공회의	108
이강민	법무율촌	58
이강산	강남서	167
이강석	기흥서	237
이강석	남대구서	412
이강식	부산청	442
이강신	조세재정	516
이강연	인천청	289
이강연	조세재정	515
이강영	광주서	377
이강오	고시회	30
이강우	김해서	474
이강욱	국세청	121
이강욱	울산서	471
이강원	동안양서	243
이강원	충주서	364
이강윤	반포서	191
이강은	성남서	247
이강일	서울청	144
이강일	파주서	321
이강혁	고양서	303
이강현	국세청	118
이강현	동래서	452
이강훈	구미서	426
이강희	경기광주	252
이건구	역삼서	206
이건도	서울청	162
이건빈	부천서	313
이건석	경기광주	253
이건술	은평서	213
이건옥	포항서	438
이건위	기재부	76
이건일	서울청	155
이건일	원주서	278
이건주	광주청	368
이건준	국세상담	136
이건호	성북서	201
이건호	충주서	365
이건호	광주청	368
이건호	광교세무	36
이건훈	법무광장	56
이건홍	논산서	341
이건희	잠실서	214
이건희	홈앤아웃	45
이걸	원주서	279
이건희	김포서	306
이경	서울청	154
이경규	동화성서	267
이경근	이안세무	50
이경근	법무율촌	58
이경노	아산서	349
이경모	서인천서	296
이경미	마산서	477
이경민	반포서	190
이경민	기흥서	236
이경민	대구청	408
이경민	삼일회계	18
이경분	서울청	147
이경빈	고양서	302
이경서	강동서	168
이경석	인천청	290
이경선	서울청	154
이경선	송파서	203
이경선	익산서	398
이경섭	전주서	401
이경수	반포서	191
이경수	부천서	313
이경수	고시회	30
이경수	기재부	74
이경숙	국세청	127
이경숙	구로서	175
이경숙	중부청	228
이경숙	고양서	302
이경숙	대전청	329
이경숙	충주서	365
이경숙	서대구서	418
이경순	제천서	360
이경순	북대구서	416
이경순	부산청	449
이경식	중부청	229
이경심	중부청	233
이경아	기재부	89
이경아	종로서	217
이경아	예산서	351
이경아	홍성서	354
이경아	대구청	406
이경애	동대문서	184
이경애	서대문서	194
이경열	중부청	226
이경열	대전청	325
이경열	대전청	326
이경옥	조세재정	516
이경옥	마포서	188
이경옥	동대구서	415
이경옥	서대구서	419
이경옥	대전청	327
이경원	이천서	262
이경은	서울청	158
이경은	지방재정	511
이경이	기흥서	237
이경임	잠실서	214
이경자	동작서	186
이경자	원주서	278
이경자	서대문서	333
이경재	금정서	450
이경주	양천서	204
이경준	영덕서	434
이경진	군산서	393
이경철	영덕청	435
이경태	서울청	143
이경택	삼일회계	18
이경표	남대문서	179
이경하	종로서	216
이경하	지방재정	511
이경한	서대전서	337
이경향	북대구서	417
이경헌	마포서	189
이경현	분당서	244
이경현	속초서	275
이경혜	연수서	316
이경호	강남서	166
이경호	중부서	221
이경호	동청주서	356
이경호	기재부	83
이경화	서울청	163
이경준	국세청	127
이경환	광산서	375
이경환	북광주서	378
이경훈	서대문서	461
이경훈	기재부	87
이경희	금천서	177
이경희	동화성서	266
이경희	광주서	377
이경희	수성서	420
이경희	서부산서	460
이경희	마산서	477
이경희	인천지방	34
이경희	미래회계	16
이계봉	국세교육	138
이계자	평택서	264
이계호	서울청	157
이계홍	공주서	339
이계훈	서부산서	461
이고운	역삼서	207
이고은	수원서	240
이고훈	삼성서	192
이공후	천안서	352
이관노	국세청	121
이관범	삼정회계	20
이관석	지방재정	511
이관수	보령서	342
이관수	보령서	343
이관열	구리서	234
이관재	인천서	298
이관호	서현이현	7
이관희	동안양서	243
이광	연수서	317
이광민	동대구서	414
이광선	전주서	400
이광섭	국세청	114
이광섭	창원서	483
이광성	용산서	211
이광수	기재부	83
이광수	용산서	210
이광수	대구청	407
이광식	남부천서	311
이광섭	서울청	151
이광열	전주서	401
이광오	남대구서	412
이광용	김포서	306
이광은	용산서	210
이광의	국세청	125
이광일	지방재정	510
이광자	대전서	333
이광재	관악서	172
이광재	수성서	420
이광재	김해서	474
이광준	대현회계	14
이광철	중부청	232
이광태	기재부	77
이광호	충주서	364
이광호	창원서	482
이광환	인천청	290
이광훈	기재부	75
이광희	이천서	262
이광희	고양서	303
이광희	남대구서	412
이교환	기흥서	236
이구현	북부산서	459
이국근	서울청	155
이국성	용인서	261
이국희	기재부	80
이권승	서울청	150
이권식	서울청	154
이권형	창원서	482
이권호	국세교육	138
이권희	고양서	303
이귀병	잠실서	214
이귀영	종로서	216
이규	전주서	400
이규림	서산서	345
이규미	삼성서	192
이규본	관세청	491
이규석	서울청	158
이규석	연수서	317
이규석	의정부서	319
이규섭	평택서	264
이규섭	세무하나	47
이규성	상공회의	109
이규성	국세교육	138
이규수	국세교육	139
이규열	인천청	288
이규영	통영서	484
이규완	시흥서	250
이규완	서대전서	337
이규원	영등포서	208
이규은	성동서	199
이규의	인천청	291
이규종	남동서	295
이규철	국세청	130
이규철	국세교육	139
이규태	구로서	174
이규혁	서울청	146
이규현	서초서	196
이규현	부산강서	456
이규형	마포서	188
이규형	성동서	199
이규현	인천청	292
이규호	익산서	398
이규호	경주서	424
이규호	북부산서	458
이규호	김앤장	55
이규화	성동서	363
이규환	국세청	131
이규활	포항서	438
이그린	분당서	245
이근수	논산서	340
이근아	반포서	190
이근영	서울세관	494
이근우	서울청	145
이근우	삼정회계	20
이근웅	서울청	160
이근원	청주서	362
이근호	부평서	315
이근호	동대구서	415
이근환	김해서	474
이근희	서울청	145
이금대	양산서	479
이금동	이천서	263
이금란	관악서	172
이금미	도봉서	182
이금석	기재부	77
이금숙	역삼서	206
이금순	북대구서	417
이금연	속초서	275
이금옥	마포서	189
이금조	송파서	202
이금희	김포서	307
이금희	영동서	358
이기각	서울청	155
이기덕	강남서	167
이기돈	국세청	115
이기련	인천청	289
이기민	기재부	83
이기병	인천청	287
이기복	삼일회계	19
이기섭	구리서	234
이기수	인천청	291
이기수	논산서	340
이기수	EY한영	13
이기숙	서울청	163
이기순	서울청	150
이기순	나주서	383
이기언	기흥서	236
이기업	대전청	328
이기연	분당서	244
이기연	남대구서	412
이기영	기재부	78
이기영	동작서	186
이기영	창원서	482
이기영	지방재정	511
이기용	동울산서	468
이기용	군산서	393
이기원	군산서	393
이기원	서현이현	7
이기원	서현이현	7
이기정	파주서	321
이기정	동울산서	468
이기주	국세청	119
이기주	서울청	152
이기중	중기회	110
이기진	인천지방	34
이기진	인천지방	34
이기철	파주서	321
이기철	광교세무	38
이기태	세무해강	197
이기태	세무해강	513
이기헌	서대문서	194
이기현	경기광주	252
이기현	청년서	177
이기현	경기광주	253
이기활	충주서	365
이기훈	안양서	258
이기훈	광주서	376
이길녀	서울청	259
이길석	경주서	424
이길재	양산서	478
이길채	중랑서	218
이길형	이천서	262
이나경	은평서	212
이나경	경주서	424
이나경	울산서	470
이나래	성동서	199
이나래	기흥서	236
이나래	EY한영	13
이나미	예산서	351
이나연	수원서	249
이나영	영등포서	208
이나영	부산청	446
이나영	동래서	452
이나원	기재부	77
이나현	김천서	428
이나현	조세재정	514
이나흠	안양서	258
이낙영	통영서	484
이난영	잠실서	214
이난영	잠실서	215
이난희	서울청	157
이난희	파주서	320
이남경	서초서	197
이남경	동화성서	266
이남곤	중부청	232
이남기	영등포서	209
이남범	마산서	476
이남선	삼일회계	18
이남주	부천서	312
이남주	조세재정	515
이남진	분당서	245
이남형	금천서	177
이남호	춘천서	281
이남호	북부산서	459
이남희	기재부	89
이노을	안산서	254
이다경	종로서	216
이다빈	예산서	351
이다솜	분당서	244
이다솜	동울산서	469
이다연	예산서	351
이다영	성북서	201
이다영	안양서	259
이다영	인천청	288
이다영	광주서	376
이다영	조세재정	514
이다예	서대문서	194
이다예	나주서	382
이다운	수원서	248
이다운	용인서	261
이다원	대전서	332
이다원	남대구서	412
이다은	기흥서	236
이다은	포천서	322
이다인	서부산서	461
이다현	익산서	399
이다혜	금천서	177
이다혜	남동서	295
이다혜	포천서	323
이다혜	전주서	400
이다혜	구로서	175
이단비	충주서	365
이대건	서울청	149
이대구	제주서	486
이대권	기재부	87
이대규	세무사회	29
이대라	홈앤아웃	45
이대균	기재부	91
이대근	잠실서	215
이대식	서울청	162
이대옹	서산서	345
이대웅	구리서	235
이대일	포천서	323
이대정	성동서	198
이대헌	북대구서	417
이대호	마산서	476
이대호	동대구서	414
이대훈	경기광주	252
이대훈	화성서	268
이대훈	대전청	326
이대희	용인서	261
이대희	서대전서	336
이덕순	서산서	344
이덕재	EY한영	13
이덕종	강릉서	270
이덕주	대전청	329
이덕형	국회재정	63
이덕형	공주서	338
이덕화	서울청	165
이도경	서울청	165
이도경	의정부서	318
이도경	구미서	426
이도경	부산청	442
이도경	부산진서	455
이도연	서대전서	337
이도영	동화성서	266
이도영	북대구서	417
이도원	지방재정	511
이도윤	중기회	110
이도한	군산서	392
이도헌	국세상담	136
이도헌	중부청	229
이도현	구리서	234
이도현	동대구서	414
이도현	포항서	438
이도형	구로서	175
이도회	청주서	363
이도희	성남서	247
이돈구	기재부	90

Index (page 557) — entries listed column by column (Name | 소속 | 번호).

Column 1

이름	소속	번호
이돈변	인천세관	500
이돈영	북광주서	378
이동각	기재부	88
이동건	도봉서	182
이동건	마포서	189
이동건	지방재정	510
이동경	국세청	124
이동곤	국세교육	139
이동곤	김해서	475
이동관	분당서	244
이동광	남동서	295
이동구	남양주서	239
이동구	대전청	326
이동규	감사원	71
이동규	남대문서	181
이동규	김포서	306
이동규	대전청	326
이동규	전주서	401
이동규	대구청	407
이동규	부산청	447
이동규	마산서	477
이동균	대구청	407
이동근	파주서	320
이동근	아산서	348
이동기	대전청	326
이동락	인천청	286
이동렬	지방재정	510
이동면	부산청	445
이동명	동대구서	414
이동목	중부산서	465
이동민	남대구서	412
이동민	서부산서	461
이동백	서울청	145
이동범	포항서	438
이동복	삼일회계	18
이동석	기재부	80
이동석	남동서	294
이동선	이안세무	50
이동수	기재부	88
이동수	성동서	199
이동수	분당서	244
이동수	대구세관	506
이동열	영등포서	208
이동열	삼일회계	18
이동엽	금융위	94
이동엽	동화성서	267
이동영	해남서	390
이동영	정읍서	402
이동옥	지방재정	510
이동우	강서서	171
이동우	경주서	425
이동우	안동서	432
이동우	금정서	450
이동욱	금융위	92
이동욱	금융위	93
이동욱	국세청	125
이동욱	강동서	168
이동욱	동청주서	356
이동욱	포항서	439
이동욱	포항서	439
이동욱	부산청	444
이동운	서울청	141
이동운	서울청	160
이동운	서울청	161
이동운	서울청	162
이동원	은평서	213
이동원	대구청	408
이동윤	창원서	483
이동은	분당서	245
이동인	지방재정	510
이동일	남대문서	178
이동일	북대구서	416
이동일	세무사회	29
이동주	강동서	169
이동준	성북서	200
이동준	중부청	225
이동준	대전청	328
이동준	청주서	362
이동준	북대구서	416
이동준	부산진서	455
이동진	서울청	144
이동진	정읍서	403
이동진	거창서	472
이동찬	동고양서	308
이동철	서부산서	461

Column 2

이름	소속	번호
이동출	서울청	152
이동하	서대구서	418
이동하	지방재정	510
이동한	서울청	144
이동혁	부산서	442
이동혁	지방재정	513
이동현	국세청	114
이동현	역삼서	206
이동현	남양주서	238
이동현	광주청	371
이동현	금정서	450
이동현	관세청	490
이동형	동울산서	469
이동호	중부청	233
이동호	서대구서	414
이동화	관세청	491
이동환	홍성서	355
이동환	중부산서	464
이동훈	기재부	84
이동훈	삼성서	193
이동훈	시흥서	251
이동훈	인천청	286
이동훈	동고양서	309
이동훈	광산서	374
이동훈	김천서	428
이동훈	김천서	429
이동훈	거창서	472
이동훈	김해서	475
이동훈	지방재정	511
이동휘	기재부	47
이동휘	기재부	78
이동희	서울청	155
이동희	서울청	160
이동희	수성서	420
이동희	통영서	485
이두원	국세청	126
이두원	국세청	129
이두호	동안산서	256
이두호	전주서	401
이득규	파주서	321
이란희	동화성서	266
이래경	서울청	159
이래하	국세상담	137
이령조	시흥서	251
이로아	의정부서	319
이룡권	세무하나	47
이류기	서울청	142
이륜경	서초서	197
이만구	기재부	80
이만식	동화성서	266
이만호	국세청	128
이맹이	목포서	384
이명건	국세청	131
이명구	서울청	145
이명기	지방재정	513
이명기	강남서	166
이명례	국세상담	137
이명로	중기회	110
이명문	영등포서	209
이명석	북대구서	334
이명선	기재부	82
이명선	포천서	323
이명섭	도봉서	182
이명수	동작서	187
이명수	성남서	247
이명수	서대구서	418
이명숙	수원서	248
이명숙	평택서	264
이명숙	춘천서	280
이명순	금감원	95
이명순	금감원	96
이명식	세무하나	47
이명용	남양주서	239
이명용	서부산서	460
이명욱	강서서	171
이명욱	성남서	246
이명원	반포서	191
이명원	세무하나	47
이명인	조세재정	516
이명재	국세청	130
이명주	광명서	305
이명주	인천지방	34
이명준	북전주서	397
이명진	기재부	85

Column 3

이름	소속	번호
이명진	서현이현	7
이명하	수원서	249
이명하	청주서	363
이명한	영동서	358
이명해	보령서	342
이명행	포천서	323
이명호	서부산서	460
이명훈	평택서	265
이명훈	남동서	295
이명희	서울청	155
이명희	서울청	164
이명희	양천서	204
이명희	역삼서	206
이명희	포천서	322
이명희	수성서	421
이모성	예산서	350
이묘금	수영서	462
이묘진	수원서	143
이묘환	양천서	205
이무황	아산서	349
이무훈	국세청	118
이문석	제천서	360
이문수	동대문서	184
이문영	의정부서	318
이문원	포항서	227
이문원	북대전서	334
이문진	서인천서	297
이문태	포항서	439
이문형	남동서	294
이문형	충주서	364
이문호	부산진서	455
이문환	서울청	161
이문희	용인서	260
이문희	용인서	261
이미경	서울청	147
이미경	서울청	148
이미경	동작서	187
이미경	성동서	199
이미경	계양서	300
이미경	대전청	326
이미경	금정서	450
이미경	동래서	452
이미경	광교세무	36
이미나	수원서	248
이미남	동대구서	415
이미라	국세청	118
이미라	서울청	153
이미라	동작서	187
이미란	국세교육	138
이미란	고양서	302
이미령	잠실서	215
이미림	구리서	235
이미선	구로서	175
이미선	양천서	204
이미선	동수원서	240
이미선	시흥서	251
이미선	전주서	400
이미선	통영서	485
이미소	도봉서	183
이미숙	기재부	79
이미숙	국세청	131
이미숙	삼성서	192
이미숙	역삼서	206
이미숙	경주서	424
이미숙	수영서	462
이미애	서울청	164
이미애	인천청	286
이미애	김천서	428
이미애	김해서	474
이미연	국세청	123
이미연	안산서	255
이미연	부산서	448
이미연	해운대서	467
이미영	서울청	156
이미영	동대문서	184
이미영	동대문서	184
이미영	인천청	292
이미영	남동서	294
이미영	대전청	329
이미영	남대구서	413
이미영	북부산서	459
이미자	기재부	78
이미자	서광주서	380
이미자	나주서	382
이미정	강서서	170

Column 4

이름	소속	번호
이미정	동작서	186
이미정	성북서	201
이미정	용인서	260
이미정	보령서	342
이미정	제천서	360
이미주	논산서	340
이미진	서초서	197
이미진	용산서	210
이미진	동안산서	256
이미진	서인천서	297
이미향	대전청	326
이미향	중부산서	464
이미현	마포서	188
이미현	보령서	343
이미현	조세재정	514
이미형	종로서	216
이미혜	기재부	80
이미화	중랑서	219
이미화	성남서	246
이미희	경기광주	253
이미희	공주서	338
이미희	해운대서	466
이민경	마포서	189
이민경	양천서	204
이민경	포천서	322
이민경	북대전서	335
이민경	부산진서	455
이민규	분당서	245
이민규	성북서	201
이민규	남양주서	238
이민규	김포서	307
이민규	천안서	353
이민근	서울세관	493
이민근	서울세관	494
이민선	중부청	227
이민수	중부청	226
이민수	금정서	450
이민순	잠실서	214
이민아	양천서	204
이민아	지방재정	511
이민영	동작서	187
이민영	이천서	262
이민영	군산서	392
이민영	부산세관	502
이민옥	삼성서	192
이민용	서초서	197
이민우	경기광주	252
이민우	남대구서	412
이민우	김해서	474
이민우	서울청	476
이민욱	성북서	201
이민의	경기광주	252
이민재	강서서	170
이민정	기재부	86
이민정	마포서	189
이민정	서초서	197
이민정	양천서	204
이민정	평택서	264
이민정	동고양서	308
이민정	부평서	314
이민정	창원서	482
이민주	영월서	277
이민주	동래서	453
이민지	서울청	151
이민지	강서서	171
이민지	고양서	303
이민지	부천서	313
이민지	연수서	317
이민지	대전청	328
이민지	동청주서	356
이민지	서대구서	418
이민지	삼일회계	18
이민철	잠실서	215
이민철	안산서	255
이민철	인천서	298
이민표	예산서	351
이민해	북대구서	417
이민형	분당서	244
이민형	홈앤아웃	45
이민호	기재부	77
이민호	홍성서	355
이민호	익산서	399
이민훈	부천서	313
이민희	중부청	231
이민희	시흥서	250

Column 5

이름	소속	번호
이민희	여수서	389
이민희	동래서	453
이방원	서울청	162
이배삼	해운대서	467
이배인	강남서	167
이백용	남원서	394
이백춘	서대구서	418
이범구	안동서	432
이범규	남대문서	181
이범락	상주서	430
이범석	서울청	152
이범수	동화성서	267
이범수	지방재정	511
이범연	역삼서	206
이범재	관세사회	51
이범주	중부청	224
이범주	춘천서	281
이범한	기재부	91
이법진	국세청	131
이병곤	잠실서	214
이병국	마산서	476
이병권	대전서	332
이병길	도봉서	183
이병노	고양서	302
이병노	부천서	313
이병도	용산서	210
이병두	구로서	174
이병만	금천서	176
이병수	반포서	191
이병숙	진주서	480
이병영	남대구서	413
이병오	중부청	230
이병오	중부청	231
이병옥	안양서	258
이병용	계양서	300
이병용	청주서	363
이병용	부산세관	503
이병욱	부천서	312
이병재	울산서	399
이병조	북광주서	379
이병주	서울청	151
이병주	강남서	166
이병주	수성서	420
이병주	수성서	421
이병준	부천서	312
이병준	창원서	482
이병직	성북서	200
이병진	용인서	261
이병철	송파서	203
이병철	마산서	477
이병철	인천세관	497
이병탁	경주서	425
이병하	법무광장	57
이병현	성동서	199
이병호	기재부	80
이병호	관세청	490
이병호	동안양서	243
이병희	경주서	424
이보라	국세청	132
이보라	서울청	159
이보라	반포서	190
이보라	삼척서	272
이보라	영동서	359
이보라	진주서	480
이보람	북광주서	379
이보람	지방재정	511
이보배	도봉서	183
이보배	삼성서	193
이보배	예일세무	49
이보영	기재부	82
이보영	전주서	400
이보은	부산청	448
이보인	기재부	84
이보화	조세재정	515
이복남	영주서	436
이복원	기재부	89
이복자	서울청	147
이복재	부산청	445
이복현	금감원	95
이복현	금감원	96
이복희	서울청	147
이봉근	국세청	121
이봉기	동래서	452
이봉림	시흥서	251

이름	소속	쪽	이름	소속	쪽	이름	소속	쪽	이름	소속	쪽	이름	소속	쪽
이봉숙	반포서	191	이상수	서울세관	493	이상훈	잠실서	214	이선애	북대구서	416	이성영	예산서	351
이봉숙	중부청	224	이상수	서울세관	495	이상훈	중부서	221	이선영	반포서	190	이성영	잠실서	214
이봉열	서울청	157	이상숙	예일세무	49	이상훈	중부청	226	이선영	서대문서	195	이성용	광주서	377
이봉철	마산서	476	이상숙	성동서	199	이상훈	동안양서	242	이선영	영등포서	208	이성우	상공회의	109
이봉현	대전서	333	이상순	익산서	399	이상훈	서광주서	380	이선영	대전청	327	이성우	상공회의	109
이봉형	경기광주	252	이상신	상공회의	109	이상훈	남대구서	412	이선영	대전서	332	이성우	홈앤아웃	45
이봉화	통영서	485	이상아	기재부	86	이상훈	포항서	438	이선영	세종서	347	이성욱	국세청	116
이봉희	강동서	168	이상언	서울청	158	이상훈	부산청	447	이선영	대구청	406	이성욱	송파서	203
이부경	창원서	482	이상언	부산청	447	이상훈	북부산서	459	이선영	서대구서	418	이성욱	삼정회계	21
이부창	동작서	186	이상열	종로서	217	이상훈	수영서	463	이선영	구미서	426	이성욱	삼정회계	21
이부형	제주서	486	이상영	경기광주	253	이상훈	동울산서	468	이선영	홈앤아웃	45	이성웅	창원서	482
이비아	부천서	312	이상영	강릉서	271	이상훈	지방재정	510	이선영	세무하나	47	이성원	기재부	77
이빛나	분당서	245	이상왕	계양서	301	이상희	성남서	247	이선옥	중부청	231	이성원	기재부	79
이사영	전주서	400	이상요	서산서	344	이상희	제주서	487	이선우	남대문서	179	이성원	서대문서	195
이삼기	안산서	254	이상용	기재부	89	이샘나	기재부	85	이선우	인천청	289	이성은	북전주서	397
이삼만	감사원	71	이상용	남부천서	310	이서구	국세청	119	이선우	보령서	342	이성은	동울산서	468
이삼문	세무대학	31	이상용	공주서	339	이서아	역삼서	206	이선우	수영서	469	이성인	부천서	313
이삼섭	동안산서	256	이상용	예산서	350	이서연	부천서	313	이선유	양천서	204	이성일	서울청	158
이상각	천안서	352	이상우	평택서	265	이서영	동작서	186	이선육	구미서	427	이성재	서울청	159
이상건	경주서	424	이상우	김앤장	55	이서영	송파서	202	이선이	금정서	148	이성재	안양서	259
이상걸	국세청	119	이상욱	금정서	69	이서원	중랑서	219	이선이	북대구서	417	이성재	부산청	442
이상경	북대구서	417	이상욱	국세상담	136	이서은	광명서	305	이선자	금정서	450	이성재	부산청	448
이상곤	서인천서	297	이상욱	서대문서	195	이서재	북전주서	397	이선재	남대문서	178	이성재	딜로이트	15
이상곤	광명서	305	이상욱	동안산서	256	이서정	광산서	374	이선재	예일세무	49	이성종	서초서	196
이상곤	부산진서	454	이상욱	대구청	408	이서진	북전주서	397	이선정	서울청	147	이성준	서울청	150
이상규	기재부	85	이상욱	울산서	471	이서행	남대문서	181	이선정	김천서	428	이성준	역삼서	207
이상규	수원서	248	이상운	관세법	490	이서현	강남서	166	이선주	구로서	175	이성준	공주서	339
이상규	북대구서	416	이상운	대전청	328	이서현	마포서	188	이선주	성동서	199	이성준	북전주서	396
이상균	국세교육	138	이상원	서울청	160	이서현	이천서	262	이선주	양천서	205	이성준	북부산서	458
이상근	강남서	167	이상원	대구서	406	이서현	조세재정	516	이선주	예일세무	49	이성진	마포서	188
이상근	경기광주	252	이상원	기재부	83	이서영	양천서	204	이선진	서울청	162	이성진	서대문서	195
이상근	해운대서	467	이상윤	경기광주	252	이서호	고양서	303	이선태	홍성서	355	이성진	은평서	212
이상기	서초서	196	이상윤	이천서	262	이서희	부천서	313	이선하	서울청	153	이성진	중부청	223
이상기	법무광장	56	이상윤	안양서	259	이석규	서초서	197	이선행	남동서	295	이성진	중부청	230
이상길	광명서	305	이상익	동대문서	184	이석규	딜로이트	15	이선호	구미서	426	이성진	중부청	231
이상길	지방재정	512	이상일	동수원서	240	이석기	천안서	352	이선호	금정서	451	이성진	중부청	232
이상길	삼정회계	20	이상일	금정서	450	이석동	중부서	220	이선화	서대전서	336	이성진	수원서	248
이상길	삼정회계	21	이상재	국세청	131	이석란	금융위	94	이선화	해남서	391	이성진	광산서	375
이상길	세무다솔	41	이상조	종로서	216	이석문	관세청	490	이선화	동울산서	469	이성창	순천서	386
이상덕	서울청	157	이상준	상공회의	108	이석봉	서울세관	154	이선훈	세무하나	47	이성태	삼정회계	20
이상덕	울산서	470	이상준	상공회의	109	이석봉	역삼서	206	이선희	남대구서	412	이성태	삼정회계	22
이상도	해운대서	467	이상준	국세청	120	이석영	역삼서	206	이설아	의정부서	318	이성택	기재부	88
이상도	삼일회계	18	이상준	기흥서	236	이석원	대전서	332	이설희	진주서	481	이성필	국세청	118
이상두	북전주서	397	이상준	광주청	368	이석원	지방재정	513	이설희	서울세관	493	이성필	기재부	88
이상락	의정부서	318	이상준	부산청	448	이석임	이천서	263	이섭	서울청	144	이성한	북대구서	416
이상락	대구청	405	이상직	중부서	220	이석재	송파서	202	이섭	남대문서	181	이성현	성동서	198
이상락	대구청	407	이상진	서초서	196	이석재	영동서	359	이성	광주청	370	이성현	평택서	264
이상락	대구청	408	이상진	남양주서	238	이석정	고시회	30	이성	광주청	371	이성혜	도봉서	183
이상로	지방재정	511	이상진	제주서	487	이석준	잠실서	214	이성경	강서서	170	이성혜	삼성서	193
이상명	동래서	453	이상진	남부세관	502	이석중	부산청	444	이성구	반포서	190	이성혜	마산서	477
이상목	삼성서	192	이상철	광주청	371	이석진	대구청	409	이성규	기재부	84	이성호	금감원	106
이상무	국세교육	138	이상표	부산강서	457	이석한	기재부	74	이성규	마포서	189	이성호	국세청	118
이상무	삼정회계	20	이상필	강서서	171	이석화	국세청	132	이성규	성북서	200	이성호	국세청	128
이상무	삼정회계	21	이상학	충주서	364	이선	양천서	205	이성규	잠실서	215	이성호	국세청	130
이상묵	서울청	163	이상헌	기재부	78	이선	연수서	317	이성규	거창서	472	이성호	동작서	187
이상묵	창원서	483	이상헌	기재부	108	이선경	성동서	198	이성근	중랑서	218	이성호	동안산서	256
이상묵	김앤장	55	이상헌	국세교육	138	이선경	북전주서	397	이성근	광주청	371	이성호	세종서	346
이상문	동작서	187	이상헌	서울청	161	이선경	동래서	452	이성글	제주서	486	이성호	천안서	353
이상미	국세교육	138	이상헌	강서서	170	이선경	지방재정	510	이성금	서부산서	460	이성호	순천서	387
이상미	동대문서	184	이상헌	구미서	426	이선관	천안서	353	이성기	동청주서	356	이성호	해운대서	467
이상미	의정부서	318	이상헌	김해서	475	이선교	서대전서	336	이성도	강동서	168	이성환	서울청	155
이상미	서대구서	418	이상혁	감사원	71	이선구	중부서	221	이성도	북대전서	334	이성환	대구청	409
이상미	마산서	477	이상혁	수영서	462	이선구	부산청	449	이성률	북광주서	378	이성환	김천서	429
이상민	기재부	88	이상현	종로서	216	이선림	대전청	327	이성민	광산서	375	이성훈	중부서	221
이상민	구로서	174	이상현	수원서	248	이선림	익산서	398	이성민	서울청	153	이성훈	이천서	262
이상민	중랑서	218	이상현	연수서	316	이선미	국세상담	137	이성민	송파서	202	이성훈	남부천서	310
이상민	중부서	221	이상현	천안서	353	이선미	동작서	187	이성민	기흥서	236	이성훈	대구청	408
이상민	중부청	227	이상현	부산청	445	이선미	양천서	204	이성민	대전청	326	이성훈	부산강서	456
이상민	인천청	289	이상현	부산강서	457	이선미	영등포서	209	이성민	남원서	394	이성훈	마산서	477
이상민	북대구서	416	이상현	창원서	482	이선미	서인천서	297	이성민	수영서	462	이성희	기재부	74
이상민	수성서	420	이상현	창원서	483	이선미	대전서	332	이성민	제주서	486	이성희	남대문서	181
이상민	거창서	473	이상협	기재부	80	이선민	경산서	422	이성복	종로서	217	이성희	삼척서	272
이상민	창원서	483	이상협	동대구서	414	이선민	서울청	145	이성복	김포서	307	이세나	국세청	118
이상배	중기회	110	이상호	서울청	143	이선민	도봉서	182	이성삼	홍천서	283	이세라	순천서	387
이상범	평택서	264	이상호	마포서	189	이선민	잠실서	215	이성수	금천서	177	이세라	남양주서	239
이상봉	대전청	329	이상호	대구청	407	이선민	중랑서	218	이성수	분당서	245	이세리	전주서	401
이상봉	충주서	364	이상호	서부산서	460	이선민	대전서	333	이성숙	서대구서	418	이세미	기재부	85
이상분	북대구서	416	이상호	창원서	482	이선민	광주청	372	이성식	기재부	81	이세미	삼성서	193
이상석	동청주서	356	이상홍	국회재정	63	이선아	서울청	144	이성식	전주서	401	이세미	조세재정	515
이상선	고양서	302	이상홍	기재부	81	이선아	강서서	171	이성실	순천서	387	이세민	서울청	151
이상섭	국세교육	138	이상황	용산서	210	이선아	구로서	174	이성애	서울청	160	이세연	서울청	163
이상수	국세청	118	이상화	지방재정	511	이선아	성동서	199	이성애	도봉서	183	이세연	시흥서	250
이상수	국세청	126	이상후	기재부	78	이선아	서인천서	296	이성열	홈앤아웃	45	이세열	법무광장	57
이상수	인천청	287	이상훈	기재부	79	이선아	인천서	299				이세은	의정부서	318
이상수	북전주서	396	이상훈	서울청	143	이선아	고양서	302				이세인	반포서	190

이름	소속	쪽	이름	소속	쪽	이름	소속	쪽	이름	소속	쪽	이름	소속	쪽
이세정	남대문서	181	이수복	북전주서	397	이순기	구미서	426	이승익	부산강서	456	이시형	순천서	387
이세주	관악서	172	이수빈	청주서	362	이순길	천안서	353	이승일	서울청	159	이시형	경주서	424
이세진	서울청	156	이수빈	서대문서	194	이순모	계양서	301	이승일	전주서	401	이시호	수영서	462
이세진	성북서	201	이수빈	중부청	232	이순민	여수서	388	이승재	동대문서	184	이시화	국세청	117
이세풍	서울청	142	이수빈	구리서	235	이순복	중부청	230	이승재	경기광주	252	이신숙	인천청	292
이세협	시흥서	250	이수빈	시흥서	250	이순아	화성서	269	이승재	충주서	364	이신애	동래서	453
이세호	제천서	360	이수빈	이천서	263	이순엽	서울청	154	이승재	북광주서	378	이신열	공주서	338
이세호	양산서	479	이수빈	동청주서	356	이순영	강동서	168	이승재	포항서	439	이신정	삼척서	272
이세환	기재부	79	이수빈	동청주서	357	이순영	도봉서	183	이승재	예일회계	24	이신혜	고양서	303
이세환	원주서	278	이수빈	북광주서	379	이순영	서대전서	336	이승종	역삼서	206	이신호	딜로이트	15
이세훈	금융위	92	이수빈	창원서	482	이순옥	북부산서	458	이승주	국세상담	136	이신화	송파서	203
이세훈	마산서	477	이수아	부천서	313	이순옥	춘천서	280	이승주	남대문서	180	이신화	중부청	230
이세환	인천서	298	이수안	성북서	200	이순임	서대구서	418	이승주	서부산서	461	이아라	북광주서	379
이세희	예일세무	49	이수연	감사원	71	이순주	중부청	230	이승준	기재부	83	이아름	국세청	114
이소라	천안서	274	이수연	국세청	117	이순철	중부청	230	이승준	구로서	174	이아름	금천서	176
이소면	인천세관	497	이수연	서울청	144	이순향	조세재정	515	이승준	삼성서	192	이아름	안산서	255
이소면	인천세관	498	이수연	서울청	151	이순화	서울청	147	이승준	광주청	371	이아름	인천서	298
이소민	강동서	168	이수연	서울청	163	이순화	서대문서	194	이승준	서대문서	378	이아름	조세재정	515
이소애	부산청	444	이수연	도봉서	183	이슬	은평서	212	이승준	서대구서	419	이아린	잠실서	214
이소연	서초서	196	이수연	중부청	231	이슬	대구청	407	이승준	부산청	442	이아름	순천서	387
이소연	동안양서	243	이수연	시흥서	251	이슬	지방재정	513	이승준	미래회계	16	이아연	인천서	299
이소연	성남서	246	이수연	대전서	333	이슬	조세재정	516	이승진	강동서	169	이아영	남동서	295
이소연	연수서	316	이수연	보령서	342	이슬기	서울청	156	이승진	부산청	446	이안나	서울청	164
이소연	대전서	328	이수연	서광주서	380	이슬기	종로서	216	이승진	동울산서	469	이안섭	남대구서	412
이소연	해남서	390	이수연	남원서	394	이슬기	김포서	307	이승찬	인천청	290	이안수	대전서	329
이소연	동대구서	414	이수연	서부산서	461	이슬기	조세재정	514	이승찬	동청주서	356	이안희	북대전서	334
이소영	기재부	75	이수연	수영서	462	이슬린	서울청	155	이승찬	북광주서	378	이안희	천안서	352
이소영	중부청	232	이수연	조세재정	515	이슬비	구로서	175	이승철	국세청	132	이애경	삼성서	193
이소영	동안양서	242	이수영	금융위	94	이슬비	중부청	232	이승택	대전서	331	이애란	서울청	142
이소영	남부천서	310	이수영	세종서	347	이슬비	인천청	290	이승택	동대구서	415	이애신	남대문서	181
이소영	광주서	376	이수영	대구서	406	이슬비	광명서	305	이승필	성북서	200	이양래	중부청	232
이소영	대구청	407	이수영	부산강서	457	이슬이	평택서	265	이승필	관세청	491	이양로	충주서	365
이소영	해운대서	466	이수용	평택서	264	이승걸	수영서	463	이승하	서울청	156	이양우	삼성서	193
이소영	동울산서	469	이수용	금정서	451	이승곤	세무하나	47	이승하	북전주서	396	이양원	순천서	387
이소원	국세청	118	이수원	강남서	167	이승괄	대구청	410	이승학	성동서	198	이언우	북광주서	379
이소은	전주서	401	이수원	북부산서	459	이승구	역삼서	207	이승현	기재부	81	이언종	마포서	189
이소정	남대문서	181	이수은	이천서	262	이승규	중부청	227	이승현	국세청	117	이여경	고양서	303
이소정	성동서	199	이수인	도봉서	182	이승규	마산서	476	이승현	강서서	170	이여성	중부청	228
이소정	남동서	294	이수인	잠실서	215	이승균	충주서	365	이승현	도봉서	182	이여울	서울청	146
이소정	인천서	299	이수임	부산서	445	이승근	광산서	375	이승현	양천서	204	이여진	도봉서	182
이소정	동울산서	469	이수정	서울청	146	이승기	서산서	345	이승현	남양주서	239	이연경	서인천서	297
이소진	국세상담	136	이수정	서울청	158	이승도	기재부	78	이승현	상주서	431	이연경	북대구서	416
이소진	중부서	220	이수정	서울청	160	이승렬	경주서	424	이승형	부평서	314	이연석	중부청	225
이소현	도봉서	182	이수정	동작서	186	이승렬	삼일회계	18	이승호	서울청	157	이연선	기재부	83
이소현	안동서	432	이수정	삼성서	193	이승록	진주서	481	이승호	삼성서	193	이연선	중부청	225
이슬	서울청	154	이수정	성북서	201	이승리	동안양서	243	이승호	성북서	201	이연수	인천청	287
이슬	남양주서	239	이수정	구미서	427	이승모	포항서	438	이승호	종로서	217	이연수	동울산서	469
이슬	제천서	360	이수정	부산진서	454	이승미	중부청	226	이승호	기흥서	237	이연숙	남대구서	413
이슬아	강서서	170	이수지	기재부	75	이승민	기재부	79	이승호	남동서	295	이연숙	부산진서	455
이슬아	금천서	176	이수지	분당서	244	이승민	기재부	88	이승호	익산서	398	이연실	서산서	344
이슬지	서대전서	336	이수지	동화성서	266	이승민	기재부	89	이승호	지방재정	512	이연우	금천서	177
이송	정진세림	27	이수진	국회재정	64	이승민	남대문서	181	이승호	법무율촌	58	이연정	성북서	200
이송미	중부청	352	이수진	서울청	156	이승민	성남서	247	이승환	국세청	117	이연주	평택서	265
이송우	김해서	475	이수진	서울청	160	이승민	김해서	474	이승환	인천청	286	이연주	김포서	307
이송이	안산서	254	이수진	성동서	198	이승민	세무하나	47	이승환	북대전서	335	이연주	대전청	330
이송이	이천서	263	이수진	분당서	244	이승배	동화성서	267	이승환	서광주서	381	이연주	서울청	149
이송이	인천서	298	이수진	부천서	312	이승범	의정부서	319	이승환	서대구서	418	이연지	중부청	233
이송하	기재부	90	이수진	연수서	317	이승석	동청주서	356	이승환	서대구서	419	이연진	수성서	420
이송하	종로서	217	이수진	청주서	363	이승수	서울청	141	이승환	삼일회계	19	이연호	관악서	172
이송향	동작서	186	이수진	광주청	373	이승수	서울청	156	이승훈	서울청	152	이연호	원주서	278
이송화	서초서	196	이수진	광주청	377	이승수	서울청	157	이승훈	강남서	166	이연화	중부청	230
이송희	원주서	278	이수진	동래서	453	이승수	서울청	158	이승훈	마포서	189	이연희	공주서	339
이송희	북광주서	379	이수진	지방재정	511	이승수	서울청	159	이승훈	삼성서	192	이연희	서광주서	381
이수경	서울청	142	이수창	목포서	384	이승수	이천서	262	이승훈	삼성서	193	이염휘	관세사회	51
이수경	은평서	213	이수철	반포서	190	이승신	서울청	147	이승훈	성동서	199	이영	대전청	327
이수경	계양서	301	이수택	기재부	83	이승아	안산서	255	이승훈	성남서	247	이영경	성북서	201
이수경	동대구서	414	이수현	기재부	89	이승아	남부천서	310	이승훈	광주청	368	이영광	기재부	80
이수경	수영서	462	이수현	역삼서	206	이승언	경산서	422	이승훈	북광주서	379	이영구	대전청	327
이수경	중부산서	465	이수현	김포서	307	이승연	지방재정	511	이승훈	군산서	392	이영권	연수서	316
이수경	법무바른	1	이수현	세종서	347	이승연	기재부	75	이승훈	익산서	398	이영규	제천서	360
이수길	김해서	475	이수현	북광주서	378	이승연	성동서	199	이승훈	상주서	430	이영균	원주서	278
이수덕	이천서	262	이수현	익산서	399	이승연	잠실서	215	이승훈	부산청	444	이영근	감사원	71
이수라	해남서	391	이수현	정읍서	402	이승연	관세청	491	이승훈	수영서	462	이영근	수영서	463
이수락	마포서	188	이수현	예일회계	24	이승엽	수성서	421	이승훈	지방재정	513	이영길	부천서	313
이수란	구로서	175	이수형	서울청	148	이승엽	구미서	426	이승휘	영주서	436	이영득	서울세관	495
이수미	국세청	118	이수형	중부청	226	이승엽	지방재정	511	이승희	잠실서	215	이영록	광교세무	36
이수미	국세청	130	이수호	기재부	90	이승완	광주청	372	이승희	구리서	234	이영락	보령서	343
이수미	논산서	340	이수환	지방재정	510	이승우	군산서	393	이승희	광주청	370	이영란	서인천서	297
이수미	양산서	478	이수환	수원서	248	이승우	역삼서	207	이승희	서부산서	460	이영란	양산서	478
이수민	국세청	128	이숙	서울청	160	이승우	인천청	286	이승희	인천세관	498	이영례	계양서	301
이수민	서울청	142	이숙경	기재부	79	이승우	기재부	83	이승희	지방재정	513	이영롱	남부천서	310
이수민	은평서	212	이숙경	북광주서	378	이승윤	국세청	124	이시대	감사원	71	이영린	국세청	117
이수민	화성서	268	이숙영	서울청	144	이승은	대구청	411	이시연	중부청	233	이영미	중랑서	218
이수민	포천서	323	이숙정	수원서	248	이승은	남대구서	413	이시은	역삼서	207	이영미	경기광주	252
이수민	세종서	346	이숙희	대전서	332	이승은	북대구서	416				이영미	진주서	481

이름	관서	번호
이영미	조세재정	515
이영민	남대문서	180
이영민	인천서	299
이영민	나주서	382
이영민	전주서	401
이영민	지방재정	510
이영빈	반포서	190
이영석	서울청	155
이영석	분당서	245
이영석	광명서	305
이영선	기재부	87
이영선	서울청	165
이영선	서인천서	297
이영수	삼성서	194
이영수	영등포서	209
이영수	인천청	286
이영수	수성서	420
이영수	마산서	476
이영숙	기재부	88
이영숙	연수서	317
이영숙	의정부서	318
이영순	아산서	349
이영신	국세청	117
이영신	부산청	444
이영신	삼일회계	18
이영실	인천청	287
이영아	국세상담	136
이영아	안양서	258
이영아	동화성서	266
이영애	남대구서	412
이영옥	서울청	160
이영옥	인천청	287
이영옥	수영서	462
이영우	서울청	160
이영우	동작서	187
이영우	서대구서	418
이영우	지방재정	510
이영욱	영등포서	208
이영욱	파주서	321
이영웅	감사원	69
이영웅	감사원	70
이영은	동안양서	242
이영은	수원서	248
이영은	광주청	371
이영은	중부지방	33
이영은	광교세무	38
이영인	삼도회계	17
이영일	부산진서	454
이영임	기재부	78
이영재	시흥서	251
이영재	계양서	301
이영재	보령서	342
이영재	부산청	448
이영재	해운대서	467
이영정	국세청	120
이영조	서대구서	418
이영주	기재부	76
이영주	서울청	142
이영주	서울청	148
이영주	동대문서	185
이영주	서초서	197
이영주	성동서	198
이영주	화성서	268
이영주	광명서	305
이영주	홍성서	355
이영주	대구청	406
이영준	대전청	326
이영직	충주서	364
이영진	서울청	155
이영진	서울청	162
이영진	구로서	174
이영진	인천서	290
이영진	김해서	474
이영진	창원서	482
이영찬	예산서	350
이영철	동대구서	414
이영태	중부청	233
이영태	동수원서	240
이영태	북광주서	378
이영태	해운대서	467
이영호	구로서	175
이영호	구로서	175
이영호	이천서	263
이영호	논산서	341
이영호	보령서	343
이영환	화성서	268
이영훈	마포서	189
이영훈	광주청	371
이영휘	서인천서	297
이영휘	청주서	362
이영희	역삼서	207
이영희	서대전서	336
이예담	북부산서	459
이예림	중부청	229
이예슬	서대문서	195
이예슬	성동서	198
이예슬	인천청	287
이예슬	구미서	426
이예영	삼성서	282
이예영	서부산서	460
이예원	동울산서	468
이예은	충주서	364
이예지	강남서	167
이예지	강동서	168
이예지	관악서	173
이예지	삼성서	192
이예지	서초서	196
이예지	용산서	210
이예지	중부청	231
이예지	안산서	254
이예지	삼척서	273
이예지	해운대서	467
이예진	국세청	130
이예진	강남서	167
이예진	서초서	348
이오나	영등포서	209
이오섭	안양서	259
이오혁	남동서	295
이오형	수원서	249
이옥녕	국세청	126
이옥분	김포서	306
이옥선	서울청	162
이옥선	부산진서	454
이옥재	서울세관	494
이옥주	양산서	479
이옥진	서광주서	380
이온유	김포서	306
이완배	금천서	176
이완영	감사원	71
이완표	대전서	331
이완희	국세청	128
이왕수	북대전서	335
이왕재	인천서	299
이요섭	동수원서	241
이요원	성북서	200
이용	삼일회계	18
이용광	강남서	167
이용권	동대문서	184
이용규	북부산서	458
이용균	수성서	420
이용만	동대문서	185
이용문	서울청	160
이용배	포천서	322
이용석	양천서	205
이용섭	법무율촌	58
이용수	영등포서	209
이용수	동래서	453
이용식	부평서	315
이용안	동울산서	468
이용우	국회정무	68
이용우	반포서	191
이용우	김포서	306
이용욱	기재부	89
이용욱	반포서	190
이용욱	경기광주	252
이용욱	여수서	389
이용일	지방재정	510
이용재	인천청	290
이용재	대전청	328
이용정	부산청	443
이용제	반포서	190
이용주	기재부	76
이용준	기재부	83
이용진	동작서	186
이용진	성동서	198
이용진	전주서	401
이용진	부산청	447
이용찬	딜로이트	15
이용철	북대전서	335
이용철	순천서	386
이용출	군산서	393
이용혁	순천서	386
이용현	딜로이트	15
이용형	지방재정	512
이용호	기재부	90
이용호	동대문서	185
이용환	동청주서	356
이용훈	수영서	462
이용후	국세청	130
이용훈	서초서	196
이용훈	서울세관	495
이용희	동화성서	267
이용희	계양서	300
이우정	남양주서	238
이우근	동작서	187
이우남	은평서	213
이우리	기재부	85
이우복	중부지방	33
이우석	기재부	83
이우석	국세청	130
이우석	서울청	148
이우섭	평택서	265
이우성	금천서	177
이우영	원주서	278
이우영	지방재정	511
이우용	북대전서	335
이우재	강서서	171
이우재	용산서	211
이우정	구리서	234
이우정	서부산서	460
이우진	국세청	115
이우진	서울청	145
이우철	기재부	78
이우철	역삼서	206
이우태	기재부	88
이우현	분당서	245
이우현	김해서	475
이우형	기재부	83
이운호	기재부	77
이웅진	서울청	157
이원경	국세상담	137
이원교	군산서	393
이원구	중부청	233
이원근	대전청	331
이원나	동대문서	184
이원남	평택서	265
이원도	마포서	188
이원락	중부청	228
이원명	서대구서	418
이원복	서대문서	195
이원복	경주서	425
이원상	관세청	490
이원섭	거창서	473
이원영	서울청	156
이원우	구로서	174
이원일	국세청	118
이원일	법무바른	1
이원재	기재부	86
이원재	기재부	91
이원정	성북서	200
이원정	국세청	129
이원준	법무율촌	58
이원준	국세청	118
이원진	부천서	313
이원진	부천서	313
이원형	북대구서	416
이원희	동대문서	185
이원희	연수서	316
이원희	수성서	420
이위형	울산서	470
이유경	서울청	155
이유경	양천서	205
이유경	계양서	300
이유경	지방재정	510
이유나	홍성서	355
이유라	중부청	232
이유리	도봉서	183
이유리	안산서	255
이유만	창원서	482
이유미	평택서	264
이유미	고양서	303
이유미	나주서	383
이유민	남양주서	238
이유민	고양서	302
이유빈	강서서	170
이유상	강동서	168
이유상	부평서	314
이유선	금천서	176
이유선	성동서	198
이유안	홍천서	283
이유영	마포서	189
이유영	동수원서	240
이유영	계양서	300
이유원	부평서	315
이유정	서울청	153
이유정	중부서	220
이유정	동화성서	267
이유정	예산서	350
이유정	서대구서	418
이유정	수영서	462
이유정	김해서	475
이유조	수성서	421
이유지	대구청	406
이유진	기재부	81
이유진	서울청	149
이유진	서울청	151
이유진	관악서	173
이유진	구로서	174
이유진	성동서	198
이유진	중부청	224
이유진	경기광주	252
이유진	강릉서	270
이유진	천안서	352
이유진	전주서	400
이유진	수성서	421
이유진	안동서	432
이유진	지방재정	513
이윤경	강남서	167
이윤경	강동서	169
이윤경	삼성서	193
이윤경	동안산서	257
이윤경	인천서	298
이윤경	연수서	316
이윤경	광산서	374
이윤경	서부산서	461
이윤경	지방재정	511
이윤노	동작서	186
이윤미	성동서	198
이윤미	잠실서	214
이윤미	부산청	447
이윤서	부산서	444
이윤서	세원세무	48
이윤석	구리서	235
이윤석	삼일회계	18
이윤선	삼성서	193
이윤선	용산서	210
이윤선	시흥서	251
이윤선	정읍서	403
이윤수	김포서	306
이윤애	인천청	290
이윤우	인천청	292
이윤우	대전청	329
이윤재	서울청	158
이윤재	동대구서	415
이윤정	서울청	165
이윤정	은평서	212
이윤정	중랑서	218
이윤정	정읍서	403
이윤정	수성서	420
이윤정	서울청	153
이윤주	서울청	155
이윤주	강서서	171
이윤주	금천서	177
이윤주	중부청	229
이윤주	수성서	420
이윤주	서산서	206
이윤태	기재부	86
이윤택	인천세관	498
이윤하	구로서	174
이윤행	도봉서	182
이윤호	김포서	307
이윤호	광주서	377
이윤환	인천지방	34
이윤희	서울청	143
이윤희	서울청	149
이윤희	성동서	199
이윤희	종로서	217
이윤희	대전청	328
이윤희	지방재정	511
이율배	인천청	290
이용건	서울청	163
이용희	서초서	197
이은	서울청	149
이은경	서울청	142
이은경	중랑서	218
이은경	동안양서	243
이은경	이천서	263
이은경	화성서	268
이은경	광명서	304
이은경	부천서	312
이은경	목포서	385
이은경	익산서	398
이은경	조세재정	514
이은경	조세재정	514
이은경	조세재정	516
이은광	광주서	376
이은규	남대문서	179
이은규	춘천서	281
이은기	고양서	302
이은길	서대문서	195
이은렬	서울세관	494
이은미	서울청	157
이은미	반포서	190
이은미	경기광주	252
이은미	마산서	476
이은미	진주서	480
이은배	중랑서	218
이은범	용인서	260
이은비	서울청	163
이은상	서울청	146
이은상	동대문서	184
이은상	거창서	472
이은상	창원서	483
이은서	군산서	392
이은석	여수서	388
이은선	서울청	153
이은선	삼성서	193
이은선	분당서	244
이은선	서산서	344
이은선	인천지방	34
이은설	계양서	301
이은섭	광명서	305
이은성	동안양서	243
이은성	시흥서	251
이은솔	조세재정	515
이은송	연수서	317
이은수	구리서	235
이은수	동화성서	267
이은수	계양서	301
이은숙	기재부	79
이은숙	종로서	217
이은숙	대전서	333
이은숙	논산서	340
이은숙	동청주서	356
이은숙	지방재정	511
이은순	진주서	481
이은실	국세청	114
이은실	송파서	203
이은아	잠실서	214
이은아	종로서	216
이은아	광주서	377
이은애	경기광주	252
이은영	기재부	75
이은영	서울청	147
이은영	강동서	168
이은영	동대문서	184
이은영	종로서	216
이은영	중부서	220
이은영	고양서	302
이은영	파주서	321
이은영	군산서	392
이은영	동대구서	415
이은영	진주서	480
이은영	제주서	487
이은옥	고양서	302
이은용	동작서	186
이은우	기재부	83
이은우	서대구서	418
이은자	부평서	314
이은자	중부지방	33
이은정	국세청	120
이은정	서울청	144
이은정	구로서	174
이은정	구로서	175
이은정	마포서	188

이름	소속	쪽	이름	소속	쪽	이름	소속	쪽	이름	소속	쪽	이름	소속	쪽
이은정	역삼서	206	이인재	영등포서	209	이재열	동울산서	469	이재희	예일세무	49	이정우	지방재정	510
이은정	영등포서	209	이인재	진주서	481	이재열	통영서	484	이전봉	서울청	161	이정욱	파주서	321
이은정	중부청	227	이인중	기재부	81	이재영	서울청	155	이전승	진주서	481	이정욱	안동서	432
이은정	중부청	230	이인하	서울청	162	이재영	서울청	164	이점순	마산서	476	이정우	대전청	326
이은정	중부청	233	이인혁	부산청	444	이재영	도봉서	183	이점희	목포서	384	이정우	남대문서	181
이은정	기흥서	237	이인형	법무광장	56	이재영	중부청	230	이정	동화성서	267	이정웅	부산청	442
이은정	동수원서	240	이인호	경산서	422	이재영	계양서	300	이정	나주서	382	이정원	이천서	263
이은정	남동서	294	이인희	서대전서	336	이재영	수성서	421	이정걸	기흥서	237	이정원	세종서	347
이은정	대전청	328	이일구	부산강서	456	이재영	부산청	447	이정걸	울산서	470	이정윤	서울청	156
이은정	북대구서	416	이일생	서울청	142	이재영	부산청	449	이정걸	제주서	486	이정윤	종로서	217
이은정	구미서	426	이일성	서울청	142	이재영	조세재정	515	이정관	광주청	373	이정윤	중부청	231
이은제	동작서	187	이일영	중부서	220	이재영	예일회계	24	이정관	양산서	478	이정윤	성남서	246
이은종	안양서	258	이일재	해남서	390	이재완	기재부	84	이정구	경기광주	252	이정은	국세상담	136
이은주	국세청	128	이임순	서울청	163	이재완	남대문서	179	이정구	대구청	408	이정은	서울청	146
이은주	서울청	147	이임주	홈앤아웃	45	이재완	북광주서	379	이정국	수영서	462	이정은	서울청	162
이은주	동안산서	257	이자연	동안양서	242	이재용	기재부	84	이정규	부산청	443	이정은	관악서	172
이은주	화성서	269	이자열	인천세관	498	이재용	국세교육	138	이정균	홍천서	283	이정은	남대문서	178
이은주	대구서	408	이자영	광명서	304	이재용	고양서	303	이정기	의정부서	318	이정은	동대문서	184
이은주	마산서	477	이자원	금정서	450	이재용	지방재정	511	이정기	의정부서	318	이정은	영등포서	209
이은준	남대문서	178	이장근	서광주서	380	이재우	기재부	78	이정기	대전서	332	이정은	중부청	228
이은지	서초서	196	이장석	통영서	484	이재우	기재부	86	이정기	EY한영	13	이정은	평택서	264
이은지	잠실서	215	이장원	광주청	370	이재우	부평서	314	이정길	대전서	333	이정은	화성서	268
이은지	영월서	276	이장호	김해서	474	이재우	지방재정	510	이정남	정읍서	403	이정은	북전주서	396
이은지	계양서	300	이장환	대구청	410	이재우	딜로이트	15	이정남	대구청	409	이정은	구미서	427
이은지	고양서	303	이장환	양산서	478	이재욱	서울청	148	이정노	서초서	196	이정은	수영서	463
이은지	포천서	323	이장훈	성동서	199	이재욱	동작서	186	이정노	남대구서	412	이정은	지방재정	511
이은지	제천서	361	이재갑	순천서	387	이재욱	수원서	249	이정례	진주서	480	이정은	조세재정	515
이은진	남양주서	238	이재강	공주서	338	이재욱	청주서	362	이정로	영등포서	208	이정인	조세재정	515
이은진	분당서	244	이재경	삼성서	192	이재웅	창원서	483	이정로	부산청	446	이정일	서울청	160
이은진	인천청	292	이재경	서대구서	419	이재웅	세무다솔	41	이정룡	논산서	340	이정일	남양주서	239
이은진	순천서	386	이재경	울산서	471	이재원	기재부	76	이정림	남대문서	179	이정임	대전청	331
이은진	수영서	462	이재곤	지방재정	512	이재원	중기회	110	이정모	종로서	216	이정자	국세교육	139
이은장	상공회의	109	이재관	국세청	117	이재원	도봉서	183	이정모	국세청	118	이정주	삼성서	192
이은철	김앤장	55	이재관	마산서	477	이재원	마포서	189	이정문	인천청	290	이정철	여수서	388
이은하	지방재정	512	이재구	신대동	53	이재원	삼성서	192	이정미	국세상담	136	이정태	계양서	300
이은형	중부청	231	이재국	조세재정	515	이재원	청주서	362	이정미	서울청	153	이정택	대전청	328
이은혜	서울청	152	이재규	세무토온	39	이재원	순천서	386	이정미	수원서	248	이정표	관악서	172
이은혜	천안서	353	이재균	의정부서	318	이재원	부산진서	454	이정미	대전청	328	이정표	기흥서	236
이은혜	동청주서	357	이재균	지방재정	512	이재원	조세재정	515	이정미	북광주서	378	이정필	금정서	451
이은호	포항서	438	이재근	서울청	143	이재인	화성서	269	이정미	동래서	452	이정	남양주서	238
이은홍	태평양	60	이재남	동안산서	256	이재일	남대문서	178	이정미	조세재정	516	이정학	기재부	79
이은화	기재부	79	이재남	광주청	368	이재일	서대전서	336	이정민	국세청	120	이정학	서초서	196
이은희	강남서	166	이재덕	서현이현우	6	이재준	기흥서	237	이정민	국세청	122	이정한	의정부서	318
이은희	삼성서	192	이재락	남대구서	412	이재준	남양주서	238	이정민	삼성서	193	이정현	서울청	144
이은희	성동서	199	이재룡	경기광주	252	이재진	용인서	261	이정민	양천서	205	이정현	역삼서	206
이은희	대전청	326	이재만	경기광주	253	이재진	세종서	346	이정민	중부청	225	이정현	영등포서	209
이은희	울산서	470	이재면	기재부	76	이재진	북부산서	458	이정민	고양서	303	이정현	고양서	303
이응기	기재부	142	이재명	천안서	353	이재진	기재부	79	이정민	광주청	369	이정현	부산강서	456
이응석	중기회	110	이재명	홍성서	354	이재철	삼성서	193	이정민	제주서	487	이정혜	연수서	316
이응석	서울청	160	이재민	용인서	261	이재철	동대구서	415	이정범	동대구서	414	이정현	광산서	374
이응선	도봉서	182	이재민	인천서	299	이재철	중부산서	465	이정복	정읍서	402	이정호	전주서	400
이응수	부평서	314	이재민	파주서	320	이재택	동화성서	267	이정상	부평서	315	이정호	대구청	410
이응전	삼일회계	18	이재민	예일회계	24	이재하	동작서	187	이정상	홈앤아웃	45	이정호	동래서	453
이응준	조세재정	515	이재복	서울청	162	이재학	기재부	88	이정선	대전청	329	이정호	서부산서	461
이응찬	서대문서	195	이재복	천안서	414	이재향	광명서	305	이정선	세종서	347	이정호	법무바른	1
이응찬	동안양서	243	이재빈	중부산서	465	이재향	성동서	198	이정선	서대구서	418	이정화	국세청	117
이의상	서울세관	494	이재상	마포서	189	이재헌	기재부	81	이정섭	세무삼륭	44	이정화	마포서	188
이의신	예산서	350	이재상	안양서	258	이재헌	동작서	186	이정수	동안양서	243	이정화	고양서	303
이의유	삼도회계	17	이재석	기재부	89	이재혁	잠실서	214	이정수	남원서	394	이정화	광산서	375
이의태	수영서	462	이재석	금감원	97	이재혁	중부청	226	이정숙	동작서	186	이정화	부산청	449
이이건	대현회계	14	이재석	마포서	189	이재혁	안양서	258	이정숙	용산서	210	이정화	지방재정	513
이이네	서울청	163	이재석	해운대서	467	이재혁	대구청	410	이정숙	동래서	452	이정화	세무삼륭	44
이익중	동청주서	356	이재석	관세사회	51	이재현	기재부	84	이정숙	동래서	453	이정환	기재부	84
이익진	연수서	317	이재선	조세재정	514	이재현	중부청	233	이정순	국세청	128	이정환	동안산서	257
이익훈	강서서	170	이재성	서울청	152	이재현	분당서	245	이정순	은평서	213	이정환	대전서	333
이인권	서울청	154	이재성	강남서	167	이재현	인천서	299	이정순	구미서	427	이정환	남원서	395
이인권	해운대서	466	이재성	수원서	249	이재현	동청주서	356	이정아	국세청	125	이정효	세무하나	47
이인규	금감원	106	이재성	세종서	346	이재호	서울청	150	이정아	국세청	129	이정훈	국세청	128
이인근	서산서	345	이재성	천안서	352	이재호	지방재정	510	이정아	마포서	188	이정훈	서울청	144
이인기	예일세무	49	이재성	광주서	377	이재홍	연수서	316	이정아	아산서	348	이정훈	동작서	186
이인기	예일세무	215	이재성	상주서	430	이재홍	남대구서	413	이정아	법무광장	56	이정훈	서인천서	296
이인선	서울청	155	이재수	부산진서	455	이재홍	김앤장	55	이정애	군산서	392	이정훈	부천서	312
이인섭	반포서	190	이재수	북부산서	458	이재환	기재부	82	이정애	부산청	445	이정훈	대전청	326
이인숙	서울청	149	이재숙	성남서	201	이재환	동울산서	468	이정애	동울산서	468	이정훈	대전청	331
이인숙	서초서	196	이재숙	영동서	359	이재환	성동서	198	이정언	동화성서	267	이정훈	해남서	391
이인숙	중부청	226	이재순	인천지방	34	이재훈	서초서	196	이정연	기재부	78	이정훈	북대구서	416
이인숙	동청주서	357	이재식	대전서	333	이재훈	화성서	268	이정연	서울청	146	이정훈	중부산서	465
이인숙	북광주서	378	이재실	부산청	449	이재훈	광명서	305	이정연	딜로이트	15	이정훈	거창서	472
이인심	경기광주	253	이재아	예산서	350	이재훈	경주서	425	이정영	남대구서	413	이정희	양천서	205
이인아	서초서	196	이재아	광주서	377	이재훈	인천세관	498	이정옥	남대문서	195	이정희	중랑서	219
이인우	남대구서	412	이재연	서울청	163	이재훈	딜로이트	15	이정옥	통영서	485	이정희	인천청	286
이인우	해운대서	466	이재연	서초서	197	이재훈	세무하나	47	이정용	중부청	228	이정희	인천청	289
이인원	경주서	424	이재열	울산서	470	이재희	동수원서	240	이정우	천안서	353	이정희	동대구서	415
이인자	서울청	145	이재열	마포서	188	이재희	논산서	340	이정우	서광주서	380	이정희	인천세관	499
			이재열	논산서	341	이재희	정읍서	402	이정우	인천세관	499	이정희	지방재정	512

이름	소속	번호
이제봉	기재부	88
이제안	서초서	196
이제연	부산청	442
이제연	김앤장	55
이제욱	서대구서	418
이제일	은평서	213
이제정	국회정무	67
이제헌	중부서	221
이제헌	부산청	448
이제현	대전청	329
이조은	분당서	245
이존열	도봉서	183
이종건	부산청	446
이종경	역삼서	206
이종관	고양서	303
이종광	김앤장	55
이종국	김앤장	55
이종권	역삼서	206
이종근	안산서	255
이종기	금감원	106
이종기	서인천서	297
이종길	홍성서	354
이종길	홍성서	355
이종남	안산서	254
이종록	삼성서	193
이종룡	중부서	221
이종률	제주서	486
이종만	지방재정	510
이종면	김해서	475
이종명	상공회의	108
이종명	상공회의	108
이종명	김앤장	55
이종민	기재부	81
이종민	성동서	198
이종민	양천서	205
이종민	시흥서	250
이종민	춘천서	281
이종민	경산서	422
이종배	수영서	463
이종보	서초서	196
이종복	동안산서	257
이종석	홍천서	282
이종섭	인천서	298
이종성	기재부	75
이종성	중랑서	219
이종수	기재부	77
이종숙	남대구서	413
이종순	성동서	198
이종신	대전청	330
이종영	국세청	120
이종영	수원서	248
이종오	금감원	100
이종완	양양서	258
이종용	충주서	365
이종우	서울청	164
이종우	동화성서	267
이종우	서인천서	296
이종우	북부산서	458
이종욱	관세청	489
이종욱	인천서	298
이종욱	마산서	477
이종욱	관세청	490
이종운	북전주서	397
이종원	진주서	480
이종윤	파주서	321
이종인	서현이현	7
이종준	서울청	153
이종찬	부천서	312
이종철	익산서	399
이종철	지방재정	513
이종태	충주서	365
이종필	순천서	387
이종필	부산세관	502
이종하	경기광주	253
이종혁	기재부	87
이종혁	대전서	332
이종혁	법무율촌	58
이종현	북전주서	396
이종현	경산서	422
이종현	김해서	474
이종현	중부지방	33
이종현	태평양	60
이종형	삼일회계	18
이종호	기재부	75
이종호	천안서	353
이종호	군산서	392
이종호	울산서	471
이종호	인천세관	500
이종호	관세사회	51
이종훈	기재부	91
이종훈	영월서	277
이종훈	인천서	298
이종훈	정읍서	402
이종휘	남대구서	412
이종희	기재부	81
이종희	청주서	363
이주경	남대문서	184
이주경	중부서	221
이주경	조세재정	516
이주미	동안양서	243
이주미	수원서	248
이주빈	강서서	171
이주석	서울청	154
이주석	수성서	421
이주선	금천서	176
이주선	동대문서	184
이주성	부천서	313
이주성	영동서	358
이주성	서울지방	32
이주안	경산서	422
이주연	국세청	133
이주연	남대문서	180
이주연	영등포서	209
이주연	중부서	226
이주연	구리서	235
이주연	수원서	248
이주연	부평서	314
이주연	서대전서	337
이주연	부산청	445
이주연	조세재정	516
이주엽	양산서	478
이주영	기재부	82
이주영	삼성서	192
이주영	잠실서	214
이주영	중부서	220
이주영	구리서	235
이주영	연수서	316
이주영	대전청	330
이주영	부산청	442
이주용	국세청	120
이주우	국세상담	137
이주원	서울청	159
이주윤	기재부	75
이주은	부천서	312
이주은	정읍서	403
이주일	수원서	248
이주하	남대구서	413
이주한	서울청	155
이주한	역삼서	207
이주한	김포서	306
이주한	대전청	326
이주한	서대전서	336
이주한	지방재정	513
이주혁	기재부	86
이주현	기재부	82
이주현	서울청	143
이주현	분당서	245
이주현	시흥서	250
이주현	부천서	313
이주현	목포서	384
이주현	포항서	438
이주현	김해서	475
이주현	창원서	483
이주현	조세재정	515
이주형	서울청	142
이주형	감사원	71
이주형	시흥서	250
이주형	제천서	360
이주형	충주서	365
이주형	북전주서	396
이주형	경주서	424
이주호	기재부	87
이주화	기재부	79
이주환	인천청	290
이주환	인천서	298
이주환	영덕서	434
이주희	구로서	174
이주희	남대문서	178
이주희	성북서	201
이주희	역삼서	207
이주희	중부청	232
이주희	포천서	322
이준	원주서	279
이준건	북대구서	417
이준규	삼성서	193
이준규	용인서	261
이준길	서부산서	461
이준년	서인천서	297
이준목	국세청	118
이준무	경기광주	252
이준배	서울청	144
이준범	기재부	84
이준서	김해서	474
이준석	국세청	114
이준석	북대전서	334
이준성	기재부	84
이준성	중부서	225
이준성	조세재정	514
이준수	금감원	95
이준영	기흥서	236
이준영	고양서	303
이준영	파주서	320
이준영	논산서	341
이준용	중부청	225
이준우	동수원서	241
이준우	부천서	312
이준우	울산서	470
이준원	서울세관	493
이준원	서울세관	495
이준익	대구청	409
이준탁	대전청	327
이준표	강남서	167
이준표	성남서	246
이준학	국세청	116
이준혁	송파서	203
이준혁	동청주서	356
이준혁	해운대서	466
이준현	대전서	333
이준형	인천청	286
이준호	국세청	122
이준호	강동서	168
이준호	남동서	295
이준호	순천서	386
이준호	지방재정	510
이준호	조세재정	516
이준홍	광명서	305
이준화	국회정무	67
이준희	성동서	198
이준희	역삼서	207
이준희	인천서	289
이준희	거창서	472
이중건	중부지방	33
이중구	대구청	409
이중승	도봉서	182
이중재	구리서	234
이중한	경기광주	253
이중현	삼일회계	18
이중호	감사원	71
이중호	마산서	476
이지무	경주서	424
이지민	서울청	146
이지민	서울청	162
이지민	부산청	446
이지민	중부산서	465
이지민	중부산서	465
이지상	국세청	119
이지석	국세상담	136
이지선	국세청	116
이지선	서울청	142
이지선	서울청	160
이지선	서대문서	195
이지선	연수서	317
이지수	국세상담	136
이지수	동대문서	185
이지수	남양주서	239
이지수	안양서	259
이지수	금정서	451
이지수	창원서	483
이지수	김앤장	55
이지숙	서울청	152
이지숙	서울청	161
이지숙	중부서	220
이지숙	화성서	269
이지숙	인천청	288
이지숙	홍성서	355
이지안	남동서	295
이지안	경주서	425
이지안	국세청	127
이지연	서울청	146
이지연	서울청	149
이지연	서울청	153
이지연	강동서	168
이지연	동대문서	185
이지연	삼성서	193
이지연	중부청	233
이지연	동안양서	242
이지연	용인서	261
이지연	대전서	333
이지연	광산서	374
이지연	북대구서	416
이지연	수영서	462
이지연	지방재정	512
이지영	국회정무	67
이지영	기재부	83
이지영	국세청	125
이지영	서울청	142
이지영	서울청	148
이지영	서울청	158
이지영	강서서	171
이지영	마포서	188
이지영	서초서	196
이지영	삼척서	273
이지영	고양서	303
이지영	파주서	321
이지영	청주서	362
이지영	서광주서	381
이지영	정읍서	402
이지영	금정서	451
이지영	금정서	451
이지영	기재부	84
이지우	분당서	245
이지웅	감사원	70
이지원	기재부	79
이지원	국세청	115
이지원	강남서	166
이지원	서대문서	194
이지원	성동서	198
이지원	영등포서	209
이지원	용산서	211
이지원	기흥서	236
이지원	용인서	261
이지원	동고양서	309
이지원	파주서	320
이지유	울산서	470
이지윤	송파서	203
이지윤	잠실서	214
이지윤	경기광주	253
이지윤	청주서	362
이지은	기재부	81
이지은	기재부	82
이지은	기재부	87
이지은	국세청	129
이지은	삼성서	193
이지은	영등포서	209
이지은	용산서	211
이지은	잠실서	215
이지은	삼척서	272
이지은	의정부서	318
이지은	대전서	332
이지은	북대전서	334
이지은	나주서	382
이지은	남대구서	412
이지은	부산청	447
이지웅	해운대서	466
이지웅	영등포서	209
이지하	서대구서	418
이지하	부산청	443
이지헌	국세청	118
이지헌	국세청	153
이지현	서울청	150
이지현	강남서	167
이지현	관악서	173
이지현	성북서	201
이지현	역삼서	206
이지현	동안양서	243
이지현	수원서	248
이지현	시흥서	250
이지현	김포서	307
이지현	남부천서	310
이지현	창원서	482
이지형	서초서	197
이지형	대현회계	14
이지혜	기재부	89
이지혜	기재부	91
이지혜	서울청	161
이지혜	강서서	171
이지혜	남대문서	181
이지혜	반포서	191
이지혜	중랑서	219
이지혜	원주서	278
이지혜	조세재정	516
이지호	기재부	81
이지호	서울청	159
이지호	영동서	358
이지후	의정부서	318
이지훈	국세교육	139
이지훈	영등포서	209
이지훈	지방재정	512
이지희	동작서	186
이지희	용산서	210
이지희	중랑서	218
이지희	익산서	398
이지희	수영서	463
이진	강동서	168
이진	용산서	210
이진	부산청	445
이진	예일세무	49
이진경	기재부	81
이진경	성동서	199
이진경	부산청	444
이진경	부산청	445
이진경	진주서	481
이진경	지방재정	511
이진관	조세재정	516
이진구	성동서	199
이진구	서울청	160
이진규	구리서	235
이진균	성동서	198
이진동	성동서	198
이진명	분당서	244
이진문	서울청	159
이진서	성동서	198
이진석	세종서	347
이진선	기재부	77
이진선	인천청	292
이진선	제주서	486
이진섭	김해서	475
이진수	잠실서	215
이진수	고양서	303
이진수	대전청	329
이진수	공주서	339
이진수	청주서	363
이진수	울산서	471
이진숙	국세청	127
이진숙	인천서	298
이진승	기재부	78
이진실	도봉서	183
이진아	관악서	172
이진아	양천서	204
이진아	양천서	205
이진아	인천청	287
이진영	서울청	143
이진영	서울청	145
이진영	분당서	245
이진영	원주서	279
이진영	부평서	314
이진영	금정서	450
이진용	법무광장	56
이진용	관세사회	51
이진우	금천서	177
이진우	인천청	290
이진우	김포서	306
이진우	의정부서	318
이진우	순천서	387
이진욱	대구청	410
이진욱	수성서	421
이진욱	삼정회계	21
이진원	경기광주	253

이름	소속	쪽	이름	소속	쪽	이름	소속	쪽	이름	소속	쪽	이름	소속	쪽
이진재	국세청	117	이창준	대구세관	506	이춘우	포항서	438	이하연	구리서	235	이현숙	서울청	157
이진재	국세청	124	이창진	분당서	245	이순호	원주서	279	이하연	광산서	374	이현숙	이천서	262
이진재	반포서	191	이창학	인천청	291	이춘희	북대구서	416	이하은	북전주서	264	이현숙	강릉서	271
이진주	기재부	78	이창한	서대문서	195	이충구	국세청	114	이하은	북전주서	396	이현순	서울청	147
이진주	동작서	187	이창한	경기광주	252	이충근	서대전서	336	이하준	기재부	89	이현순	남대문서	180
이진주	서대문서	194	이창현	남대문서	179	이충길	지방재정	510	이하철	대구서	406	이현승	속초서	275
이진주	춘천서	280	이창현	인천청	289	이충섭	역삼서	207	이하현	광주청	373	이현승	동래서	453
이진주	전주서	400	이창형	기재부	83	이충오	서울청	150	이학보	부산세관	503	이현실	서부산서	460
이진주	진주서	480	이창형	상공회의	109	이충원	성동서	198	이학승	강릉서	271	이현아	동대문서	185
이진택	익산서	399	이창호	강남서	166	이충원	부천서	313	이학승	전주서	401	이현아	양천서	204
이진하	부평서	315	이창호	홍천서	283	이충인	평택서	264	이한결	기재부	78	이현아	의정부서	318
이진하	예산서	350	이창호	동래서	452	이충일	국세주류	134	이한기	대전청	330	이현아	중부산서	464
이진혁	대전청	329	이창호	조세재정	516	이충형	경산서	423	이한나	중부서	220	이현애	연수서	316
이진호	서울청	159	이창홍	예산서	351	이충호	안동서	432	이한나	평택서	265	이현영	국세청	124
이진호	중부서	220	이창화	대전청	328	이충환	중부청	233	이한라	동울산서	468	이현영	서초서	197
이진호	용인서	261	이창환	제주서	486	이치권	수영서	462	이한배울	삼성서	193	이현영	대구청	409
이진호	남동서	295	이창환	국세청	128	이치웅	남대구서	413	이한빈	부산청	445	이현영	조세재정	514
이진홍	북부산서	458	이창훈	강남서	166	이치웅	이천서	263	이한상	서울청	164	이현우	기재부	83
이진화	송파서	203	이창훈	화성서	269	이치원	국세청	129	이한샘	구미서	426	이현우	국세청	117
이진화	창원서	483	이창훈	북광주서	378	이치훈	중부산서	464	이한선	광주세관	508	이현우	서울청	153
이진환	광주서	376	이창훈	동울산서	469	이탁수	성동서	198	이한설	동수원서	240	이현우	청주서	362
이진환	창원서	483	이창훈	삼정회계	21	이탁신	순천서	387	이한성	대전청	327	이현우	마산서	477
이진희	국세청	116	이창흠	삼정회계	21	이탁희	김해서	474	이한솔	국세청	126	이현우	진주서	481
이진희	분당서	245	이창흠	중부서	221	이탄희	국회법제	66	이한솔	성남서	246	이현우	지방재정	513
이진희	용인서	260	이창희	기재부	88	이태경	기재부	84	이한솔	남대문서	447	이현욱	종로서	216
이진희	보령서	343	이창희	중기회	110	이태경	성북서	201	이한송	남대문서	178	이현이	서울청	147
이진희	홍성서	354	이창희	동안양서	242	이태경	예일회계	24	이한아	서부산서	461	이현익	동화성서	267
이진희	동울산서	468	이창희	창원서	482	이태곤	인천청	286	이한이	여수서	389	이현일	구로서	175
이진희	관세청	491	이채곤	구로서	174	이태균	중부청	226	이한일	군산서	393	이현재	대전서	332
이찬	서울청	144	이채광	지방재정	511	이태상	국세청	124	이한임	국세청	118	이현재	부산진서	455
이찬	서울청	150	이채린	국세청	125	이태수	대세회계	14	이한택	인천청	286	이현재	중부산서	464
이찬	중부서	220	이채민	북대전서	334	이태순	중부서	221	이해남	용인서	260	이현정	서울청	152
이찬무	동고양서	309	이채민	서대전서	337	이태연	서울청	152	이해미	송파서	203	이현정	역삼서	207
이찬송	춘천서	280	이채민	포항서	439	이태영	동수원서	240	이해봉	북대구서	416	이현정	중부청	231
이찬수	부천서	312	이채빈	고양서	302	이태왕	기재부	77	이해석	삼성서	193	이현정	시흥서	250
이찬우	구미서	426	이채아	남대문서	179	이태용	광명서	304	이해섭	역삼서	207	이현정	경기광주	252
이찬웅	법무바른	1	이채영	서울청	160	이태우	조세재정	516	이해성	양천서	205	이현정	경기광주	252
이찬유	예일세무	49	이채영	기재부	89	이태욱	국세청	120	이해영	안양서	258	이현정	용인서	261
이찬주	금천서	176	이채원	남대구서	412	이태욱	세무토은	39	이해옥	고양서	303	이현정	춘천서	280
이찬형	중랑서	219	이채윤	대전청	328	이태원	강동서	169	이해운	강남서	167	이현정	전주서	400
이찬호	기재부	76	이채은	대구청	409	이태윤	기재부	84	이해운	중부지방	33	이현정	남대구서	412
이찬희	서울청	153	이채은	김해서	475	이태자	기흥서	236	이해웅	통영서	484	이현정	동대구서	415
이찬희	인천서	299	이채은	양산서	479	이태진	광주서	376	이해인	기재부	82	이현정	울산서	470
이창구	경산서	423	이채현	서인천서	296	이태진	울산서	470	이해인	기재부	91	이현정	김해서	475
이창규	안동서	432	이채현	광주청	371	이태한	인천청	291	이해인	서울청	149	이현정	통영서	485
이창근	목포서	385	이채호	금정서	451	이태현	강남서	167	이해인	서울청	165	이현정	지방재정	510
이창근	북대구서	416	이철	서울청	142	이태형	북부산서	458	이해자	화성서	269	이현종	영주서	436
이창근	서현이현	7	이철	순천서	387	이태호	금감원	96	이해진	국세청	118	이현종	지방재정	511
이창근	세무다솔	41	이철	광주세관	507	이태호	청주서	362	이해진	안산서	255	이현종	삼일회계	18
이창남	서울청	159	이철	광주세관	508	이태호	북부산서	459	이해창	지방재정	510	이현주	기재부	88
이창남	구로서	174	이철규	기재부	91	이태호	수영서	462	이햇살	북전주서	396	이현주	기재부	89
이창남	의정부서	318	이철균	광교세무	38	이태호	수영서	462	이향규	서울청	149	이현주	서울청	164
이창렬	부산청	448	이철민	제천서	119	이태호	서울청	153	이향규	포항서	439	이현주	남대문서	179
이창림	제주서	486	이철민	서부산서	460	이태훈	국세청	114	이향옥	대구청	410	이현주	삼성서	193
이창민	기재부	86	이철수	강동서	169	이태훈	광주서	377	이향은	분당서	244	이현주	중부청	231
이창민	금천서	177	이철수	제주서	486	이태훈	지방재정	510	이향주	서울청	151	이현주	동안양서	243
이창민	은평서	213	이철승	서광주서	380	이태희	대전청	329	이향화	광주청	370	이현주	성남서	246
이창민	분당서	245	이철승	진주서	481	이태희	대구청	408	이헌배	상공회의	109	이현주	이천서	262
이창민	원주서	279	이철옥	인천서	499	이택건	부산강서	456	이헌수	중부청	225	이현주	고양서	302
이창석	서울청	159	이철우	국세상담	137	이터팀	금융위	93	이헌수	중앤아웃	45	이현주	동청주서	357
이창석	세무하나	47	이철우	서인천서	296	이평년	남부천서	311	이헌식	화성서	269	이현주	군산서	392
이창선	기재부	84	이철우	세무하나	47	이평재	경기광주	253	이혁섭	부산청	442	이현주	익산서	399
이창수	마포서	188	이철웅	북광주서	379	이평재	김앤장	55	이혁재	인천서	298	이현주	전주서	401
이창수	중부청	227	이철월	국세청	118	이평호	강남서	167	이현	서울청	143	이현주	통영서	484
이창수	중부청	233	이철원	이천서	262	이평희	제천서	361	이현	광주서	376	이현주	부산세관	501
이창수	대전청	330	이철재	삼성서	146	이푸르미	시흥서	251	이현규	부산청	229	이현주	부산세관	503
이창수	포항서	438	이철재	관세청	490	이푸른	대전청	327	이현규	김포서	307	이현준	기재부	84
이창수	법무율촌	58	이철종	천안서	352	이푸름	제천서	352	이현균	이천서	262	이현준	국세청	117
이창언	서대문서	381	이철주	제천서	360	이푸름	수성서	421	이현기	북전주서	396	이현준	기흥서	236
이창열	중부청	231	이철형	속초서	275	이풍훈	국세청	119	이현기	동래서	452	이현준	분당서	245
이창오	삼성서	193	이철형	파주서	320	이필	성북서	201	이현무	중부청	225	이현준	인천청	287
이창우	역삼서	207	이철호	잠실서	215	이필규	동안양서	257	이현문	중랑서	219	이현지	기재부	85
이창우	서인천서	297	이철호	익산서	398	이필용	광주청	368	이현미	삼성서	192	이현지	동작서	186
이창우	남대구서	412	이철호	양산서	479	이하경	인천서	299	이현민	인천청	287	이현지	성북서	200
이창욱	국세교육	138	이철환	시흥서	251	이하경	해운대서	466	이현민	울산서	471	이현지	성북서	201
이창욱	제주서	486	이철효	논산서	341	이하나	금천서	177	이현범	남동서	295	이현지	영등포서	208
이창원	안산서	254	이철훈	관세청	490	이하나	중부청	225	이현상	대전청	327	이현지	용인서	260
이창인	국세청	118	이청림	부산강서	457	이하나	중부청	228	이현상	대전청	330	이현지	익산서	398
이창일	양산서	478	이청엽	순천서	386	이하나	기흥서	237	이현석	강남서	167	이현지	구미서	426
이창일	지방재정	511	이청우	대전청	326	이하나	홍천서	283	이현석	고양서	303	이현지	동래서	453
이창주	광주청	373	이초록	동대문서	185	이하나	북전주서	396	이현석	서현이현	7	이현진	국세청	116
이창주	통영서	484	이초롱	시흥서	250	이하림	서인천서	296	이현선	강릉서	270	이현진	동안양서	242
이창준	서울청	158	이초롱	평택서	265	이하림	중부산서	464	이현선	남동서	295	이현진	수원서	248
이창준	서울청	164	이춘근	삼성서	193	이하승	전주서	400	이현수	서울청	161	이현진	안양서	258
이창준	익산서	399	이춘복	북대구서	416				이현수	경산서	423	이현진	대전청	331

이현진	동울산서	469	이혜진	서울청	151	이효원	분당서	244	임경준	서울청	154	임보현	동대문서	184
이현진	김해서	474	이혜진	구로서	175	이효정	마포서	189	임경재	성북서	200	임보화	중부청	225
이현진	양산서	479	이혜진	동안양서	242	이효정	역삼서	207	임경택	울산서	470	임복규	금융위	93
이현철	동고양서	309	이혜진	성남서	246	이효정	종로서	217	임경표	제주서	486	임봉근	감사원	70
이현태	기재부	75	이혜진	남부천서	310	이효정	시흥서	250	임경환	서산서	344	임봉숙	중부서	220
이현택	중부서	230	이혜진	논산서	340	이효정	동래서	452	임경환	광주청	367	임부은	부산청	446
이현해	제주서	486	이혜진	충주서	364	이효주	잠실서	214	임경환	광주청	370	임빛나	춘천서	280
이현혜	부산청	444	이혜진	통영서	485	이효진	서울청	142	임경환	광주청	371	임상규	의정부서	318
이현호	국세청	117	이호	남양주서	238	이효진	은평서	212	임경희	포항서	439	임상균	기재부	78
이현화	서울청	153	이호	인천청	289	이효진	청주서	363	임공주	동울산서	468	임상록	서초서	196
이현화	김포서	307	이호	홍성서	354	이효진	수성서	420	임관수	화성서	268	임상만	진주서	481
이현희	송파서	203	이호	순천서	386	이효진	동래서	452	임관호	관악서	173	임상미	조세재정	516
이현희	영등포서	208	이호	남대구서	413	이효진	부산강서	456	임광빈	부평서	314	임상민	국세청	117
이현희	부산청	447	이호경	강남서	166	이효진	동울산서	468	임광열	남양주서	239	임상빈	대전청	326
이형구	기재부	89	이호관	동수원서	240	이효진	관세청	490	임광준	목포서	384	임상조	마산서	477
이형구	안산서	255	이호광	평택서	264	이효진	지방재정	510	임광혁	상주서	430	임상진	국세청	127
이형근	춘천서	281	이호길	서울청	149	이후건	중랑서	218	임광훈	잠실서	215	임상진	성동서	199
이형근	동울산서	468	이호남	순천서	386	이후돈	춘천서	280	임교진	용인서	261	임상진	서대구서	419
이형동	신대동	53	이호범	광교세무	36	이후림	강동서	168	임권택	연수서	317	임상헌	국세청	116
이형민	조세재정	514	이호상	부산청	442	이훈	남대문서	181	임규만	용산서	210	임상혁	감사원	71
이형배	국세청	115	이호석	서울청	371	이훈	익산서	399	임규빈	김해서	475	임상미	기재부	77
이형석	춘천서	280	이호석	딜로이트	15	이훈기	동안양서	242	임규성	금천서	177	임상현	서부산서	461
이형석	중부산서	465	이호성	삼성서	193	이훈용	기재부	74	임근재	국세청	118	임상훈	영월서	276
이형석	조세재정	515	이호성	중부산서	465	이훈재	서울세관	494	임근재	국세청	126	임상희	이천서	262
이형섭	서울청	156	이호수	부산청	231	이훈희	동화업서	267	임근재	서울청	155	임샘터	충주서	365
이형섭	대전청	326	이호승	서광주서	380	이훈희	남대구서	413	임금자	마포서	188	임서현	구로서	175
이형우	대구청	406	이호연	서울청	154	이훈희	북부산서	459	임기근	기재부	78	임서현	중부청	232
이형원	국세청	120	이호연	서울청	142	이휘승	인천서	299	임기문	부천서	313	임석규	남대문서	179
이형원	동작서	187	이호열	영주서	436	이휴련	대전청	326	임기양	서울청	142	임석민	중랑서	218
이형일	기재부	74	이호영	금융위	93	이홍열	관세사회	51	임기준	익산서	398	임석봉	안양서	258
이형준	서울청	157	이호영	논산서	340	이희경	잠실서	214	임기향	서울청	118	임석준	중부청	226
이형진	이천서	262	이호영	부산강서	456	이희경	조세재정	514	임길묵	국세청	128	임석현	고양서	303
이형진	광교세무	37	이호용	양천서	205	이희곤	기재부	83	임길수	영등포서	208	임석호	인천청	286
이형철	김포서	307	이호은	서울청	155	이희라	강동서	168	임길호	세무세관	494	임선기	서부산서	461
이형훈	북대전서	334	이호인	안동서	432	이희령	서울청	143	임나경	수영서	462	임선아	광주서	372
이혜경	고양서	303	이호재	성동서	199	이희령	부산진서	454	임나영	중부청	224	임선영	성동서	199
이혜경	연수서	317	이호정	김포서	306	이희범	기재부	76	임남욱	서광주서	380	임선영	국세청	121
이혜경	광주청	370	이호준	국세청	126	이희범	국세청	127	임다림	충주서	365	임선옥	인천서	298
이혜경	서광주서	380	이호준	김포서	307	이희석	동안서	257	임다혜	서울청	144	임선주	남양주서	238
이혜경	상주서	431	이호준	홈앤아웃	45	이희석	조세재정	514	임달순	영동서	358	임선아	서대전서	336
이혜경	김해서	475	이호찬	지방재정	511	이희숙	송파서	203	임담윤	반포서	190	임선희	기재부	89
이혜규	안양서	259	이호철	기흥서	237	이희영	동대문서	184	임대규	지방재정	512	임선희	용인서	261
이혜란	강동서	169	이호철	여수서	389	이희옥	구미서	408	임대근	용인서	260	임성도	영등포서	209
이혜란	부산청	445	이호태	법무광장	57	이희영	동수원서	241	임대승	태평양	60	임성민	동래서	452
이혜령	부산강서	457	이호필	국세청	125	이희정	분당서	245	임덕수	인천청	287	임성민	광주청	368
이혜령	서부산서	461	이홍규	안산서	119	이희정	마산서	476	임도성	기재부	77	임성범	지방재정	510
이혜리	구로서	174	이홍로	세무토은	39	이희정	진주서	480	임동건	부산청	447	임성아	제주서	487
이혜리	용산서	210	이홍범	조세재정	515	이희준	금감원	95	임동구	김앤장	55	임성애	수성서	420
이혜린	서울청	163	이홍범	기재부	85	이희준	금감원	100	임동섭	대전청	329	임성연	화성서	268
이혜린	대전청	328	이홍숙	동작서	187	이희진	영등포서	208	임동섭	서초서	197	임성영	용산서	211
이혜림	기재부	80	이홍엽	북대구서	417	이희진	순천서	387	임동욱	금정서	451	임성옥	충주서	365
이혜림	양산서	478	이홍욱	강동서	168	이희진	부산청	445	임동욱	인천세관	499	임성재	삼일회계	19
이혜미	인천서	299	이홍조	대전청	327	이희창	영등포서	208	임동욱	감사원	71	임성준	부산강서	457
이혜미	고양서	302	이홍환	경주서	424	이희태	관악서	172	임동호	기재부	76	임성찬	서초서	197
이혜민	마포서	189	이홍환	지방재정	510	이희한	기재부	89	임득균	부산청	449	임성혁	용인서	261
이혜민	서초서	197	이화명	국세청	114	이희현	포천	323	임명규	국세청	131	임성훈	대구청	411
이혜민	용인서	261	이화선	은평서	212	이희환	동작서	186	임명효	감사원	71	임세실	중부청	230
이혜민	북대전서	334	이화선	해남서	390	인경훈	화성서	268	임무일	삼척서	273	임세창	강남서	167
이혜민	삼일회계	18	이화순	세무토은	39	인길식	금감원	360	임무일	삼척서	273	임세혁	인천청	291
이혜서	안산서	254	이화영	관악서	172	인길식	동안산서	256	임문숙	삼성서	192	임소미	전주서	401
이혜선	성동서	198	이화영	통영서	484	인병춘	법무광장	57	임미라	서울청	146	임소연	성동서	199
이혜선	잠실서	215	이화용	대전청	331	인소영	원주서	278	임미선	마포서	188	임소연	구로서	175
이혜선	인천청	289	이화용	홍성서	354	인순영	성북서	200	임미선	부산청	445	임소영	의정부서	318
이혜수	구로서	175	이화자	대전청	328	인영수	딜로이트	15	임미송	동안양서	243	임소영	조세재정	515
이혜승	마포서	188	이화진	성동서	198	인윤희	삼성서	192	임미영	남대문서	180	임소현	공주서	339
이혜연	남대문서	179	이환	순천서	387	인정덕	잠실서	214	임미영	동대문서	184	임소현	예산서	350
이혜영	양천서	205	이환구	법무광장	57	인찬웅	중부서	231	임미정	국세청	118	임소희	전주서	400
이혜영	남양주서	238	이환권	금감원	106	인한용	경기광주	253	임미화	조세재정	516	임송대	김앤장	55
이혜영	서인천서	296	이환규	대전청	330	임강민	기재부	89	임미희	광주서	115	임송빈	광주서	352
이혜영	광명서	305	이환선	진주서	481	임강욱	서울청	163	임민규	대구세관	506	임수경	해남서	390
이혜영	구미서	427	이환성	서광주서	380	임강욱	북광주서	378	임민지	역삼서	206	임수경	상주서	431
이혜옥	고양서	303	이환수	삼성서	192	임거성	화성서	143	임민철	기재부	84	임수기	기재부	221
이혜은	국세청	114	이환운	남양주서	238	임건아	화성서	268	임병국	기재부	86	임수미	해남서	391
이혜인	기재부	91	이환웅	조세재정	515	임경남	동대문서	185	임병석	남양주서	238	임수민	평택서	264
이혜인	서울청	165	이환주	포천서	322	임경미	서울청	159	임병섭	창원서	483	임수민	대전청	329
이혜인	용산서	210	이환희	강동서	169	임경선	종로서	216	임병수	동작서	187	임수봉	순천서	387
이혜인	화성서	268	이효경	중부청	226	임경선	남원서	395	임병일	강남서	166	임수빈	서울청	144
이혜인	부산강서	456	이효나	기흥서	236	임경섭	국세상담	136	임병일	평택서	265	임수성	서울청	162
이혜전	서울청	146	이효봉	세무다우	42	임경섭	국세청	126	임병주	남대구서	412	임수연	양천서	204
이혜정	기재부	75	이효선	서광주서	381	임경수	이천서	263	임병훈	국세청	129	임수정	중부청	233
이혜정	기재부	86	이효선	정읍서	403	임경수	원주서	278	임병훈	부산청	449	임수정	충주서	365
이혜정	부산청	448	이효연	광교세무	37	임경숙	천안서	352	임보금	부평서	314	임수정	마산서	476
이혜정	창원서	482	이효영	창원서	482	임경숙	논산서	340	임보라	마포서	189	임수정	통영서	484
이혜지	동고양서	309	이효원	도봉서	182	임경욱	국세상담	136	임보람	마포서	189	임수진	동대문서	184
									임경주	부산청	446	임보영	감사원	71	임수진	삼성서	192

이름	소속	쪽
임수진	역삼서	206
임수진	동고양서	309
임수혁	법무광장	56
임수현	국세청	117
임수현	중부청	230
임수현	기흥서	236
임수현	서대구서	418
임숙자	중부서	221
임순이	평택서	264
임순종	남부천서	310
임순하	동고양서	308
임슬기	세종서	346
임성명	강서서	171
임승빈	중부청	230
임승섭	중부청	226
임승수	중부청	226
임승원	평택서	265
임승하	서초서	196
임승혁	예일회계	24
임승환	예일세무	49
임시형	남양주서	239
임식용	국세청	121
임신희	강남서	167
임아련	북전주서	396
임아름	강동서	169
임아름	평택서	265
임아사	용인서	260
임안나	서울청	144
임애리	중부청	232
임양건	포천서	322
임양록	김앤장	55
임양미	수원서	248
임양주	익산서	399
임여경	국세청	117
임연빈	조세재정	515
임연우	서인천서	296
임영교	화성서	269
임영미	세종서	346
임영빈	삼일회계	19
임영상	기재부	82
임영선	남대문서	180
임영선	영월서	277
임영수	송파서	203
임영수	제천서	361
임영신	서울청	145
임영신	서울청	147
임영신	대전청	327
임영아	서울청	162
임영은	서울청	152
임영주	기재부	88
임영주	중기회	110
임영주	서대구서	419
임영탁	중부지방	33
임영휘	기재부	87
임영희	울산서	471
임예인	영주서	437
임옥경	성동서	198
임옥규	국세청	130
임온순	동남양서	242
임완수	경주서	424
임완진	중부산서	465
임용걸	동대문서	184
임용견	인천세관	499
임용규	거창서	472
임용묵	신대동	53
임용주	인천서	298
임용택	김앤장	55
임우영	수영서	258
임우철	수영서	462
임우현	중부청	231
임욱	남부천서	310
임원희	진주서	481
임유란	논산서	340
임유리	평택서	264
임유리	예산서	351
임유선	수성서	420
임유순	기재부	75
임유정	서초서	197
임유진	마포서	188
임유진	청주서	362
임유화	강서서	171
임윤섭	국회재정	63
임윤영	부산진서	455
임윤정	서부산서	460
임윤정	지방재정	512
임윤종	도봉서	183
임윤택	중랑서	218
임은란	기재부	83
임은미	강서서	170
임은미	부산진서	454
임은식	인천청	291
임은주	종로서	217
임은주	중랑서	218
임은철	국세청	128
임은총	대전청	328
임은형	종로서	217
임은화	마포서	189
임인규	홈앤아웃	45
임인수	북부산서	458
임인재	종로서	216
임인정	서울청	150
임인택	홍성서	354
임인택	충주서	364
임인혁	동화성서	267
임일혁	서울청	149
임자혁	인천서	298
임장섭	이천서	263
임재규	중부청	230
임재돈	예산서	350
임재미	중부청	233
임재빈	화성서	269
임재석	인천서	287
임재승	중부청	233
임재은	고양서	302
임재주	국세교육	139
임재철	예산서	351
임재학	대구청	409
임재혁	중부청	232
임재현	남대문서	181
임정경	분당서	244
임정관	서대구서	418
임정미	국세청	133
임정미	역삼서	206
임정미	광주청	373
임정민	광주청	370
임정석	성동서	199
임정섭	양산서	479
임정숙	기재부	79
임정숙	관악서	173
임정연	기재부	90
임정완	인천지방	34
임정일	중부청	231
임정일	서울청	161
임정진	서울청	483
임정혁	중부청	232
임정혁	조세재정	516
임정현	의정부서	318
임정혜	대전청	329
임정호	서울청	147
임정환	감사원	105
임정환	춘천서	281
임정환	마산서	477
임정훈	국세상담	136
임정훈	포항서	439
임정훈	울산서	470
임정훈	법무율촌	58
임정희	구로서	174
임정희	반포서	191
임종권	조세재정	516
임종근	중부산서	464
임종덕	대구세관	506
임종민	중랑서	218
임종민	부산세관	502
임종수	서울청	142
임종수	서울청	154
임종수	지방지방	32
임종순	국세청	129
임종안	남원서	394
임종우	서인천서	296
임종진	서울청	152
임종진	부산청	445
임종진	북대전서	334
임종찬	대구청	409
임종철	영주서	436
임종헌	관악서	173
임종호	국세청	117
임종호	북대구서	416
임종훈	반포서	191
임종훈	경기광주	252
임종훈	동울산서	468
임종희	영등포서	209
임주경	동래서	452
임주리	광주청	371
임주연	금융위	93
임주영	양산서	478
임주원	금천서	177
임주현	기재부	74
임주현	시흥서	251
임주형	고양서	302
임주환	동대구서	414
임준빈	구로서	175
임준일	계양서	301
임지남	성동서	199
임지민	마포서	189
임지수	포항서	438
임지숙	역삼서	207
임지아	국세청	117
임지완	북대전서	334
임지윤	조세재정	516
임지은	구리서	234
임지은	동안양서	243
임지은	경주서	425
임지은	부산청	449
임지혁	파주서	321
임지현	삼성서	193
임지현	용산서	211
임지현	부산진서	454
임지현	수영서	462
임지형	서울청	145
임지혜	기재부	84
임지혜	삼성서	192
임지혜	중부청	229
임지혜	대전서	332
임지혜	창원서	482
임지훈	대전청	329
임지훈	대전서	332
임지훈	전주서	401
임지훈	딜로이트	15
임지흠	기재부	84
임진	상공회의	108
임진묵	삼척서	272
임진아	국세청	133
임진연	김포서	306
임진영	남대문서	179
임진영	홍성서	354
임진옥	서울청	143
임진옥	고양서	303
임진정	광산서	374
임진수	강서서	170
임진혁	인천서	299
임진호	서울청	158
임진홍	기재부	85
임질성	포천서	323
임찬혁	마포서	188
임찬혁	보령서	342
임창관	목포서	384
임창규	서울청	143
임창범	서울청	151
임창섭	의정부서	319
임창섭	서울청	142
임창섭	창원서	483
임창수	서산서	344
임창수	남대구서	413
임창수	창원서	483
임창수	부산세관	502
임창현	원주서	278
임채경	부천서	313
임채문	남대문서	181
임채문	원주서	278
임채수	세무사회	29
임채수	가현택스	150
임채수	가현택스	161
임채수	가현택스	215
임채영	북광주서	379
임채영	부산강서	456
임채일	금정서	450
임채준	국세청	118
임채현	경산서	422
임채홍	대구청	406
임철	상공회의	108
임철우	중부청	229
임철진	광주청	369
임청하	춘천서	280
임춘호	중기회	110
임춘희	대전서	332
임충현	상공회의	109
임충혁	상공회의	109
임치성	경기광주	252
임치수	대구청	407
임치영	광주서	376
임태수	통영서	485
임태순	부산청	445
임태두	금천서	176
임태일	서울청	160
임태호	동작서	186
임하경	강동서	169
임하나	중부산서	464
임한경	동대구서	415
임한균	영등포서	208
임한섭	수원서	249
임한솔	북대전서	334
임한영	서울청	153
임한준	대전청	329
임해균	계양서	300
임해리	공주서	338
임행완	서울청	144
임향숙	순천서	387
임향원	동대구서	414
임헌정	기재부	87
임헌진	충주서	365
임현경	중랑서	219
임현석	국세상담	136
임현수	충주서	365
임현영	중랑서	219
임현우	영등포서	209
임현정	성동서	198
임현정	부천서	313
임현정	조세재정	515
임현주	중부청	231
임현정	서울청	156
임현철	대전청	327
임현철	인천세관	497
임현철	인천세관	500
임현택	순천서	386
임형걸	국세교육	139
임형태	서대전서	337
임형수	마포서	188
임형수	파주서	320
임형수	조세재정	516
임형용	북전주서	397
임형우	인천청	289
임형섭	양산서	258
임형철	기재부	89
임형철	서초서	196
임형태	서울청	155
임혜경	부산진서	454
임혜란	중부청	232
임혜령	서울청	156
임혜연	강동서	168
임혜연	화성서	268
임혜영	기재부	87
임혜영	춘천서	227
임혜진	서울청	152
임혜진	중랑서	218
임혜진	양산서	478
임호성	파주서	321
임호진	서울청	143
임홍남	딜로이트	15
임홍래	조세재정	516
임홍숙	성동서	198
임홍철	관악서	197
임화춘	국세청	116
임효선	서울청	149
임효선	영등포서	208
임효선	EY한영	13
임효신	대구청	408
임효정	강서서	170
임훈	구리서	235
임흥식	광명서	305
임희건	도봉서	182
임희경	동안산서	257
임희영	조세재정	516
임희운	춘천서	281
임희원	관악서	172
임희인	대구청	407
임희정	구로서	175
임희정	중부청	232
임희택	창원서	483

이름	소속	쪽
자산분	국세청	117
자포용	금감원	104
장건수	관악서	173
장건식	송파서	202
장건호	의정부서	319
장경숙	동대구서	414
장경일	원주서	278
장경호	국세청	117
장경호	부산세관	502
장경화	국세청	129
장경화	서광주서	380
장경희	동화성서	266
장경희	대구청	409
장광석	국세청	117
장광순	광교세무	38
장광식	원주서	279
장광웅	국세상담	136
장광행	동울산서	469
장권철	국세청	131
장규복	서대문서	195
장근무	상공회의	109
장근철	대구청	407
장금희	경기광주	253
장승	인천서	298
장기영	정읍서	402
장기웅	반포서	191
장기원	대전청	326
장기원	국세상담	136
장기훈	분당서	244
장낙원	조세재정	515
장난수	감사원	70
장남식	시흥서	250
장남운	EY한영	13
장남홍	광교세무	36
장노기	김해서	474
장대혜	북부산서	458
장대식	동안양서	243
장대완	서울청	144
장덕구	대전청	330
장덕순	강남서	167
장덕진	거창서	473
장덕희	부산청	444
장동규	나주서	383
장동은	대전청	328
장동은	구로서	175
장동혁	서초서	196
장동혁	국회법제	66
장동환	서울청	157
장동훈	영등포서	209
장두수	경주서	424
장두영	남대문서	180
장두진	동래서	452
장말섭	시흥서	250
장명수	창원서	483
장명숙	강서서	170
장명화	청주서	362
장명훈	동안양서	242
장문근	남대문서	178
장문석	조세재정	515
장문수	제천서	361
장미랑	남원서	394
장미선	서울청	143
장미연	서울청	143
장미영	아산서	348
장미영	북전주서	396
장미자	군산서	392
장미진	이천서	262
장미진	동울산서	468
장미혜	강서서	170
장민	금천서	177
장민경	송파서	202
장민경	중랑서	218
장민기	동안양서	242
장민석	해남서	391
장민석	제주서	486
장민수	동수원서	241
장민우	남대문서	180
장민재	홍천서	283
장민혜	조세재정	515

이름	소속	번호	이름	소속	번호	이름	소속	번호
장민환	세종서	347	장슬빈	인천서	298	장윤정	수영서	462
장바롬	동울산서	468	장승대	기재부	86	장윤정	수영서	462
장백용	창원서	482	장승연	영등포서	208	장윤지	조세재정	516
장병국	서울청	148	장승연	태평양	60	장윤하	서울청	149
장병찬	포천서	323	장승원	의정부서	318	장윤화	진주서	480
장병채	금천서	176	장승일	진주서	480	장은경	남동서	294
장병호	서대구서	418	장승희	중부청	225	장은경	대구청	406
장보수	분당서	244	장시열	기재부	83	장은경	부산서	445
장보영	기재부	82	장시열	목포서	385	장은석	국세청	118
장보원	고시회	30	장시원	경주서	425	장은수	국세청	124
장보현	기재부	86	장시찬	대전청	331	장은수	서울세관	494
장복동	포천서	322	장신기	광주청	367	장은심	동화성서	267
장상록	딜로이트	15	장신기	광주청	371	장은영	구로서	175
장상우	국세청	116	장신기	광주청	372	장은영	포항서	438
장상원	부산진서	454	장아론	조세재정	514	장은영	진주서	480
장서라	서초서	196	장아론	조세재정	516	장은영	지방재정	510
장서영	남대문서	181	장아름미	서울청	161	장은용	남동서	295
장서영	광산서	375	장엄지	동고양서	308	장은정	금천서	177
장서영	북부산서	458	장연경	의정부서	318	장은정	동대문서	185
장서윤	동작서	186	장연근	삼성서	193	장은정	영등포서	209
장서현	서울청	159	장연숙	중부청	224	장은조	종로서	74
장서희	마포서	188	장연숙	남대구서	413	장은주	국세교육	138
장석만	영월서	277	장연주	양천서	204	장의순	기재부	84
장석문	부산청	444	장연호	법무광장	56	장이삭	국세청	117
장석안	예산서	351	장연화	부평서	314	장이지	관악서	172
장석오	중부청	227	장영	기재부	81	장익성	중부청	228
장석준	중부청	225	장영란	삼성서	192	장익열	제주서	486
장석진	중부청	231	장영림	울산서	211	장인섭	국세교육	138
장석현	서산서	345	장영민	서울세관	494	장인섭	중부청	233
장석현	동대구서	415	장영섭	법무광장	57	장인섭	이천서	262
장선균	광주서	377	장영수	순천서	387	장인수	남대문서	180
장선미	남양주서	239	장영일	중부청	233	장인숙	서울청	147
장선영	인천청	290	장영자	국세교육	138	장인숙	부산서	445
장선우	금정서	451	장영주	전주서	401	장인영	성남서	163
장선정	인천청	292	장영준	청주서	362	장인영	성남서	246
장선희	광명서	304	장영진	국세주류	134	장인철	금정서	451
장설희	동고양서	308	장영진	동화성서	266	장일영	기재부	78
장성근	서부산서	461	장영철	북전주서	396	장일영	광명서	304
장성근	양산서	478	장영철	국세주류	134	장일웅	고양서	303
장성기	국세청	120	장영호	부산서	446	장일현	부산청	441
장성두	태평양	60	장영환	용산서	210	장일현	부산청	442
장성미	충주서	364	장영훈	종로서	217	장재림	서울청	142
장성민	안양서	259	장예원	남동서	294	장재복	중부청	231
장성우	동대문서	185	장예지	영등포서	209	장재선	해운대서	467
장성우	서초서	196	장완재	전주서	401	장재수	서울청	160
장성우	군산서	392	장외자	동대구서	414	장재영	강서서	170
장성욱	북부산서	459	장용경	용산서	210	장재영	삼성서	193
장성재	광주청	368	장용준	군산서	393	장재영	여수서	388
장성하	국세청	123	장용호	인천세관	498	장재웅	기재부	77
장성환	중부청	231	장우석	의정부서	318	장재웅	인천서	298
장세연	천안서	353	장우영	아산서	349	장재원	강서서	170
장세원	평택서	265	장우정	국세청	123	장재원	지방재정	511
장세창	인천세관	498	장우현	조세재정	515	장재윤	서부산서	461
장세철	동울산서	469	장운정	조세재정	515	장재필	울산서	470
장세황	포항서	438	장웅요	관세청	490	장재형	법무율촌	58
장소연	안산서	255	장웅진	국회재정	63	장재호	금천서	176
장소연	EY한영	13	장원대	부산청	446	장재훈	은평서	213
장소영	서울청	160	장원미	의정부	302	장재희	원주서	278
장소영	강남서	167	장원석	인천서	299	장점선	고양서	303
장소영	기흥서	236	장원식	국세청	117	장점자	여수서	388
장소영	남양주서	238	장원식	남동서	124	장정수	구리서	235
장소영	남부천서	311	장원식	서울청	162	장정순	조세재정	514
장소영	제주서	486	장원일	국세청	123	장정순	파주서	321
장송영	김해서	474	장원정	영등포서	209	장정엽	천안서	353
장송이	서초서	196	장원창	부산청	444	장정우	의정부서	318
장수안	서울청	143	장유나	서대구서	418	장정욱	남양주서	238
장수연	광주청	369	장유나	해운대서	466	장정윤	조세재정	516
장수연	북대구서	416	장유리	수원서	248	장정은	서울청	142
장수연	수영서	463	장유민	경산서	423	장정진	기재부	88
장수연	김해서	474	장유석	기재부	88	장정혜	김포서	306
장수영	부평서	315	장유용	광주세관	508	장정혜	남대구서	412
장수원	영등포서	208	장유정	영등포서	209	장조희	중랑서	218
장수은	기재부	91	장유정	계양서	300	장종철	동대구서	414
장수정	중부청	226	장유정	지방재정	510	장종현	안산서	254
장수정	수성서	420	장유진	원주서	278	장종희	부산세관	502
장수진	남양주서	239	장유진	동고양서	308	장주열	동고양서	308
장수현	서울청	156	장유진	동래서	453	장주영	북부산서	458
장수현	동작서	186	장유진	동울산서	468	장주환	중부산서	464
장수환	국세청	128	장유진	지방재정	510	장준	김해서	475
장수희	광산서	374	장슬여	대전청	328	장준미	국세청	126
장순희	광주서	377	장윤정	기재부	75	장준엽	전주서	400
장순남	법무광장	57	장윤정	기재부	78	장준영	기재부	76
장순임	수원서	249	장윤정	분당서	245	장준영	서부산서	461
장슬기	시흥서	251	장윤정	동화성서	267	장준용	대전청	331
장슬미	목포서	385						

이름	소속	번호	이름	소속	번호
장준원	영등포서	209	장형보	동안산서	257
장준재	국세청	129	장형석	지방재정	511
장준환	포항서	438	장형순	남대구서	412
장준희	기재부	79	장형욱	해남서	391
장준희	조세재정	515	장형재	서광주서	380
장지민	광주서	376	장형준	정읍서	403
장지선	여수서	388	장혜경	강동서	168
장지안	익산서	398	장혜경	남대문서	185
장지연	세무하나	47	장혜령	동청주서	356
장지영	동작서	187	장혜린	충주서	364
장지영	해운대서	466	장혜림	평택서	264
장지우	송파서	203	장혜민	남대문서	179
장지원	서광주서	380	장혜민	부산서	445
장지원	조세재정	516	장혜민	지방재정	510
장지윤	서울청	151	장혜선	기재부	82
장지은	서울청	153	장혜영	국회재정	64
장지혜	서울청	146	장혜영	서울청	145
장지훈	평택서	264	장혜원	창원서	483
장지환	정진세림	27	장혜정	의정부서	319
장지훈	국세청	127	장혜주	성동서	198
장지훈	삼정회계	20	장혜지	반포서	190
장진기	인천지방	34	장혜지	이천서	263
장진범	동대문서	185	장혜진	구리서	235
장진영	도봉서	183	장호영	이안세무	50
장진영	서울청	377	장호영	동화성서	267
장진혁	파주서	320	장호정	북대구서	416
장진혁	나주서	382	장호철	김해서	474
장진희	강동서	169	장홍경	북부산서	458
장찬순	홍성서	354	장효경	남대구서	412
장창렬	국세청	118	장효숙	삼성서	193
장창민	인천지방	34	장효숙	지방재정	512
장창복	관악서	172	장효순	기재부	89
장창현	안산서	255	장효순	부산청	442
장창호	수성서	420	장효은	기재부	85
장창환	서울청	146	장훈	청주서	362
장철	김포서	416	장훈	수성서	421
장철성	금천서	176	장훈희	김포서	306
장철현	종로서	217	장리라	부산강서	456
장철현	김천서	429	장리석	관세사회	51
장춘호	인천세관	499	장희숙	역삼서	206
장충규	강남서	166	장희원	서울청	143
장태복	서울청	161	장희정	강남서	166
장태성	중부청	229	장희정	금천서	176
장태희	지방재정	512	장희정	영등포서	208
장필호	군산서	393	장희정	서대구서	418
장하영	마포서	188	장희진	안산서	255
장하용	서울청	152	장희철	서울청	154
장한별	대전청	328	전가람	경기광주	253
장한슬	서대구서	419	전갑수	경주서	424
장한미	동청주서	357	전갑종	서현이현	7
장해성	부산청	446	전강식	국세청	121
장해성	서울청	160	전강현	동안양서	243
장해순	화성서	268	전건모	파주서	321
장해순	안양서	259	전경란	강서서	170
장해연	송파서	203	전경선	동화성서	266
장해영	기재부	78	전경선	지방재정	513
장해영	익산서	399	전경숙	해운대서	466
장혁민	포항서	439	전경옥	광명서	305
장혁배	성남서	247	전경일	의정부서	319
장현	구미서	265	전경호	도봉서	182
장현기	대구청	406	전광중	서초서	196
장현미	서대구서	418	전광열	기재부	74
장현봉	안양서	248	전광현	서울청	144
장현석	지방재정	510	전광호	기재부	79
장현성	구로서	175	전광희	춘주서	365
장현수	용인서	260	전교선	대전청	326
장현수	계양서	300	전구식	중부지방	33
장현수	세종서	346	전국화	울산서	470
장현옥	북전주서	396	전국휘	분당서	244
장현옥	원주서	278	전군표	광교세무	36
장현우	동대구서	414	전근	구미서	426
장현정	북전주서	396	전기석	중부청	231
장현정	구미서	426	전기승	금천서	177
장현주	중부청	233	전기희	수원서	249
장현주	영주서	436	전다솜	서대문서	195
장현주	안양서	258	전다영	용인서	261
장현준	삼일회계	18	전다인	구리서	234
장현중	기재부	87	전담	금감원	102
장현진	서울청	153	전대웅	국세청	125
장현진	춘천서	281	전대진	강릉서	270
장현진	양산서	478	전덕순	울산서	470
장현하	예산서	351	전동근	국세청	130
			전동길	국세청	118
			전동길	국세청	126
			전동철	이천서	263

이름	소속	번호	이름	소속	번호	이름	소속	번호	이름	소속	번호	이름	소속	번호
전동표	기재부	75	전승현	서울청	158	전재령	영동서	359	전한식	잠실서	215	정경훈	세무사회	29
전동호	동고양서	308	전승현	인천청	287	전재형	경기광주	253	전한준	김앤장	55	정계승	논산서	341
전동훈	법무율촌	58	전승환	서울청	153	전정영	국세청	127	전해일	기재부	76	정계훈	신대동	53
전만기	강동서	168	전승훈	용산서	210	전정원	중랑서	219	전해철	북광주서	378	정관성	구로서	174
전명진	대전청	329	전신희	용인서	260	전정은	국세청	127	전현민	서부산서	460	정광륜	중랑서	219
전문숙	통영서	485	전아라	서울청	150	전정호	평택서	264	전현민	연수서	316	정광연	감사원	70
전미경	수원서	249	전애진	국세청	130	전정훈	종로서	217	전현숙	제천서	361	정광조	기재부	77
전미례	삼성서	192	전연주	서초서	196	전제간	삼성서	193	전현아	동청주서	356	정광진	김앤장	55
전미선	순천서	386	전연진	지방재정	512	전제열	해운대서	467	전현우	양천서	205	정광춘	인천세관	497
전미숙	서초서	197	전영균	구로서	175	전종근	국세상담	136	전현정	서울청	158	정광춘	인천세관	500
전미애	인천서	299	전영무	인천청	290	전종길	지방재정	511	전현정	인천청	290	정광표	동고양서	308
전미영	고양서	302	전영수	금정서	451	전종상	서울청	144	전현정	대전서	332	정광호	서대전서	336
전미자	서대구서	418	전영심	해운대서	467	전종상	남대문서	181	전현정	대구청	408	정교민	강남서	167
전민재	강서서	170	전영우	금천서	176	전종선	서울청	142	전현우	동청주서	357	정교진	인천세관	499
전민정	국세청	126	전영우	창원서	482	전종섭	삼일회계	18	전현우	해운대서	466	정교철	평택서	145
전민정	서울청	149	전영욱	부산진서	454	전종순	광명서	304	전현지	경산서	423	정구천	관세청	491
전민지	삼성서	192	전영의	광명서	305	전종원	통영서	485	전현혜	용산서	211	정구현	서산서	345
전범현	분당서	245	전영준	법무율촌	89	전종태	북부산서	459	전형구	지방재정	511	정구휘	서인천서	297
전범준	청주서	362	전영지	수원서	249	전종현	기재부	85	전형민	강남서	166	정국교	삼척서	272
전범철	중부서	230	전영진	감사원	71	전종호	창원서	482	전형용	기재부	84	정국일	고양서	303
전병건	인천세관	500	전영창	세무하나	47	전종희	서울청	156	전형정	평택서	264	정권술	창원서	482
전병국	북부산서	459	전영철	진주서	481	전주석	인천청	287	전형진	북대전서	335	정규남	화성서	268
전병두	은평서	212	전영출	김포서	306	전주현	서울청	145	전형진	삼일회계	18	정규명	서울청	163
전병목	국세재정	514	전영현	대구서	406	전주혜	국회법제	66	전혜숙	중기회	110	정규민	대전서	333
전병수	포천서	322	전영호	강서서	170	전주화	여수서	389	전혜림	서울청	163	정규삼	기재부	81
전병오	포천서	322	전영호	북대구서	417	전주희	영등포서	208	전혜영	중부청	231	정규삼	대구청	411
전병일	부산진서	454	전예원	조세재정	515	전준고	기재부	78	전혜영	평택서	265	정규식	국세청	130
전병준	강동서	169	전예슬	인천청	287	전준영	기재부	91	전혜영	영동서	359	정규욱	국세교육	138
전병진	서초서	197	전예지	기재부	91	전준일	역삼서	207	전혜영	중부산서	464	정규진	부산청	444
전병천	기흥서	236	전예진	남동서	295	전준철	법무광장	57	전혜윤	동고양서	308	정규진	부산서	445
전병헌	대전청	327	전옥선	대전청	327	전준호	인천청	290	전혜정	용산서	210	정규호	마포서	189
전보원	남양주서	238	전왕기	마포서	189	전준희	국세청	125	전혜정	광산서	374	정규호	서대구서	418
전보현	동작서	187	전요찬	북전주서	396	전지민	서울청	156	전혜진	정읍서	403	정균영	기재부	83
전복진	순천서	387	전용수	서울청	153	전지민	창원서	483	전호철	영덕서	434	정균태	국세청	32
전봄내	양산서	478	전용원	강남서	167	전지선	광산서	375	전홍	인천청	291	정균호	전주서	401
전봉민	부산청	442	전용준	동울산서	468	전지영	지방재정	510	전홍미	마산서	477	정근선	북대전서	334
전봉준	중부청	229	전용찬	금천서	177	전지연	강남서	166	전화영	중부서	221	정근선	김천서	176
전봉철	익산서	398	전용현	북광주서	378	전지연	남동서	294	전화	은평서	213	정근욱	인천서	298
전상규	국세청	117	전용훈	동안양서	243	전지영	기재부	75	전환민	김앤장	55	정금순	북전주서	396
전상연	북대구서	416	전우승	감사원	71	전지영	포천서	323	전효선	기재부	77	정금태	전주서	400
전상배	서산서	344	전우식	성북서	200	전지영	동대구서	414	전훈희	금천서	176	정금희	서대전서	336
전상은	세무토은	39	전우식	부평서	314	전지용	마산서	476	전희경	잠실서	215	정기선	동작서	186
전상연	영주서	437	전우정	안동서	432	전지원	강서서	170	전희라	금융위	93	정기선	반포서	190
전상현	도봉서	182	전우찬	서초서	197	전지원	광명서	304	전희선	기재부	90	정기선	인천청	291
전상호	포천서	323	전우홍	서울세관	494	전지은	세종서	347	전희원	울산서	470	정기섭	인천세관	497
전상훈	시흥서	251	전운	화성서	269	전지현	국세청	126	전희은	강남서	167	정기섭	인천세관	500
전샛별	강동서	169	전원석	국세청	119	전지현	안산서	254	정가희	김해서	474	정기숙	국세청	117
전서동	동청주서	357	전원실	시흥서	250	전지현	대전청	327	정가영	안산서	254	정기영	기재부	81
전선영	서울청	165	전원엽	삼일회계	18	전지현	대전청	332	정갈렙	영등포서	209	정기원	국세청	118
전선화	서울청	157	전원진	부천서	313	전지현	부산청	448	정강미	중랑서	219	정기수	서광주서	381
전선희	동화성서	267	전유광	서인천서	297	전지혜	반포서	190	정강영	시흥서	250	정기종	광주서	376
전성곤	동울산서	469	전유나	양천서	205	전지희	김천서	429	정건	고양서	303	정기주	서인천서	296
전성민	기재부	74	전유라	서울청	152	전진	서울청	150	정건제	서울청	162	정기진	광산서	375
전성수	강서서	171	전유리	삼성서	193	전진관	세무사회	29	정건화	북부산서	458	정기호	동수원서	240
전성우	상주서	431	전유림	국세청	117	전진수	종로서	217	정경미	대구청	406	정기환	국세청	116
전성익	지방재정	512	전유민	서울청	142	전진아	성동서	198	정경미	대구청	407	정길채	기재부	88
전성준	기재부	82	전유석	기재부	79	전진우	동안양서	256	정경미	서대구서	418	정길호	광산서	375
전성준	광산서	374	전유영	인천청	288	전진우	삼일회계	18	정경민	부산청	446	정길호	인천세관	499
전성헌	기재부	89	전유완	포천서	323	전진철	평택서	265	정경민	시흥서	251	정나영	수성서	420
전성화	부산청	447	전유진	북전주서	396	전진하	부산청	444	정경민	화성서	269	정난영	구로서	174
전성훈	의정부서	319	전유진	예일세무	49	전진호	송파서	203	정경민	동래서	453	정남숙	남대문서	180
전세림	부천서	313	전유호	홈앤아웃	45	전찬범	동대구서	414	정경숙	강서서	171	정남용	서대전서	336
전세남	성남서	246	전윤석	금천서	177	전찬익	기재부	86	정경순	성북서	201	정남희	기재부	87
전세영	분당서	244	전윤아	구리서	235	전찬희	전주서	400	정경순	조세재정	514	정년숙	국세청	124
전세정	국세상담	136	전윤지	동래서	453	전창석	해운대서	477	정경식	여수서	389	정년숙	북광주서	378
전세진	대전청	312	전윤현	포항서	439	전창선	인천청	291	정경식	구미서	427	정다빈	인천서	298
전세현	동울산서	469	전윤희	북대전서	334	전창우	천안서	352	정경애	기재부	81	정다솔	안양서	258
전소연	국세청	117	전은미	남대구서	412	전철열	지방재정	511	정경원	용인서	260	정다영	동작서	186
전소원	서대구서	419	전은상	관악서	173	전충선	국세청	129	정경윤	시흥서	250	정다영	성동서	198
전소윤	계양서	301	전은상	나주서	382	전태병	강남서	167	정경종	중기회	110	정다운	기재부	85
전소현	원주서	278	전은정	안산서	255	전태영	중랑서	119	정경인	시흥서	250	정다운	시흥서	251
전소희	중부청	229	전은진	구리서	235	전태용	부산진서	454	정경일	목포서	385	정다운	안산서	254
전수미	서부산서	461	전이나	북전주서	396	전태원	관악서	173	정경일	북대구서	417	정다운	인천서	298
전수연	강남서	167	전이현	정진세림	27	전태현	나주서	382	정경임	울산서	470	정다운	마산서	476
전수연	동청주서	356	전익선	군산서	393	전태호	서광주서	380	정경종	광주청	372	정다운	조세재정	514
전수영	광주서	377	전익성	서부산서	461	전태호	김해서	474	정경주	중부산서	465	정다윗	조세재정	515
전수정	기재부	75	전익표	안산서	254	전태화	창원서	482	정경진	강서서	170	정다은	창원서	482
전수진	국세청	123	전인경	서울청	144	전태훈	국세청	121	정경진	삼척서	272	정다은	구리서	235
전수현	익산서	399	전인복	천안서	352	전하나	해운대서	467	정경진	경기광주	253	정다은	남동서	294
전순호	성동서	199	전인석	북부산서	458	전하돈	중부청	231	정경택	강남서	167	정다이	고양서	303
전순화	계양서	300	전인지	원주서	279	전하영	양천서	204	정경화	중부청	231	정다혜	삼성서	193
전승록	동울산서	468	전인향	관악서	173	전하윤	부산진서	455	정경화	평택서	264	정다혜	고양서	303
전승조	남대구서	412	전일권	국세청	117	전하준	부천서	313	정경화	조세재정	514	정다희	광주청	368
전승진	조세재정	516	전일수	국세청	130	전학심	마포서	189				정대교	부산강서	457
전승헌	동고양서	308	전재달	부산청	443							정대길	삼정회계	20

이름	소속	번호
정대석	대구청	407
정대수	반포서	190
정대영	국회정무	67
정대영	양천서	204
정대혁	서울청	159
정대화	김해서	475
정대환	중부청	231
정대희	통영서	485
정덕균	광주서	376
정덕주	국세상담	136
정도령	동고양서	308
정도식	부산청	443
정도연	남동서	295
정도영	강남서	167
정도영	김해서	474
정도희	서울청	153
정동기	동수원서	241
정동영	기재부	86
정동욱	관악서	172
정동욱	남동서	295
정동원	중랑서	219
정동원	세무사회	29
정동재	국세청	131
정동주	부산서	446
정동준	상주서	430
정동진	예일회계	24
정동철	서대구서	418
정동혁	국세청	127
정동현	기재부	81
정동화	지방재정	511
정동환	국세상담	136
정동환	서울청	142
정두식	예일세무	49
정란	해남서	390
정류빈	고양서	303
정리나	북광주서	379
정맹헌	수원서	249
정명교	금천서	176
정명균	서현이현	7
정명근	목포서	385
정명기	동안산서	256
정명수	기재부	78
정명수	군산서	393
정명숙	국세청	116
정명숙	국세교육	138
정명숙	충주서	364
정명숙	북광주서	379
정명순	화성서	268
정명주	성동서	198
정명지	기재부	88
정명하	세종서	346
정명환	동래서	452
정명훈	강동서	169
정문수	울산서	470
정문승	속초서	274
정문제	서대구서	419
정문현	고양서	302
정문희	마포서	188
정미경	서울청	143
정미경	반포서	190
정미경	반포서	191
정미경	송파서	202
정미경	중부서	220
정미경	인천청	288
정미나	동래서	452
정미라	서광주서	381
정미라	동울산서	469
정미란	서울청	154
정미란	전주서	401
정미래	관악서	173
정미선	금감원	100
정미선	용산서	210
정미선	광주서	377
정미선	해남서	390
정미선	부산청	445
정미선	양산서	478
정미애	동화성서	267
정미야	국회재정	63
정미연	북광주서	378
정미연	남대구서	413
정미연	북부산서	458
정미영	서울청	150
정미영	성동서	198
정미영	인천청	288
정미영	대전서	332
정미영	북광주서	378
정미영	구로서	174
정미진	중부청	227
정미진	광주청	369
정미향	광주서	376
정미현	북대전서	334
정미현	중부산서	464
정미화	양천서	205
정미화	동청주서	356
정미경	부산청	446
정민경	해운대서	466
정민국	서울청	154
정민기	기재부	79
정민기	국세청	129
정민기	은평서	212
정민석	관악서	172
정민석	부산강서	457
정민섭	용산서	211
정민수	서울청	149
정민수	홍천서	283
정민수	삼일회계	18
정민순	영등포서	208
정민아	서대구서	418
정민영	해운대서	467
정민재	시흥서	250
정민재	의정부서	318
정민종	기재부	82
정민주	관악서	173
정민주	서대구서	418
정민철	기재부	78
정민철	서대문서	194
정민혜	인천청	289
정민호	동대문서	185
정민호	성동서	199
정민화	서울청	144
정방현	구로서	175
정백민	국세교육	138
정범식	상공회의	108
정범식	상공회의	109
정병록	국세주류	134
정병문	김앤장	55
정병숙	연수서	317
정병식	기재부	83
정병식	기재부	84
정병완	기재부	87
정병주	광주청	369
정병진	분당서	244
정병진	지방재정	511
정병찬	중부지방	33
정병창	중부청	227
정병철	순천서	387
정병호	춘천서	280
정병호	남동서	295
정보경	동울산서	469
정보경	서울청	144
정보경	서초서	197
정보경	북대전서	334
정보근	기재부	90
정보근	서울청	148
정보기	서대문서	195
정보길	인천청	288
정보람	서울청	151
정보령	서울청	159
정보름	조세재정	515
정보석	천안서	352
정보연	파주서	320
정보현	서광주서	381
정보석	삼일회계	18
정봉균	서울청	149
정봉석	동수원서	240
정봉훈	송파서	203
정부교	삼성서	192
정부섭	마산서	476
정부용	용산서	210
정부원	양산서	478
정분석	국세청	117
정사랑	기재부	78
정상근	파주서	321
정상기	조세재정	515
정상남	북대전서	334
정상덕	동작서	187
정상민	국세청	131
정상민	서울청	158
정상배	민우세무	197
정상봉	부산청	442
정상수	영동서	358
정상술	남대문서	180
정상아	용인서	260
정상열	중랑서	219
정상오	중부청	233
정상원	영등포서	208
정상원	세종서	347
정상진	남동서	294
정상천	보령서	343
정상헌	원주서	279
정상화	삼성서	193
정상훈	해운대서	467
정새하	군산서	393
정서빈	부천서	312
정서연	전주서	400
정서영	동대문서	185
정석규	도봉서	183
정석원	지방재정	511
정석주	통영서	484
정석철	기재부	88
정석호	김천서	428
정석환	기재부	84
정석훈	동대문서	185
정석훈	반포서	191
정선경	수영서	462
정선군	대전청	327
정선두	부산서	446
정선례	고양서	302
정선아	인천청	289
정선영	기재부	90
정선영	서초서	177
정선영	인천청	286
정선이	경기광주	252
정선인	금융위	93
정선재	서울청	147
정선재	인천청	287
정선현	광산서	203
정선현	중부청	226
정선화	성동서	198
정선화	삼일회계	18
정성곤	동수원서	241
정성관	영동서	358
정성구	기재부	85
정성만	부산청	442
정성무	청주서	363
정성문	광주서	377
정성민	김천서	428
정성수	광산서	375
정성영	서대문서	195
정성용	목포서	384
정성우	북부산서	459
정성우	중부청	225
정성욱	송파서	202
정성욱	금정서	451
정성욱	기재부	476
정성원	기재부	75
정성원	통영서	484
정성윤	포항서	439
정성은	중랑서	219
정성은	동화성서	267
정성은	인천청	287
정성은	대구세관	505
정성의	목포서	384
정성일	연수서	316
정성일	순천서	386
정성주	삼척서	272
정성진	국세청	114
정성택	정읍서	402
정성한	국세청	120
정성현	도봉서	183
정성호	대구청	406
정성화	청주서	362
정성화	서부산서	461
정성환	국세교육	139
정성훈	서울청	160
정성훈	관악서	173
정성훈	동청주서	356
정성훈	부산청	445
정성훈	부산청	446
정성훈	부산청	447
정성훈	김해서	474
정성희	서대구서	419
정성희	경산서	422
정세경	동고양서	309
정세나	은평서	212
정세미	나주서	382
정세미	북부산서	459
정세연	중부서	220
정세영	국세청	127
정세윤	서울청	144
정세인	강남서	166
정세훈	나주서	383
정소연	공주서	338
정소라	천안서	352
정소연	서초서	197
정소연	의정부서	319
정소영	서울청	144
정소영	강서서	170
정소영	잠실서	215
정소영	북대전서	334
정소영	광주청	371
정소영	북전주서	396
정소영	대구청	409
정소영	경산서	423
정소영	진주서	481
정소윤	서초서	196
정소윤	통영서	484
정소정	동고양서	309
정소현	삼정회계	22
정수경	국세청	124
정수길	춘천서	281
정수미	잠실서	214
정수빈	도봉서	182
정수빈	북대구서	416
정수연	구로서	175
정수연	서대전서	336
정수연	서대전서	336
정수연	서대구서	419
정수연	부산서	448
정수영	관악서	172
정수영	종로서	216
정수영	서인천서	296
정수영	부산강서	456
정수영	진주서	480
정수인	강남서	166
정수인	성남서	247
정수인	북부산서	459
정수일	평택서	264
정수자	광주청	373
정수지	잠실서	215
정수진	서울청	152
정수진	서울청	161
정수진	서인천서	296
정수진	부평서	314
정수진	부산청	445
정수진	마산서	476
정수현	서광주서	381
정수현	서대구서	419
정수호	대구청	408
정수환	통영서	485
정수희	울산서	471
정숙경	북광주서	378
정숙자	전주서	401
정숙희	금천서	176
정숙희	북부산서	458
정순남	동안양서	242
정순도	서대구서	418
정순범	중부청	232
정순삼	강남서	166
정순옥	강서서	170
정순옥	동울산서	468
정순임	역삼서	206
정순임	영등포서	209
정순재	수성서	421
정순철	서울청	144
정슬기	춘천서	281
정슬기	양산서	479
정슬아	용인서	260
정승갑	강남서	166
정승기	평택서	264
정승남	남부천서	311
정승기	북광주서	378
정승렬	동대문서	185
정승복	국세상담	136
정승식	역삼서	206
정승오	국세청	125
정승용	평택서	264
정승우	대구청	407
정승우	부산청	449
정승원	동울산서	469
정승재	서산서	344
정승태	국세청	126
정승태	충주서	365
정승하	원주서	278
정승현	금정서	450
정승호	송파서	203
정승환	서울청	164
정승환	서울세관	493
정승환	서울세관	494
정승훈	인천서	299
정승희	영등포서	209
정시영	서현이현	7
정시온	송파서	203
정시은	근천서	387
정신영	동수원서	241
정아람	서울청	155
정아라	중랑서	219
정아름	화성서	268
정아영	경기광주	252
정안석	금천서	177
정애라	중부청	230
정애리	북전주서	396
정애정	동작서	187
정애진	서울청	160
정양기	지방재정	511
정양수	삼일회계	19
정양제	지방재정	510
정에녹	광주청	368
정여원	양천서	205
정여은	동울산서	468
정여진	기재부	73
정연경	서초서	196
정연경	동청주서	357
정연교	광주세관	508
정연국	진주서	480
정연득	중부청	224
정연상	감사원	70
정연선	성북서	200
정연선	광명서	304
정연섭	서인천서	297
정연오	대구세관	505
정연오	대구세관	506
정연옥	포항서	438
정연우	기재부	79
정연우	통영서	484
정연웅	도봉서	183
정연재	중부산서	464
정연주	성북서	201
정연주	구리서	234
정연주	인천청	285
정연주	인천청	291
정연주	인천청	292
정연훈	경주서	424
정영건	국세청	114
정영곤	순천서	386
정영교	감사원	71
정영균	영등포서	208
정영덕	서울청	144
정영록	금정서	451
정영무	의정부서	318
정영민	마산서	476
정영석	상공회의	109
정영석	동안양서	242
정영석	아산서	348
정영석	딜로이트	15
정영선	국세청	125
정영선	동청주서	356
정영숙	대전청	331
정영숙	광주청	370
정영순	천안서	352
정영순	경산서	423
정영식	용산서	211
정영욱	중부청	228
정영웅	국세교육	138
정영웅	대전청	327
정영은	세종서	346
정영인	서인천서	296
정영일	남대구서	412
정영진	양천서	205
정영진	동대구서	414
정영진	관세사회	51
정영천	서광주서	381
정영한	정진세림	27
정영현	경기광주	252

정영현	북광주서	379	정유진	은평서	213	정인과	중기회	110	정정회	지방재정	513	정지운	기재부	76
정영혜	서울청	163	정유진	중부청	229	정인교	평택서	265	정정훈	기재부	75	정지운	부평서	315
정영혜	영등포서	209	정유진	동인산서	256	정인구	김해서	475	정정희	강남서	166	정지운	여수서	388
정영호	울산서	470	정유진	청주서	363	정인권	기재부	86	정정희	부산청	445	정지원	성북서	201
정영화	관악서	173	정유진	서광주서	380	정인선	서울청	145	정제준	마포서	188	정지원	영주서	436
정영화	북대전서	334	정유진	해운대서	467	정인선	강서서	170	정종국	서울청	144	정지원	관세청	491
정영화	관세사회	51	정유진	동울산서	468	정인선	관악서	172	정종대	대구청	409	정지윤	동화성서	266
정영훈	남양주서	238	정유진	진주서	481	정인선	고양서	303	정종근	부산진서	455	정지윤	서인천서	297
정영희	분당서	245	정유진	지방재정	510	정인성	세무삼룡	44	정종대	대구청	386	정지윤	조세재정	516
정영희	서울청	143	정유천	지방재정	511	정인수	역삼서	206	정종룡	국세청	119	정지은	반포서	190
정영희	동래서	452	정유현	성동서	198	정인숙	세종서	346	정종만	삼일회계	18	정지은	서인천서	297
정예린	서울청	155	정윤기	동수원서	241	정인순	중부청	225	정종순	세종서	346	정지은	순천서	386
정예슬	광산서	374	정윤기	서광주서	380	정인식	EY한영	13	정종오	금융위	94	정지은	서울청	153
정예슬	조세재정	516	정윤길?	경기광주	253	정인아	서대문서	194	정종오	광명서	305	정지인	안산서	254
정예원	포천서	323	정윤모	중기회	110	정인애	대전청	329	정종욱	인천서	298	정지헌	국세청	417
정예은	평택서	265	정윤미	서울청	162	정인영	안산서	255	정종욱	국세상담	136	정지현	마포서	189
정예지	분당서	245	정윤석	분당서	245	정인영	딜로이트	15	정종원	분당서	245	정지현	용인서	260
정예지	대전청	327	정윤선	중부청	232	정인월	양천서	204	정종원	이천서	262	정지현	북부산서	459
정오영	광산서	374	정윤수	대전서	332	정인지	잠실서	214	정종천	인천청	286	정지혜	국세상담	136
정옥상	마산서	476	정윤정	기재부	74	정인태	국세교육	138	정종철	국세청	132	정지혜	성북서	200
정옥순	대전청	326	정윤정	안산서	254	정인택	북부산서	459	정종필	광산서	375	정지혜	수원서	248
정옥진	광주서	376	정윤정	대전청	327	정인현	북대구서	416	정종현	강동서	169	정지혜	익산서	398
정완규	평택서	265	정윤주	공주서	338	정인형	아산서	349	정종호	광산서	376	정지환	중부청	229
정완기	광주청	373	정윤지	울산서	470	정인화	세무토은	39	정주관	북대전서	334	정지환	남대구서	413
정완수	송파서	202	정윤철	의정부서	318	정인환	여수서	388	정주리	동수원서	241	정지훈	국세청	117
정완준	기재부	84	정윤철	대구청	410	정인환	경주서	424	정주리	목포서	384	정지훈	인천청	287
정외숙	서울청	144	정윤호	세무하나	47	정인희	성북서	200	정주연	국세청	149	정직한	중부서	220
정용관	역삼서	207	정윤홍	기재부	77	정일	상공회의	108	정주영	서울청	154	정직한	분당서	245
정용구	영주서	437	정윤희	성남서	246	정일	여수서	389	정주영	강서서	170	정진	부산세관	503
정용국	국세청	116	정윤희	대전청	328	정일상	나주서	382	정주영	서초서	197	정진걸	국세청	131
정용민	수영서	462	정은경	조세재정	514	정일선	남대문서	180	정주영	성동서	199	정진교	세무하나	47
정용민	수영서	463	정은미	수원서	249	정일영	역삼서	206	정주영	포항서	438	정진미	북전주서	397
정용석	중부청	226	정은미	진주서	480	정일영	EY한영	13	정주현	기재부	78	정진방	용인서	260
정용석	동고양서	308	정은선	서울청	152	정일영	성동서	199	정주현	종로서	217	정진범	서울청	148
정용선	중부청	226	정은선	강동서	168	정장군	서울청	162	정주희	국세청	119	정진성	대전청	330
정용섭	창원서	482	정은성	부산강서	456	정장호	광주청	371	정주희	서울청	163	정진수	감사원	71
정용수	서울청	150	정은솔	안산서	255	정재경	아산서	349	정주희	은평서	212	정진아	김포서	307
정용수	성남서	246	정은수	서울청	144	정재국	삼일회계	19	정주희	남양주서	239	정진아	광주청	368
정용승	서울청	158	정은숙	북전주서	397	정재권	광교세무	38	정주희	동울산서	468	정진영	서울청	145
정용오	서울청	144	정은순	안양서	258	정재기	북대구서	417	정주희	중부청	231	정진영	서울청	147
정용주	전주서	400	정은아	금천서	177	정재남	충주서	364	정준	남원서	394	정진영	서울청	163
정용협	예산서	351	정은아	분당서	245	정재록	거창서	473	정준갑	북광주서	378	정진오	광교세무	38
정용환	부산세관	503	정은아	서인천서	296	정재성	기재부	78	정준규	진주서	481	정진우	진주서	481
정용효	종로서	216	정은아	서인천서	296	정재수	국세청	126	정준기	국세청	128	정진우	부산세관	502
정우도	국세청	128	정은연	서광주서	380	정재수	국세청	127	정준모	남대문서	185	정진욱	기재부	85
정우선	금천서	176	정은영	목포서	384	정재수	국세청	128	정준모	서부산서	460	정진욱	서울청	150
정우영	해운대서	466	정은영	부산청	442	정재영	동대문서	185	정준영	성동서	198	정진욱	동안양서	242
정우진	정읍서	403	정은이	동작서	186	정재영	역삼서	206	정준영	평택서	264	정진욱	광주세관	507
정우현	금감원	97	정은이	김해서	475	정재영	홍천서	283	정준용	금정서	450	정진욱	광주세관	508
정우현	제주서	486	정은478	경기남서	253	정재용	서울청	281	정준채	강동서	168	정진웅	수성서	421
정운숙	성동서	198	정은정	국세청	117	정재욱	김포서	306	정준호	마포서	188	정진원	국세청	127
정운정	서대구서	418	정은정	종로서	217	정재원	분당서	244	정준호	삼성서	193	정진원	중부청	224
정운형	강서서	170	정은정	인천청	292	정재원	남양주서	378	정준호	서초서	196	정진주	서울청	154
정웅교	중부서	233	정은주	기재부	83	정재원	조세재정	514	정준호	구리서	234	정진주	남동서	295
정웅일	인천세관	498	정은주	기재부	87	정재윤	중부청	232	정준회	동청주서	356	정진주	해운대서	466
정원	기재부	82	정은주	국세청	132	정재윤	홍천서	283	정중수	북대구서	416	정진택	세무하나	47
정원대	동울산서	469	정은주	파주서	321	정재일	강남서	167	정중원	반포서	190	정진학	국세청	125
정원미	부산강서	457	정은주	대구청	409	정재임	국세상담	136	정중호	대구서	406	정진형	광명서	304
정원석	기흥서	236	정은지	동안양서	243	정재정	수영서	462	정중호	구로서	174	정진형	동안양서	243
정원석	이천서	263	정은진	세원세무	48	정재필	딜로이트	15	정지나	중부청	227	정진호	공주서	339
정원석	부산청	447	정은진	김천서	428	정재하	인천세관	500	정지문	고양서	302	정진호	해운대서	467
정원영	남대문서	181	정은채	의정부서	318	정재현	서대구서	419	정지문	남대문서	178	정진호	광주세관	508
정원영	마포서	189	정은하	금천서	176	정재현	금천서	470	정지석	국세청	129	정진화	익산서	399
정원용	경주서	425	정은하	영등포서	208	정재호	성북서	201	정지선	국세청	126	정진화	서울청	146
정원준	충주서	365	정은해	이천서	262	정재호	수성서	421	정지선	동안산서	257	정진희	국세청	128
정원호	삼성서	193	정은희	국세교육	138	정재호	수영서	462	정지숙	평택서	265	정진희	동안양서	242
정월선	마산서	477	정은희	수영서	463	정재호	조세재정	514	정지숙	미래회계	16	정진희	기재부	84
정월호	성동서	198	정을영	중부청	227	정재효	동울산서	468	정지양	국세청	116	정찬구	인천서	298
정유경	조세재정	516	정의당	국회재정	64	정재효	화성서	131	정지연	국회정무	67	정찬성	광주서	377
정유근	지방재정	511	정의론	기재부	75	정재훈	광산서	269	정지연	인천청	290	정찬영	조세재정	516
정유나	대구청	407	정의범	동작서	187	정재훈	광산서	374	정지연	남부천서	311	정찬일	광주서	376
정유리	기재부	89	정의성	속초서	275	정재훈	서광주서	380	정지열	반포서	191	정찬조	여수서	389
정유리	서울청	162	정의숙	원주서	278	정재훈	삼일회계	18	정지영	기재부	81	정찬진	서울청	156
정유리	북대전서	335	정의웅	진주서	480	정재희	서초서	196	정지영	국세청	117	정찬호	법무바른	1
정유미	서울청	158	정의하	마포서	189	정재희	역삼서	207	정지영	서울청	144	정찬홍	중부지방	33
정유빈	의정부서	319	정의종	감사원	71	정전화	부산청	444	정지영	분당서	244	정창근	마산서	477
정유성	국세청	129	정의주	도봉서	182	정점식	국회법제	66	정지영	김포서	307	정창근	반포서	190
정유영	부산청	443	정의지	부산청	445	정정민	국세청	118	정지영	예산서	351	정창근	성남서	246
정유영	김해서	474	정의진	국세청	117	정정민	부산진서	455	정지영	EY한영	13	정창근	대구청	407
정유정	기재부	81	정의철	서울청	151	정정복	광교세무	37	정지예	서울청	152	정창기	지방재정	510
정유정	남대문서	179	정의탁	감사원	70	정정섭	서인천서	297	정지우	국세주류	134	정창성	서부산서	460
정유정	연수서	316	정이준	광산서	374	정정애	울산서	470	정지우	강남서	166	정창수	강릉서	271
정유정	제천서	360	정이천	대구청	408	정정우	고양서	302	정지우	안산서	254	정창우	서울청	144
정유진	구로서	175	정인경	수원서	249	정정자	마포서	188					
			정인경	북부산서	458	정정하	대구청	408					

569

정창원	수영서	462	정현대	인천청	291	정혜진	기재부	86	정희숙	서대문서	194	조대훈	서초서	197
정창재	부산서	446	정혜덕	중부청	232	정혜진	서울청	160	정희숙	금정서	451	조덕상	평택서	264
정창후	부산강서	456	정현명	김천서	429	정혜진	서산서	345	정희연	서대문서	194	조동관	세무하나	47
정창훈	대전서	333	정현미	여수서	389	정혜진	광산서	374	정희연	성동서	198	조동석	중기회	110
정채연	평택서	264	정현민	안양서	258	정혜진	광주서	377	정희원	기재부	81	조동진	역삼서	207
정채환	기재부	87	정현빈	경기광주	253	정혜진	북대구서	417	정희민	부천서	313	조동표	반포서	196
정철	기재부	75	정현석	조세재정	516	정혜진	동래서	452	정희재	남대문서	180	조동혁	서울청	142
정철	서초서	196	정현수	종로서	216	정혜진	조세재정	516	정희정	구리서	234	조란	전주서	400
정철	남동서	294	정현수	중부청	227	정혜화	광주청	369	정희정	충주서	364	조래성	남대구서	412
정철교	기재부	88	정현숙	서울청	147	정호근	원주서	278	정희종	금정서	451	조래혁	기재부	78
정철규	북부산서	459	정현숙	삼성서	193	정호남	부산세관	502	정희진	기재부	84	조래현	국세청	114
정철기	광주청	368	정현숙	성북서	200	정호석	천안서	352	정희진	용산서	210	조만호	나주서	382
정철식	중부지방	33	정현아	해남서	390	정호선	대구청	407	정희진	중부청	226	조만희	기재부	76
정철우	남대문서	179	정현옥	천안서	352	정호성	수원서	249	정희철	기재부	79	조명기	용산서	210
정철우	대구청	405	정현옥	부산서	448	정호성	부천서	312	정희태	마산서	477	조명상	중부서	220
정철우	대구청	406	정현옥	양천서	205	정호성	진주서	481	제갈형	김해서	474	조명상	북대전서	335
정철화	부평서	314	정현우	금정서	451	정호식	구리서	234	제갈희진	서울청	154	조명석	대구청	407
정초희	남원서	394	정현원	서산서	344	정호연	나주서	383	제민경	북부산서	458	조명석	인천지방	34
정춘영	동래서	452	정현위	이천서	262	정호영	구로서	174	제민지	북부산서	458	조명석	광교세무	38
정치권	중부청	233	정현정	서초서	197	정호영	서인천서	296	제범모	양산서	478	조명순	대전청	328
정치헌	연수서	317	정현정	분당서	244	정호영	광산서	374	제병민	인천청	292	조명완	국세청	129
정태경	서울청	144	정현정	경기광주	252	정호용	수성서	421	제상훈	부산청	443	조명익	부산청	444
정태경	중부청	233	정현정	용인서	260	정호진	기재부	76	제영광	관세사회	51	조명희	상공회의	109
정태민	계양서	300	정현정	인천청	287	정호진	서부산서	461	제우성	중랑서	219	조명희	인천서	298
정태상	성동서	199	정현정	서대구서	419	정호태	북대구서	417	제은아	역삼서	206	조무건	서초서	275
정태식	경기광주	252	정현정	경주서	425	정호형	역삼서	207	제재호	동울산서	468	조무연	태평양	60
정태영	국세청	117	정현정	창원서	482	정홍도	국세교육	139	제현종	서울청	150	조문현	서초서	197
정태옥	울산서	471	정현주	국세청	117	정홍석	전주서	400	제홍주	양산서	478	조문희	금융위	93
정태윤	경기광주	252	정현주	국세청	125	정홍선	강릉서	271	조가람	서울청	161	조미	목포서	384
정태윤	천안서	353	정현주	중부청	227	정홍섭	광주청	368	조가연	동안양서	243	조미겸	동청주서	357
정태형	동화성서	266	정현주	부천서	312	정홍주	인천청	290	조가원	서광주서	381	조미경	반포서	191
정태호	국회재정	64	정현주	양산서	479	정화선	송파서	202	조가을	서초서	197	조미경	동수원서	240
정태호	광주청	371	정현준	동고양서	308	정화승	영등포서	208	조강래	거창서	473	조미경	구미서	426
정태환	서초서	196	정현준	대구청	409	정화영	남대문서	184	조강식	대구세관	506	조미란	양산서	479
정태환	거창서	473	정현중	영월서	277	정화자	남동서	294	조강우	화성서	268	조미선	강릉서	270
정택주	분당서	245	정현중	남대구서	412	정환국	딜로이트	15	조강훈	기재부	80	조미성	강서서	171
정택준	동수원서	241	정현지	계양서	301	정환동	북대구서	416	조강훈	마산서	476	조미숙	부산강서	456
정판균	서대전서	337	정현직	금융위	94	정환주	구미서	426	조강희	부천서	313	조미애	중부서	220
정평조	광교세무	38	정현진	강동서	168	정환철	의정부서	319	조강희	대전청	326	조미애	김해서	474
정필경	군산서	392	정현진	남대문서	180	정회라	대헌회계	14	조경민	서울청	155	조미연	금융위	93
정필섭	북광주서	379	정현진	성북서	200	정회연	지방재정	510	조경배	해운대서	467	조미영	서울청	144
정필영	대전청	326	정현철	동대문서	185	정회영	동래서	453	조경숙	해운대서	466	조미영	동화성서	266
정필윤	구리서	234	정현철	중부서	221	정회정	원주서	279	조경아	삼성서	193	조미영	서산서	344
정하경	서울세관	494	정현철	중부청	227	정회창	이천서	262	조경제	북전주서	396	조미옥	국세청	117
정하나	화성서	268	정현태	북광주서	378	정회훈	안양서	258	조경진	금천서	177	조미옥	북전주서	396
정하나	속초서	274	정현표	평택서	265	정효경	기재부	91	조경진	창원서	483	조미주	해운대서	467
정하늘	서울청	154	정현호	성동서	198	정효상	기재부	79	조경태	강서서	170	조미진	남부천서	310
정하덕	기흥서	237	정현호	광주청	370	정효성	인천청	290	조경혜	통영서	484	조미현	서인천서	296
정하석	기재부	76	정형범	광명서	305	정효숙	국세청	120	조경호	분당서	245	조미화	서대전서	337
정하연	부산서	445	정형석	동고양서	309	정효영	잠실서	214	조경화	이천서	263	조미희	중부서	221
정하영	도봉서	182	정형주	서인천서	296	정효주	성동서	199	조경희	동대구서	415	조미희	김해서	474
정하용	안동서	432	정형준	서울청	144	정효주	부산강서	457	조계호	춘천서	280	조민	국세교육	138
정하정	진주서	480	정형준	북광주서	378	정효준	수영서	463	조계환	예일세무	49	조민	국세청	123
정학관	나주서	382	정형진	구로서	174	정효준	양천서	205	조광덕	중부지방	33	조민경	관악서	172
정학수	서울세관	495	정형태	남대구서	412	정효중	평택서	265	조광래	서초서	196	조민경	속초서	275
정학순	동대문서	185	정형필	기재부	85	정훈	국세청	120	조광래	지방재정	512	조민경	광명서	304
정학식	국세청	118	정혜경	성동서	198	정훈	조세재정	514	조광제	성남서	246	조민경	마산서	477
정한길	군산서	392	정혜경	광주서	376	정훈	조세재정	514	조광호	도봉서	182	조민래	서부산서	461
정한나	수원서	248	정혜경	동울산서	469	정훈	조세재정	514	조구영	용산서	210	조민석	서울청	152
정한나	수영서	462	정혜린	김포서	307	정훈	삼일회계	18	조규명	세무다우	42	조민석	광명서	305
정한영	북대전서	335	정혜림	관악서	172	정훈섭	EY한영	13	조규범	딜로이트	15	조민성	서울청	146
정한욱	역삼서	207	정혜림	안동서	432	정휘섭	중부청	233	조규봉	순천서	387	조민성	서울청	165
정한진	도봉서	182	정혜미	반포서	190	정휘언	대전서	332	조규산	기재부	86	조민수	동대문서	184
정해동	국세청	131	정혜수	부천서	312	정휘영	기재부	75	조규상	중부청	226	조민숙	용산서	210
정해란	수원서	248	정혜영	남부천서	310	정흥기	북전주서	396	조규창	중부서	221	조민영	국세청	129
정해룡	양산서	478	정혜영	영등포서	208	정흥식	역삼서	207	조근비	부산강서	457	조민영	용인서	260
정해리	동화성서	267	정혜영	잠실서	215	정흥엽	북전주서	397	조근우	익산서	399	조민재	삼성서	193
정해빈	지방재정	512	정혜영	중부청	231	정흥자	남대문서	180	조금식	상주서	431	조민재	고양서	303
정해시	남부천서	311	정혜영	대전청	328	정희	기흥서	236	조금옥	포항서	439	조민정	논산서	340
정해식	통영서	485	정혜원	국세청	128	정희갑	기재부	88	조기문	기재부	78	조민제	경주서	424
정해연	국세상담	136	정혜원	삼성서	193	정희갑	기재부	91	조기현	진주서	481	조민지	구로서	174
정해연	부산강서	456	정혜원	중부서	220	정희경	중부청	230	조길현	남대문서	178	조민지	지방재정	511
정해원	영덕서	434	정혜원	충주서	364	정희경	광주청	369	조길현	익산서	398	조민현	역삼서	206
정해원	남대문서	180	정혜원	경산서	423	정희나	대전서	332	조나래	경기광주	253	조민호	인천청	291
정해인	인천청	292	정혜원	부산청	443	정희라	서울청	145	조남건	서울청	153	조민희	남양주서	238
정해진	서울청	144	정혜윤	강남서	167	정희문	제주서	487	조남규	남대구서	413	조민희	중부산서	465
정해진	상주서	430	정혜윤	서초서	196	정희봉	통영서	484	조남명	부천서	312	조범래	서초서	197
정해천	반포서	191	정혜윤	동울산서	468	정희상	광교세무	38	조남옥	국세상담	137	조범제	포항서	439
정헌미	서부산서	460	정혜인	부평서	315	정희석	포항서	439	조남철	대구청	408	조병규	기재부	80
정헌호	부산진서	454	정혜정	강남서	166	정희석	삼도회계	17	조다인	인천청	289	조병길	대전서	332
정혁주	기재부	79	정혜정	서초서	197	정희섭	김해서	475	조다혜	포천서	323	조병녕	부산진서	454
정혁철	안동서	433	정혜정	수원서	249	정희섭	서울청	144	조대규	북대전서	334	조병녕	김포서	307
정현규	서인천서	296	정혜정	동화성서	266	정희섭	광주청	371	조대연	국세청	116	조병만	금천서	177
정현규	서대구서	418	정혜지	동작서	187	정희수	광명서	304	조대현	서울청	157	조병민	국세청	124
												조병섭	시흥서	250

이름	소속	쪽
조병성	관악서	172
조병옥	해운대서	466
조병욱	평택서	264
조병주	국세청	120
조병준	부천서	312
조병철	국세상담	137
조병호	예일세무	49
조병환	김해서	474
조보연	동대문서	185
조복환	보령서	342
조봉환	조세재정	515
조분석	국세청	117
조상래	수영서	463
조상미	국세청	116
조상미	삼척서	272
조상미	전주서	400
조상옥	광주청	370
조상우	기재부	78
조상욱	세무다우	42
조상진	북광주서	378
조상현	시흥서	250
조상현	삼일회계	21
조상현	지방재정	511
조상호	고시회	30
조상훈	국세청	128
조상희	이천서	262
조서연	서초서	196
조서영	분당서	244
조서현	금천서	177
조석권	수영서	462
조석균	고양서	303
조석주	동울산서	469
조석훈	감사원	71
조석훈	지방재정	510
조선경	광주청	370
조선영	대전청	330
조선영	서부산서	460
조선영	지방재정	510
조선제	수영서	463
조선진	송파서	203
조선형	기재부	86
조선희	기재부	84
조선희	동작서	186
조선희	은평서	212
조성광	강서서	171
조성구	춘천서	280
조성권	김앤장	55
조성규	강남서	167
조성덕	인천청	286
조성래	국세청	128
조성래	남대구서	412
조성래	양산서	478
조성리	강서서	171
조성문	남양주서	238
조성민	대구청	409
조성배	기재부	79
조성빈	대전청	329
조성수	국세청	119
조성수	중부청	232
조성수	안산서	254
조성식	동대문서	185
조성애	목포서	384
조성연	연수서	316
조성오	종로서	217
조성용	마포서	189
조성용	역삼서	207
조성용	부산청	444
조성우	반포서	191
조성우	익산서	399
조성욱	국세청	118
조성욱	삼일회계	18
조성원	송파서	202
조성원	용인서	260
조성윤	강남서	166
조성윤	남양주서	238
조성은	감사원	69
조성은	감사원	70
조성익	감사원	71
조성인	기흥서	236
조성재	정읍서	402
조성조	의정부서	318
조성조	지방재정	511
조성주	삼성서	192
조성주	동안양서	242
조성준	강동서	169
조성중	기재부	81
조성진	용산서	210
조성찬	성북서	200
조성철	예일세무	49
조성현	기재부	80
조성현	마포서	189
조성현	군산서	392
조성호	강동서	169
조성호	신대동	53
조성훈	국세청	114
조성훈	용산서	210
조성훈	안산서	254
조성훈	북전주서	397
조성희	국세청	119
조세경	삼척서	374
조세영	동울산서	469
조세원	남동서	294
조세희	예산서	351
조세희	지방재정	511
조소연	동울산서	468
조소연	춘천서	281
조소윤	안양서	258
조소현	마포서	189
조소현	안산서	255
조소현	김해서	474
조소희	서울청	150
조송희	종로서	217
조수빈	종로서	216
조수연	동고양서	308
조수연	대전청	328
조수영	천안서	321
조수정	삼성서	193
조수진	국회법제	66
조수진	수원서	248
조수현	삼성서	193
조수현	역삼서	207
조숙연	서울청	160
조숙연	중부청	233
조숙현	동울산서	468
조순행	안동서	432
조술기	관악서	172
조승모	도봉서	183
조승연	영등포서	446
조승철	동안산서	257
조승현	대구청	408
조승호	기재부	79
조승호	서울청	157
조식	안동서	432
조아라	도봉서	182
조아라	반포서	190
조아라	서초서	196
조아라	중부청	230
조아라	분당서	244
조아라	평택서	265
조아로미	홈앤아웃	45
조아름	구리서	234
조아연	청주서	362
조아나	서대문서	195
조애정	용산서	210
조양선	포천서	322
조연	보령서	342
조연상	동대문서	185
조연수	북부산서	458
조연숙	대전청	326
조연우	남양주서	239
조연종	북광주서	378
조연주	부산강서	457
조연주	조세재정	515
조연화	인천청	288
조영경	강릉서	271
조영규	서광주서	380
조영기	연수서	316
조영기	삼일회계	18
조영두	목포서	385
조영란	나주서	382
조영래	중부청	231
조영록	원주서	279
조영문	인천지방	34
조영미	영등포서	208
조영미	구리서	235
조영미	삼척서	273
조영미	동래서	452
조영빈	제주서	486
조영상	국세청	117
조영상	인천세관	499
조영석	금천서	176
조영수	남양주서	239
조영수	동수원서	240
조영숙	광주청	371
조영숙	목포서	384
조영순	고양서	302
조영옥	대전청	326
조영우	제천서	361
조영욱	기재부	86
조영일	울산서	471
조영자	영동서	358
조영재	삼일회계	18
조영종	고양서	303
조영주	서대문서	194
조영주	서대전서	337
조영준	상공회의	109
조영준	중부청	225
조영진	반포서	191
조영진	인천청	290
조영진	해운대서	466
조영탁	서울청	146
조영택	서울청	158
조영태	서대구서	419
조영혁	역삼서	206
조영혁	아산서	349
조영호	송파서	203
조영호	양천서	205
조영호	동고양서	309
조예리	관악서	172
조예린	남대문서	181
조예림	성북서	200
조예연	김해서	474
조예언	삼척서	273
조예훈	역삼서	207
조완석	진주서	481
조외숙	부산청	445
조요한	국세청	128
조용감	기재부	91
조용권	부천서	313
조용도	지방재정	513
조용래	기재부	76
조용래	제주서	486
조용민	지방재정	513
조용범	기재부	74
조용석	서울청	143
조용석	서울청	162
조용수	서울청	163
조용식	남부천서	311
조용식	전주서	401
조용식	지방재정	510
조용우	서울청	363
조용재	중부청	224
조용진	중부청	233
조용진	동안양서	242
조용택	부산청	447
조용현	거창서	472
조용호	서울청	157
조우성	서초서	196
조우진	천안서	353
조욱	국세청	344
조운학	종로서	217
조원석	인천청	290
조원영	서울청	156
조원영	딜로이트	15
조원영	딜로이트	15
조원준	서울청	170
조원준	예일세무	49
조원철	서울청	150
조원형	구로서	175
조원희	중부청	229
조원희	마산서	477
조위영	서울청	160
조유리	여수서	388
조유영	부평서	314
조유정	해남서	390
조유진	논산서	341
조유흠	서울청	146
조윤경	인천청	291
조윤경	인천서	300
조윤경	서광주서	381
조윤미	국세상담	136
조윤민	북대전서	334
조윤방	삼척서	273
조윤서	서부산서	460
조윤석	국세청	128
조윤아	국세청	126
조윤영	성남서	246
조윤영	남동서	295
조윤정	서울청	143
조윤정	포항서	439
조윤주	경산서	422
조윤주	통영서	485
조윤호	안양서	259
조윤희	잠실서	215
조윤희	법무율촌	58
조은경	대구청	407
조은기	도봉서	182
조은덕	서울청	153
조은미	경주서	424
조은비	동대문서	185
조은비	용인서	260
조은비	화성서	269
조은비	천안서	352
조은비	북대구서	416
조은빈	중부청	228
조은빛	부평서	314
조은빛	조세재정	515
조은상	이천서	262
조은서	제천서	360
조은서	부산청	444
조은애	의정부서	318
조은애	대전청	331
조은영	동안양서	243
조은영	대구청	408
조은옥	화성서	268
조은용	기흥서	237
조은정	동대문서	184
조은지	역삼서	206
조은지	세종서	347
조은지	북광주서	378
조은하	동래서	452
조은해	부산진서	454
조은향	나주서	382
조은희	국세상담	137
조은희	서울청	145
조은희	역삼서	207
조은희	화성서	269
조은희	김포서	307
조은희	동고양서	309
조은희	세종서	346
조익현	지방재정	510
조인국	동래서	452
조인숙	울산서	470
조인애	서대구서	418
조인영	강서서	171
조인옥	구로서	174
조인정	서울청	155
조인정	고시회	30
조인찬	부평서	315
조인혁	서울청	160
조일성	동안양서	243
조일숙	서울청	147
조일영	태평양	60
조일제	분당서	245
조일훈	용인서	261
조자현	기재부	77
조재규	대전청	331
조재랑	광명서	304
조재범	서울청	153
조재범	김천서	428
조재성	금정서	451
조재성	북부산서	458
조재승	양산서	479
조재연	광주서	376
조재영	서울청	160
조재영	영주서	436
조재완	국세교육	138
조재웅	부천서	312
조재웅	법무광장	57
조재일	김천서	177
조재일	기재부	75
조재일	대구청	409
조재천	울산서	470
조재평	성동서	198
조재형	마산서	477
조재화	서부산서	461
조재훈	성북서	200
조재훈	구리서	234
조재희	인천청	291
조정목	부산청	446
조정미	성북서	200
조정미	송파서	202
조정석	금감원	105
조정선	창원서	482
조정연	김포서	307
조정운	세무다슬	41
조정은	서인천서	297
조정은	고양서	302
조정일	국회정무	67
조정자	인천청	288
조정주	대전청	331
조정진	잠실서	215
조정진	북대전서	335
조정철	법무율촌	58
조정해	부천서	312
조정헌	제천서	360
조정현	광산서	374
조정현	송파서	202
조정환	수원서	248
조정환	삼일회계	18
조정효	광주청	371
조정훈	국회법제	66
조정훈	남대문서	179
조정훈	김포서	307
조정훈	수영서	462
조정훈	관세청	491
조정희	서울청	147
조종수	인천서	298
조종식	김포서	307
조종연	보령서	342
조종음	조세재정	516
조종태	세무하나	47
조종필	광주청	368
조종하	이천서	263
조종호	제천서	360
조주경	서울청	142
조주현	동화성서	266
조주호	부산청	448
조주환	서울청	160
조주희	서울청	159
조주희	삼성서	192
조준	마포서	188
조준	부천서	312
조준기	원주서	279
조준서	남대구서	413
조준식	군산서	393
조준연	국세청	127
조준영	국세교육	139
조준영	양산서	478
조준연	법무율촌	58
조준우	부산청	444
조준원	상공회의	109
조준익	광교세무	38
조준철	익산서	398
조준호	중기회	110
조준호	부산청	448
조준환	동대구서	414
조중연	기재부	86
조중연	역삼서	207
조중현	인천서	299
조중훈	서인천서	296
조지영	국세청	118
조지영	광명서	305
조지영	전주서	400
조지원	분당서	245
조지현	구리서	235
조지현	인천청	287
조지훈	천안서	352
조지훈	천안서	353
조진동	인천청	287
조진숙	구로서	175
조진용	국세청	116
조진용	서울세관	495
조진한	세무사회	29
조진형	중기회	110
조진희	지방재정	512
조장국	중부청	228
조장권	경기광주	252
조장규	용산서	210
조장우	서울청	164
조장인	기재부	85

이름	소속	번호	이름	소속	번호	이름	소속	번호	이름	소속	번호	이름	소속	번호
조창일	동안양서	243	조현진	부산청	449	주명오	대전청	328	주철우	울산서	470	진가람	조세재정	516
조창현	국세청	125	조현진	금정서	451	주명진	천안서	353	주충용	동화성서	267	진경	부평서	315
조창호	삼일회계	18	조현태	구미서	427	주명진	동래서	453	주태웅	남양주서	239	진경준	진주서	481
조채연	원주서	278	조현하	경기광주	253	주명화	서울청	147	주평하	용인서	260	진경천	상공회의	108
조채영	광명서	304	조현혜	지방재정	511	주미아	북부산서	458	주하나	수원서	249	진경천	상공회의	109
조천령	종로서	216	조현희	은평서	213	주미영	국세청	125	주해인	기재부	82	진경철	부천서	312
조철	금감원	106	조현희	강릉서	270	주미진	구리서	235	주현경	성북서	200	진경화	동대문서	185
조철	부산세관	502	조형래	금정서	450	주민석	국세청	130	주현경	양천서	204	진경희	제주서	486
조철호	남대구서	412	조형석	영등포서	209	주민희	광명서	304	주현민	청주서	362	진관수	용산서	210
조초희	서인천서	296	조형석	부산청	443	주민희	부천서	312	주현민	지방재정	511	진남식	서광주서	381
조춘원	잠실서	215	조형오	전주서	401	주병욱	기재부	80	주현식	금천서	177	진누리	목포서	385
조치상	국세청	126	조형주	울산서	471	주보영	인천청	290	주현아	서울청	163	진덕용	상공회의	109
조태복	법무광장	57	조혜리	성북서	201	주보은	창원서	482	주현철	고양서	302	진덕화	중부서	220
조태성	부산청	445	조혜리	영등포서	209	주상철	예일회계	24	주형석	부산청	446	진동권	북전주서	397
조태익	남부천서	311	조혜민	시흥서	251	주상임	기재부	80	주혜령	중부서	221	진동욱	평택서	265
조태희	기재부	86	조혜민	영덕서	359	주서의	기재부	74	주혜영	기재부	189	진명기	지방재정	510
조태희	대전서	332	조혜선	북광주서	379	주선규	강릉서	271	주혜진	기재부	78	진문수	서광주서	380
조판규	종로서	217	조혜연	서울청	143	주선돈	김해서	475	주혜진	마산서	476	진미란	북대구서	416
조하나	동작서	187	조혜연	청주서	363	주선미	광주청	369	주호영	국회재정	64	진미선	종로서	216
조하나	동수원서	240	조혜영	익산서	399	주선영	서울청	144	주홍민	금융위	93	진민곤	국세청	117
조학래	부산청	444	조혜원	서울청	152	주선영	광주서	377	주홍준	동대구서	414	진민정	서울청	165
조학래	태평양	60	조혜원	동수원서	241	주선영	부산서	461	주환욱	대전청	330	진병국	삼일회계	18
조학준	평택서	265	조혜윤	통영서	485	주선정	국세상담	136	주희은	나주서	383	진병환	계양서	301
조한경	강남서	167	조혜인	김포서	306	주성렬	인천세관	498	주희정	남대문서	179	진병훈	은평서	212
조한규	대전청	331	조혜정	분당서	244	주성민	부산서	458	지광민	북부산서	458	진보림	부산서	278
조한덕	고양서	303	조혜정	부평서	315	주성숙	파주서	320	지대진	파주서	320	진봉균	춘천서	280
조한민	대전서	332	조혜정	지방재정	512	주성옥	서울청	147	지대현	대전청	326	진봉재	삼일회계	19
조한솔	국세청	117	조혜숙	서울청	120	주성용	삼성서	193	지만	서부산서	460	진상형	용인서	260
조한송이	남대문서	180	조혜진	인천청	286	주성재	강서서	170	지명수	법무지평	59	진석주	창원서	482
조한식	중랑서	218	조혜진	광주서	376	주성준	태평양	60	지명희	동대문서	184	진선미	국회재정	64
조한아	은평서	212	조혜진	전주서	400	주성진	분당서	244	지민경	홈앤아웃	45	진선미	동울산서	468
조한영	금천서	177	조혜진	조세재정	514	주성태	기흥서	236	지민정	강남서	167	진선애	경기광주	253
조한용	동대문서	184	조호연	북광주서	379	주성희	성동서	198	지상근	남대문서	178	진선조	서울청	165
조한우	화성서	268	조호연	중부대구서	418	주세경	서울청	145	지상수	대전청	331	진선주	지방재정	510
조한정	화성서	269	조호준	안산서	254	주소미	인천청	289	지상준	국세청	130	진선호	서울청	160
조한진	관세청	490	조호철	동작서	186	주소희	안양서	258	지상현	이안세무	50	진선홍	기재부	79
조한철	삼일회계	18	조호철	남원서	394	주송현	광주서	369	지서연	성동서	199	진성민	성북서	200
조항진	대전청	326	조홍규	부산서	448	주수미	서초서	196	지선영	동안양서	243	진성욱	제주서	486
조해동	고양서	303	조홍기	인천청	290	주승연	인천청	289	지선구	서울세관	494	진성복	성북서	201
조해미	북부산서	458	조홍술	군산서	392	주승용	인천청	287	지성수	서울청	163	진성은	부산진서	455
조해영	남대문서	180	조홍영	부산세관	502	주승철	강릉서	270	지성은	반포서	190	진소영	대전청	331
조해원	삼척서	273	조홍우	중부산서	464	주시경	대구세관	505	지소영	공주서	338	진소영	구미서	426
조해윤	속초서	274	조홍준	서울청	157	주시경	대구세관	506	지소정	남대문서	180	진소현	구리서	234
조해일	중부청	229	조화경	양주서	380	주아라	양산서	478	지수	김포서	306	진솔	화성서	269
조해정	평택서	265	조화영	남대구서	412	주아람	동고양서	309	지슬찬	대전청	326	진수미	서울청	156
조해정	광주서	371	조환준	국세청	115	주아름	송파서	203	지승룡	대전청	398	진수민	중부청	225
조해진	국회재정	64	조효숙	기재부	86	주애란	의정부서	319	지승환	국세청	118	진수영	국세주류	134
조행순	기흥서	236	조효신	성남서	246	주연봉	여수서	389	지신영	은평서	213	진수정	송파서	203
조헌일	역삼서	207	조효진	도봉서	182	주연신	해운대서	466	지연우	동작서	187	진수진	수원서	248
조현	기재부	79	조훈연	서초서	362	주영상	성동서	198	지연주	부산청	443	진수현	서울청	142
조현	울산서	471	조홍래	부산세관	502	주영서	대전서	332	지영근	지방재정	513	진순자	세종서	346
조현경	국세청	115	조희근	분당서	245	주영석	송파서	202	지영미	기재부	85	진승우	기재부	83
조현경	동안산서	256	조희선	김천서	429	주영진	인천지방	34	지영은	천안서	353	진승은	국세청	114
조현경	서대전서	336	조희성	강남서	167	주온슬	광주청	373	지영주	계양서	301	진승호	인천청	286
조현관	인천청	289	조희원	강남서	166	주요준	홈앤아웃	45	지영진	북대전서	335	진승호	안양서	258
조현관	법무바른	1	조희정	중부청	225	주용호	서울청	144	지영환	동수원서	240	진승환	천안서	353
조현구	잠실서	215	조희정	이천서	262	주우성	국세청	114	지영환	강릉서	271	진승현	김앤장	55
조현구	대전청	328	조희정	동화성서	266	주원숙	국세청	124	지용권	용인서	261	진언지	북대구서	417
조현국	인천청	292	조희정	울산서	471	주윤숙	반포서	191	지용찬	교육세무	38	진영근	남동서	295
조현국	광주청	369	조희주	해남서	390	주유아	역삼서	207	지우석	부산서	444	진영석	남양주서	238
조현덕	대구청	410	조희진	서울청	163	주윤정	반포서	190	지우영	동울산서	468	진영숙	진주서	481
조현두	기재부	88	조희평	조세재정	515	주윤호	기재부	82	지유미	제주서	257	진영희	중부산서	465
조현민	수원서	249	조희평	조세재정	515	주은경	충주서	364	지은섭	성북서	201	진예슬	용산서	220
조현선	서울청	160	종만	홍성서	354	주은미	중부청	229	지은정	아산서	348	진예슬	전주서	401
조현성	동안양서	243	종소	국세상담	136	주은상	서울청	389	지은호	남양주서	380	진용미	서산서	344
조현수	양천서	204	좌용준	제주서	486	주은영	북광주서	378	지임구	서울청	165	진우영	동울산서	468
조현숙	삼척서	272	좌현미	동수원서	240	주은진	부산청	444	지장근	국세상담	136	진우영	동울산서	469
조현승	양천서	205	주강석	지방재정	512	주은화	지방재정	243	지장근	지방재정	512	진우형	국세청	133
조현아	마포서	188	주경관	수원서	249	주은희	지방재정	510	지재기	동래서	453	진원용	서대전서	337
조현아	마산서	477	주경섭	서울청	153	주인규	국세청	131	지재홍	경산서	422	진유빈	포항서	438
조현옥	세무하나	47	주경탁	구로서	175	주자연	동수원서	241	지점숙	서울청	147	진유신	김해서	475
조현용	진주서	481	주관종	북대전서	334	주재관	서초서	196	지정국	광산서	374	진은주	울산서	470
조현우	은평서	213	주광수	부산서	449	주재명	수원서	249	지준각	중부지방	33	진인수	울산서	210
조현우	원주서	278	주구종	서대전서	337	주재민	조세재정	515	지창일	이천서	263	진재경	양천서	205
조현은	도봉서	182	주군선	신대동	53	주재임	성북서	201	지충환	보령서	343	진재화	영월서	277
조현정	동화성서	267	주규준	국회재정	63	주재정	광주서	376	지현민	부산청	447	진정	순천서	387
조현종	남동서	295	주기영	동화성서	267	주재철	대전청	328	지현배	강서서	171	진정록	마포서	188
조현주	종로서	217	주기환	금천서	177	주재현	국세청	117	지현철	제주서	486	진정욱	서대전서	336
조현준	국세청	119	주나라	마포서	189	주정권	공주서	338	지혜림	정읍서	402	진정호	강동서	168
조현준	남동서	295	주남균	조세재정	515	주종기	부산서	445	지혜연	천안서	352	진종범	원주서	279
조현진	기재부	82	주대현	삼일회계	19	주진선	경기광주	253	지혜조	기재부	86	진종호	국세청	130
조현진	서울청	153	주동철	도봉서	182	주진수	대전청	330	지혜주	익산서	398	진종희	부산진서	454
조현진	기흥서	236	주란	천안서	352	주진아	안양서	258	지호원	원주서	278	진주원	남양주서	239
조현진	포항서	439	주맹식	부산청	442	주진영	중랑서	218	지희창	광명서	304	진준	화성서	268
조현진	부산청	446										진준식	서대구서	419

이름	소속	번호
진중기	북광주서	379
진채영	해운대서	466
진태호	조세재정	516
진태호	조세재정	516
진판곤	지방재정	510
진한일	서울청	145
진향미	화성서	268
진혁환	광주서	377
진홍덕	통영서	485
진현서	성동서	198
진현정	평택서	264
진현진	부산강서	457
진현탁	진주서	480
진현호	마산서	476
진형석	은평서	213
진혜진	인천청	291
진호근	통영서	484
진호범	동고양서	309
진홍탁	중랑서	218
진효영	부산청	449
진훈미	서부산서	460
진회성	국세청	144
진희주	국세교육	138
징세정	국세청	117
징세정	국세청	117
차건수	대전청	327
차경엽	감사원	70
차경은	기재부	78
차경진	서광주서	381
차광섭	공주서	338
차규상	부산진서	454
차나리	천안서	353
차동희	서울청	154
차무중	은평서	213
차무환	부산청	442
차미선	서울청	142
차미식	마산서	477
차보미	대전청	331
차상두	인천세관	500
차상윤	익산서	399
차상진	서울청	447
차상훈	북전주서	397
차선영	성북서	201
차선주	용인서	261
차세원	인천청	292
차송근	용인서	261
차수빈	국세청	114
차수빈	용산서	211
차수환	금감원	95
차수환	금감원	98
차순백	영등포서	208
차순조	서울청	145
차승기	역삼서	206
차승원	기재부	78
차양호	서울청	158
차연수	중부청	229
차연아	인천서	298
차연주	서대문서	195
차연호	기재부	75
차영석	동화성서	266
차영준	광산서	375
차용희	은평서	212
차원영	강남서	166
차유경	중부서	221
차유곤	순천서	387
차유나	동안산서	256
차유라	서울청	164
차유미	강서서	171
차유해	중부서	221
차윤주	부산진서	454
차윤중	구리서	234
차은규	서산서	344
차은정	동대문서	184
차은정	나주서	383
차일규	삼일회계	18
차일현	남동서	294
차재익	동대구서	414
차정미	영등포서	209
차정우	제주서	487
차정환	북대전서	335
차종언	대구청	411
차주형	국세청	118
차주황	고시회	30
차준형	남부천서	310
차중협	성북서	201
차중연	구로서	174
차지연	인천청	286
차지연	순천서	387
차지원	아산서	348
차지인	강남서	167
차지해	금천서	177
차지현	동대문서	185
차지현	북부산서	459
차지훈	국세청	126
차지훈	삼척서	272
차진선	서울청	149
차현근	서울청	144
차현종	기재부	82
차혜진	서울청	160
차호현	국세상담	136
차회윤	충주서	365
채가람	지방재정	510
채경수	국세상담	137
채경연	창원서	482
채규욱	부산강서	457
채규홍	광주청	372
채남기	광주서	377
채동준	평택서	264
채만식	서울청	161
채명석	순천서	387
채명신	대구청	408
채명우	국세주류	134
채명훈	부천서	312
채문석	남대문서	180
채미옥	인천청	289
채민기	아산서	349
채민재	시흥서	250
채민호	종로서	216
채백희	중부지방	33
채상윤	중부청	232
채상조	기흥서	236
채상철	중부서	221
채상희	북대전서	335
채성운	경산서	423
채성호	안산서	255
채송화	인천서	298
채수민	서울청	162
채수정	군산서	392
채수필	서초서	196
채수향	반포서	190
채숙경	나주서	382
채승아	동래서	452
채승완	태평양	60
채양숙	동수원서	240
채여정	창원서	483
채연기	종로서	217
채연식	이천서	262
채연주	중부서	220
채예지	파주서	320
채용문	송파서	202
채용찬	종로서	216
채우리	북광주서	379
채유조	익산서	399
채유진	고양서	303
채은정	국세상담	137
채정석	남양주서	238
채정화	의정부서	318
채정환	구로서	175
채정호	홍성서	355
채종성	법무율촌	58
채종일	서울청	145
채종율	성북서	200
채종희	양천서	204
채준석	전주서	401
채중유	중부청	229
채지원	인천지방	34
채지유	역삼서	207
채진영	부평서	314
채진우	국세청	114
채충모	관세사회	51
채충우	포항서	438
채칠용	중부청	233
채한기	부산청	445
채현석	영등포서	209
채현지	예일회계	24
채현진	마포서	189
채혜란	부평서	315
채혜미	남동서	294
채혜인	중부청	229
채혜정	의정부서	318
채호정	안산서	255
채홍선	대전청	326
채화영	북광주서	379
채희문	부평서	315
채희원	수원서	248
채희주	강남서	166
채희준	서산서	353
채희태	대현회계	14
천경식	목포서	385
천경재	양천서	204
천광진	포천서	322
천근영	국세청	130
천기문	포항서	438
천만진	중부청	225
천명길	정읍서	402
천명선	마포서	188
천명일	국세상담	136
천문희	잠실서	215
천미진	금천서	177
천민근	구미서	427
천민아	부산강서	457
천상아	서산서	345
천상수	김천서	428
천새봄	마포서	188
천서정	서울청	182
천선경	부산청	448
천세훈	제주서	486
천수혁	성남서	246
천승렬	구미서	426
천승리	진주서	480
천승민	김천서	177
천승현	수성서	420
천영익	예일세무	49
천영예	영등포서	208
천영환	남대문서	180
천용욱	부산청	444
천우남	서산서	387
천원철	금정서	450
천은영	대전청	328
천인호	광명서	305
천일	잠실서	215
천재도	부평서	315
천정희	대구서	412
천주석	국세청	132
천주헌	나주서	382
천지역	기재부	75
천지연	서부산서	460
천지은	중부산서	464
천진영	파주서	320
천진해	역삼서	206
천태근	부산진서	455
천해자	김천서	429
천현식	부평서	315
천현창	인천청	286
천혜령	안양서	259
천혜린	기재부	78
천혜미	용인서	261
천혜빈	성동서	199
천혜영	중부지방	33
천혜원	지방재정	510
천혜정	북대구서	417
천혜진	서부산서	249
천호철	서부산서	461
천효순	중부산서	464

大

이름	소속	번호
최가람	서울청	150
최가은	양천서	205
최가인	광주서	376
최갑순	양산서	479
최갑진	서대전서	337
최강식	부산청	442
최강욱	국회법제	66
최강인	서울청	153
최건호	해남서	390
최건희	익산서	398
최경남	기재부	75
최경락	이천서	262
최경묵	마포서	188
최경민	지방재정	513
최경배	북전주서	396
최경수	제주서	487
최경아	연수서	316
최경아	제천서	361
최경은	동울산서	468
최경은	청주서	362
최경준	부평서	315
최경철	성동서	199
최경초	경기광주	204
최경하	청주서	362
최경호	서초서	197
최경화	춘천서	280
최경화	고양서	303
최경화	경산서	423
최경희	동대문서	185
최경희	통영서	484
최고든	군산서	393
최고은	서울청	164
최고은	중부청	224
최고은	금정서	450
최고진	동래서	453
최광민	인천청	288
최광백	태평양	60
최광식	충주서	364
최광신	양천서	205
최교학	평택서	265
최국주	딜로이트	15
최권호	광주청	373
최규균	홈앤아웃	45
최규선	영월서	277
최규식	남대문서	181
최규종	상공회의	109
최규진	중부산서	464
최규철	기재부	88
최규철	기재부	88
최규한	서인천서	297
최규환	법무율촌	58
최근수	국세청	125
최근식	동래서	452
최근식	세무하나	47
최근영	서대문서	194
최근영	수원서	248
최근재	수성서	421
최근창	성동서	198
최근형	평택서	265
최근호	아산서	348
최근호	조세재정	516
최금년	대전청	328
최금주	조세재정	516
최금해	성동서	198
최기순	서산서	345
최기영	국세청	133
최기영	강서서	170
최기영	중부청	232
최기영	대구청	406
최기용	구미서	427
최기웅	도봉서	182
최기웅	성동서	199
최기혁	서부산서	460
최기혁	삼일회계	19
최기환	강서서	171
최기환	광산서	374
최길남	지방재정	511
최길만	파주서	321
최길섭	반포서	190
최길우	서울청	149
최나연	서인천서	296
최나영	기재부	87
최나영	나주서	382
최나은	기재부	79
최낙상	해운대서	466
최낙훈	여수서	388
최남	대구청	406
최남오	기재부	88
최남철	영등포서	208
최남철	서울청	144
최다슴	홍성서	354
최다영	기재부	81
최다영	시흥서	251
최다예	고양서	302
최다인	인천서	298
최다혜	순천서	386
최달영	감사원	69
최달영	감사원	71
최대경	진주서	481
최대림	부산청	442
최대선	기재부	79
최대현	금감원	106
최대현	동래서	453
최덕선	속초서	275
최덕희	기재부	87
최도석	서울청	159
최도영	경산서	423
최돈섭	속초서	274
최돈순	원주서	278
최돈희	중부청	229
최동기	중부청	229
최동락	동화성서	267
최동석	동울산서	468
최동완	국회재정	63
최동일	서울청	157
최동주	중부청	229
최동진	김포서	306
최동진	김앤장	55
최동찬	대전청	330
최동혁	서울청	162
최동혁	영등포서	209
최동호	기재부	78
최동훈	대전	333
최동휘	구리서	234
최두이	중부청	228
최두환	중부산서	464
최락진	속초서	274
최만석	부산청	444
최명	화성서	269
최명길	해운대서	467
최명석	인천서	299
최명순	인천청	288
최명식	남대문서	178
최명일	국세청	133
최명준	서울청	164
최명철	중부청	231
최명현	강남서	167
최명호	수원서	248
최명환	통영서	484
최명훈	은평서	213
최문경	강서서	170
최문기	관세청	489
최문기	법무바른	1
최문석	마포서	188
최문영	기재부	81
최문영	정읍서	403
최문자	서광주서	380
최미경	관악서	173
최미경	중랑서	219
최미경	고양서	303
최미경	익산서	398
최미나	남대구서	413
최미녀	중부산서	465
최미란	서울청	165
최미란	안양서	258
최미란	전주서	401
최미란	안동서	432
최미르	수영서	462
최미리	서울청	145
최미리	성동서	198
최미선	서울청	162
최미선	조세재정	515
최미숙	서울청	158
최미숙	강서서	171
최미숙	대전청	331
최미순	양천서	204
최미애	포항서	439
최미영	성동서	199
최미영	수원서	249
최미영	연수서	316
최미영	광산서	374
최미영	조세재정	514
최미영	조세재정	515
최미영	조세재정	516
최미옥	송파서	203
최미옥	구리서	234
최미자	역삼서	207
최미정	중부청	226
최미정	용인서	260
최미진	서대전서	336

이름	관서	번호	이름	관서	번호	이름	관서	번호	이름	관서	번호	이름	관서	번호
최미혜	목포서	385	최상원	세무삼륭	44	최세은	시흥서	250	최연수	해남서	390	최용섭	북대전서	334
최민경	영등포서	209	최상임	송파서	202	최세진	강남서	166	최연수	관세청	490	최용세	국세청	124
최민경	인천청	292	최상재	중부청	225	최세진	성남서	246	최연옥	영동서	358	최용우	서울청	142
최민교	기재부	81	최상채	서초서	196	최세진	동화성서	266	최연우	춘천서	280	최용준	시흥서	250
최민규	도봉서	182	최상혁	관악서	172	최세현	국세청	131	최연욱	이천서	262	최용준	세무다솔	41
최민서	평택서	265	최상혁	광주서	376	최세훈	삼정회계	20	최연재	대구세관	506	최용진	종로서	216
최민석	동작서	187	최상형	논산서	340	최세희	중부서	221	최연정	종로서	217	최용진	파주서	321
최민석	대구청	407	최새록	성남서	247	최세희	나주서	382	최연주	중부청	225	최용철	국세청	126
최민수	역삼서	206	최서나	서울청	146	최소라	도봉서	182	최연주	인천청	291	최용호	동안산서	256
최민식	부산청	449	최서연	서인천서	296	최소아	광산서	374	최연지	고양서	302	최용화	평택서	264
최민아	상공회의	109	최서영	대전서	332	최소영	분당서	245	최연평	보령서	342	최용환	법무율촌	58
최민애	성동서	198	최서우	창원서	483	최소영	수원청	456	최연하	서울청	147	최용훈	강서서	170
최민우	서대전서	336	최서윤	강동서	168	최소윤	부산진서	454	최연희	구로서	174	최용훈	대구청	406
최민정	강서서	170	최서윤	금천서	177	최솔	서울청	151	최연희	광주서	376	최용훈	경산서	422
최민정	마포서	188	최서윤	진주서	480	최솔	홈앤아웃	45	최연희	북광주서	378	최용훈	부산청	449
최민정	성남서	246	최서진	남대문서	179	최송엽	평택서	264	최영	동안양서	243	최우경	성북서	200
최민준	동래서	452	최서진	북대전서	334	최수경	고양서	302	최영권	보령서	342	최우녕	김포서	307
최민지	강동서	169	최서혜	대전서	332	최수미	국세상담	136	최영근	전주서	400	최우리	기재부	88
최민지	대전서	332	최석운	인천서	299	최수민	국세청	126	최영둘	대전청	328	최우석	기재부	75
최민혜	수원서	249	최석종	중부청	227	최수빈	국세청	123	최영락	기재부	75	최우석	영월서	277
최민혜	동고양서	308	최선	순천서	387	최수식	김해서	475	최영란	조세재정	516	최우성	국세청	128
최민희	삼성서	193	최선경	해운대서	467	최수연	남대문서	180	최영미	청주서	363	최우성	수원서	248
최방석	북광주서	379	최선규	관악서	172	최수연	도봉서	183	최영보	성북서	200	최우신	삼성서	192
최범식	서울청	161	최선균	서울청	142	최수열	삼도회계	17	최영봉	서울청	156	최우영	경기광주	252
최병곤	인천지방	34	최선미	국세청	124	최수인	중부서	220	최영선	부산청	442	최우영	예산서	351
최병관	지방재정	510	최선미	안양서	259	최수정	분당서	245	최영선	남부천서	310	최우영	부산청	444
최병구	국세청	120	최선숙	서대문서	195	최수정	계양서	300	최영숙	마포서	189	최우일	강서서	170
최병구	포항서	439	최선영	기재부	74	최수종	대전청	331	최영숙	세종서	347	최우진	대전청	330
최병국	영등포서	209	최선우	국세교육	138	최수지	인천청	286	최영실	강서서	171	최우현	수원서	249
최병국	시흥서	250	최선우	서울청	157	최수지	국세청	125	최영아	용산서	210	최욱경	진주서	481
최병기	예산서	351	최선우	통영서	484	최수진	도봉서	183	최영우	국세청	119	최욱환	서울청	156
최병달	동대구서	414	최선이	강남서	167	최수진	김천서	428	최영우	춘천서	280	최웅	성동서	198
최병례	기흥서	236	최선자	동울산서	469	최수진	김해서	474	최영우	삼정회계	22	최원규	광주청	372
최병분	충주서	364	최선재	지방재정	513	최수현	송파서	203	최영우	중부지방	33	최원길	군산서	211
최병석	송파서	202	최선주	서울청	164	최수현	원주서	278	최영우	대구청	406	최원모	강남서	167
최병석	용산서	210	최선주	역삼서	206	최숙영	부산서	448	최영윤	예일세무	49	최원봉	국세청	121
최병열	광교세무	37	최선혜	의정부서	318	최숙현	서울청	164	최영인	성동서	199	최원빈	기재부	83
최병홍	홍천서	283	최선호	관악서	172	최숙희	용인서	260	최영인	서울청	150	최원석	남대문서	181
최병우	구로서	175	최선호	금천서	177	최순봉	김해서	475	최영임	광주청	369	최원석	김포서	307
최병웅	부산세관	502	최선희	기재부	90	최순옥	광주서	377	최영자	포천서	322	최원석	목포서	385
최병윤	여수서	388	최선희	남대문서	181	최순희	동작서	186	최영전	기재부	77	최원수	국세청	119
최병익	국세교육	139	최선희	남대문서	181	최순희	군산서	392	최영주	중부청	226	최원영	강동서	168
최병재	인천청	286	최설향	역삼서	207	최슬기	은평서	213	최영주	광주청	371	최원영	광산서	374
최병진	기재부	89	최성관	익산서	398	최슬기	강릉서	270	최영준	국세상담	137	최원우	동울산서	469
최병철	부산청	446	최성규	강남서	166	최슬기	고양서	303	최영준	동화성서	267	최원우	홈앤아웃	45
최병태	서대문서	195	최성균	서울청	146	최슬기	포천서	323	최영준	천안서	353	최원일	평택서	264
최병하	전주서	400	최성도	삼척서	272	최슬기	조세재정	516	최영준	지방재정	512	최원정	서광주서	380
최병화	동수원서	240	최성례	동안대서	256	최승규	남동서	294	최영지	강동서	168	최원제	포항서	438
최보경	부산진서	454	최성미	국세청	114	최승민	성남서	142	최영진	국세청	122	최원준	국세청	130
최보라	인천청	292	최성미	서대전서	337	최승복	동안양서	242	최영진	성북서	201	최원태	부산진서	455
최보람	여수서	389	최성민	기재부	86	최승빈	안산서	254	최영진	화성서	269	최원현	북대전서	335
최보령	국세청	133	최성민	동안산서	257	최승식	천안서	353	최영찬	대전청	326	최원혁	중부서	220
최보문	강동서	169	최성민	잠실서	474	최승영	서울청	161	최영철	대전청	114	최원희	성북서	200
최보미	구리서	234	최성배	광주서	377	최승오	서대전서	336	최영철	중부청	227	최원희	포천서	322
최보미	인천서	299	최성백	기재부	86	최승웅	북광주서	378	최영철	중부산서	464	최유건	서울청	157
최보선	홈앤아웃	45	최성순	강남서	210	최승웅	딜로이트	15	최영학	성동서	158	최유나	서대구서	419
최보영	강서서	171	최성식	관세사회	51	최승일	국세청	120	최영현	국세교육	139	최유림	구로서	174
최보영	광주청	373	최성실	동대구서	414	최승재	국회정무	68	최영현	구로서	174	최유림	부산진서	454
최보윤	역삼서	207	최성영	영등포서	208	최승재	지방재정	382	최영현	성동서	198	최유림	조세재정	516
최보윤	울산서	471	최성영	기재부	82	최승철	강릉서	270	최영호	국세청	154	최유미	인천청	285
최보현	서대문서	195	최성영	서울청	146	최승철	지방재정	512	최영호	서울청	154	최유미	인천청	286
최복기	평택서	264	최성용	안양서	259	최승필	중랑서	428	최영호	금천서	177	최유미	경산서	422
최복례	전주서	401	최성욱	동대문서	185	최승혁	중랑서	219	최영호	서대전서	336	최유미	지방재정	512
최봉렬	강서서	171	최성욱	조세재정	515	최승현	안동서	432	최영호	북부산서	459	최유선	삼척서	272
최봉석	기재부	85	최성일	서울청	162	최승훈	시흥서	251	최영환	마포서	188	최유성	강릉서	270
최봉수	국세청	120	최성일	수원서	249	최승훈	영주서	436	최영환	잠실서	215	최유성	인천청	290
최봉순	동울산서	469	최성일	예일세무	49	최승훈	진주서	480	최영환	분당서	245	최유연	이천서	262
최봉순	중부지방	33	최성임	동울산서	468	최승훈	조세재정	515	최영환	인천서	298	최유연	동안산서	257
최봉순	광교세무	37	최성연	해운대서	467	최시온	중랑서	219	최영환	국세청	125	최유원	국세교육	139
최상	서울청	151	최성진	기재부	91	최시원	조세재정	515	최예린	북광주서	379	최유일	경산서	423
최상권	서현이현	7	최성찬	국회재정	63	최시우	대전청	326	최예숙	인천서	299	최유정	아산서	348
최상권	서현이현	7	최성철	제천서	360	최시은	서광주서	380	최예은	강동서	168	최유진	서울청	142
최상규	구미서	427	최성태	관세사회	51	최신호	나주서	382	최오동	기재부	76	최유진	의정부서	318
최상대	기재부	75	최성현	삼척서	272	최아라	서인천서	297	최옥구	중부청	228	최유철	삼일회계	18
최상덕	중부산서	465	최성호	국세청	114	최아라	동래서	453	최완	법무율촌	58	최윤겸	부산청	442
최상림	구리서	235	최성호	서울청	145	최아현	국세청	129	최완규	남대문서	179	최윤경	공주서	338
최상만	국세청	117	최성호	대전청	331	최안옥	부산진서	455	최완규	안산서	255	최윤기	용인서	261
최상미	평택서	265	최성화	잠실서	214	최애련	부천서	312	최완규	춘천서	280	최윤미	마포서	188
최상배	인천세관	499	최성환	부천서	312	최여은	성동서	198	최용	남양주서	45	최윤미	남양주서	238
최상복	국세청	117	최성희	중부청	233	최연	기재부	82	최용국	동래서	453	최윤미	부산청	442
최상선	천안서	353	최성희	해운대서	467	최연경	구리서	303	최용규	양천서	205	최윤미	조세재정	515
최상연	서울청	146	최세라	용산서	210	최연구	구리서	234	최용근	서울청	148	최윤석	서울청	156
최상연	인천서	299	최세미	강남서	166	최연덕	동래서	453	최용민	서대문서	194	최윤석	남동서	295
최상연	서광주서	380	최세영	남양주서	238	최연선	기재부	76	최용복	제천서	360	최윤선	국세상담	136
최상영	순천서	387	최세영	부산청	447							최용선	부평서	315

이름	소속	번호
최윤섭	진주서	480
최윤성	동화성서	266
최윤수	삼일회계	18
최윤실	대전청	328
최윤실	해운대서	466
최윤아	성남서	246
최윤영	중부서	221
최윤영	남원서	394
최윤영	대구청	409
최윤용	조세재정	514
최윤정	안양서	259
최윤정	남동서	294
최윤정	청주서	362
최윤정	통영서	485
최윤주	인천청	286
최윤주	서광주서	380
최윤진	중부서	221
최윤혁	창원서	483
최윤호	국세청	117
최윤호	서울서	142
최윤희	동수원서	241
최윤희	국회재정	63
최윤희	송파서	203
최은경	기재부	83
최은경	국세청	125
최은경	구로서	175
최은경	의정부서	319
최은경	창원서	483
최은경	통영서	484
최은락	이안세무	50
최은락	상공회의	108
최은미	국세상담	136
최은미	동대문서	184
최은미	삼성서	356
최은복	의정부서	318
최은선	화성서	268
최은선	천안서	352
최은선	동대구서	415
최은성	국세청	118
최은성	국세청	128
최은수	역삼서	207
최은수	중랑서	218
최은수	기흥서	236
최은수	동울산서	468
최은숙	국세청	117
최은숙	서울청	151
최은숙	안동서	432
최은애	남대문서	180
최은영	기재부	74
최은영	국세청	117
최은영	동대문서	184
최은영	삼성서	192
최은영	양천서	204
최은영	중부서	221
최은영	남동서	294
최은영	계양서	301
최은영	정읍서	402
최은영	수성서	421
최은영	삼정회계	20
최은옥	고양서	302
최은유	서대문서	195
최은정	서울청	157
최은정	용산서	210
최은정	인천서	299
최은정	대현회계	14
최은주	서초서	197
최은주	용인서	260
최은지	서울청	146
최은지	대전청	329
최은진	관악서	173
최은진	동작서	187
최은진	구미서	426
최은진	마산서	476
최은진	딜로이트	15
최은창	성남서	246
최은철	전주서	400
최은태	동래서	452
최은하	성남서	148
최은혜	서울청	165
최은혜	대전청	328
최은혜	조세재정	514
최은호	대구청	408
최은호	진주서	480
최은희	삼성서	192
최은희	동화성서	266
최은희	서대전서	336
최이선	조세재정	514
최이진	인천서	298
최이환	관악서	172
최익성	감사원	70
최익성	삼성서	144
최익수	아산서	348
최익영	금천서	176
최익훈	김포서	306
최인광	순천서	386
최인귀	서대문서	194
최인규	서울청	152
최인규	구리서	235
최인규	서울세관	494
최인범	국세청	116
최인석	관악서	173
최인선	기재부	88
최인섭	삼성서	193
최인수	감사원	70
최인순	강남서	166
최인식	금정서	450
최인아	남대문서	179
최인아	창원서	483
최인영	국세교육	138
최인영	서울청	154
최인영	중부청	230
최인영	창원서	483
최인옥	서울청	156
최인옥	영동서	359
최인혁	조세재정	514
최인혜	대전서	332
최인효	여수서	388
최일	반포서	191
최일동	감사원	70
최임규	동청주서	356
최임선	중부산서	464
최임정	김앤장	55
최자연	춘천서	281
최장규	경산서	423
최장균	광주청	373
최장영	계양서	301
최재강	용인서	261
최재관	인천세관	497
최재관	인천세관	499
최재광	화성서	268
최재광	안동서	432
최재국	기재부	86
최재규	국세청	133
최재규	서울청	150
최재균	대전서	332
최재덕	서울청	150
최재득	반포서	190
최재림	도봉서	182
최재명	국세청	115
최재봉	국세청	122
최재봉	국세청	123
최재석	딜로이트	15
최재석	세무삼륭	44
최재성	중부청	227
최재성	구미서	426
최재영	기재부	81
최재영	구로서	175
최재영	김천서	428
최재용	부산진서	454
최재우	북대구서	417
최재우	양산서	478
최재원	기재부	89
최재은	경산서	422
최재은	김해서	474
최재철	종로서	217
최재표	삼일회계	18
최재해	감사원	69
최재해	감사원	70
최재혁	감사원	70
최재혁	고양서	302
최재혁	해남서	390
최재혁	경주서	424
최재혁	수영서	462
최재현	중부서	220
최재협	대구청	407
최재형	성동서	199
최재화	북부산서	458
최재화	대구청	408
최재훈	북광주서	378
최재훈	제주서	487
최전환	목포서	384
최점식	동대구서	414
최정규	삼성서	193
최정림	성북서	200
최정명	연수서	317
최정민	삼성서	192
최정숙	지방재정	510
최정식	동울산서	469
최정심	화성서	268
최정아	강서서	170
최정애	통영서	485
최정연	동화성서	266
최정연	익산서	398
최정열	서울청	158
최정완	김포서	307
최정우	송파서	202
최정욱	광주서	377
최정웅	감사원	70
최정운	부산청	445
최정웅	부산진서	454
최정원	강남서	167
최정원	남대문서	180
최정윤	강남서	167
최정은	중부청	225
최정일	정읍서	402
최정인	경기광주	253
최정인	삼척서	273
최정임	강남서	167
최정주	북부산서	459
최정헌	국세청	133
최정현	국세청	123
최정혜	경주서	424
최정훈	양천서	204
최정훈	부산청	445
최정훈	중부산서	464
최정희	동안산서	256
최제환	동울산서	469
최제후	나주서	382
최제희	부산진서	455
최종기	대구청	410
최종묵	광명서	304
최종미	서울청	147
최종민	광주서	376
최종민	북광주서	379
최종수	역삼서	206
최종열	도봉서	182
최종욱	부천서	312
최종태	송파서	203
최종호	경기광주	252
최종환	중부청	225
최종훈	용인서	260
최주광	동고양서	308
최주연	중랑서	219
최주연	양산서	478
최주영	북대구서	417
최주영	동울산서	469
최주영	법무바른	1
최주현	수원서	249
최주희	동작서	186
최주희	수원서	248
최준	서울청	146
최준기	경주서	425
최준민	광산서	375
최준성	중부청	231
최준영	역삼서	206
최준완	중부청	231
최준욱	조세재정	515
최준웅	성북서	200
최준재	서인천서	297
최준호	영덕서	435
최준환	용인서	260
최중갑	조세재정	516
최중진	구월서	277
최지나	김해서	474
최지민	성동서	199
최지민	인천청	287
최지선	김포서	306
최지선	군산서	392
최지선	창원서	483
최지수	종로서	217
최지안	대구서	408
최지안	남대구서	412
최지애	기재부	79
최지연	안양서	259
최지연	아산서	349
최지연	서대구서	418
최지영	기재부	83
최지영	기재부	84
최지영	기재부	84
최지영	국세청	132
최지영	북대전서	335
최지영	보령서	343
최지영	북전주서	396
최지영	남대구서	413
최지영	부산청	446
최지영	지방재정	510
최지영	조세재정	516
최지우	관악서	173
최지우	동안양서	242
최지우	의정부서	318
최지우	남동서	294
최지원	기재부	86
최지원	성북서	200
최지윤	북부산서	459
최지은	서울청	151
최지은	중부서	233
최지은	화성서	269
최지은	세종서	347
최지은	부산진서	455
최지현	서울청	161
최지현	종로서	216
최지현	동고양서	309
최지현	의정부서	319
최지현	북광주서	378
최지현	통영서	484
최지혜	목포서	384
최지혜	해운대서	466
최지훈	기재부	75
최지훈	대전청	329
최지훈	북전주서	396
최지희	전주서	401
최진	용산서	211
최진	경주서	424
최진경	기재부	80
최진관	통영서	484
최진구	법무광장	57
최진규	기재부	82
최진규	동수원서	240
최진규	분당서	244
최진남	국세청	124
최진미	서울청	142
최진민	부천서	445
최진복	서울청	155
최진선	중부청	228
최진선	남동서	294
최진수	청주서	362
최진숙	국세교육	138
최진숙	청주서	362
최진숙	부산청	445
최진숙	동울산서	477
최진식	서울청	147
최진아	마포서	189
최진영	국세청	115
최진영	종로서	216
최진영	수영서	463
최진옥	대전청	326
최진용	천안서	352
최진욱	인천서	298
최진원	중부서	220
최진철	강동서	168
최진혁	서울청	150
최진현	지방재정	512
최진호	서인천서	297
최진화	중부청	233
최진희	부산세관	503
최차영	성동서	198
최찬규	분당서	245
최찬민	중부청	230
최찬배	성동서	121
최찬배	지방재정	510
최찬오	태평양	60
최창문	대전청	368
최창배	중부산서	465
최창선	기재부	79
최창순	강남서	167
최창순	남대문서	184
최창열	인천서	299
최창원	지방재정	510
최창우	해운대서	467
최창욱	광주청	371
최창원	대전서	333
최창원	강동서	169
최창현	남동서	295
최창호	동대문서	184
최창호	수영서	463
최천식	김해서	474
최천식	광주세관	507
최천식	광주세관	508
최철승	광산서	374
최청림	강릉서	271
최청흠	부산청	449
최초로	강동서	168
최춘자	서대구서	418
최치권	삼성서	192
최치연	금융위	93
최치환	국세청	125
최타라	송파서	202
최태영	울산서	470
최태영	세무하나	47
최태원	상공회의	108
최태전	광주청	369
최태주	성동서	198
최태진	용산서	210
최태진	국세상담	137
최태현	중부청	230
최태형	김해서	474
최태훈	인천청	291
최파란	구로서	175
최하나	남대문서	181
최하나	서초서	197
최하나	중부청	227
최하늘	홈앤아웃	45
최하연	서초서	196
최하진	포항서	438
최학규	대전청	328
최학선	중부산서	465
최한경	기재부	81
최한근	의정부서	319
최한미	국세상담	136
최한솔	원주서	279
최한진	세종서	347
최한호	해운대서	466
최항	기재부	79
최항호	동울산서	468
최해성	부산청	447
최해수	서부산서	460
최해영	동고양서	309
최해욱	청주서	362
최해원	서울청	150
최해철	강서서	171
최행용	국세청	133
최향미	광주청	370
최향성	성북서	201
최향희	국회재정	63
최혁	원주서	279
최혁진	평택서	265
최현	강남서	167
최현	인천청	291
최현	계양서	301
최현규	기재부	74
최현민	국세청	129
최현민	법무지평	59
최현빈	중부산서	465
최현석	용산서	210
최현석	중부서	220
최현선	익산서	398
최현성	파주서	321
최현수	서초서	278
최현숙	남양주서	238
최현숙	동화성서	266
최현아	순천서	386
최현영	중랑서	218
최현영	안산서	255
최현영	북전주서	397
최현오	부산세관	503
최현의	고시회	30
최현정	서울청	145
최현정	중부청	224
최현정	평택서	265
최현정	북대전서	334
최현정	동래서	452
최현정	관세청	490
최현주	동안양서	243
최현주	대구청	408

최현준	동대문서	184	추민재	부산강서	456	하경혜	마산서	476	하정욱	연수서	317
최현준	예일세무	49	추병욱	부산청	447	하관수	지방재정	511	하정욱	북부산서	459
최현지	강동서	168	추병일	동래서	453	하광무	기재부	84	하정현	기재부	84
최현진	용산서	211	추상미	통영서	485	하광열	시흥서	251	하종대	법무바른	1
최현진	정읍서	403	추성영	서울청	148	하구식	국세청	125	하종면	국세청	115
최현창	부산청	445	추세웅	기성서	145	하기성	용산서	210	하주식	금융위	93
최현택	금정서	450	추수연	중부산서	465	하나임	시흥서	250	하주연	광주서	376
최현희	기재부	80	추시은	구미서	427	하나정	익산서	398	하주원	송파서	203
최현희	동대구서	414	추아민	남부서	451	하남우	서광주서	381	하주희	광주청	375
최형균	인천세관	500	추여미	기재부	75	하동순	고시회	30	하준찬	시흥서	250
최형동	서광주서	381	추연재	기재부	85	하동훈	EY한영	13	하지경	부산청	448
최형윤	반포서	191	추원규	금정서	331	하두영	인천청	289	하지영	북광주서	379
최형준	인천서	298	추원득	대전청	331	하륜광	은평서	212	하진우	금정서	451
최형지	춘천서	281	추원욱	고양서	303	하명균	지방재정	513	하진호	국세상담	136
최형진	분당서	245	추원의	부산진서	455	하명희	군산서	392	하창경	국세청	119
최형화	성동서	198	추은경	남대구서	413	하미숙	인천서	298	하창길	해운대서	466
최혜경	천안서	353	추은정	광명서	304	하미현	보령서	342	하창수	국세청	130
최혜련	강서서	170	추정화	상공회의	109	하민경	진주서	480	하창현	서울지방	32
최혜리	부산청	446	추종완	김해서	475	하민수	거창서	472	하철수	광산서	374
최혜미	양산서	478	추지선	서부산서	460	하민영	서대문서	195	하철수	수성서	421
최혜선	마산서	476	추지미	광산서	374	하민용	딜로이트	15	하치석	부산청	446
최혜승	성남서	247	추지희	부산청	448	하민혜	부산청	444	하치승	기재부	79
최혜연	역삼서	206	추현종	서울청	155	하병욱	진주서	481	하태상	서울청	153
최혜영	김천서	428	추현희	제주서	486	하복수	부산청	448	하태연	남대문서	180
최혜옥	역삼서	206	추혜진	남대구서	412	하봉남	영업소	402	하태영	수영서	462
최혜원	부천서	313				하상돈	화성서	269	하태완	인천청	289
최혜원	의정부서	319	**ㅌ**			하상우	북부산서	459	하태욱	분당서	244
최혜원	삼일회계	18				하상욱	국세청	119	하태웅	포항서	439
최혜윤	동래서	452	탁경석	계양서	300	하상진	대전청	331	하태원	기재부	87
최혜정	동안양서	243	탁기욱	영등포서	209	하상진	서광주서	381	하태훈	예일회계	24
최혜정	포천서	453	탁봉진	동화성서	266	하상철	송파서	202	하태홍	김앤장	55
최혜지	서대전서	336	탁서연	국세교육	138	하상혁	김앤장	55	하태희	역삼서	207
최혜진	반포서	191	탁성찬	동작서	186	하서연	마산서	476	하한울	분당서	244
최혜진	잠실서	215	탁용성	종로서	217	하선우	부산청	455	하행수	삼성서	193
최혜진	중부서	231	탁정희	서초서	196	하선아	부산진서	455	하헌균	지방재정	511
최혜진	화성서	268	탁정수	삼일회계	18	하성룡	삼정회계	22	하헌욱	수성서	421
최혜진	동래서	453	탁현희	서대전서	337	하성준	부산서	465	하헌영	지방재정	511
최호림	동안양서	257	탄정기	강릉서	270	하성철	순천서	386	하현균	국세청	115
최호상	남동서	295	태대환	김포서	307	하성호	대구청	409	하현기	기재부	78
최호성	금정서	450	태상미	대전청	329	하성호	삼일회계	18	하현정	인천청	292
최호성	예일회계	24	태석용	용인서	260	하세원	국세청	117	하현주	부산진서	455
최호열	서대전서	336	태영연	김포서	306	하세일	조세재정	516	하현주	통영서	484
최호영	춘천서	280	태원창	기재부	77	하소영	부산청	448	하회성	금정서	451
최호영	창원서	483	태혜숙	이천서	262	하수민	북부산서	458	하효연	금정서	260
최호윤	서울청	161				하수정	인천서	289	하효준	남대구서	412
최호일	군산서	392	**ㅍ**			하수진	동대구서	415	하희완	수원서	248
최호준	지방재정	511				하수현	금정서	318	한가희	마포서	189
최홍제	서울청	155	판현미	마포서	189	하승민	국세상담	136	한겐희	동울산서	468
최홍신	국세청	125	팽동준	중부청	233	하승민	부산청	448	한겨레	전주서	401
최홍열	대전청	328	편나래	성동서	199	하승민	수영서	462	한경영	평택서	264
최환규	서대문서	194	편대수	중부청	232	하승범	대구서	410	한경석	용산서	210
최환석	보령서	342	편무창	국세청	124	하승완	기재부	80	한경선	국세청	125
최환선	광주청	369	편지현	강서서	170	하승용	기재부	91	한경수	대전청	331
최회윤	동고양서	309	편혜란	동래서	452	하승훈	성동서	199	한경진	조세재정	515
최효범	예일세무	49	표규열	관악서	173	하승훈	부산서	442	한경태	안양서	259
최효선	도봉서	182	표다운	용산서	210	하승희	양산서	479	한경진	동대구청	415
최효성	김앤장	55	표동삼	경기광주	253	하신행	대전서	330	한경호	중부지방	33
최효순	울산서	470	표삼미	인천세관	499	하에스더	조세재정	515	한경화	구로서	175
최효영	종로서	216	표석진	서울청	145	하영미	진주서	481	한경화	동화성서	266
최효임	광주청	373	표선임	중부청	227	하영우	진주서	480	한광우	세종서	346
최효임	경기광주	252	표성진	강남서	166	하예진	이천서	262	한광인	중부청	229
최효진	강서서	171	표우중	시흥서	251	하예진	북대구서	416	한광일	잠실서	215
최효진	반포서	191	표윤미	강서서	171	하용홍	남부서	250	한광일	서울청	154
최효진	구리서	235	표정범	동대문서	185	하원경	부산청	443	한구	금감원	96
최훈	해남서	390	표정범	강서서	170	하유정	중부청	228	한구환	청주서	363
최훈균	인천세관	499	표지숙	서울청	153	하유정	대전청	328	한권수	나주서	383
최휴철	충주서	364	표진숙	구로서	174	하유정	부산세관	501	한규리	익산서	398
최홍길	경산서	422	풍안섭	송파서	202	하유정	부산세관	502	한규영	순천서	387
최홍배	세무다우	42	피상철	부산세관	502	하윤경	송파서	203	한규원	삼일회계	18
최희경	파주서	320	피연지	김포서	307	하윤정	계양서	301	한규원	경주서	424
최희경	부산청	443				하은미	진주서	481	한규종	북광주서	379
최희재	북전주서	396	**ㅎ**			하은지	종로서	216	한규진	성남서	246
최희정	서울청	161				하은지	해남서	390	한그루	시흥서	251
최희주	기재부	78	하경숙	서대구서	418	하은혜	국세청	123	한근자	평택서	265
최희진	기재부	90	하경아	북광주서	379	하이레	통영서	485	한금순	동대문서	184
추경진	순천서	387	하경종	수원서	249	하인선	울산서	470	한금룡	대전청	330
추경호	기재부	73				하인수	상공회의	109	한기석	화성서	269
추교석	서초서	197				하재현	국세청	482	한기준	국세청	128
추교진	법무바른	1				하정권	서울청	147	한기청	여수서	389
추근식	북광주서	379				하정란	서부산서	461	한길수	국회정무	67
추근우	원주서	279				하정민	중랑서	219	한길완	군산서	393
추다솔	잠실서	215				하정민	의정부서	247	한길택	의정부서	319
추명운	국세청	125				하정숙	공주서	338	한나라	광주청	368
추문갑	중기회	110				하정영	천안서	352	한나라	지방재정	513
추민성	북대구서	417				하정우	대전청	331	한나영	서울청	147
한누리	삼성서	192									
한누리	논산서	340									
한다슨	안산서	255									
한다정	광주청	368									
한대섭	북부산서	459									
한대희	용인서	260									
한대희	고시회	30									
한덕우	김포서	306									
한덕윤	남대문서	179									
한도순	대전청	328									
한도현	용산서	210									
한도호	남원서	395									
한동규	세종서	346									
한동석	광산서	375									
한동숙	조세재정	516									
한동엽	기재부	74									
한동욱	정진세림	27									
한동환	북광주서	378									
한동훈	기흥서	236									
한동훈	부산청	442									
한동희	세종서	347									
한란	대전청	327									
한만수	김앤장	55									
한만훈	안양서	258									
한면기	동래서	453									
한명민	서초서	197									
한명숙	마포서	188									
한명진	통영서	484									
한명철	아산서	348									
한무현	고양서	303									
한문식	의정부서	319									
한미경	반포서	191									
한미연	제천서	360									
한미영	국세청	117									
한미자	중부청	224									
한미현	양천서	205									
한민구	수원서	249									
한민수	국세상담	137									
한민수	기흥서	236									
한민우	시흥서	251									
한민지	서울청	147									
한민희	동울산서	468									
한범희	중부청	232									
한병도	국회재정	64									
한보경	금천서	176									
한봉수	구리서	234									
한비룡	기흥서	236									
한상금	서광주서	380									
한상명	제주서	486									
한상민	서울청	152									
한상민	성북서	201									
한상범	중부서	221									
한상민	시흥서	250									
한상수	안산서	255									
한상수	부산청	442									
한상영	법무바른	1									
한상용	용인서	261									
한상영	목포서	384									
한상영	국세청	123									
한상윤	화성서	268									
한상익	김앤장	55									
한상철	인천청	287									
한상철	남대문서	178									
한상준	북광주서	379									
한상현	중부서	229									
한상현	평택서	265									
한상훈	관악서	172									
한상훈	공주서	338									
한상훈	군산서	392									
한상희	서울청	160									
한상희	고시회	30									
한서연	평택서	264									
한서희	서산서	345									
한석복	울산서	471									
한석영	서초서	197									
한석윤	영등포서	209									
한석진	서대문서	195									
한선배	기재부	82									
한선화	제천서	361									
한성경	삼일회계	18									
한성근	분당서	244									
한성민	국세상담	137									
한성삼	김해서	474									
한성일	동작서	186									

이름	소속	번호
한성일	서현이현	7
한성호	강릉서	270
한성호	동고양서	309
한성희	정읍서	402
한세영	국세청	119
한세영	파주서	321
한세온	국세청	122
한세훈	연수서	317
한세희	금천서	176
한소라	관악서	173
한소백	은평서	212
한소연	국세청	122
한소영	조세재정	516
한소은	북전주서	396
한송이	북대전서	335
한송이	북광주서	378
한송이	목포서	385
한송희	남부천서	311
한송희	공주서	339
한수경	북전주서	396
한수덕	아산서	348
한수덕	지방재정	510
한수민	동안양서	242
한수연	성동서	199
한수영	북대전서	334
한수은	국세청	125
한수이	대전청	326
한수정	성동서	199
한수정	용인서	261
한수지	인천서	291
한수진	동청주서	356
한수철	동안양서	243
한수현	서울청	142
한수현	서대문서	164
한수현	서대문서	194
한수현	동수원서	240
한수현	분당서	244
한수현	동안산서	257
한수현	속초서	275
한수현	목포서	384
한숙란	대전청	327
한숙향	영등포서	208
한숙희	정읍서	403
한순국	경산서	422
한순규	서초서	197
한순근	안산서	255
한승구	계양서	300
한승만	서울청	162
한승민	부평서	314
한승범	의정부서	318
한승수	관악서	173
한승아	동대문서	184
한승완	중부서	221
한승우	동안양서	243
한승욱	반포서	190
한승일	예일세무	49
한승철	중부청	230
한승협	고양서	302
한승희	북대전서	335
한시윤	울산서	471
한아름	국세청	124
한아름	서울청	149
한아름	동안산서	257
한여름	안양서	258
한연근	서인천서	296
한연식	광주서	376
한연옥	기재부	86
한연주	인천청	288
한연지	기재부	79
한영규	잠실서	214
한영섭	중랑서	218
한영수	동수원서	240
한영수	해남서	390
한영임	화성서	268
한영준	포천서	322
한예린	기재부	85
한예슬	구로서	174
한예슬	강남서	167
한예환	송파서	203
한완상	인천청	292
한용	아산서	348
한용균	조세재정	516
한용석	안산서	254
한용우	대구세관	505
한용우	대구세관	506
한용희	순천서	386
한우영	중부지방	33
한원교	법무율촌	58
한원석	종로서	217
한원식	삼정회계	20
한원식	삼정회계	21
한원윤	익산서	399
한원주	대전청	331
한원찬	남동서	294
한유경	서울청	143
한유미	조세재정	516
한유정	중부서	232
한유진	역삼서	206
한유진	광명서	304
한윤정	국세청	116
한윤숙	남대문서	179
한윤숙	동작서	187
한윤주	영등포서	209
한윤주	익산서	398
한윤주	부산청	449
한윤희	화성서	268
한윤희	서광주서	381
한은미	부천서	312
한은미	조세재정	516
한은섭	삼정회계	20
한은숙	북부산서	458
한은우	화성서	269
한은정	삼성서	193
한은정	수원서	248
한은정	서광주서	380
한은주	여수서	388
한은주	서울청	157
한은표	국세교육	138
한이수	종로서	217
한인수	충주서	365
한인정	서인천서	296
한일표	인천서	299
한일용	해남서	390
한임철	거창서	473
한장미	강남서	166
한장우	남대문서	179
한장혁	서울청	144
한재령	북전주서	397
한재민	홍천서	282
한재상	서산서	345
한재수	기재부	88
한재식	구로서	175
한재영	동대문서	184
한재영	인천청	286
한재영	부산강서	457
한재용	기재부	76
한재일	영등포서	209
한재진	대구청	406
한재혁	금감원	102
한재현	부산청	441
한재현	부산청	443
한재현	부산청	444
한재현	부산청	445
한재형	마포서	189
한정관	광주서	376
한정규	광주청	373
한정덕	성동서	198
한정미	국세청	125
한정민	북대전서	334
한정민	양산서	478
한정수	강남서	167
한정식	남대문서	181
한정아	금천서	177
한정연	기재부	83
한정예	김해서	475
한정엽	남원서	395
한정탁	삼일회계	19
한정필	천안서	352
한정현	동작서	186
한정호	분당서	244
한정호	의정부서	318
한정홍	울산서	471
한정환	수성서	421
한정희	서울청	161
한정희	서울청	165
한정희	동청주서	356
한정희	북부산서	459
한정희	지방재정	511
한제희	서울청	149
한종건	지방재정	513
한종관	포항서	439
한종문	국세청	114
한종범	서초서	197
한종엽	삼일회계	19
한종우	분당서	244
한종창	김해서	474
한종태	대전청	326
한종환	서대문서	195
한종훈	중부청	226
한종훈	원주서	278
한주성	서울청	148
한주성	아산서	348
한주성	목포서	384
한주연	국세상담	137
한주진	금천서	177
한주형	전주서	401
한주호	서현이현	7
한주희	기재부	87
한주희	중부청	226
한주희	충주서	365
한준혁	부산진서	454
한준희	울산서	471
한지민	삼성서	192
한지성	지방재정	511
한지숙	동대문서	185
한지연	인천청	288
한지영	서대문서	195
한지영	세무하나	47
한지예	삼일회계	18
한지용	충주서	365
한지우	고시회	30
한지운	서초서	197
한지웅	국세청	124
한지원	금천서	176
한지원	서대문서	194
한지원	인천서	298
한지윤	관악서	172
한지혁	지방재정	510
한지현	기재부	84
한지현	여수서	388
한지현	강동서	168
한지혜	창원서	482
한지호	순천서	386
한진영	국회정무	67
한진규	김포서	307
한진선	시흥서	250
한진아	중부청	232
한진옥	남대문서	180
한진혁	서울청	155
한창경	인천청	290
한창균	광산서	375
한창령	관세청	490
한창림	국세상담	136
한창우	부산청	444
한창우	중랑서	218
한채모	대구청	407
한채윤	광주청	371
한철희	김포서	306
한청규	부산서	442
한초롱	광산서	374
한충열	서울청	142
한치흠	지방재정	511
한헌춘	세무사회	29
한현	지방재정	510
한현국	부산서	448
한현숙	삼성서	192
한혜경	안산서	254
한혜린	조세재정	515
한혜린	송파서	203
한혜선	중부청	224
한혜성	강남서	167
한혜숙	울산서	471
한혜영	양천서	205
한혜영	원주서	278
한혜영	포항서	438
한혜진	인천청	290
한호성	삼일회계	19
한홍규	금감원	106
한홍석	딜로이트	15
한효경	청주서	363
한효숙	중부청	228
한희석	부산청	445
한희숙	동화성서	266
한희윤	안양서	259
한희자	경기광주	253
한희정	의정부서	319
한광수	부천서	313
한광주	영등포서	209
한귀옥	속초서	275
한다운	성남서	247
한다정	성동서	199
함두화	마포서	189
함명자	동화성서	267
함미란	인천청	289
함미란	아산서	349
함민규	부천서	233
함상봉	국세상담	137
함상현	포천서	323
함석광	관악서	172
함송희	계양서	300
함수민	김해서	474
함연의	남대문서	180
함영록	삼척서	272
함영은	의정부서	319
함예원	예일회계	24
함용숙	수원서	249
함용일	금감원	95
함용일	금감원	101
함윤선	시흥서	250
함은정	경기광주	252
함인한	삼척서	272
함지영	잠실서	214
함지훈	중랑서	218
함태진	중랑서	126
함태희	화성서	269
함효재	경기광주	253
함희원	중랑서	427
허경란	전주서	401
허경선	조세재정	515
허경선	조세재정	515
허경숙	광주서	376
허곤	국세교육	138
허광나	계양서	300
허광녕	이천서	262
허광욱	지방재정	513
허규석	울산서	470
허규진	동대구서	415
허금희	통영서	484
허기우	중부지방	33
허남구	서울청	154
허남승	국세청	133
허남주	보령서	342
허남현	동화성서	443
허덕무	인천지방	34
허덕재	속초서	275
허우영	금감원	261
허명화	동울산서	468
허문옥	정읍서	402
허문정	서울청	164
허미나	여수서	388
허미영	역삼서	207
허미혜	조세재정	515
허민영	조세재정	516
허민주	이천서	262
허병덕	평택서	264
허비은	서울청	145
허상엽	동수원서	241
허석룡	수원서	249
허선	국세청	114
허선덕	북광주서	379
허성근	김포서	306
허성근	은평서	213
허성민	대전청	330
허성용	기재부	85
허성은	구미서	427
허성은	창원서	483
허성준	중부산서	465
허성혁	서대구서	418
허성훈	분당서	245
허세욱	남부천서	311
허소영	포항서	438
허소이	강서서	171
허수범	국세청	126
허수정	부산청	445
허수진	기재부	82
허수진	중랑서	218
허숙영	청주서	363
허순남	국회재정	63
허순미	동래서	452
허승	구리서	235
허승열	충주서	364
허승호	포천서	323
허신걸	세무하나	47
허양원	중부청	229
허영락	기재부	74
허영렬	성남서	247
허영섭	중부청	225
허영수	부산청	447
허용	중부청	229
허원갑	서산서	344
허원석	금천서	176
허유경	군산서	393
허유나	인천청	287
허유미	북부산서	459
허유정	창원서	483
허윤봉	전주서	401
허윤영	제주서	486
허윤영	조세재정	514
허윤제	삼일회계	18
허윤진	부산청	445
허윤형	동래서	453
허은석	남대문서	181
허은성	동고양서	309
허은정	지방재정	511
허인규	부천서	312
허인범	국세청	130
허인영	국세청	122
허인옥	국세교육	138
허일한	북대전서	334
허장	잠실서	214
허장범	기재부	79
허재	홈앤사옥	45
허재연	서울청	158
허재영	인천청	292
허재혁	예산서	350
허재혁	서부산서	461
허재훈	대구청	409
허정	지방재정	510
허정무	중부청	230
허정미	원주서	279
허정미	구미서	427
허정성	익산서	399
허정윤	남대문서	179
허정인	부평서	315
허정태	기재부	78
허정필	대전청	326
허정희	성동서	199
허종	양산서	478
허종구	양산서	478
허종주	부산청	444
허준	평택서	264
허준영	국세청	121
허준영	부산진서	454
허준영	김해서	475
허준용	인천청	292
허준원	서울청	145
허존오	창원서	483
허지상	부산세관	501
허지상	부산세관	503
허지언	대전서	333
허지연	강동서	169
허지연	반포서	190
허지영	인천서	299
허지영	통영서	484
허지원	성남서	246
허지은	수원서	248
허지은	송파서	202
허지혜	대전청	330
허지혜	해남서	390
허지희	강남서	166
허진	기재부	75
허진	역삼서	207
허진	강릉서	270
허진성	군산서	392
허진수	성북서	200
허진웅	수영서	462
허진주	경기광주	252
허진철	금감원	104
허진혁	구리서	235

이름	소속	쪽	이름	소속	쪽	이름	소속	쪽	이름	소속	쪽	이름	소속	쪽
허진혁	고양서	303	홍고은	창원서	483	홍성민	강남서	167	홍유민	인천서	299	홍현식	감사원	70
허진호	통영서	484	홍관의	강남서	341	홍성민	강남서	167	홍유종	서울청	162	홍현아	기재부	79
허진화	관악서	172	홍광표	성북서	201	홍성수	동래서	452	홍윤기	전주서	401	홍현지	정읍서	402
허창식	중부지방	33	홍광표	기재부	79	홍성수	천안서	352	홍윤석	마포서	188	홍형주	고양서	303
허천일	충주서	364	홍국희	양천서	204	홍성옥	제주서	487	홍윤선	평택서	264	홍혜령	대전서	332
허천회	서울청	143	홍규선	역삼서	207	홍성옥	역삼서	206	홍윤종	부산청	447	홍혜연	의정부서	319
허준도	통영서	485	홍근배	중부청	228	홍성우	북대구서	416	홍윤진	조세재정	516	홍혜인	국세청	114
허충회	보령서	342	홍근표	부천서	312	홍성우	지방재정	510	홍은기	동작서	187	홍혜진	남대문서	179
허치환	진주서	480	홍근화	국세청	117	홍성일	서울청	161	홍은아	영등포서	209	홍효숙	성동서	199
허태구	동래서	452	홍기남	원주서	279	홍성자	대전청	331	홍은영	여수서	389	홍후진	춘천서	281
허태욱	강서서	171	홍기범	춘천서	280	홍성준	서울청	142	홍은정	천안서	352	황경미	광산서	374
허혁	기재부	82	홍기철	전주서	401	홍성천	인천청	286	홍은지	연수서	316	황경서	남동서	294
허현	북전주서	396	홍기선	종로서	216	홍성천	잠실서	215	홍은지	북대구서	417	황경숙	서인천서	296
허현	제주서	486	홍기성	김해서	475	홍성철	지방재정	510	홍은혜	부산청	444	황경애	광주청	370
허현정	기재부	88	홍기호	중부서	364	홍성표	화성서	268	홍은화	서대전서	336	황경애	대전청	329
허현정	북대구서	417	홍기철	중부지방	33	홍성표	순천서	387	홍인수	중부지방	33	황경임	기재부	80
허현정	조세재정	514	홍나경	서울청	150	홍성한	서울청	147	홍인영	기재부	90	황경정	서초서	196
허형철	중부서	220	홍다영	영등포서	208	홍성혜	서울청	146	홍인표	서초서	197	황경호	동울산서	469
허혜정	국세상담	136	홍다원	수원서	248	홍성훈	구리서	235	홍자은	지방재정	510	황경희	양천서	205
허환	서대구서	418	홍다임	관악서	172	홍성희	익산서	398	홍장원	수원서	248	황계순	이천서	262
현경	광주서	376	홍단기	기재부	86	홍성희	강동서	168	홍장희	딜로이트	15	황광선	남부천서	311
현경민	부산청	446	홍대근	용산서	210	홍성희	서산서	344	홍재옥	홍천서	282	황광식	서울청	157
현경석	진주서	481	홍대근	세토은	39	홍성희	조세재정	514	홍정기	반포서	191	황교순	여수서	389
현경자	국세교육	138	홍덕일	논산서	340	홍성희	조세재정	514	홍정기	광주청	368	황규봉	김포서	307
현경훈	부산청	442	홍덕희	서울청	144	홍세민	포천서	323	홍정미	부산강서	456	황규석	평택서	264
현근수	양천서	204	홍도현	마산서	477	홍세민	국세청	133	홍정민	반포서	191	황규태	북대전서	335
현기수	지방재정	513	홍도희	세무사회	29	홍세연	중부청	225	홍정민	중랑서	218	황규현	통영서	484
현덕진	동안양서	242	홍동기	기재부	89	홍세희	부평서	314	홍정수	파주서	320	황규형	서울청	144
현명기	서현이현	7	홍동훈	논산서	340	홍세희	인천청	290	홍정수	거창서	473	황기오	서초서	196
현명진	관세청	490	홍두선	남대구서	412	홍소영	반포서	190	홍정연	강남서	166	황길하	기흥서	237
현미선	중부청	231	홍두선	기재부	77	홍수경	동안산서	257	홍정은	구리서	235	황나경	기흥서	236
현미정	국세상담	136	홍라겸	기재부	78	홍수림	광산서	374	홍정의	서울청	148	황나래	울산서	471
현민웅	인천청	288	홍명우	안동서	432	홍수민	동대구서	414	홍정자	금정서	450	황남돈	대전청	327
현병연	중부청	233	홍명자	공주서	339	홍수영	동래서	453	홍정표	금천서	177	황남욱	대전청	325
현보람	인천청	289	홍명하	서울청	149	홍수영	송파서	203	홍정희	서부산서	461	황다검	대전청	329
현상필	국세청	126	홍문기	제주서	486	홍수옥	마포서	188	홍제옥	용인서	260	황다검	남대문서	180
현석	현석세무	160	홍문선	봉화서	183	홍수옥	제주서	486	홍종복	구로서	174	황다영	남대구서	412
현석	현석세무	207	홍문희	국세청	128	홍수정	금융위	93	홍주연	기재부	79	황다혜	포천서	323
현선영	계양서	301	홍미라	기흥서	236	홍수지	의정부서	318	홍주연	중부청	229	황대근	서초서	197
현소정	서초서	197	홍미숙	안동서	146	홍수현	남대문서	181	홍주현	강동서	168	황대림	국세청	124
현승우	지방재정	511	홍미숙	동대문서	185	홍순영	김포서	307	홍주희	중부청	232	황도곤	삼도세무	151
현승철	영등포서	209	홍미옥	여수서	388	홍순진	충주서	365	홍준경	인천청	288	황도곤	삼도세무	153
현애자	국세교육	138	홍민기	남대문서	181	홍순태	인천서	298	홍준만	기흥서	236	황도곤	삼도세무	160
현양미	김포서	307	홍민기	서울청	151	홍순호	이천서	263	홍준영	국세청	124	황도곤	삼도세무	193
현완교	감사원	69	홍민기	성동서	199	홍승균	기재부	84	홍준영	삼도세무	126	황동수	서울청	144
현우정	삼성서	193	홍민아	김천서	429	홍승모	삼정회계	20	홍준오	인천세관	499	황동욱	나주서	382
현우창	경주서	424	홍민정	마산서	476	홍승모	삼정회계	22	홍준혁	포항서	439	황동일	창원서	483
현원석	기재부	75	홍민정	삼정회계	22	홍승범	서울청	151	홍중준	서부산서	461	황동형	중부청	229
현유진	서인천서	297	홍민정	삼정회계	22	홍승연	지방재정	513	홍지민	화성서	269	황두돈	국세청	126
현은식	양산서	478	홍민희	부산청	448	홍승영	강릉서	271	홍지석	중부서	220	황두현	광주청	371
현은영	중부청	229	홍민표	부산청	444	홍승표	구로서	174	홍지성	성동서	199	황명희	기재부	74
현재민	종로서	217	홍범교	조세재정	514	홍승현	동래서	453	홍지아	남동서	295	황명희	서초서	197
현정아	국세청	129	홍범리	조세재정	514	홍승환	삼일회계	19	홍지안	김포서	307	황우언	경산서	422
현정용	국세교육	138	홍범식	반포서	191	홍시윤	남대문서	179	홍지연	서울청	150	황미경	서울청	147
현종원	인천서	299	홍병진	조세재정	514	홍아름	남부천서	310	홍지영	창원서	482	황미경	대전청	326
현주호	천안서	352	홍보희	화성서	268	홍에스더	기재부	85	홍지우	중부청	233	황미경	부산청	446
현지용	조세재정	516	홍삼기	지방재정	510	홍여주	구로서	175	홍지은	용인서	261	황미영	조세재정	514
현지훈	금정서	450	홍상기	남대문서	181	홍연서	기재부	86	홍지혜	금천서	176	황미영	중부서	220
현지희	동작서	187	홍상우	기재부	332	홍연희	서광주서	380	홍지혜	파주서	321	황미영	부천서	312
허진희	잠실서	215	홍새로미	분당서	245	홍영균	구로서	175	홍지화	남대문서	181	황미정	상공회의	108
현창훈	서울청	150	홍서연	동안양서	242	홍영남	제주서	486	홍지흔	서울청	163	황미정	진주서	480
현하영	조세재정	514	홍서윤	군산서	393	홍영남	남부천서	310	홍진국	서울청	154	황미향	도봉서	182
현하영	조세재정	515	홍서진	고양서	303	홍영선	성동서	199	홍진기	송파서	202	황미화	동청주서	357
현혜은	영등포서	209	홍서진	조세재정	516	홍영숙	역삼서	206	홍진영	세종서	346	황민	구리서	234
현희성	딜로이트	15	홍석린	금감원	99	홍영숙	국세청	131	홍진주	경산서	422	황민정	반포서	190
형광현	지방재정	511	홍석우	동청주서	357	홍영실	도봉서	182	홍차령	남대문서	184	황민기	부산청	445
형비오	삼척서	273	홍석원	홍천서	282	홍영임	서부산서	461	홍찬비	용산서	210	황민철	역삼서	206
형서우	북부산서	459	홍석의	삼척서	273	홍영조	인천청	292	홍창기	삼일회계	18	황민호	국세청	129
형성우	서울청	165	홍석일	인천지방	72	홍영준	순천서	386	홍창표	서대전서	336	황민호	마산서	477
형신애	광주서	376	홍석주	울산서	470	홍영준	삼정회계	22	홍창화	마포서	189	황민희	계양서	301
형유경	영등포서	209	홍석찬	기재부	84	홍영표	국회재정	64	홍창환	천안서	352	황병광	남양주서	238
홍가람	기재부	84	홍석현	부산세관	502	홍예령	서인천서	296	홍철수	중부청	232	황병권	강서서	170
홍강표	중부청	228	홍석희	인천서	298	홍완표	정읍서	402	홍충	예산서	351	황병규	중랑서	219
홍강훈	중부서	220	홍선아	서울청	150	홍요섭	강릉서	271	홍태선	삼정회계	20	황병록	포항서	439
홍경	평택서	264	홍선영	구리서	234	홍용기	조세재정	514	홍필성	남양주서	239	황병석	성동서	198
홍경란	서대구서	419	홍성걸	인천청	289	홍용길	서광주서	380	홍하진	삼정회계	20	황병준	군산서	393
홍경숙	마산서	477	홍성구	관세청	491	홍용석	서울청	152	홍학봉	강릉서	270	황보경	조세재정	515
홍경옥	관악서	210	홍성국	국회재정	64	홍용우	서울청	199	홍해라	광산서	375	황보승	용인서	261
홍경원	강남서	166	홍성권	동안양서	256	홍운기	감사원	71	홍혁기	은평서	212	황보람	원주서	279
홍경은	중부산서	465	홍성권	지방재정	510	홍원의	창원서	483	홍혁준	기재부	82	황보영곤	반포서	191
홍경일	안양서	258	홍성기	인천서	298	홍원필	도봉서	182	홍현기	안산서	254	황보영미	서울청	160
홍경표	아산서	349	홍성도	진주서	480	홍유남	조세재정	514	홍현승	종로서	216	황보용	경산서	422
홍경헌	잠실서	214	홍성도	홍성서	354							황보정여	대구청	410
홍경희	동안양서	243	홍성모	감사원	71									
홍계숙	천안서	352	홍성미	서울청	152									

이름	소속	쪽
황보주경	서울청	146
황보주연	동안양서	243
황보현	서울청	147
황상욱	반포서	191
황상인	반포서	191
황상준	영주서	437
황상진	중부청	225
황상진	북부산서	458
황서진	송파서	203
황서하	강남서	167
황석규	대전청	329
황석채	기재부	75
황석현	안산서	255
황석현	대구청	407
황선우	삼성서	192
황선우	서광주서	380
황선웅	고시회	30
황선유	청주서	362
황선익	동대문서	184
황선정	북대구서	416
황선주	김해서	475
황선진	고양서	303
황선진	해남서	390
황선태	남부천서	310
황선태	여수서	388
황선혜	용산서	210
황선화	서울청	148
황선화	삼성서	193
황선화	인천서	298
황성룡	중부서	221
황성만	대구청	407
황성업	창원서	482
황성연	동안양서	243
황성원	국세상담	137
황성윤	삼성서	192
황성일	지방재정	511
황성진	경산서	423
황성택	창원서	483
황성필	서울청	151
황성혜	지방재정	512
황성훈	서울청	142
황성희	기재부	88
황성희	수원서	248
황성희	홍성서	354
황성희	대구청	411
황세연	세무다우	42
황세웅	기흥서	236
황소원	대전서	332
황소은	서초서	196
황송이	금천서	177
황수민	북대전서	334
황수영	마산서	476
황수인	김포서	306
황수진	삼성서	192
황수진	서대구서	418
황숙자	순천서	386
황순관	기재부	80
황순금	대전서	332
황순민	부산청	445
황순영	중부서	221
황순영	중부청	227
황순우	부천서	313
황순이	관악서	173
황순진	중부청	232
황순하	서울청	143
황순하	대전서	332
황순호	반포서	191
황순희	동대문서	184
황승기	금감원	105
황승진	여수서	388
황승현	중부산서	464
황승화	서부산서	460
황시연	삼성서	193
황시윤	남양주서	239
황신영	중부청	225
황신원	중랑서	218
황신현	기재부	77
황아름	서초서	197
황아름	성동서	199
황연성	파주서	321
황연실	서울청	149
황연주	천안서	353
황연희	서초서	197
황영	양산서	478
황영규	서울청	160

이름	소속	쪽
황영길	기재부	77
황영남	서울청	145
황영삼	파주서	320
황영숙	서대전서	336
황영숙	상주서	430
황영순	중부지방	33
황영철	인천세관	499
황영표	북전주서	396
황영희	중부청	232
황요섭	안양서	259
황용섭	양천서	204
황용연	남양주서	238
황용연	평택서	264
황용택	중부청	232
황우오	평택서	264
황운정	기재부	80
황운하	국회정무	68
황웅재	강동서	168
황유성	서울청	144
황유솔	고양서	302
황유숙	영등포서	209
황유진	화성서	268
황윤섭	서울청	162
황윤숙	동작서	186
황윤숙	은평서	212
황윤식	구미서	426
황윤영	서인천서	296
황윤재	연수서	316
황윤정	남대문서	180
황윤주	인천세관	498
황윤진	논산서	340
황은미	서울청	163
황은서	충주서	365
황은아	남대구서	412
황은영	서초서	197
황은영	서대구서	419
황은영	북부산서	459
황은옥	강남서	166
황은주	기재부	74
황은주	성동서	199
황은희	파주서	320
황은희	제천서	360
황인범	중부청	227
황인산	지방재정	510
황인성	고양서	302
황인아	서울청	148
황인웅	기재부	82
황인자	아산서	349
황인주	남대문서	179
황인준	부평서	314
황인철	광주청	368
황인태	남부천서	311
황인하	중부청	225
황인혜	국세상담	137
황인화	서울청	163
황인환	기재부	81
황인환	의정부서	318
황일섭	홍천서	282
황일성	북대구서	417
황장순	마포서	188
황재만	속초서	275
황재목	중기회	110
황재민	서울청	150
황재민	부산청	448
황재선	계양서	300
황재섭	북대구서	417
황재승	부평서	314
황재연	서울청	144
황재원	삼성서	193
황재인	분당서	244
황재중	동청주서	357
황재호	지방재정	512
황재호	중부지방	33
황정길	서초서	196
황정만	국세청	119
황정미	서울청	160
황정미	도봉서	183
황정미	중부청	232
황정민	부산청	442
황정선	마포서	189
황정욱	국세교육	138
황정태	중부청	228
황정하	인천청	291
황정현	광주서	377
황정화	종로서	217

이름	소속	쪽
황정훈	지방재정	512
황제헌	성동서	199
황종규	부산세관	501
황종규	부산세관	503
황종하	서인천서	296
황종하	동래서	453
황주미	대구청	408
황주성	분당서	245
황주연	역삼서	206
황주영	관세사회	51
황주현	중부서	220
황준석	청주서	362
황준성	강동서	168
황준순	서대구서	419
황지선	나주서	383
황지성	대구청	409
황지아	국세청	120
황지언	창원서	482
황지연	경기광주	252
황지연	대전서	333
황지영	기재부	90
황지영	남대문서	179
황지영	구리서	235
황지영	경산서	422
황지영	해운대서	467
황지영	울산서	471
황지영	서울청	150
황지원	동울산서	468
황지유	평택서	264
황지은	기재부	83
황지은	구로서	175
황지은	대전청	329
황지현	기재부	83
황지현	성북서	201
황지혜	서울청	155
황지혜	파주서	321
황지혜	울산서	471
황지환	의정부서	318
황진구	아산서	349
황진영	인천청	289
황진하	마포서	188
황진희	부산진서	454
황찬근	서울청	142
황찬연	잠실서	214
황찬연	김앤장	55
황찬옥	잠실서	215
황창연	서울청	150
황창혁	인천서	298
황창훈	서울청	158
황철환	기재부	82
황치운	국세청	118
황태건	도봉서	182
황태문	성동서	199
황태석	서울청	144
황태연	용산서	211
황태영	인천서	298
황태훈	기재부	77
황태훈	속초서	275
황태희	남동서	294
황판희	지방재정	511
황하나	서울청	148
황하늘	국세청	114
황하느	용산서	211
황한나	남양주서	238
황한수	김포서	306
황해식	감사원	70
황현	기재부	78
황현	군산서	392
황현서	서울청	162
황현석	제주서	487
황현섭	서초서	196
황현순	대전서	333
황현주	성동서	198
황현주	군산서	393
황현주	시흥서	250
황혜경	창원서	482
황혜란	성북서	200
황혜미	용인서	260
황혜윤	국세상담	136
황혜정	기재부	76
황혜정	서울청	152
황혜정	금천서	176
황혜조	서초서	197
황혜주	서초서	196
황혜진	지방재정	512

이름	소속	쪽
황호민	서초서	196
황호혁	군산서	392
황홍비	김해서	475
황화숙	김포서	307
황효경	성남서	247
황효동	삼도회계	17
황효숙	반포서	190
황후옥	대전청	327
황희곤	서울지방	32
황희상	서울청	165
황희진	서울청	164

A-z

이름	소속	쪽
Browell	삼일회계	18
Everett	법무율촌	58
Henry An	삼일회계	18
Kahng	김앤장	55
Oleson	딜로이트	15
Quigley	김앤장	55
Sung	김앤장	55

1등 조세회계 경제신문

조세일보

www.joseilbo.com

2023년 1월 19일 현재

2023 재무인명부

발　　행　2023년 1월 19일
발 행 인　황춘섭
발 행 처　조세일보(주)
주　　소　서울시 서초구 사임당로 32
전　　화　02-737-7004
팩　　스　02-737-7037
조 세 일 보　www.joseilbo.com
정　　가　25,000원
I S B N　978-89-98706-28-9